Cent mille provinciaux
au XVIIe siècle

PIERRE GOUBERT

CENT MILLE PROVINCIAUX AU XVIIe SIÈCLE

BEAUVAIS ET LE BEAUVAISIS
de 1600 à 1730

FLAMMARION

Le texte intégral de la thèse de Pierre GOUBERT a été publié par le Centre de Recherches Historiques, *(École Pratique des Hautes Études, VIe section)* sous le titre : " Beauvais et le Beauvaisis de 1600 à 1730, contribution à l'histoire sociale de la France du XVIIe " (Paris, S.E.V.P.E.N., 1960.)

A ERNEST LABROUSSE
toujours fidèlement

PRÉFACE

Le petit livre d'histoire que voici fut (à peu près) la première partie d'une thèse de doctorat ès lettres préparée entre 1944 et 1956 — sauf une brève interruption —, achevée en 1957, « soutenue » en 1958, imprimée en 1960. On a débarrassé cette première partie de tout son appareil scientifique, et on l'a soulagée de quelques développements érudits dont l'utilité n'éclatait pas, et que les érudits pourront justement retrouver dans les bibliothèques savantes, ainsi d'ailleurs que la seconde partie, beaucoup plus technique.

Ce livre, comme son auteur, a vieilli. A-t-il bien vieilli ?

Ce qui paraît assuré, c'est que la partie démographique, qui avait paru en son temps assez neuve, a pris de l'âge, et a été contestée. Contesté surtout, le fait qu'elle puisse « représenter » vraiment le cas majoritaire du XVIIe siècle français. Pour tout dire, on a trouvé ce Beauvaisis démographique un peu noir, sinon noirci. Je maintiens pourtant que la réalité m'est apparue telle qu'elle est décrite ici, et je rappelle que je n'ai jamais prétendu que le Beauvaisis puisse « représenter » autre chose que lui-même, et peut-être quelques régions voisines. D'autre part, il est certain que les travaux démographiques se sont multipliés depuis une douzaine d'années, que beaucoup sont excellents, et que nous savons aujourd'hui beaucoup plus de choses qu'en 1957.

Des polémiques assez vives, dont on ne peut décider si elles sont essentielles ou dérisoires (je pencherais pour le second terme), ont opposé les historiens quant à l'interprétation de la société française d'Ancien Régime. Fut-elle une société d'ordres, de castes, de classes, reposant sur l'estime, la fortune, la race, l'idéal, la place dans la production, ou je ne sais quoi encore ? Cette querelle d'étiquettes et d'idéologies ne m'a pas déterminé à changer un mot à la description sociale du Beauvaisis, rédigée avant 1958 : ainsi m'étaient apparus et m'apparaissent toujours, à travers les nombreux documents qu'ils ont laissés, et que j'ai lus avec application, les cent mille Beauvaisiens (ou Beauvaisins) qui ont donné leur nombre approximatif à ce nouveau titre.

La seconde partie, rapidement résumée à la fin de ce volume, a été remise en question. Il ne semble pas, en effet, que la « dépression » (la « phase B » de la terminologie Simiand) qui m'avait paru caractériser le Beauvaisis de 1630 ou 1650 jusqu'en 1730, soit née partout en même temps : dans le Midi, elle ne « démarra » pas avant 1660 ou 1670; et surtout, les signes de renouveau économique (notamment maritimes) furent, dès 1700, plus nombreux que je ne pensais naguère. L'Ouest atlantique et les zones méditerranéennes ont été moins touchés, et plus vite soulagés. Ces nécessaires corrections sont incontestables, et je m'y suis rallié dans un autre livre, paru en 1966.

Il ne m'appartient pas de dire si ce Beauvaisis a eu une postérité, j'entends une postérité historique. Mais il est réjouissant de voir se multiplier les travaux de qualité portant sur la société du XVIIe siècle, rurale ou urbaine, dans ses aspects les plus divers et souvent les plus neufs; et ce goût de ce qu'il faut bien appeler, sans modestie, le XVIIe siècle « profond », ne semble pas près de s'éteindre. Il est vrai que le XVIIe siècle est devenu un sujet d'actualité, — ce qui n'a pas toujours été le fait des historiens.

Pour éviter de nouvelles confusions, je crois pouvoir redire que ce ne fut pas l'amour du pays natal qui me voua au Beauvaisis : les hasards d'une nomination administrative m'y avaient jeté; d'autres facteurs m'y ont installé, et longtemps enraciné. J'ai voulu mieux comprendre ce « pays » complexe et sévère, et la recherche dont sortit ce livre fut acte de curiosité et d'attachement. J'ai voulu surtout connaître la vie réelle de tous les hommes à une époque donnée. J'ai peut-être éprouvé une tendresse particulière pour les petits paysans et les ouvriers misérables, mais je n'arrive pas à le regretter. En fin de compte, je n'ai rien eu d'essentiel à modifier à cette œuvre de tardive jeunesse. Elle se présente, aujourd'hui encore, comme le compte-rendu aussi fidèle que possible d'une exploration spontanée et chaleureuse. Hors de ces recherches délimitées, attentives et persévérantes, il n'est vraiment pas d'histoire qui vaille d'être tentée.

Paris, 1968.

INTRODUCTION

L'histoire « sociale » à laquelle prétend contribuer cette
étude régionale est bien plus un projet et une manière de
voir qu'une science solidement constituée, avec ses
objectifs, ses méthodes, voire son vocabulaire. Après
beaucoup d'autres, j'ai seulement éprouvé le désir et
presque le besoin de m'intéresser à tous les hommes, et
non pas seulement à ceux qui brillèrent par leur naissance,
par leur état, par leur fonction, par leur richesse ou par
leur intelligence. En une France d'abord paysanne, j'ai
essayé de connaître les paysans. En des villes où dominaient les « arts mechaniques » et la « vile populace »,
je n'ai pas voulu limiter mon enquête aux grands marchands et aux officiers, minorité souvent déterminante,
minorité tout de même. Je ne suis même pas certain
d'avoir donné aux « insectes humains » toute l'attention
qu'ils méritaient, toute la place à laquelle ils avaient
droit.

Cette enquête régionale s'est inscrite dans un cadre
chronologique très large : 130 années, qu'on a eu le
front d'appeler « XVIIᵉ siècle ». En réalité, c'est le
XVIIᵉ siècle même qui a constitué l'objet, le cœur de
l'enquête. Dans les limites volontairement vastes d'une
longue période, on en a cherché les mesures, les caractéristiques, les traits dominants, surtout économiques et
sociaux; la manière dont son originalité — s'il en eut
une — fut ressentie par les générations humaines qui
vécurent et moururent entre la Ligue et le « Système ».
Dans cette recherche tâtonnante, des disciplines bien
établies comme la démographie et l'histoire des fluctuations économiques ont apporté un grand secours; on a
essayé aussi, en mettant en œuvre ce qu'il y avait de plus
« compréhensif », de plus homogène et de plus continu
dans la documentation, de proposer d'autres démarches,

d'autres moyens de recherche. La date initiale de
l'enquête, ce « 1600 » qui est une date « ronde », exprime
seulement un refus de revenir sur la période si troublée
qui était close politiquement et religieusement depuis
1598, qui allait se terminer, du point de vue de l'histoire
monétaire et de celle des prix, en 1601 et 1602. La date
finale de 1730 est aussi une date « ronde ». Le matin
du 1ᵉʳ septembre 1715, dont la signification politique
est éclatante, ne termine rien dans les domaines qui nous
occupent ; sa signification économique est presque nulle,
sa signification monétaire l'est absolument. C'est en
1726 qu'ont été résolus — et avec talent — les problèmes
économiques, financiers, et surtout monétaires que la
France de Louis XIV avait légués au Régent. C'est en
1733 que commence la grande ascension conquérante
d'un « XVIIIᵉ siècle économique » dont il reste surtout à
connaître les détails. Il semble bien que ce fut plus tard
encore, peu après 1740, qu'apparurent avec une certaine
netteté les premiers traits d'une structure démographique nouvelle.

Large chronologiquement, cette enquête a été très
étroite géographiquement : un « pays », au centre duquel
des hasards administratifs m'avaient installé ; un trop
petit « pays », à l'échelle du vaste monde. Pourtant une
province passionnante, avec ses paysages contrastés,
soudés et unifiés par une vieille ville encore puissante ;
une province qui offre comme un raccourci de la France
d'entre Somme et Loire, avec ses campagnes céréalières,
ses horizons bocagers, ses vignobles de coteaux, ses
importantes manufactures textiles. Il a posé tant de
questions, ce coin de France de deux cents paroisses,
que je me demande, en achevant — pour ne plus être
tenté de m'y perdre délicieusement — ce compte-rendu
d'exploration, si ce Bailliage et cette Élection n'ont pas
constitué un terrain d'enquête beaucoup trop large.

Beaucoup trop large, pour cette première raison :
deux cents paroisses, peut-être cent mille Beauvaisins,
n'est-ce pas trop pour qui prétend s'intéresser à tous les
types d'hommes, à tous les groupes d'hommes, à toutes les
questions, à tous les problèmes même que pose leur seule
existence ? Favorisées par de riantes archives, quelques
monographies villageoises n'eussent-elles pas été préfé-
rables ? Une étude purement urbaine, approfondie
jusqu'au détail familial, n'aurait-elle pu occuper plus
utilement ces années de recherches ? Sans doute, si la

ville pouvait être connue et comprise sans la campagne, dont elle vivait, si la campagne pouvait être comprise et connue sans la ville à laquelle elle donnait tant, de laquelle elle recevait si peu... Quelques paroisses du Beauvaisis sans Beauvais, quelle insuffisance! Beauvais sans son plat pays, sans son cortège de moissons, de pâtures, de ceps, de taillis, de toiles et de serges rurales, de censitaires, de taillables, de débiteurs, de tisserands, de manouvriers, — quelle faute!

Trop large, le Beauvaisis, pour une seconde raison, d'ordre méthodique, qu'exprime assez bien l'histoire de ces recherches. Avec un enthousiasme de néophyte, j'ai voulu d'abord retrouver le reflet, le témoignage du XVIIe siècle « total » dans une province modeste. Tous les problèmes se sont alors posés ensemble : institutionnels, militaires, religieux, juridiques, et tant d'autres. Et chaque problème requérait un examen « au fond », une lecture énorme, un effort comparatif, un ensemble de compétences rarement réunies chez un historien, moins encore chez un débutant. Aussi a-t-il paru raisonnable, compte tenu de l'inégale conservation des sources, de l'inégal avancement des divers secteurs de la connaissance historique, et aussi de préférences personnelles, d'éliminer du centre de l'enquête un certain nombre de ces secteurs. L'institutionnel d'abord, ce qu'autorisaient la destruction des archives communales, la disparition des archives de subdélégation et d'intendance, le magma incohérent des fonds des juridictions locales. Le religieux ensuite, malgré la tentation de pénétrer l'austère jansénisme beauvaisien — si vivace —, parce que la formation du théologien et du canoniste nous manquait trop. L'étude morale et intellectuelle aussi, même celle des mentalités sociales, et avec quel regret, parce que les sources, une fois encore, interdisaient toute analyse sérieuse; peut-être aussi parce que Beauvais, trop proche de Paris, fut absorbée spirituellement par la grand-ville. On a fini par sacrifier encore l'étude des structures agraires, pourtant entreprises dans la ferveur durable que laissaient les leçons de Marc Bloch : elle aurait suffi à alimenter un travail original, bien centré, considérable par sa masse, qui aurait dû englober Picardie, Normandie et Ile-de-France, depuis les lointains gaulois jusqu'aux cadastres du XIXe siècle.

Finalement, le resserrement des objectifs méthodiques s'est ajouté à l'étroitesse du cadre géographique.

Et pourtant, l'on n'a jamais eu la sensation d'avoir épuisé les sources dormantes ; l'on n'a surtout pas la prétention de présenter ici une étude exhaustive. C'est dire qu'aucun travail d'histoire sociale ne paraît possible, du moins au XVIIe siècle, dans un cadre plus large que le « pays », ou le bailliage ; si l'on avait dépassé ces dimensions de recherche, on aurait succombé à l'impressionnisme du « petit fait » prétendu « typique », peut-être même à la rhétorique ou au tableau d'amateur.

A partir du Beauvaisis, à propos des Beauvaisins, un certain nombre de questions et de problèmes, souvent économiques, ont été posés. On osera dire que quelques-uns ont reçu l'apparence d'une solution, notamment celui des prix, dans le cadre adopté et d'après les sources retrouvées. Pour d'autres, bien plus nombreux, on a donné les éléments d'une réponse, ou de plusieurs. Beaucoup d'autres ont été simplement posés, sous une forme hypothétique, ou seulement interrogative, en des termes provisoires, parfois téméraires.

De ces échecs et de ces tentatives avortées, notre faiblesse est largement responsable ; parfois aussi, l'état même des sources : leur silence ou leur disparition, bien souvent ; mais aussi leur surabondance, leur luxuriance, et l'état d'abandon et d'indicible désordre dans lequel je les ai quelquefois trouvées. Les plus beaux fonds de l'Oise et l'océan des minutes notariales de la seule ville de Beauvais n'étaient, de 1944 à 1954, ni inventoriés, ni généralement répertoriés et, dans tous les cas, disposés au hasard sur les dizaines de rayons plus ou moins accessibles, et même en dehors de tout rayonnage, en des sites quasi clandestins. Dans ces minières bien préservées, j'ai essayé de trouver des pépites ; si j'en ai déterré quelques-unes, j'en ai certainement oublié beaucoup.

Vers la fin de ces recherches, j'ai compris que cette enquête beauvaisine m'avait surtout fourni une sorte de répertoire des questions qu'il serait souhaitable, qu'il aurait été souhaitable de traiter, dans un cadre plus large. Dans un souci de comparaison et d'extension, j'ai quitté mon terrain d'apprentissage et ma province de fouilles pour poser à d'autres provinces des questions plus précises. Le problème des prix m'a conduit en Beauce, en Brie, en Picardie, plus loin encore. Le problème « industriel » devait m'amener à Amiens. Les questions commerciales, vers les grands carrefours et les grands ports. Les questions démographiques, en de nombreuses paroisses françaises. Comparaisons et élargissements qu'il ne m'a pas paru déraisonnable d'introduire, en doses modestes, dans cette étude beauvaisine. Mais sans l'expérience beauvaisine, aurait-il été possible d'apercevoir l'intérêt humain des problèmes auxquels j'espère avoir le temps et la force de m'attacher désormais ? — celui de la société paysanne, celui de la société « textile » dans leur composition et, si possible, dans leur évolution ; — celui de la rente foncière et de la rente constituée, accru du passionnant problème de la mesure de l'endettement social ; — les embûches et les longs cheminements enfin de la démographie historique, à laquelle un destin malicieux tend à me consacrer.

Beauvais et Paris, 1944-1956.

NOTE SUR LES SOURCES

La bibliographie du sujet de cette étude est à la fois très vaste et très secondaire : les meilleurs livres même n'ont apporté que des points d'appui, des thèmes de réflexion, des informations utiles, des références de principe, des amorces de comparaisons. Ce « Beauvaisis » a été presque exclusivement écrit d'après les sources manuscrites, et la plupart étaient conservées à Beauvais.

Il me paraît utile d'exposer brièvement les quelques principes qui ont guidé mon travail sur les sources, qui fut d'abord un inventaire d'ensemble, ensuite et surtout une sélection; puis de dessiner les contours des grands fonds d'archives qui permettent une connaissance directe, approfondie, continue, si possible quantitative, de l'ensemble de la société beauvaisine à l'époque choisie.

Un premier principe — négatif — consiste en la volonté d'éliminer les sources « tardives ». Réaction contre la trop fréquente utilisation de documents se rapportant à la « veille » de la Révolution pour caractériser l'Ancien Régime tout entier, sans doute. Mais aussi, acte de foi initial, et position de départ; postulat même de l'existence d'un « XVIIe siècle » économique, démographique, social, qui présente des traits originaux, que ceux-ci correspondent ou non au découpage chronologique habituel. Dans quelques cas cependant, j'ai bien été obligé d'utiliser des documents postérieurs à 1730 : lorsque je n'avais trouvé rien d'équivalent pour la période antérieure, ou bien lorsqu'une source présentait un intérêt exceptionnel, dont la portée rétrospective pouvait être envisagée. Il en fut ainsi, par exemple, pour l'excellent dénombrement beauvaisien de 1764 et pour l'admirable série de plans par masses dont Bertier de Sauvigny dota, vers 1780, toutes les paroisses de l'Élection de Beauvais.

Un de mes grands soucis a été la recherche et l'attentive utilisation des documents de première main : ceux qui transmettent le reflet le plus direct et le moins déformé des anciens Beauvaisins. Documents généralement très modestes : registres paroissiaux, album du peuple beauvaisin entièrement catholique; inventaires, partages de successions, tutelles, foisonnante série d'instantanés successifs, souvent très détaillés, toujours irremplaçables; documents fiscaux, où chaque famille trouve sa place, sauf, parfois, les deux groupes d'exempts; juridiction gracieuse et abondantes procédures civiles d'humbles cours de justice, souvent seigneuriales, avec ces témoignages naïfs, ces expertises précises, souvent contradictoires, qui livrent le tableau le plus détaillé des diverses conditions populaires; dossiers de prêtres et dossiers de paroisses constitués par une administration épiscopale minutieuse, intelligente et ordonnée; étonnantes enquêtes « industrielles », effectuées sous l'attentive surveillance du juge de police; silve un peu décevante des minutes notariales, dans laquelle se dissimulent quelques belles essences... Dans tous ces cas, un seul intermédiaire — le curé, le greffier, le scribe, la comptable, le clerc — s'interposait entre les Beauvaisins et l'enquêteur; parfois, aucun intermédiaire... Hormis quelques exceptions, parfois capitales, c'est au fond des archives provinciales que j'ai trouvé les meilleurs éléments de l'histoire économique et sociale de cette province. Aux documents de première main, presque tous locaux, j'ai attribué une priorité absolue. Aux documents qui permettaient aussi un travail massif, portant sur des groupes nombreux et sur des périodes longues, j'ai accordé une attention qu'on peut juger excessive, puisqu'elle a parfois entraîné un relatif mépris pour des catégories de sources plus ordinairement alléguées, et de réputation en quelque sorte plus « noble ». Au demeurant, qu'on l'avoue ou non, toute étude historique sur la période moderne suppose un choix, non seulement du sujet et des objectifs, mais des sources, que personne n'a jamais exploitées ni même feuilletées ou découvertes dans leur totalité. Aussi ai-je choisi, parmi les sources, ce qui m'est apparu le meilleur pour la réalisation de mon dessein; délibérément, j'ai écarté presque tout le reste, notamment l'anecdotique et le « curieux ».

La recherche du document quantitatif, indispensable pour asseoir aussi solidement que possible une histoire qui veut être sociale, a constitué aussi l'un de mes objectifs; un objectif exclusif, certainement pas. Aux chiffres surabondants, sinon délirants, j'ai toujours préféré les chiffres critiqués, contrôlés, significatifs; les autres ont été éliminés; quelquefois, présentés avec les réserves les plus expresses. Les mercuriales (les plus sûrs de tous les documents chiffrés), les comptabilités hospitalières, conventuelles, capitulaires, les archives des juges de police ont fourni les plus solides. J'ai essayé enfin de tirer parti de l'énorme quantité de documents démographiques que livre le dépouillement attentif des meilleures séries de registres paroissiaux; effort de longue haleine, dont la nécessité m'a paru s'imposer, même si les résultats présentés n'offrent rien de décisif.

La recherche des documents « faisant série » doit, ou devrait constituer un élément important de toute enquête sociale. L'attention spéciale qui leur fut portée n'a pas toujours été couronnée de succès. Sauf pour Beauvais, les archives fiscales manquent en Beauvaisis avant la seconde moitié du XVIIIe siècle : lacune fâcheuse, mais irrémédiable. Trop souvent, de très beaux fonds ecclésiastiques ont été fortement épurés sous la Révolution : on a gardé les « chartes » anciennes et les baux récents, et les papiers du XVIIe siècle ont disparu. Trop souvent aussi, les fonds des justices seigneuriales rurales, toujours très précieux, ne contiennent que des documents du XVIIIe siècle. Trop souvent encore, les registres paroissiaux antérieurs à 1667 sont lacunaires ou en déficit. Parfois aussi, une apparente continuité formelle masque une réelle hétérogénéité des fonds : il est difficile de comparer des inventaires de marchands qui ont été rédigés avant et après la diffusion du « Parfait Négociant »; quant aux inventaires ruraux d'avant 1650, ils sont particulièrement rares, négligés, incomplets, informes même. Si bien que, les archives du XVIIe siècle ne ressemblant pas à celles du XVIIIe, j'ai dû souvent me contenter de données discontinues, isolées, parfois tardives. Devant des sources qui se dérobent, les plus belles exigences du meilleur questionnaire d'histoire sociale deviennent sans objet. Il faut se résigner à ne pas poser de « problèmes », lorsque aucune source ne peut leur apporter la moindre réponse.

CHAPITRE PREMIER

LE PAYS

Le contraste beauvaisin.

Deux paysages venaient mourir aux portes de Beauvais, plus contrastés au XVIIᵉ siècle qu'ils ne le sont au XXᵉ.

Au nord du Thérain s'ouvre la plaine picarde, admirablement décrite par Albert Demangeon. Ses larges horizons n'offrent pas l'infini des horizons de Beauce : des « dolines » en miniature, des ruisseaux, des vallées sèches les coupent souvent; d'anciennes « remises » à gibier et de mauvais taillis arrêtent le regard; quelques maigres pâturages s'accrochent aux rares pentes vives. Presque partout s'étend le limon noir ou brun, luisant d'humidité les trois quarts de l'année, blanc de neige ou gris de poussière durant quelques semaines; en l'absence d'engrais chimiques, son épaisseur et les nuances de sa composition décidaient, au XVIIᵉ siècle, de la richesse des champs, qui croissait d'Ouest en Est. De profonds labours arrachaient, arrachent encore les rognons de l'argile à silex, toujours utilisés pour l'empierrage et la construction. Fondation de tout le plateau, la craie blanchâtre, friable ou molle, impropre aux édifices : en plein XXᵉ siècle, on la voit encore, comme jadis, jaillir en hiver des trous de marnage.

A chaque lieue de marche surgit un village compact, souvent dissimulé dans une sorte de bosquet fait de haies vives, de chênes, de poiriers géants parés de vignes grimpantes. Dans chaque village du XVIIᵉ siècle, quelques centaines d'hommes — sergers, peigneurs, houppiers, mulquiniers, manouvriers, laboureurs — s'entassaient sous le chaume, entre les murs de terre,

de paille et de bois des demeures de torchis; noyaux
de toute vie, se dressaient deux ou trois bâtiments
de briques : une ferme seigneuriale aux murs aveugles,
l'église, le château parfois. Pas de hameaux, presque
pas d'écarts, presque rien de construit hors de ces
villages roulés en boule ou étirés le long d'un chemin.
Du bosquet villageois aux taillis des confins du terroir,
l'immensité nue des champs : pas encore de pommiers
en ces lieux et en ce siècle, pas une haie, aucun signe
visible de clôture; la seule silhouette familière du moulin
à vent. Une infinité de parcelles en lanières, aux limites
dissimulées par la relative uniformité végétale des
« soles » et des « saisons ». Sur la jachère et les terres
« vaines », des troupeaux de maigres brebis jaunâtres,
conduits par un berger escorté de mâtins. L' « openfield »,
la « campagne », l'agriculture du Nord avec son assolement triennal, et les charrues à roues tirées par de
forts chevaux.

Là-dessus, un ciel souvent gris et bas, du vent, de la
bruine, des brouillards lourds et persistants. Un pays
monotone, triste, pesant, sans charme, non sans grandeur.

Au sud, un surprenant complexe, accidenté de ravins,
de petites gorges, d'éminences presque orgueilleuses,
de coteaux abrupts qui prennent des airs de «montagnes»:
les rebords du Bray, le Haut-Thérain, les buttes
tertiaires du Clermontois, toute une gamme de paysages
limités, imprévus, souvent gracieux. Plus de vastes
campagnes nues et sans rivières; aux fréquents affleu-
rements d'argile, des sources, des ruisseaux à cresson,
de vieilles fontaines, des trous pleins de mousse et de
têtards, des étangs et des viviers seigneuriaux où abondaient les carpes. De grasses prairies au long des ruisseaux, des prés enclos derrière les chaumières du Bray
beauvaisin aux boiseries déjà normandes, d'innombrables
moulins le long du Thérain, du Thérinet, de l'Avelon.

Plus saisissantes, ces zones de marais au sol tourbeux,
mouvant, aux plantes étranges, à la faune furtive,
aux vapeurs stagnantes et malsaines : petits marais
du Bray, grands marais du Bas-Thérain, de Bresles,
de Clermont. Plus redoutables, ces pays aux loups
qu'étaient les forêts et les bois juchés sur les corniches
et les buttes : hautes futaies épiscopales, providence
des braconniers; mauvais taillis bien plus souvent,
gâchés par le bétail et par l'usager, pillés jadis par les

verriers et les maîtres de forges. dévastés encore par
les potiers, les briquetiers et les bûcherons. Aussi,
sur des lieues d'affilée, se succédaient de maigres buis-
sons et des pâtures médiocres, précieuses cependant
pour l'élevage brayon. Par endroits, sur un replat
limoneux, autour d'un très vieux village, on découvrait
un morceau de « campagne » à blé et à moutons, qui
pouvait surprendre en ce monde mi-normand, mi-
«français», si différent de la plaine picarde.

Au point de jonction de ces terres contrastées aux
ressources complémentaires, la très vieille ville de Beauvais, enfoncée dans son marais, toute close de murs et
bruissante de cloches, prolongeait une existence dont les
périodes les plus brillantes appartenaient déjà au passé.
Ville administrative et capitale rurale, comme tant
d'autres ; vieille cité de bois et d'argile baignée de
nombreuses « rivières », comme beaucoup de cités
septentrionales ; jamais normande, malgré la proximité ;
à peine picarde, malgré quelques formes dialectales et
quelques singularités de prononciation, encore audibles
au XXe siècle ; lointaine extension administrative du
Gouvernement de l'Ile-de-France et de la Généralité
de Paris ; toujours prête à revendiquer son originalité,
sinon son indépendance, à n'être que Beauvais, en
Beauvaisis. Pour l'historien, une ville d'Église et de
marchandise, avec son demi-millier de clercs, ses quatre
mille ouvriers en laine et sa centaine de négociants en
étoffes. Au XVIIe siècle, le nombre de ses habitants —
au moins douze mille —, l'éclat de son siège épiscopal,
l'opulence de sa bourgeoisie et l'étendue de son trafic
textile suffirent à lui conserver indiscutablement son
rôle de capitale du Beauvaisis. De Paris à Amiens, de
Rouen à Reims, aucune autre ville ne put, pendant
longtemps, atteindre l'importance de Beauvais, dont
l'engourdissement présent n'a que cent cinquante ans
d'âge. Mais la ville essaie encore de dominer ce qui reste
du Beauvaisis, cette ancienne unité humaine et historique fondée sur un contraste géographique : l'opposition du nord et du sud, éclatante en plein XVIIe siècle.

Avant de décrire ce vieux « pays », il convient d'en
rechercher les limites.

CHAPITRE II

LE PAYS, SES LIMITES

Comment les Beauvaisins du XVIIe siècle concevaient le Beauvaisis.

Si la « personnalité géographique » de la plaine picarde « éclate de toutes parts », sa personnalité historique, voire linguistique, est beaucoup plus difficile à définir. Il semble que les hommes qui l'habitèrent ne surent que tardivement lui donner un nom d'ensemble, et qu'ils conçurent toujours difficilement ses facteurs d'unité et son extension exacte. Cette grande campagne à blé était peut-être trop vaste pour constituer un véritable « pays », à la mesure des hommes du XVIIe siècle et de leurs ancêtres. En revanche, au contact des moissons et des pâtures complémentaires, autour d'une ville importante, lieu de marché, centre de justice et de police, animatrice de tout un large « cercle » rural, naquirent et vécurent de vigoureuses unités historiques. L'une des plus fortes fut le Beauvaisis, le « pays » de Beauvais, héritier de l'ancienne « civitas Bellovacorum », la plus puissante et la plus nombreuse des nations belges, selon le témoignage de César.

Région historique, donc région vivante et changeante, comme les hommes de Beauvais qui en assumèrent longtemps la direction presque exclusive. Les variations de sa superficie, de sa puissance, de son rayonnement reflétèrent les destinées complexes de la ville qui l'anima, mais aussi les progrès des grandes cités voisines. Une triade de grandes villes, toujours présentes dans l'horizon de Beauvais, mais qui grandirent plus vite que cette dernière, ont lourdement pesé sur l'histoire du Beauvaisis,

peut-être même sur ses limites : Amiens, Rouen, Paris
sont, dans l'ensemble, responsables de la stagnation,
puis du recul beauvaisin. L'histoire du pays des Bel-
lovaci, les plus puissants des Belges au temps de la
conquête romaine, ressemble à une longue décadence,
coupée de rares et éphémères renaissances. L'histoire
des limites du Beauvaisis porte les marques de ce déclin.

Sous une réelle complication de détail, rien n'est
souvent plus clair, en nos régions et à notre époque,
comme ces questions de frontières, de limites. Générali-
sant à partir de quelques cas particuliers, on a trop
souligné le caractère incertain des anciennes frontières ;
cette incertitude traduit souvent l'imprécision des
connaissances et le caractère superficiel, confus, ou trop
général des recherches. Presque toujours il est assez
aisé de retrouver des limites précises, surtout au XVIIᵉ siècle. En ce temps-là, chaque paroisse, chaque hameau
même connaissait bien l'évêché, le doyenné, la coutume,
le bailliage, l'élection auxquels il se rattachait. Les
responsables de chaque institution avaient habituellement une notion assez précise des limites topographiques
de leur juridiction, de leur « département » : fréquemment, les querelles de juridiction se réduisaient à des
épreuves de force entre officiers, ou bien ne portaient
que sur quelques lieux-dits. Malgré les cartographes
Damien de Templeux, Tassin, Sanson, il semble qu'on
ignorait encore, au moins habituellement, la figure
cartographique de terroirs cernés par des limites ; on
utilisait des listes de « lieux » — lieux qui pouvaient
être aussi bien des paroisses que des maisons isolées.
Seul parmi les cartes conservées, le « plan du Bailliage
de Beauvais fait par Anselme de Rousseauville » en 1718
put avoir une utilité administrative. Pour apercevoir
un progrès d'ensemble, il faut attendre les Cassini...

Beaucoup d'expressions courantes, qu'on récolte çà
et là, surtout dans les plus humbles archives, incitent à
soutenir qu'il existait une sorte de conscience populaire des limites du Beauvaisis. On savait que s'ouvrait,
au-delà de la rivière d'Oise et des forêts royales, une
« France », pays du bon vin. On savait très bien à quel
point l'Epte séparait les Beauvaisins des Normands.
Sur la rive droite de ce gros ruisseau régnaient d'autres
coutumes. Ni la famille, ni la propriété, ni l'héritage n'y
étaient soumis aux mêmes règles, ni la culture des terres,
ni la façon de plaider ou de dépendre d'un seigneur.

Les lisières septentrionales de la forêt de Thelle jouaient
un rôle assez comparable. Limites vigoureuses et durables que celles-là, encore valables à un certain degré
au début du xxᵉ siècle. On distinguait moins précisément le Beauvaisis de la « vraye Picardie », Amiénois ou
pays de Montdidier. On savait pourtant qu'un moment
venait où les vallons s'inclinaient vres la Somme, et paraissaient entraîner à leur suite les chemins, les blés, les
serges et les hommes. On comptait alors par « journels »
et « perches » de terre, et non plus par « mines » et
« verges », par boisseaux et setiers de grains plutôt que par
mines et muids. Pour préciser et illustrer ces notions,
ventes de terre, baux à fermes, aveux, rapports
d'experts, arpentages permettraient d'élaborer une cartographie des noms de mesures (et des mesures elles-
mêmes); elles exigeraient un épuisant travail de dépouillement et de pointage, qui finirait peut-être par donner
les limites mêmes que d'autres critères permettent de
proposer...

Sans contredire les notions populaires, les témoignages des spécialistes offrent une autre sécurité et une
autre précision. Par profession ou par nécessité, des
officiers, des propriétaires urbains, des rentiers, des
marchands trouvaient ou se fabriquaient un Beauvaisis
à l'image de leurs fonctions ou de leurs besoins. La
confrontation de leurs conceptions risque d'être intéressante; elle révèle de bien passionnantes anomalies, voire
des divergences, dans l'étude desquelles on a du mal à
ne pas se laisser entraîner. L'une, fondamentale, conduit
à opposer un Beauvaisis « large », aboutissement d'une
très longue tradition, à un Beauvaisis « étroit », qui
devint le Beauvaisis réel, justement au xvⁱⁱᵉ siècle.

I. UN LEGS DU PASSÉ : LE BEAUVAISIS « LARGE »

Lorsque, en 1617, le grand juriste Antoine Loisel dé-
crivit son pays natal, il n'hésita pas sur ses limites : pour
lui, le Beauvaisis, c'est le diocèse de Beauvais. Son
excessif amour de la terre natale le conduisit d'ailleurs à
étendre ce diocèse « jusques a bien pres des portes de la
ville d'Amiens » et de celle de Rouen; il affirme même
que, du temps de César, « le Beauvoisis alloit jusques à
la mer ».

Exagération enthousiaste, mais qui peut offrir quelque

intérêt. Pour un juriste nourri de culture antique, la probable coïncidence du diocèse et de l'ancienne civitas suffisait. Vivante encore au début du XVIIᵉ siècle, notamment chez les cartographes, qui identifiaient habituellement le Beauvaisis à l'évêché, ce genre de délimitation traduisait cependant une conception ancienne. Si le diocèse de Beauvais contient bien la totalité du Beauvaisis, il recouvre aussi des régions qui ne peuvent s'y rattacher que par la communauté du siège épiscopal.

Vérifiée paroisse par paroisse sur des listes du XVIIᵉ siècle, la carte des pages 420-421 donne les limites du diocèse. Elles paraissent fixées, et même « bornées » depuis longtemps; les listes consultées ne diffèrent que par quelques détails (en général, paroisses érigées tardivement). Le grand triangle diocésain couvrait environ 3 000 kilomètres carrés. Trois types de limites le dessinaient : deux rivières, deux groupes de «forêts-frontières», une ligne de partage des eaux.

Du Matz à l'Automne, de Saint-Michel-d'Alecourt à Saint-Pierre-ès-Champs, Oise et Epte limitent rigoureusement le diocèse; limites très anciennes, particulièrement durables quant à l'Epte. De Saint-Paterne à Maffliers et Méry, de Saint-Pierre-ès-Champs à Ressons, la limite s'accroche fermement aux grands massifs forestiers qui couronnent de hautes collines : la forêt de Thelle sur le revers de la « cuesta » méridionale du Bray; les forêts de Halatte, de Chantilly, de Lys, de Carnelle, sur le revers de la « côte » de calcaire grossier qui surplombe l'Oise. Si la forêt de Thelle est comprise presque entièrement dans l'archevêché de Rouen, les forêts d'outre-Oise se rattachent en quasi-totalité au diocèse de Beauvais : les diocèses de Senlis et de Paris ne commencent qu'à leurs lisières orientales ou méridionales. Vestiges probables d'une ancienne extension de la civitas, des villages nettement « français », comme Belloy-en-France, se rattachaient au siège beauvaisien. Nous verrons bientôt que, devant l'influence croissante de Paris, cette frontière méridionale avait perdu depuis longtemps toute signification autre que diocésaine. Mais les taillis et futaies de Thelle conservèrent vigoureusement la leur : la totalité des juridictions beauvaisines venait mourir sur leurs premiers massifs. La séparation des églises de Beauvais et d'Amiens suit une ligne de hautes terres, assez boisées à l'Ouest, peut-être anciennement boisées à l'Est : ancienne limite de cités, peut-être.

A une exception près (la pointe de Bonneuil), elle coïncide avec la ligne de partage des eaux entre Somme et Thérain. La limite départementale devait reprendre sensiblement le même tracé.

Tel était l'ancien diocèse de Beauvais, première incarnation du Beauvaisis. Il n'est pas impossible que des travaux archéologiques, qui sont en cours, établissent bientôt que la « civitas bellovacorum » couvrit une étendue plus grande encore.

Au XVIIe siècle, il est certain qu'un Beauvaisis « étroit », plus proche des réalités quotidiennes, existait en même temps que le Beauvaisis « large » des successeurs de Saint-Lucien et des humanistes.

2. LE BEAUVAISIS « ÉTROIT » DES OFFICIERS ROYAUX

Grâce aux travaux de Dupont-Ferrier, les problèmes de géographie administrative concernant les Élections paraissent désormais résolus ; grâce aux Archives de l'Oise, qui conservent tous les « départemens » postérieurs à 1652, le ressort de l'Élection est parfaitement connu : il fut à peu près stable, de 1653 à 1789. En revanche, rien n'est plus difficile à établir que la carte « coutumière » du Beauvaisis et l'exact contour du ressort du « Bailliage et siège Présidial », institué par l'édit de décembre 1581.

Ces incertitudes particulières s'effacent devant deux constatations d'ensemble qui, en quelque sorte, sautent aux yeux : malgré des divergences de détail, le Beauvaisis des officiers du bailliage ressemble grossièrement à celui des « esleus » en l'Élection, par sa forme comme par ses dimensions. Mais, surtout, l'un comme l'autre groupaient environ 150 paroisses, alors que l'Évêché en comptait 432 en 1708, plus les 12 paroisses urbaines de Beauvais. Cette réduction de plus de moitié de l'ancien Beauvaisis impose une tentative d'explication.

Une fois encore, les ouvrages de Dupont-Ferrier permettent une sorte de miracle historique : on voit le diocèse se transformer en circonscription financière. En effet, l'Élection de Beauvais, créée le 9 novembre 1370, fut, comme plusieurs autres, un « Diocèse-Élection », la monarchie s'étant servi de l'unité la plus ancienne et la plus solide pour y couler ses institutions. De là vient la subdivision fréquente des grandes élections en doyennés, qui durait encore en 1653. L'unité financière ainsi constituée se trouva assez rapidement beaucoup trop vaste : elle fut progressivement démembrée. Avant 1406, on avait déjà créé, en partie aux dépens du grand « Diocèse-Élection », l'Élection de Montdidier. En 1483, quatre doyennés du diocèse de Beauvais constituèrent l'Élection de Clermont, rattachée en 1595 à la Généralité de Soissons, nouvellement instituée. Vingt-trois ans plus tard, la petite Élection de Senlis absorbait deux autres doyennés. Entre 1525 et 1536 fut encore créée l'Élection de Beaumont, qui n'eut qu'une existence éphémère. Du xivᵉ au xviᵉ siècle, pour de probables raisons de commodité administrative, l'Élection s'était dégagée du diocèse. La dernière trace qui subsistait de sa structure primitive — la subdivision en doyennés — disparut vers 1670.

Il semble que ce fut pour des raisons toutes différentes que l'évêché de Beauvais, devenu « Évêché-Comté » en 1015, ne donna naissance à nulle coutume générale, à nulle juridiction civile importante. La bigarrure extrême de la carte coutumière, l'étonnant enchevêtrement de juridictions qui apparaissent dans le ressort du bailliage de Senlis, auquel Beauvais même se rattacha jusqu'en 1581, forment un surprenant contraste avec la forte unité juridique, judiciaire et politique que constituait ce puissant voisin : le duché de Normandie.

En certains villages régnaient trois coutumes, et l'enchevêtrement atteignait son paroxysme dans l'ouest du Beauvaisis. Il peut paraître singulier qu'une cité de l'importance de Beauvais — Clermont, Montdidier, Senlis étaient bien plus modestes — n'ait pas fait apparaître, lors du grand mouvement de rédaction de coutumes, des articles originaux, une coutume originale. On continua, jusqu'à 1789, à juger à Beauvais et en Beauvaisis selon Senlis, Clermont, Amiens et Montdidier.

Anciens ou modernes, les juristes ont tenté d'expliquer cette mosaïque coutumière. Loisel et Louvet prétendent l'un et l'autre que Beauvais et le Beauvaisis eurent leurs coutumes originales — qui seraient celles de Beaumanoir — mais que la jalousie des cités voisines se serait manifestée sous une forme juridique, qu'elles auraient taillé « comme en plein drap » dans le malheureux Beauvaisis, très mal défendu par son évêque-comte. Nous ne sommes pas qualifiés pour trancher en ce domaine; mais il semble bien que la politique comtale des évêques n'ait pas été très adroite, et qu'ils n'aient pas su, ou pas pu résister aux empiétements de puissants voisins comme les comtes de Clermont.

Ce comté fut puissant et, si l'on peut risquer ce terme, « envahissant ». Il fut le principal responsable de la transformation et du recul de l'ancienne signification du mot « Beauvaisis ».

En effet, les liens de type médiéval noués entre le comte, ses vassaux et ses arrières vassaux, semblent avoir porté fort loin de Clermont l'influence du comté; notamment, l'influence, « les lieux » de sa coutume, rédigée en 1496, puis en 1539. Totalement ou en partie, au moins 16 villages situés en plein Bray beauvaisin, suivaient déjà, et suivirent toujours la coutume de Clermont. Il était fatal que le bailliage royal de Clermont, créé en 1531, un demi-siècle avant le bailliage royal de Beauvais, prétendît étendre sa juridiction sur les paroisses brayonnes qui suivaient la coutume de Clermont. A leur sujet, comme à d'autres, les disputes entre les officiers de Beauvais et ceux de Clermont ne cessèrent jamais.

La grande faiblesse du bailliage et siège présidial de Beauvais, ce fut la date tardive de sa création (1581). Au bailliage de Clermont de 1531 s'étaient ajoutées en 1539 quatre bailliages secondaires, qui mordaient plus ou moins sur le vieux Beauvaisis : Pontoise, Chambly, Creil, Compiègne; en 1551, un présidial avait été créé à Senlis : la plus grande partie du Beauvaisis devait y porter ses « premières appellations ». On conçoit donc les difficultés dans lesquelles se débattirent les premiers conseillers du bailliage de Beauvais, lorsqu'ils cherchèrent à se créer un ressort : toutes les juridictions royales ou seigneuriales antérieures à 1581 s'insurgèrent contre la « nouvelleté »; aucune ne consentit de bon gré, « au dedans cinq lieues d'estendue de ladite ville de Beauvais », à y porter ses « premières appellations »; l'évêque-comte protesta naturellement le premier, et obtint gain de cause en 1596, puis en 1603. Le malheureux présidial jugea ce qu'on voulut bien lui donner à juger, et ne remplit jamais ses « cinq lieues d'estendue »; et il jugea selon quatre coutumes, dont aucune n'était de Beauvais : les grandes coutumes picardes assiégeaient les portes mêmes de la ville : Notre-Dame-du-Thil suivait la coutume d'Amiens, le faubourg Gaillon et une partie de Tillé, celle de Montdidier.

On est tenté de parler d'un dépècement juridique du Beauvaisis... Un dernier cas est plus étonnant encore : celui des « conquêts de Hue de Gournay », qui ont exercé l'habileté de nombreuses générations de juristes. A la faveur de conquêts militaires du XIᵉ siècle — semble-t-il — les coutumes normandes s'étaient installées dans une quinzaine de paroisses situées bien à l'est de l'Epte. On connaît la signification et la force de ces coutumes : vers 1780, lors du grand « arpentement » ordonné par Bertier de Sauvigny, l'on considérait les conquêts comme des morceaux de Normandie « enkystés » au cœur du Beauvaisis.

Fort clair sur le plan de l'administration financière, beaucoup plus complexe, mais finalement aussi évident, sur le plan de la géographie coutumière et de l'administration de la justice, le recul du Beauvaisis s'est donc effectué entre le XIVᵉ et le XVIIᵉ siècle. Aux anciennes et larges frontières du vieux pays des Bellovaques — dont le diocèse perpétuait seul le souvenir — s'étaient substitués des « ressorts » maigres et contournés, à la fois dissemblables, compliqués et comparables par leur modestie.

3. LE BEAUVAISIS ÉCONOMIQUE ET SOCIAL

Ces conceptions, ces réalités juridiques et administratives correspondent-elles à l'aire d'influence économique, sociale, financière de Beauvais ? De nouveaux critères, plus proches de la vie matérielle, conduisent-ils à adopter comme cadre de recherche un Beauvaisis « étroit » ?

A vrai dire, une large part du présent travail répond à ces questions, qui ne sont pas simples. Voici du moins une réponse sommaire, nécessaire pour régler provisoirement ces problèmes de limites; problèmes inévitables, peut-être plus secondaires qu'ils ne paraissent, surtout si l'on considère l'orientation principale de ces recherches.

A. *Les seigneuries en Beauvaisis.*

Des documents de l'évêché donnent, à la date de 1708, les noms de tous les seigneurs du diocèse. Sans doute des seigneuries changèrent-elles de mains durant le siècle précédent : un certain nombre de ces transferts peuvent être retrouvés, et seront signalés à leur place;

il semble que ce furent rarement des seigneuries ecclésiastiques — fait dont on va apercevoir l'intérêt.

Les 432 paroisses du diocèse (12 paroisses de Beauvais non comptées) correspondaient à 617 seigneuries ; 294 seigneuries paraissent avoir correspondu chacune à une seule paroisse ; 323 ne comprenaient que des portions de paroisses.

Il n'est pas sans intérêt de regrouper les seigneurs par catégories sociales et juridiques, et de porter sur des cartes les résultats de ce pointage (cf. carte pp. 420-421).

Comme on pouvait s'y attendre, la pointe méridionale du diocèse de Beauvais est presque entièrement couverte par les seigneuries de la haute noblesse parisienne. Dans le seul doyenné de Beaumont, qui comportait 53 paroisses, 43 (27, pour leur totalité et 16 pour partie) sont, dans l'ordre seigneurial, des dépendances parisiennes : les Conti, les Rohan, les parlementaires surtout s'y taillent la part du lion. Au nord de Méru, qui forme limite pour le bailliage comme pour l'élection, cette manière de grande banlieue seigneuriale remonte même vers Beauvais, par les terres des Noailles et du président Perrot.

Le plateau de Thelle, la basse vallée du Thérain, la presque totalité du comté et bailliage de Clermont offrent des caractères analogues. L'abbaye de Saint-Denis, les Conti, la duchesse d'Harcourt comtesse de Clermont, La Rochefoucauld-Liancourt, le prédécesseur de Berwick à Warty qui deviendra Fitz-James, jusqu'au financier Béchamel qui prend le nom de sa terre de Nointel, ceux-là et quelques autres possèdent la seigneurie de la majorité des terres : dans le seul doyenné de Clermont, 12 paroisses entières et 11 portions de paroisses sur un total de 34.

Vers le nord-est, entre Saint-Just-en-Chaussée et l'Oise, les grandes seigneuries de la noblesse parisienne, encore nombreuses, ne dominent pourtant plus. Cependant l'abbaye de Saint-Denis, le Comté de Clermont et de la maison de Monchy-Humières y possèdent de beaux ensembles, fort groupés. Mais la noblesse picarde, les grandes abbayes des diocèses voisins — Saint-Rémi, Saint-Vaast, Saint-Riquier — et les monastères compiégnois commencent à apparaître.

De toutes ces terres, qui continuent à relever du siège épiscopal beauvaisien, on ne peut plus dire qu'elles appartiennent à ce Beauvaisis du xviie siècle dont nous recherchons les contours. Une ligne conventionnelle, tracée de Ressons à Maignelay, paraît séparer deux mondes dont les caractéristiques seigneuriales s'opposent.

A l'est de la ligne, les seigneuries ecclésiastiques beauvaisines ne couvrent pas le dixième des terres; à l'ouest, elles en couvrent la moitié. Si l'on néglige les lisières nord, nord-ouest et la pointe de Breteuil-Bonneuil, la proportion monte à 60 %. On remarque spécialement la large bande qui, de Crèvecœur à Bresles, n'est que terre d'Eglise : évêché, chapitre cathédral, abbaye de Saint-Lucien en tiraient leurs énormes ressources céréalières, tant par les dîmes et champarts que par l'amodiation de leurs domaines propres. Certes, les gentilshommes du Beauvaisis possédaient encore, ici et là, des groupes de seigneuries, spécialement dans le Haut-Bray et aux confins du diocèse d'Amiens : elles ne sont que minorité, et nous verrons à quel point elles peuvent être chargées de dettes.

A l'intérieur de ce grand diocèse, un groupe occidental se détache; il est dominé par les seigneuries ecclésiastiques; nous tenons là un premier aspect, une première figure du Beauvaisis, et c'est bien un Beauvaisis « étroit ». Le seigneur riche et noble de Paris n'y pénètre pas : même les terres d'Ons-en-Bray, érigées en marquisat par Louis XIV, ont récompensé les services d'une famille aux origines purement beauvaisiennes : la « dynastie postale » des Pajot. Le petit noble local s'y maintient difficilement. Le riche bourgeois de la ville s'y est déjà installé, mais modestement.

B. *Le Beauvaisis et la puissance financière des bourgeois de Beauvais.*

On aura l'occasion de préciser, dans le cours de cette étude, ce que fut, en Beauvaisis, la puissance de l'Église et celle de la bourgeoisie. Pour ce dernier groupe d'hommes, est-il possible de tenter un essai de mesure d'influence?

Nous avons pensé aux créances que de riches bourgeois possédaient sur des habitants des campagnes : elles sont toujours énumérées avec une grande précision dans les partages et inventaires après décès. Nous avons pris deux exemples de créances bourgeoises : celles que laissèrent après leur mort Jehan Pocquelin, marchand drapier, échevin, receveur de la ville, et Maître Toussaint

Foy, « esleu en l'eslection », membre d'une ancienne et
très riche famille de la ville. Le premier document
remonte à 1573, le second à 1661. L'influence financière
de l'un et de l'autre personnage pourrait être carto-
graphiée. Elle s'accorde avec une conception « étroite »
du Beauvaisis. Elle ne déborde qu'exceptionnellement les
limites du bailliage et de l'élection. Ainsi les contestations pouvaient être plus aisément jugées, d'autant que
nos deux hommes avaient partie liée avec les juges de
Beauvais, leurs proches parents. Dans les deux cas, les
régions méruvienne et clermontoise échappent à leur
action territoriale et financière.

Certes, les deux groupes de créances et de terres sont
différemment orientées : alors que le marchand de 1573
avait surtout opéré dans le Beauvaisis du nord, l'officier
de 1661 a manifesté beaucoup plus d'intérêt pour le
Beauvaisis du sud, spécialement pour le pays de Bray.
Qu'il y ait là autre chose qu'une opposition de goûts
personnels, c'est ce qui importe peu pour le moment.
En revanche, l'accord entre ces remarques et les précédentes constitue une étape dans la détermination de ce
qui fut vraiment le Beauvaisis du XVIIe siècle.

C. *Exista-t-il un Beauvaisis textile ?*

A l'exception du gros bourg de Mouy, le Beauvaisis
méridional ne fut en rien un pays de manufactures
textiles. Ce que nous pouvons chercher ne concerne que
les frontières septentrionales. Existe-t-il en ces régions
des facteurs d'unité, donc de délimitation, qui puissent
les distinguer de la très importante province textile qui
va d'Amiens à Aumale et à Beauvais — celle que Savary
des Bruslons décrivait au siècle suivant dans son ensemble
et sous la dénomination un peu abusive de manufactures
« picardes » ? Oui et non; on ne peut vraiment trancher.

Les renseignements tirés des papiers des marchands
permettent pourtant d'apporter des précisions. Au
nord, Crèvecœur est encore en plein Beauvaisis textile :
la manufacture du Bureau des pauvres y achetait
régulièrement ses laines et ses chaînes. Dans la même
région, les sergers de Lihus, de Blicourt, de Pisseleu
dirigeaient toute leur production sur Beauvais. En
revanche, ce sont les marchands d'Amiens qui règnent
sur Breteuil, et plus encore à l'ouest : la région de
Grandvilliers a toujours échappé aux négociants de

Beauvais. Ils prennent leur revanche dans le Haut-Bray, qui fourmille de métiers ruraux : de Boufflers-Crillon, d'Hanvoile, de Glatigny, on vient faire fouler, teindre et marquer en la ville épiscopale. En somme, du nord-est au nord-ouest, le Beauvaisis textile semble suivre sagement les limites habituelles, à peu près celles du bailliage.

En réalité, il les déborde au moins sur deux points. On trouve les négociants beauvaisiens vers Feuquières, Moliens, Aumale même : ils disputent les « aumales » (de robustes serges) aux Amiénois et aux Rouennais. A l'est, d'importantes familles beauvaisiennes dominent le pays de Bulles, celui des fines toiles de lin, presque entièrement situé dans les comté, bailliage et élection de Clermont. Grâce à l'activité des marchands de Beauvais, les limites textiles du Beauvaisis ont dépassé, surtout à l'est, ses limites juridiques, administratives, seigneuriales et bourgeoises. Il est cependant difficile de dissocier les manufactures beauvaisines des picardes, si proches, et si comparables par leur genre de travail.

D. L'influence du marché de Beauvais.

Facile à la fin du XVIIIe et au début du XIXe siècles, l'étude quantitative et statistique des grands marchés agricoles est impossible à entreprendre pour le XVIIe siècle : sauf pour les prix, les documents chiffrés sont inexistants. Peut-être n'est-il pas interdit de tirer quelques renseignements rétrospectifs des sources du XVIIIe et du début du XIXe siècle. Cependant les documents antérieurs, d'ordre qualitatif, ne manquent pas, qui identifient les marchés et donnent une idée de leur importance relative.

Ils concourent à montrer que le marché de Beauvais dominait de fort loin tous les autres. Seul, le marché de Clermont pouvait soutenir la comparaison, dans le seul domaine des grains, qu'il expédiait à Paris, par l'Oise toute proche. Le marché aux grains de Beauvais, marché de consommation et de transit, était, au début du XIXe siècle, le plus important d'une vaste région délimitée par la Somme, l'Oise et la Seine, après celui de Roye. On ne peut prouver avec la même facilité que la situation était la même au XVIIe siècle, bien qu'on aperçoive peu de raisons pour supposer le contraire. L'importance du

« franc-marché » (premier samedi de chaque mois) est plus facile à apprécier : les comptes de l'Hôtel-Dieu montrent la quantité considérable de bestiaux qui s'y négociaient, spécialement les veaux du Bray et les bœufs normands venus de Gisors. Quant à la halle aux laines, au bureau de marque des étoffes de laine le « boujon », au plus tardif bureau de marque des toiles, on ne pouvait les comparer qu'à ceux d'Amiens, de Rouen ou de Saint-Quentin. Nous verrons que les pièces d'étoffe s'y marquaient par dizaine de milliers chaque année.

D'ailleurs, tout se passe comme si ce grand marché aux multiples activités avait fait le vide autour de lui; les marchés qu'on aperçoit à 20 kilomètres à la ronde furent insignifiants : Marseille, Tillard, Mello, Noailles. Rien de sérieux à moins de 25, de 30 kilomètres — encore ne s'agit-il, sauf pour Clermont, que de marchés locaux. Cette distance semble mesurer assez bien le rayonnement de la ville épiscopale. Elle correspond à tous les essais de délimitation que nous avons tentés.

Elle se rapproche aussi d'une notion juridique fort nette, qui remonte à l'édit de création du présidial, en 1581. Ce dernier devait recevoir les « appellations » de toutes les justices subalternes « au dedans cinq lieues d'estendue de ladicte ville de Beauvais ». Sans doute le présidial ne parvint jamais à faire respecter totalement l'étendue de juridiction inscrite dans son acte de naissance; du moins ne cessa-t-il jamais de le revendiquer. Cette coïncidence d'une limite juridique et d'une aire économique méritait d'être soulignée.

Limiter une région, c'est la définir, la connaître déjà. Aussi, les divers types de limites que nous venons d'évoquer constituent-ils des préludes trop fugitifs aux principaux thèmes que cet ouvrage va développer. Mais il nous fallait bien dessiner d'abord le cadre de nos recherches. Ce Beauvaisis du XVIIe siècle n'est pas enfermé dans des frontières linéaires, rigides, toujours valables, à la manière de trop de frontières modernes. Il n'est pas un monde à part, ni un monde très original, encore moins un monde clos. Il existe tout de même un Beauvaisis « strict », assez comparable à l'élection, ou au bailliage : les paroisses qui le composent sont incontestablement beauvaisines, à quelque point de vue que l'on se place. D'autres secteurs, des « marges », se rattachent au Beauvaisis par certains aspects, mais s'en distinguent par d'autres aspects, spécialement dans les régions orientales. Là, des terres qui dépendaient juridiquement de Montdidier ou de Clermont apparaissent comme des seigneuries épiscopales ou capitulaires; elles sont soumises aux marchands de toiles de Beauvais, qui y étendent aussi leur action financière et leur fortune foncière. En aucun cas cependant, ces « marges » n'empiètent sur ce domaine si différent qu'est la vallée d'Oise animée par un important trafic batelier, mais presque vide de manufactures textiles; la vallée d'Oise, avec ses grandes seigneuries princières et parlementaires, véritable prolongement de la capitale (carte p. 422-423).

CHAPITRE III

STRUCTURES DÉMOGRAPHIQUES (1)

I. OBJECTIFS, SOURCES, TECHNIQUES

Dans ce Beauvaisis dont les contours viennent d'être tracés à grands traits, près de cent mille hommes vivaient, vers 1700. Dès maintenant, il est bon de les toucher de très près, presque physiquement, en essayant de déterminer les principaux traits de leur biologie. Tous, ou presque tous, ont laissé leur trace dans l'ensemble documentaire le plus considérable qui soit : les registres de baptêmes, mariages et sépultures de près de deux cents paroisses. On ne peut rejeter dans l'ombre, avec quelques mots de mépris, la plus massive des sources de l'histoire « des peuples ». Il faut se résoudre à manier ces humbles registres : ils permettent le contact le plus direct avec les foules beauvaisines qui constituent l'objet même de ces recherches. Essayer de retrouver les traits dominants de l'ancienne démographie beauvaisine, tel est donc l'objet de ce chapitre. Que le Beauvaisin représente le Français, c'est ce que nous n'irons pas prétendre. Qu'il porte un témoignage acceptable sur la biologie et la démographie des Français du nord et du centre, d'autres recherches permettront de le contrôler ou de le discuter.

Mis à part des dénombrements très rares, souvent médiocres, toujours tardifs, tout cet exposé de structure démographique repose sur les registres paroissiaux,

---

(1) Ce chapitre, qui parut en son temps assez neuf, se trouve en 1968 assez largement dépassé par le prodigieux travail des spécialistes de démographie historique. Nous le redonnons cependant tel quel, ou à peu près.

soumis d'abord à la critique la plus sévère, interprétés
ensuite à l'aide des principes et des techniques définis
par la science démographique moderne, discipline à la
fois biologique et statistique. Il est nécessaire d'exposer
ici, au moins sommairement, l'essentiel de cette critique
historique et de ces techniques démographiques.

Un seul type de registre paroissial doit être retenu : le
registre original, établi de la main du prêtre paroissial,
au jour le jour, en présence des témoins de l'acte religieux
célébré, sacrement ou cérémonie. Les copies de divers
types — bailliagères, synodales, accidentelles ou personnelles — doivent être soigneusement identifiées, et généralement rejetées, sauf exception à justifier. Il exista
toujours, il subsiste encore bien souvent une série originale et authentique jusqu'en 1736, deux séries originales
et authentiques à partir du 1ᵉʳ janvier 1737; que ces
séries reposent aux Archives communales (c'est là que
la première et l'une des deux suivantes devraient se
trouver), aux Archives départementales ou ailleurs,
c'est l'affaire du chercheur. Une fois bien identifiées,
les séries originales doivent subir plusieurs « contrôles »,
qui se ramènent à des éliminations successives.

La première a porté sur les très petites paroisses rurales.
D'une part, leurs registres sont presque toujours les plus
négligés; les prêtres qu'on y envoyait paraissent avoir
été les plus médiocres, ceux que leur faible instruction,
leur caractère et leur moralité condamnaient à ce qu'on
appellerait aujourd'hui des « postes déshérités ». D'autre
part, la faiblesse des chiffres annuels fournis par ces
villages minuscules — quelques baptêmes, quelques
décès, pas même un mariage par an — n'autorise pas des
conclusions statistiques valables. On a donc, presque
toujours, négligé les paroisses de moins de 500 âmes, qui
correspondent à une vingtaine de baptêmes annuels, en
moyenne. Par surcroît, les minces archives de ces petites
paroisses présentaient trop fréquemment les vices les
plus graves qui peuvent affecter des registres paroissiaux.
D'abord, une absence de continuité, aggravée ou non
par la perte des plus anciens registres : lacunes à l'intérieur d'une année, série grave de lacunes annuelles (fréquentes entre 1691 et 1716, à cause de la législation),
perte des registres antérieurs à 1737 (l'année de la grande
réforme) ou à 1673-1674 (l'année du papier timbré) ou
à 1667 (l'année de l'ordonnance de Saint-Germain). Les
registres originaux les plus anciens et les plus continus

des paroisses les plus importantes ont été retenus, à condition, autant que possible, qu'ils ne soient pas tombés dans ce vice majeur, si gros de conséquences : la non-inscription des décès d'enfants en bas âge, voire de tous les non-communiants. On a souvent avancé que cette omission était générale. En Beauvaisis, et même ailleurs, il est aisé de vérifier que l'omission fut seulement fréquente : si elle avait été générale, ce chapitre n'aurait pas été écrit, et toute recherchè approfondie de démographie ancienne serait impossible. A des dates souvent voisines de la période 1667-1680, parfois très antérieures, on trouve dans une dizaine de séries beauvaisines les sépultures des très jeunes enfants, morts-nés compris, accompagnées de l'indication précise de leur âge, en mois, en semaine, quelquefois en jours. L'une des techniques qui va être décrite, celle des « reconstitutions de familles », permet de vérifier cette inscription systématique avec une précision difficile à contester, notamment dans le cas si favorable du bourg d'Auneuil, qui a conservé la plus belle série de registres paroissiaux du Beauvaisis.

On peut imaginer toute une gamme de procédés de « dépouillement » des registres paroissiaux. Le plus élémentaire est le simple comptage, opéré annuellement, des trois séries d'actes qu'ils contiennent; il a été très souvent pratiqué, notamment par les curieux d'histoire locale. La fréquente précision des actes de mariage, surtout après 1667 (plus encore, après 1697), autorise bien d'autres recherches : statistique des âges au mariage, des remariages, de l'origine géographique des époux, des signatures... Plus rarement, lorsque les actes de sépultures ne se réduisent pas à une sèche mention, des statistiques d'âge au décès ou de situation matrimoniale au décès peuvent être envisagées. Les actes de baptêmes permettent l'étude des naissances illégitimes, des naissances gémellaires, du taux de masculinité à la naissance. L'ensemble des actes fournit le moyen de recouper, de fortifier des enquêtes de structure sociale; il peut fournir d'abondants matériaux à des études de linguistique historique, d'anthroponymie et, par l'intermédiaire des noms de baptême, de piété populaire. La plupart de ces types de recherches présentent en commun un élément d'incertitude, plus ou moins grave selon les cas : ils ne portent pas sur une population « fermée », ni « stable », sur une population dont la composition par sexe, par état matrimonial et (surtout) par âge soit exactement connue ; ils n'autorisent donc pas à présenter les taux démographiques classiques avec une réelle sécurité scientifique.

La méthode imaginée et déjà mise en pratique par M. Louis Henry permet de lever ces inconvénients. Elle livre au démographe un échantillon parfaitement connu, scientifiquement « pur », qui autorise les « expériences de laboratoire » les plus précises. Pratiquement, cette méthode peut se ramener à deux séries d'opérations : d'abord, relever avec le plus grand soin tous les mariages célébrés dans une certaine paroisse, pendant une certaine période ; puis suivre pas à pas, acte par acte, l'histoire des ménages constitués en notant tous les événements démographiques datés qui surviennent dans leur sein. C'est la méthode de la « reconstitution des familles ». En Beauvaisis, nous l'avons appliquée à la paroisse d'Auneuil, à partir de tous les mariages célébrés entre 1656 et 1735. Le seul inconvénient de cette tâche passionnante, mais très lente, est son caractère limité et réduit. Mais sa sécurité suffit à l'imposer. Plusieurs autres « reconstitutions » ont été entreprises hors du Beauvaisis. La multiplication des applications de cette technique permettra seule d'atteindre, en matière de démographie ancienne, des résultats qu'on pourra présenter, ou peu s'en faut, comme des certitudes. Ils permettront même d'interpréter, de corriger, d'utiliser avec plus de discernement des procédés de travail plus simples, et bien plus rapides : on saura alors la marge de sécurité qu'il convient de leur attribuer. Du simple comptage aux « reconstitutions », toute une gamme de procédés a donc été mise en œuvre pour tirer le maximum de renseignements sérieux de registres paroissiaux soigneusement critiqués.

Sans doute a-t-on essayé, depuis longtemps, de caractériser ces anciennes populations que les démographes appellent « pré-malthusiennes ». On a souligné leur considérable natalité, et avancé le taux de 35 à 40 pour 1 000 : taux raisonnable, parfois vérifié, surtout à la fin du XVIIIᵉ siècle. Importante natalité, qui apparaît comme la conséquence d'une fécondité que rien ne venait entraver semble-t-il. Les populations ne paraissant pas s'être accrues, avant la fin du XVIIIᵉ siècle, dans des proportions importantes, on a proposé un taux de mortalité presque égal au taux de natalité, mais qu'on ne peut établir un peu sérieusement que pour les vingt dernières années de l'Ancien Régime — années qui demeurent en dehors de notre période d'observation. On a souligné avec insistance le taux extrêmement élevé de la mortalité infantile; on l'a parfois exagéré, sur la foi d'exemples isolés, particuliers, trompeurs, ou d'auteurs peu sérieux. Divers essais pour calculer une « durée moyenne de la vie humaine » ont été présentés; l'étude un peu rapide des registres paroissiaux, et diverses autres considérations, ont conduit à avancer des chiffres dont les moins incertains oscillent entre 20 et 25 ans : si ces chiffres ont un sens, c'est probablement le second qu'il faut retenir. Enfin, le rôle des « pestes, famines, disettes, mortalités » a été vigoureusement souligné, sinon analysé dans le détail, spécialement le « grand hyver » de 1709 qui les symbolise toutes... Autant de travaux qui fournissent de bien précieuses bases de départ, que des recherches détaillées ne font que préciser, fortifier ou nuancer. Car les deux traits fondamentaux de nos populations d'avant 1750, de nos populations « de type ancien », pourraient bien se formuler ainsi : un certain équilibre « naturel », qu'il faut s'attacher à étudier de près; et cependant, des déséquilibres à la fois énormes et passagers, qu'il convient d'examiner de plus près encore, et qui sont justement ces « mortalités extraordinaires » qui apparaissent avec tant de relief à tout observateur, même superficiel.

2. UN ÉQUILIBRE FRAGILE :
LA DÉMOGRAPHIE « NATURELLE »
DU BEAUVAISIS D'AVANT 1750

Le véritable « secret » d'une population, ce pourrait bien être son aptitude à survivre. Le « taux de remplacement des générations » défini par les démographes l'exprime avec assez de précision. Ce taux dépend de plusieurs éléments, qu'il n'est pas impossible d'évaluer de manière assez serrée, même dans le cadre chronologique et géographique qui est le nôtre. Un des éléments les plus utiles à connaître est la fécondité.

A. *La fécondité en Beauvaisis, particulièrement à Auneuil.*

Apparemment, le problème posé est simple : à combien d'enfants une femme donnait-elle naissance ? La solution qu'on va présenter s'entoure cependant d'un luxe de précautions et de précisions qu'on jugera peut-être superflues ; elles sont indispensables, et l'on en a simplifié la présentation.

Nous nous soucions exclusivement de fécondité populaire, et même de fécondité rurale. L'étude de la fécondité des familles bourgeoises de Beauvais est impossible : détruits, les registres paroissiaux originaux ; douteuses et incomplètes, les nombreuses généalogies conservées. On ne peut même pas envisager un examen de la fécondité des familles nobles, assez mobiles, rares, très dispersées. D'ailleurs, le cas populaire, c'est le cas général.

Le cas général, c'est aussi la fécondité légitime. La proportion de naissances illégitimes révélées par les registres paroissiaux apparaît extrêmement basse : jamais 1 % du total des naissances, aussi bien en Beauvaisis qu'en d'autres régions, peut-être moins en d'autres régions qu'en Beauvaisis (1). La plupart des enfants « naturels » étaient légitimés ensuite par le mariage de leurs parents. Sans doute est-il permis de penser, et parfois possible de prouver que quelques futures filles-mères allaient faire leurs couches loin de chez elles, en ville, spécialement dans la « grand-ville », où les nombreux « enfants trouvés » ne furent pas tous des enfants de Paris. Sous cette réserve, et compte tenu d'un second facteur, la rareté des naissances résultant certainement de conceptions anté-nuptiales, un trait mérite d'être souligné : le très grand respect de la loi religieuse qui interdisait de concevoir en dehors du mariage.

L'observation continue des familles fondées à Auneuil à partir de 1656 permet de serrer d'assez près la fécondité légitime. Elle dépend principalement de trois facteurs : l'âge au mariage des filles, l'âge auquel les femmes cessent d'être « fertiles », les intervalles entre le mariage et la première naissance, puis entre les naissances successives (ces derniers appelés « intervalles intergénésiques »). Un quatrième élément joue aussi : la durée du mariage ; plus précisément, le fait que le mariage ait été ou non rompu avant que la femme ait achevé de parcourir sa période normale de fécondité. Ce quatrième élément, nous allons le négliger systématiquement dans une première recherche, afin de n'opérer que sur les familles

_____

(1) A titre comparatif à Jargeau (Loiret) comme à Saint-Lambert-des-Levées (Maine-et-Loire, en face de Saumur), la proportion d'enfants illégitimes baptisés dans la paroisse est comprise entre 0,3 et 0,4 % (période 1650-1750) ; ces bas pourcentages sont très fréquents.

dites « complètes » (1), et de constituer ainsi ce que les économistes appellent un « modèle ». Nous le retrouverons ensuite, lorsque nous confronterons notre modèle à la réalité.

Il existe deux manières de connaître l'âge au mariage des filles. L'une consiste à faire confiance à la déclaration de l'épousée au jour de son mariage : méthode fort rapide, mais aisée à critiquer. L'autre présente une parfaite sécurité : la comparaison entre l'acte du baptême et l'acte de mariage de la même personne. On a naturellement utilisé la seconde méthode. A Auneuil, l'âge moyen au premier mariage des filles est légèrement supérieur à 25 ans; l'âge modal, ou âge le plus fréquent, tombe à 23 ans. Moins de 15 % des filles se mariaient avant 20 ans; moins de 12 % se mariaient après 30 ans, plus de la moitié se mariaient entre 21 et 26 ans. Ces observations concernent strictement Auneuil, sont certaines, et suffisent à notre démarche présente. Il faut ajouter qu'elles paraissent avoir une assez grande portée : aucune des vérifications que nous avons entreprises jusqu'ici en d'autres paroisses ne les infirme d'une manière notable.

Recherchons maintenant la seconde limite de la période de fécondité légitime. Les données physiologiques modernes la placent entre 40 et 50 ans, plutôt entre 45 et 50, et l'on affirme communément que la fertilité féminine est presque toujours nulle à la 50e année. Il serait bien aventureux de supposer que les femmes d'avant 1750 appartenaient à une autre catégorie physiologique; tout au plus pourrait-on alléguer la possibilité d'un vieillissement plus précoce... Il existe un moyen de parvenir à une précision : rechercher l'âge des mères lors de leurs dernières couches. Cet âge a pu être connu avec certitude pour 152 femmes d'Auneuil, appartenant à des familles « complètes » : plus de 85 % ont été mères pour la dernière fois entre l'âge de 37 et l'âge de 46 ans; l'âge modal est le même que l'âge moyen : 41 ans. On s'étonnera de la relative jeunesse de ces femmes. Sans doute convient-il de souligner que l'âge de la dernière naissance est certainement plus bas que la véritable fin de la période de fertilité. On est porté cependant à rappeler que le

---

(1) Famille « complètes », celles dont on est certain qu'elle a été rompue (par le décès de l'un des conjoints) alors que la femme était au moins âgée de 50 ans (âge habituel de la stérilité physiologique féminine).

sens même du mot « vieillard » a beaucoup évolué : si Arnolphe, à 43 ans, était un barbon, les femmes de 43 ans étaient souvent de « vieilles » femmes.

On est ainsi conduit à constater que, du mariage aux dernières couches, la période de fertilité légitime dépassait rarement vingt années. Si l'on se réfère aux âges les plus fréquents, elle était de dix-huit ans; si l'on se contente des âges moyens, elle était de seize années. Entre ces limites, il reste à placer les naissances, donc les intervalles intergénésiques, qu'on peut calculer avec une grande précision, et en opérant sur un nombre de cas assez élevé.

L'intervalle moyen qui s'écoule, à Auneuil, entre le premier mariage et la première naissance est un peu supérieur à 16 mois : donnée moyenne qui se rapproche de beaucoup d'autres, publiées ou à publier. Une courbe de fréquence remet à leur place réelle les phénomènes exceptionnels comme des premières naissances après cinq, huit, dix années de ménage; phénomènes physiologiquement expliqués, mais qui « pèsent » beaucoup trop sur notre moyenne, calculée sur un peu moins de 500 cas. La courbe de fréquence révèle avec une netteté saisissante ce fait dont l'explication est évidente : près de la moitié des jeunes épousées devenaient mères dans la première année de leur mariage, le plus souvent au dixième mois; 85 %, avant leur second anniversaire de mariage. Mais il faut tout de même noter que 15 % échappaient à ce qui était une règle habituelle, et non pas une règle générale : détail qui permet d'apprécier les disparités effectives de la fécondité des couples en période de démographie « pré-malthusienne ». Une étude plus approfondie conduirait à distinguer les cas de stérilité momentanée — les plus fréquents — des cas de stérilité définitive. Démographes et biologistes évaluent ces derniers à 3 ou 4 % des couples : exactement les pourcentages entre lesquels on peut hésiter au sujet des couples auneuillois formés entre 1656 et 1735. Des caractères physiologiques non négligeables donnent donc son véritable sens à la fécondité dite « naturelle ».

Les intervalles qui séparent les naissances postérieures à la première constituent les véritables « intervalles intergénésiques ». S'il est fort long, leur calcul est aisé, et les résultats fort cohérents d'un lieu à l'autre. 1 687 intervalles ont été recueillis dans les familles d'Auneuil : l'intervalle moyen est proche de vingt-neuf mois (28,95).

Si l'on élimine les 100 intervalles les plus longs (tous supérieurs à cinq ans) pour tenter de pallier de possibles lacunes dans la documentation, on trouve encore une moyenne supérieure à vingt-six mois (26,67). Moyennes plus élevées que dans les familles canadiennes — si la source de seconde main utilisée dans ce cas assez spécial est vraiment satisfaisante. Mais moyennes qu'on retrouve, à peu de chose près, un peu partout hors du Beauvaisis : environ vingt-six mois en pleine Beauce à Voves, vingt-sept dans le Bas-Poitou à Chef-Boutonne, vingt-cinq sur la frange blésoise de la Sologne à Saint-Laurent-des-Eaux. Nous ne nous attarderons pas à des raffinements qui intéressent le démographe plus que l'historien : étude de l'influence de l'allaitement sur les intervalles intergénésiques, très nette grossièrement, puisque la mort rapide d'un nouveau-né, en provoquant un renouvellement de la fertilité maternelle souvent interrompue par l'allaitement, raccourcit en moyenne de quatre mois l'intervalle suivant, mais bien moins nette lorsqu'on prend la peine d'examiner en détail le comportement de chaque couple; examen de l'allongement progressif, mais très léger, des intervalles, du premier au sixième, puis raccourcissement au-delà, dans les familles très fécondes; et cependant ralentissement fréquent des naissances vers la fin de la période de fertilité féminine... Négligeant ces détails pourtant intéressants, nous devons souligner l'essentiel avec insistance : l'accouchement annuel des femmes de l'ancien régime démographique, souvent admis comme une règle générale, constitue une simple légende, qui repose sur quelques mentions dispersées de fécondité extraordinaire. Dans notre ancien Beauvaisis (il est possible qu'on puisse écrire bientôt : dans notre ancienne France), les épouses ne donnaient des enfants que tous les deux ans, et souvent tous les trente mois.

Les résultats de l'enquête effectuée sur la fécondité des familles « complètes » à Auneuil sont les suivants : les rares cas de naissance gémellaire réservés, c'est en moyenne sept enfants, mais fréquemment huit, qui apparaissaient dans ce type de foyer. Pour que la famille compte plus de huit naissances, il fallait que fût réalisée l'une au moins des quatre conditions suivantes; pour que soit atteint le chiffre 12, de 14, de 16, il fallait que ces quatre conditions se rencontrent ensemble, se conjuguent :

1º Un âge au mariage féminin anormalement bas (moins de 18 ans);

2º Une période de fertilité féminine anormalement longue (à Auneuil, trois femmes furent mères à 53 ans, sauf erreur);

3º Un rythme intergénésique anormalement rapide, qui peut provenir de trois causes : décès rapide des nouveaux-nés; mise en nourrice immédiate (deux cas qui reviennent physiologiquement au même); absence de stérilité pendant l'allaitement (qui se rencontre normalement dans une minorité de cas);

4º Un ou plusieurs accouchements gémellaires.

Le cas-limite d'une mariée de 15 ans, fertile et fécondée jusqu'à 53 ans, et physiologiquement insensible aux effets souvent stérilisants de l'allaitement, donnerait un total de 23 enfants (accouchements gémellaires exclus). De tels cas ont parfois été notés, spécialement dans les familles de bonne bourgeoisie, dont les enfants partaient rapidement en nourrice. Je n'en ai jamais rencontré aucun. à Auneuil ou ailleurs, M. Henripin n'en a même pas trouvé dans le si fécond Canada. Je ne connais pas encore d'exemple de femme mariée dont la période de fertilité ait dépassé trente-six ans.

En ce qui concerne les familles complètes, donc les plus favorables à l'observation, la cause paraît donc provisoirement entendue : en moyenne comme en plus grande fréquence, huit naissances, au maximum.

Mais toutes les familles n'étaient pas des familles « complètes ». Un grand nombre de mariages étaient rompus par la mort de l'un des époux avant que la femme ait atteint la fin de sa période de fertilité. Il convient d'étudier de fort près ces ruptures d'union : elles font baisser de manière importante le nombre effectif des naissances par famille.

Abandonnant le « modèle » qui vient d'être constitué, rejoignons désormais la réalité. Nos 465 familles d'Auneuil ont eu 2 155 enfants : la moyenne n'est que de 4,63 enfants par famille. Si l'on retirait de cet ensemble 27 familles qui eurent 28 enfants, et dont on ne peut affirmer qu'elles n'ont pas migré temporairement dans une autre paroisse (pour y prendre un fermage, par exemple), la moyenne d'enfants par famille monterait à 4,85. Elle est moins forte qu'au

Canada ; elle est comparable à ce qu'on a pu calculer par la même méthode pour des groupes de familles non beauvaisines. Elle tend même à rejoindre ce quotient grossier, mais non méprisable, qu'on obtient en divisant le nombre de baptêmes d'une paroisse par le nombre des mariages qui y furent célébrés pendant la même période. A Auneuil, ce quotient est presque égal à 5. Pour vingt autres paroisses beauvaisines, le tableau de la page suivante donne les résultats, heureusement fort concordants, de ces opérations sommaires. La méthode très sûre des reconstitutions familiales comme le procédé rapide et grossier du quotient baptêmes - mariages permettent de constater que le chiffre moyen de 5 naissances par famille est probablement fort proche de la réalité.

Il saute aux yeux que les ruptures de mariages étaient responsables, pour la plus grande part, de l'important écart entre cette moyenne effective (5 naissances par famille) et le chiffre de 8 naissances, qui résultait de la formation d'un modèle applicable aux « familles complètes ». Chaque famille qui devenait (définitivement) « incomplète » tendait en effet à rapprocher la moyenne du modèle de la moyenne effective.

A Auneuil, les mariages qui se rompaient dans les premières années se rompaient surtout par la mort des jeunes épousées, c'est-à-dire des jeunes accouchées, fréquente dans les deux premières années du mariage. De la dixième à la vingt-quatrième année, les mariages se rompent plutôt par les décès masculins. Après la vingt-cinquième année, les chances s'égalisent, ce qui présentement importe peu, la plupart des épouses étant déjà stériles au moment de leurs « noces d'argent ». Ces deux manières successives de rompre les mariages conduisent à des remarques qui semblent intéressantes. Le jeune veuf se remarie aisément, souvent très vite : il est peu chargé d'enfants, son dernier né (souvent le premier) ayant suivi fréquemment sa mère au tombeau ; et, d'autre part, les jeunes filles sont toujours en surnombre. En revanche, la veuve de 35 à 45 ans, fatiguée par les maternités, par le travail des champs et du foyer, souvent encombrée d'enfants, trouve difficilement à se remarier, et d'autant moins que les femmes sont toujours, à cet âge, plus nombreuses que les hommes. C'est sans doute pourquoi l'on trouve tant de veuves dans les registres paroissiaux, dans les premiers dénombrements

QUOTIENTS BAPTÊMES/MARIAGES, XVIIe SIÈCLE, BEAUVAISIS

PAROISSES	PÉRIODE de référence	NOMBRE des mariages	NOMBRE des baptêmes	RAPPORT baptêmes/mariages
Beauvais, Saint-Jacques, Saint-André et Saint-Quentin	1674-1692	228	1 307	5,75
Marseille	1656-1685	205	1 097	5,35
Berneuil	1641-1660	103	550	5,34
Clermont	1645-1674	400	2 120	5,30
Beaumont-les-Nonnains ..	1668-1687	42	220	5,24
Ons-en-Bray..............	1656-1676	126	654	5,19
Bresles	1652-1687	316	1 641	5,19
Mouy..................	1676-1692	296	1 501	5,07
Songeons	1656-1685	146	739	5,06
Saint-Martin-le-Nœud	1656-1675	97	487	5,02
Auneuil	1649-1673	225	1 128	5,01
Ibid.	1656-1735	665	3 362	5,05
Breteuil..............	1638-1662	403	2 006	4,98
Saint-Paul	1667-1686	144	714	4,96
Hermes	1641-1680	242	1 192	4,92
Berthecourt	1669-1688	77	374	4,86
Villers-Saint-Barthélemy .	1657-1676	135	632	4,68
Senantes	1656-1675	177	819	4,63
Blicourt	1671-1692	140	646	4,60
Pisseleu..............	1665-1692	115	524	4,56
Luchy	1656-1685	189	840	4,44
MOYENNE GÉNÉRALE (2e moitié XVIIe siècle)				5,04

Observations. — On a choisi des périodes aussi longues et continues que les sources le permettaient, sans jamais dépasser l'année 1692 (l'exception consentie à Auneuil s'explique par le contexte).

sérieux, dans les rôles d'impositions de l'époque : deux fois, sinon trois fois plus de veuves que de veufs (1). Mais dans les deux cas, même s'il y a remariage, ce sont des familles distinctes, toutes deux « incomplètes » qui remplacent une famille qui aurait pu devenir complète; et même si le survivant a eu huit enfants en deux foyers, la moyenne effective descend à quatre...

Ainsi s'explique, pour une large part, qu'une fécondité légitime qu'aurait pu traduire le chiffre de 8 naissances par famille ne puisse être évalué à plus de 5.

Cinq enfants, pourrait-on penser, c'est bien plus qu'il n'en fallait pour assurer le remplacement des parents, celui de 3 à 4 % de couples stériles, et probablement aussi celui des célibataires... Le problème véritable n'était pas de mettre beaucoup d'enfants au monde, c'était de les conserver, de les amener à maturité, de les conduire jusqu'au moment où ils pourraient à leur tour constituer des couples féconds. La question, si grave, de la mortalité infantile et juvénile va permettre d'aborder enfin le problème du remplacement des générations, qui pourrait bien livrer les clés les plus sûres, et comme le secret des structures démographiques de type ancien.

B. *Des naissances aux mariages féconds : la mortalité infantile et juvénile* (cf. graphique p. 434).

La méthode des reconstitutions de familles permet de calculer des taux de mortalité infantile et même de mortalité juvénile; les taux obtenus sont des taux *minimum*, surtout les derniers : on ne peut jamais être fermement assuré qu'un enfant né à Auneuil n'est pas décédé et n'a pas été enterré dans une autre paroisse, lors d'un séjour chez les grands-parents, par exemple, ou à un âge plus avancé, chez un employeur. Les familles retenues furent cependant les plus stables, les plus

---

(1) Quelques exemples : dans 5 paroisses de Beauvais (sur 12) on pointe, en 1764, 324 veuves contre 78 veufs; à Fécamp en 1774, 329 veuves contre 109 veufs (A.D. Seine-Maritime, C 116); proportions beaucoup plus basses à la campagne : en 1787, pour les onze premières paroisses de l'élection de Vitry-le-François (A.D. Marne, C 427), on ne compte que 152 « demi-ménages » féminins pour 103 masculins (l'on peut supposer que ces « demi-ménages » sont constitués par des veufs, les célibataires de chaque sexe au-dessus de 12 ans étant dénombrés à part).

fréquemment citées dans les registres paroissiaux : précisons que, sur plus de deux mille enfants nés dans leur sein, il en est seulement un sixième dont on perd toute trace après leur baptême; proportion dont il sera permis un jour de dire qu'elle est extrêmement faible, et qu'elle contribue à classer les documents auneuillois parmi les meilleurs qu'on puisse trouver.

Les taux calculés (taux minima, répétons-le) pour la période 1656-1735 sont les suivants :

Mortalité infantile (0-1 an) : 28,8 % des naissances;
Mortalité juvénile (1-4 ans) : 14,5 % des naissances;
Mortalité juvénile (5-9 ans) : 3,8 % des naissances;
Mortalité juvénile (10-19 ans) : 4,0 % des naissances (avec des réserves spéciales pour ce dernier taux, sans doute trop bas).

D'où : survivants à 1 an : 71,2 % des naissances;
D'où : survivants à 20 ans : 48,9 % des naissances;

Pour qui a pratiqué les tables de Duvillard, ces taux paraîtront assez élevés. Ils sont cependant incontestables. Calculés de la même manière, les taux qui suivent surprendront plus encore. Ils concernent la paroisse plus qu'à demi solognote de Saint-Laurent-des-Eaux. Ils s'appliquent à une période postérieure (première moitié du XVIIIᵉ s.) et ont été calculés à partir des 1 713 enfants de 373 familles :

Mortalité infantile (0-1 an) : 32,6 %;
Mortalité juvénile (1-4 ans) : 22,4 %;
Mortalité juvénile (5-9 ans) : 5,1 %;
Mortalité juvénile (10-19 ans) : 3,3 % (taux minimum);
Survivants à 1 an : 67,4 %;
Survivants à 20 ans : 36,6 % (taux maximum).

S'ils précisent l'épouvantable situation démographique, déjà connue, de la Sologne, ces taux extraordinaires font ressortir par contraste, une fois encore, la situation favorisée d'Auneuil. Et cependant, plus du quart des nouveau-nés d'Auneuil mouraient avant leur première année, et un peu plus de la moitié n'atteignaient pas leur vingtième anniversaire.

Mais hors d'Auneuil, dans le reste du Beauvaisis ? Une remarque de méthode permet, au moins provisoirement, de prendre assez rapidement une connaissance approchée de la mortalité infantile et juvénile dans un cadre assez large. On a eu l'idée de comparer, pour les mêmes lieux et les mêmes périodes, les résultats donnés par la technique minutieuse des « reconstitutions de familles » et par la technique sommaire des comptages rapides dans les registres paroissiaux (en utilisant ceux où de consciencieux curés inscrivaient soigneusement toutes les morts d'enfants, avec les âges). A Auneuil le comptage rapide a donné une mortalité infantile de 27,3 % au lieu de 28,8 % par la première méthode, la plus sûre; et l'on a trouvé 50,7 % de survivants à 20 ans, au lieu de 48,9 %. Menée en d'autres localités, une semblable confrontation du taux obtenu par la méthode « scientifique » et du taux obtenu par le procédé « grossier » a permis d'aboutir à des résultats comparables. Ainsi, Saint-Laurent-des-Eaux nous a donné 35,8 % de survivants à 20 ans, au lieu de 36,6 %. Ces comparaisons nous ont procuré l'audace d'effectuer, par la méthode des comptages, quelques calculs de mortalité infantile et juvénile; sommaires et éminemment criticables, ils donnent cependant des points d'appui. On a même tenté l'aventure sur des registres médiocres comme ceux de Crèvecœur, voire sur des copies, comme celles de la paroisse Saint-Quentin de Beauvais. Des localités notoirement malsaines, et d'ailleurs grouillantes de tisserands, comme Mouy et Saint-Quentin de Beauvais, donnent des taux d'allure solognote : 38,1 et 32,8 % de mortalité infantile, dans le dernier quart du xviie siècle. Des bourgs diversement situés en donnent de plus modestes (Senantes, 25 %; Clermont, 24,7 %; Pisseleu, 23,8 %; Crèvecœur, seulement 21,3 %) mais on ne saurait jurer que toutes les morts d'enfants y ont été enregistrées par les curés, surtout à Crèvecœur (1).

Il demeure de ces expériences précises et de ces essais sommaires que la mortalité infantile dut généralement être supérieure au quart des nouveau-nés et, dans les lieux maudits, dépasser le tiers. L'on retiendra surtout (et sur ce point, l'appui de Duvillard et des démographes qui l'ont suivi nous est acquis d'avance), que le taux des survivants à 20 ans ne dépassait pas 50 %, et qu'il était assez souvent inférieur à

---

(1) Depuis 1960, on a trouvé ces taux exagérés, et propres à nourrir la « légende noire » du xviie siècle. Je dois répéter qu'ils sont rigoureusement exacts, et qu'ils ne s'appliquent qu'aux paroisses étudiées, et non pas à toute la France.

ce chiffre. Vingt ans, l'âge auquel si peu de filles étaient mariées, et moins encore de garçons.

Nous possédons maintenant les éléments qui permettent d'avoir une idée du remplacement des générations, notamment à Auneuil, à la période choisie.

C. *Le taux de remplacement dans la démographie « de type ancien ».*

438 femmes d'Auneuil ont donné naissance à 2 127 enfants, 1 037 filles et 1 090 garçons. Vingt ans après leur baptême, il restait 1 040 jeunes gens, dont 528 filles, qui seules nous intéressent. Le sort de la génération suivante dépend étroitement du nombre de filles qui se marieront et deviendront à leur tour mères de famille. Si 20 % restent célibataires, 422 filles seulement vont prendre le relais de 438 mères. Dans ce cas précis, et dans les mêmes conditions générales de fécondité, le remplacement de la génération vieillie n'est pas assuré : le « taux de remplacement » reste inférieur à l'unité. Si 85 % des filles (soit 439) se marient, le remplacement est assuré, à une unité près. Si plus de 85 % se marient, la population considérée doit s'accroître, et dans des proportions qui s'élèveraient rapidement à mesure que s'amenuiserait le groupe des célibataires.

Devant des possibilités aussi resserrées, on saisit l'extrême importance de la question du célibat féminin (et naturellement, masculin), et la passion qui anima ceux qui dissertèrent sur ce sujet. Il faudrait parvenir à évaluer avec exactitude le pourcentage des filles qui ne se marièrent pas, dans un lieu donné, à une époque donnée. Hélas! aucun registre paroissial ne peut offrir une statistique du célibat, même féminin; en effet, le fait qu'une fille ne s'est pas mariée dans son village d'origine ne peut prouver qu'elle ne s'est pas mariée ailleurs. La solution du problème ne pourrait être apportée que par des dénombrements sérieux, qui fussent autre chose que des évaluations. Des dénombrements effectués tête par tête, même s'ils contiennent peu de détails sur les personnes, peuvent conduire au calcul d'un taux de nuptialité, et donner une idée du célibat. Un dénombrement nominatif qui préciserait l'état matrimonial de chacun apporterait une solution presque parfaite. Ce type de document existe, pour Beauvais, pour quelques paroisses du Beauvaisis, et pour des localités non beauvaisines. Malheureusement, il est très tardif : sauf erreur ou omission, postérieur à 1763.

L'excellent recensement détaillé effectué à Beauvais, en 1764, sur l'initiative de Bertier de Sauvigny, en une localité qui avait une pratique séculaire de ce genre d'opération, donne des résultats si précieux qu'on ne peut se résoudre, malgré leur date, à les passer sous silence. Dans le groupe d'âge compris entre 35 et 39 ans (âge auquel un célibat féminin risque, on le sait, d'être définitif) il y avait à Beauvais 15,5 % de filles célibataires contre 84,5 % de femmes mariées et de veuves. Au-dessus de 50 ans, la proportion des « filles anciennes » atteint 19 %. Si, pour effectuer les comparaisons avec les chiffres de Moheau, on cherche le rapport entre le nombre des « filles » de plus de 14 ans et la population totale, on obtient 12,3 % : proportion un peu supérieure à celle que donne Moheau, qui correspond sensiblement aux sérieuses évaluations calculées au siècle suivant, qui donne en tout cas à penser que le célibat n'a pas été plus fréquent au xviiie siècle qu'au xixe, qu'il a même été probablement moins fréquent. Des calculs semblables à ceux qui ont été effectués pour le Beauvais de 1764 peuvent être entrepris, pour la même époque, dans bien d'autres localités : Fécamp, Vitry-le-François, par exemple.

Il est certain que tous ces renseignements, fort précis, demeurent trop tardifs pour que nous puissions les utiliser. Il en est d'autres, peu nombreux, mais sûrs : les taux de nuptialité générale. Pour les campagnes de la fin du xviiie siècle, Moheau a donné le chiffre de 1 mariage par année et par groupe de 114 habitants. Toutes les vérifications effectuées pour les décades 1770 et 1780 confirment à très peu près les données de Moheau : une nuptialité rurale de 175 nouveaux mariés pour 10 000 habitants, une nuptialité générale de 165 ; taux franchement supérieur à ceux de la première moitié du xixe siècle : 156 p. 10 000. Il paraît s'ensuivre immédiatement que le célibat, au temps de Moheau, ne pouvait être plus fort qu'après 1800, et qu'il était probablement plus faible. Une paroisse de Beauvaisis a subi un dénombrement effectué tête par tête (enfants compris) en avril 1718, par son nouveau curé, Vuatrin, qui noua ainsi des liens serrés avec son nouveau troupeau ; le recensement emplit plusieurs pages du registre paroissial de Villers-Saint-Barthélemy. Le taux de nuptialité qu'il permet de calculer est voisin de 180 p. 10 000 : il dépasse donc un peu le taux rural de Moheau pour la fin du XVIIIe siècle. S'il est permis d'utiliser une comparaison lointaine, mais solidement fondée, l'on présentera le taux obtenu pour la fin du XVIIe siècle, dans les mêmes conditions et par les mêmes procédés, pour la paroisse bretonne de Montreuil-sur-Ille : environ 175 nouveaux mariés pour 10 000. Ces résultats sûrs, mais exceptionnellement rares pour l'époque qui nous occupe, permettent-ils d'avancer que le célibat ne fut pas plus répandu vers 1700 qu'au XIXe siècle, et qu'il le fût peut-être moins ? Les proportions de célibataires avancées par Moheau varient toutes, pour les filles, entre 10 et 15 % ; elles ne paraissent pas s'écarter de la réalité. On affirmera avec moins de réserves que la proportion des filles restées célibataires dut très rarement dépasser 15 %, sauf dans les villes (où la question des domestiques vient d'ailleurs tout compliquer).

Si cette hypothèse est correcte, l'une des possibilités envisagées plus haut, quant aux taux de remplacement des populations auneuilloises, tombe d'elle-même. Les populations de ce type *ne pouvaient diminuer* (sinon par émigration), et leur taux de remplacement dépassait légèrement l'unité.

Mais l'exemple d'Auneuil — nous y avons suffisamment insisté — est un exemple optimiste (1). Le simple rappel des taux de mortalité infantile observés dans une population manufacturière comme celle de Mouy, en Beauvaisis, ou d'une population solognote comme celle de Saint-Laurent, montre que le taux de remplacement était nécessairement inférieur à l'unité : des 500 enfants dont pouvaient, en moyenne, accoucher 100 mères, il n'en restait même pas 200 à l'âge de 20 ans ; dans ces conditions, sauf apport extérieur, ces populations étaient *condamnées à décroître*.

L'aboutissement de cette longue suite de recherches et de calculs peut être ainsi formulé : étant donné leur fécondité légitime, leur mortalité infantile et juvénile, leur nuptialité, et divers autres facteurs précédemment analysés, ces populations présentaient, en général,

---

(1) De ce caractère « optimiste », je suis moins assuré en 1968 qu'en 1958.

un taux de remplacement voisin de l'unité. Dans les cas extrêmement défavorables — Mouy, les faubourgs ouvriers de Beauvais, les espaces désolés de l'affreuse Sologne — le taux de remplacement descendait franchement au-dessous de l'unité, et, sauf apport extérieur, ces malheureuses populations étaient bien condamnées à décroître. Dans le cas assez favorable du bourg d'Auneuil, le taux pouvait avoisiner 1,03 et donner (s'il se maintenait, et toutes migrations réservées) un accroissement de 10 à 12 % en un siècle — quelles que soient les conditions successives, ces calculs englobant aussi bien les années dites « normales » que les années de mortalité (qui vont être bientôt isolées). Auneuil témoigne pour des campagnes assez riantes, riches en pâtures, qui offraient à l'homme des possibilités de travail assez variées. Il est possible que notre bourg d'élection présente un tableau un peu embelli de la démographie d'entre 1656 et 1735; mais ce tableau nous paraît fort proche de la réalité régionale, et les exemples très sombres que nous lui avons opposés rendront possible un jugement d'ensemble nuancé. Risquons alors quelques formules : dans ces populations soumises à ce qu'il est permis d'appeler l' « ancien régime démographique », malgré la succession des années heureuses et des années terribles, à travers des discordances régionales, locales, sociales, une sorte d'équilibre interne était réalisé et, dans l'ensemble, la population devait assez faiblement osciller autour d'un certain niveau. Depuis quand ? Plusieurs réponses viennent à l'esprit; il faut honnêtement reconnaître qu'elles se réduisent à des hypothèses gratuites. On ne saura sans doute jamais si cet équilibre démographique entre les générations, si cette stabilité fondamentale d'une population à la fois très féconde et très fragile était une nouveauté, s'était installée au XVIe siècle, ou constituait comme la résurgence d'un état de choses bien plus ancien...

Un taux de remplacement voisin de l'unité est extrêmement fragile : la moindre modification de l'un des facteurs qui ont permis de le déterminer risque de l'incliner, de manière décisive, dans un sens ou dans l'autre. Que la mortalité juvénile baisse, que l'âge au mariage décroisse, que la rupture des couples en pleine fécondité devienne moins précoce ou moins fréquente, et l'on verra s'élancer l'essor de la population.

En revanche, que la fécondité baisse, que les intervalles intergénésiques s'accroissent, que l'âge au mariage recule ou que le célibat progresse, et le taux de remplacement s'abaissera au-dessous de l'unité : tôt ou tard, la population devra décliner. La clé des grandes modifications de la structure démographique est enfermée dans ces remarques ; l'on examinera si ces modifications de structure se produisirent, et quand.

Auparavant, il convient d'attirer l'attention sur cet autre caractère fondamental des populations de type ancien : la fondamentale irrégularité de l'évolution inter-annuelle, les successifs écarts de la natalité, de la mortalité, et même de la nuptialité. Trait de conjoncture, objectera-t-on ; apparemment et méthodiquement, peut-être. Mais ces écarts annuels énormes, mais ces irrégularités presque régulières, se retrouvent avec une telle continuité, une telle fidélité, d'une paroisse à une autre, d'une province à une autre, d'une période à une autre, qu'on est contraint de désigner en eux l'un des caractères les plus éclatants de la démographie d'ancien régime — et, sans doute, de son économie et de sa société.

3. ANALYSE, INTERPRÉTATION
ET PORTÉE DES CRISES DÉMOGRAPHIQUES DE TYPE ANCIEN

Dès que les sources l'ont permis, l'on a représenté graphiquement, pour chaque paroisse, le nombre annuel des naissances et celui des décès. L'on a toujours obtenu jusque vers 1745 des « courbes paroissiales » agitées, fiévreuses, fréquemment coupées par des éruptions soudaines de mortalité : les *graphiques*, p. 424 et suivantes, en donnent quelques exemples, qu'on aurait pu multiplier jusqu'à la centaine, à la fois dans le Beauvaisis et en dehors. Tout Beauvaisin (presque certainement : tout Français) parvenu à l'âge d'homme avait été le témoin de plusieurs « mortalités » (c'est le mot de l'époque) qu'il avait vu vu décimer autour de lui ses parents, ses amis, ses voisins. Ces grandes vagues où la mort paraissait tenir le premier rôle ont lourdement pesé sur l'histoire de notre Ancien Régime, sur son histoire politique comme sur son histoire économique, sociale et morale. La terreur à l'approche de la saison des morts, la joie bruyante d'avoir survécu, le silence concerté des « notables » sur la « mortalité » passée : traits de mentalité qu'on doit tenir pour essentiels. Dans toutes les paroisses beauvaisines, la plus terrible (sauf exception) des « mortalités » connues jaillit en 1693. D'intensité variable, mais toujours importantes, furent celles de 1674, 1679, 1684, 1709-1710, 1719, 1741-1742. La médiocrité des listes de sépultures antérieures à 1667 permet trop rarement d'apercevoir des années qui, démographiquement, furent épouvantables : 1648 à 1653, 1661-1662 ; du moins les observe-t-on à Villers-Saint-Barthélemy, à Saint-Martin-le-Nœud et à Bresles. C'est en des régions plus favorisées par la qualité de leurs sources, notamment le Val de Loire, qu'il sera permis de présenter bientôt les grands écroulements de la fin du XVIᵉ et du début du XVIIᵉ siècle. Sans offrir la régularité d'un retour périodique, la « mortalité » est toujours présente dans l'histoire des Beauvaisins, au moins jusqu'en 1743. Il n'est guère de décade où elle ne frappe pas, tantôt relativement bénigne, tantôt « extraordinaire », toujours redoutée et finalement toujours grave. Un phénomène aussi sérieux et aussi fréquent requiert une analyse minutieuse. Les *graphiques*, des pages 427, 430, 431, fournissent une illustration à cette analyse.

Définition graphique et dénomination.

La « mortalité » inflige habituellement aux trois « courbes paroissiales longues » une triple distorsion, qui affecte aussi bien les mariages et les naissances que les sépultures.

Alors que, chacune à son étiage, les trois courbes ondulent habituellement de concert, l'on aperçoit, très brusquement, la courbe des sépultures jaillir jusqu'à des sommets vertigineux et, en même temps, la courbe nuptiale et la courbe baptismale s'effondrer presque ensemble. La tempête passée, les trois courbes, avant de revenir à leur état d'équilibre ondulant, effectuent trois mouvements inverses, mais d'amplitude moins forte : les sépultures s'effondrent momentanément, les mariages croissent, les baptêmes aussi. Dans cet ensemble, aux éléments inséparables, le phénomène le plus frappant et le plus fréquemment noté par les contemporains et les historiens, c'est naturellement la « mortalité extraordinaire », dont le nom a généralement été donné à l'ensemble de la crise. A cette dénomination incomplète, quelque peu « littéraire », et au fond inexacte, il paraît bon de substituer, pour des raisons multiples qui apparaîtront peu à peu, l'expression de « crise démographique de type ancien ». Cette formule offre l'avantage de sauvegarder la complexité du phénomène, de ne pas en préjuger les causes et de rappeler le vocabulaire consacré par les historiens des fluctuations économiques. Ces définitions, évidemment toutes provisoires, une fois acceptées, on se risquera à aller plus loin dans l'analyse.

Mais, pour cela, l'on mettra immédiatement en avant les deux causes essentielles des crises démographiques d'ancien type. Cause principale : la « cherté » des blés, les « disettes » et « famines » des vieux textes, c'est-à-dire les « crises économiques de type ancien », spécialement les « pointes cycliques » des prix céréaliers. La seconde cause, les épidémies, était généralement associée à la première, dont elle dérivait souvent : elle agissait rarement seule, à l'état « pur ». En admettant provisoirement ces deux « antécédents », les plus « difficilement substituables », on ne fait d'ailleurs que se conformer aux textes les plus banals des XVIIe et XVIIIe siècles, et aux analyses historiques les plus sûres. Le problème des causes sera d'ailleurs repris au cours de cette étude.

Les mariages en temps de crise.

La chute des mariages en temps de crise représente le phénomène le plus simple et le plus évidemment explicable. Dans le cadre annuel, cette chute est plus ou moins forte, selon l'intensité et la durée de la crise; elle est souvent de l'ordre de 50 %. Dans le cadre trimestriel, la chute de la nuptialité est naturellement plus nette et plus forte. Elle se produit presque toujours au premier « sommet » de la crise, c'est-à-dire en même temps que la première grande pointe trimestrielle de décès. A Auneuil, où médianes et moyennes mobiles des mariages oscillent, de 1675 à 1690, entre 6 et 8, il y eut un seul mariage pendant l'année-récolte 1693-1694, et aucun durant les trois premiers trimestres de 1694; à Méru, 3 en 1693-1694, au lieu de 10, chiffre habituel. A Mouy et à Breteuil, la chute fut moins marquée, pour des raisons qu'on donnera bientôt. Mais on remarque presque toujours que la courbe nuptiale passe par son minimum lorsque la courbe mortuaire atteint son maximum, ou va l'atteindre. Les cas extra-

beauvaisins de Beaune-la-Rolande en 1661 et de Saint-
Lambert-des-Levées en 1626 offriraient, à cet égard, des
illustrations graphiques d'une grande netteté. En
d'autres termes, on cesse de se marier dès que le maximum de mortalité apparaît, ou s'annonce.

Inversement, il semble qu'on se hâte vers l'hyménée
dès que les sépultures s'espacent, que l'épidémie recule,
que la cherté des grains tend à se résorber. Mariages
retardés, remariages hâtifs : l'on se précipite aux épou-
sailles dès que l'espoir apparaît, avant même que les
dernières victimes des « pestes et disettes » aient achevé
de mourir. Et la courbe nuptiale est alors affectée
d'une hausse de quelques trimestres, parfois très vive
— à Mouy, à Saint-Lambert, à Beaune — mais parfois
peu nette ou réduite à un seul trimestre — Breteuil,
Auneuil, Méru surtout. Une apparente anomalie brouille
parfois ce schéma, dont l'explication humaine relève
du simple bon sens.

Lorsque la « grande » crise est précédée, amorcée
par plusieurs crises assez légères — par exemple à
Breteuil de la moisson de 1690 à celle de 1693 — le bas
niveau des mariages ne se maintient pas. Ainsi, à Breteuil,
d'août 1691 à août 1692, le nombre des morts double,
et le nombre des mariages diminue de moitié (8 en
12 mois); mais, sans cesser vraiment, la « mortalité »
s'atténue pendant l'hiver 1692 et le printemps 1693 :
les mariages reprennent alors leur « niveau » habituel :
17 dans l'année-récolte; bien mieux, l'on en célèbre
encore 9 de novembre 1693 à février 1694, alors que
la grande mortalité est déclenchée; il faut attendre
le désastreux printemps de 1694 pour voir disparaître
presque complètement — à une exception près — les
cortèges nuptiaux de l'église de Breteuil, durant six mois.
Soixante-dix années plus tôt, en une paroisse lointaine,
les mêmes réactions humaines s'observent à Saint-
Lambert-des-Levées : en 1625 et 1626, la moindre
accalmie est mise à profit par les Angevins pressés de
s'épouser. Durant la période de la Fronde, les documents
beauvaisins permettent mal, sauf à Mouy, d'observer
l'ensemble vraiment pathétique des crises qui rebon-
dissent au moins trois fois. A Mouy cependant, il y
eut 10 mariages durant le répit hivernal de janvier-
février 1650, et 6 encore dans les deux premiers mois
de 1652 — alors qu'on n'en célébra aucun au moment
des grandes « pointes » de mort de 1649 et 1652. Observée

hors du Beauvaisis, la même période se caractérise par les mêmes réactions : tout répit dans la succession des crises est mis à profit par les jeunes gens qui ne se résignent plus à attendre encore, par les veufs qui ont besoin d'une seconde mère pour leurs enfants.

En somme, la courbe des mariages, toujours sensible, est très sensible, et tend même vers zéro, lors des plus grandes « pointes » de mortalité, aux moments les plus aigus de la crise démographique de type ancien ; elle se relève rapidement et sensiblement dès que la crise s'atténue, et très rapidement, mais pas toujours de manière durable, lorsque la « mortalité » et ses causes disparaissent.

Les « conceptions » en période de crise.

Observée au point de vue des naissances, plus précisément des naissances arbitrairement reculées de neuf mois, qu'on peut appeler « conceptions », la crise démographique prend un relief saisissant, surtout lorsqu'on l'examine dans le cadre trimestriel. Il est alors courant que la chute des conceptions soit de l'ordre des deux tiers ; il n'est pas rare de voir cette proportion dépassée : à Beaune-la-Rolande, pendant l'été 1661, la chute fut de 90 % ; à Songeons, durant deux trimestres de 1652, il ne se produisit aucune conception suivie d'effet (mais on doit souligner que ce bourg beauvaisin était alors assez petit). Les exemples donnés ne traduisent aucun cas exceptionnel : toutes les crises démographiques de type ancien furent marquées par une chute étonnamment puissante du nombre de conceptions suivies de naissances. Le minimum de conceptions est presque toujours contemporain du maximum de sépultures ; Mais il révèle parfois un léger décalage. Aussi vite que la courbe nuptiale, la courbe des futures naissances repart dès que la mort recule, définitivement ou temporairement ; très vite donc, le niveau antérieur à la crise est à nouveau atteint ; il n'est que rarement dépassé d'une manière nette. Un phénomène aussi vigoureusement attesté — bien que rarement relevé — demande un essai d'explication.

A cet égard, deux interprétations paraissent s'opposer. Elles se ramènent à ce dilemme : la chute considérable des conceptions fut-elle, ou non, volontaire ? Après quelques autres, j'ai opté naguère pour l'affirmative. Choix prématuré, que je ne maintiens pas. Seul, un appareil statistique reposant sur l'observation en période de crise d'un grand nombre de « familles reconstituées » permettrait de trancher, au moins pour quelques villages, après un travail de plusieurs années ; ce dont je puis disposer ne me paraît pas suffisant pour présenter des conclusions solides. Il est toutefois permis d'avancer quelques observations.

Les naissances qui « manquent » auraient pu provenir de femmes qui sont mortes enceintes, ou qui auraient pu être fécondées pendant les trimestres de crise, si leur mari ou elles-mêmes n'étaient pas morts. Or, il est aisé de connaître le nombre et surtout le pourcentage des familles qui ont pu être dans ce cas : pour cela, il suffit de se reporter aux taux de mortalité par âge, sexe, et état matrimonial en temps de crise, voire même aux seuls taux de mortalité par âge. L'on verra bientôt que le dixième, peut-être seulement le vingtième des foyers existants ont pu être rompus par la mortalité de crise. La chute des conceptions ayant été au moins six fois plus forte, on en conclut que sa principale cause n'a pas encore été décelée.

Examinons d'autre part quelques courbes nuptiales et natales d'après-crise : à Breteuil comme à Mouy, comme à Auneuil, comme à Méru, comme hors du Beauvaisis, la courbe des conceptions remonte *avant* la courbe des mariages. Bien mieux, il est patent que les nouveaux mariages (de 1695, par exemple) n'ont pu produire qu'une part minoritaire des conceptions de la même année : à Auneuil, en 1695, 12 nouveaux mariages et 33 conceptions, et, pour le premier trimestre seul, 4 nouveaux mariages contre 17 conceptions. La conclusion n'est guère contestable : la remontée des baptêmes après la crise n'est pas le seul fait des nouveaux ménages, mais aussi des anciens qui ont survécu ; c'est dans le sein des familles anciennes que la fécondité semble se « réveiller ». Celle-ci était donc en sommeil. Pourquoi ? diminution des relations sexuelles légitimes pendant la disette et les maladies qu'elle provoque ou favorise ? — les médecins consultés sur cette question précise demeurent très sceptiques, et opteraient plutôt pour une exaspération des instincts sexuels en milieu misérable et sujet à des maladies, surtout digestives, qui ne confinent pas à l'inanition. Un exemple précis, bien que récent, fournit peut-être la meilleure des explications : dans les villes des Pays-Bas, durant le terrible hiver 1944-1945, « l'hiver de la faim », on a constaté que la moitié des femmes étaient atteintes d'aménorrhée. S'il en fut ainsi lors des grandes famines d'avant 1750 — et l'on nourrit l'espoir que quelque mémoire de vieux médecin nous en fera confidence — la raison physiologique de la forte baisse de conceptions lors des pointes de mortalité les plus aiguës est enfin trouvée. Une première confirmation paraît bien ressortir d'une page de Moheau qui traite des effets des crises de subsistances sur la population : « ... *le défaut de reproduction à laquelle sont inhabiles des êtres souffrans et exténués* ». A la vérité, plus on connaît les paysans beauvaisins, et quelques autres, et moins on les croit capables d'exercer fréquemment, fût-ce en période de crise très grave, le « birth control » le plus élémentaire.

Quoi qu'on puisse penser de ces causes, le fait demeure, incontestable : l'effondrement de la natalité lors des crises démographiques de type ancien. Dans l'espace d'une année, il manque couramment 40 à 50 % des conceptions : la crise de 1693-1694 a donné, à Auneuil, 20 naissances au lieu du chiffre habituel de 40: à Méru, 34 au lieu du chiffre habituel de 60; à Mouy, 39 au lieu du chiffre habituel de 90. Quelle que soit, apparemment, la « compensation » lors de l'année suivante, c'est-à-dire la hausse passagère (pas toujours nette) que fait ressortir une baisse passagère de la mortalité, il n'en demeure pas moins que les naissances qui n'ont pas eu lieu sont des naissances perdues : sous le régime de la démographie à peu près « naturelle », il n'y a pas de naissance « retardée », et toute absence de conception est définitive. Les « promotions », les « classes d'âge » conçues au moment des crises sont des classes d'âge et des promotions amputées de moitié. Vingt-cinq ou trente ans plus tard, elles formeront des « classes » de reproducteurs moitié moins nombreuses que les précédentes et que les suivantes. L'on conçoit sans doute déjà que nous puissions tenir, avec cet incontestable phénomène de « classes creuses », l'un des principaux facteurs de la conjoncture démographique, en même temps que l'un des effets les plus nets et les plus durables de la crise de type ancien. Et cependant, nous n'avons pas encore fait entrer en ligne l'aspect le plus visible et en fin de compte le plus important de la crise : l'éruption de mortalité qui a toujours retenu l'attention, trop exclusivement sans doute, mais assez justement.

La mortalité globale en temps de crise.

On propose de parler de « crise démographique » à partir du moment où le nombre annuel des décès double et où, en même temps, le nombre des conceptions s'abaisse de manière indiscutable; au moins du tiers. Ces suggestions, qui résultent seulement d'une expérience bien réduite, ne prétendent pas être systématiques : elles permettent seulement d'éviter de qualifier « crises » ces boursouflures de mortalité simplement dues à des poussées saisonnières de grippe automnale ou d'entérocolites estivales, qui font parfois suffisamment de victimes pour gonfler de moitié le nombre habituel des décès annuels. On pourrait représenter ce « nombre habituel » des décès par la moyenne, ou le « mode », des années « normales » figurant entre deux crises bien attestées, dans les mêmes conditions d'observation, et naturellement à partir de sources de qualité constante.

Ces remarques pratiques perdent beaucoup de leur intérêt lorsqu'on examine, d'une part les « courbes paroissiales longues », mêmes construites par années civiles, d'autre part, et surtout, les graphiques trimestriels (pages 427, 430 et 431). Partout, en effet, éclate la surmortalité contemporaine des grandes crises. Le triplement du nombre annuel des sépultures est tout à fait commun, et cela signifie que le taux de mortalité générale avoisine alors 12 % : le quadruplement n'est pas rare, et il existe des exemples isolés qui vont du quintuplement au décuplement — et 20 à 40 % de la population fut alors, exceptionnellement et très localement, victime de la crise (1). S'il y a prolongation de la crise pendant deux années ou plus, il semble que les taux annuels de mortalité doivent se cumuler : le cas se produisit, par exemple, à Bresles de 1691 à 1694, puis de 1741 à 1744, à Villers-Saint-Barthélemy de 1651 à 1653; hors du Beauvaisis, à Saint-Lambert de 1625 à 1627, plus encore de 1648 à 1653 (avec 1 070 morts et 414 naissances en 6 ans dans un gros bourg qui devait compter

---

(1) C'est dans de petites localités de Sologne, du Val de Loire, ou du Beauvaisis septentrional que nous trouvons ces coefficients exceptionnels (à Abbeville-Saint-Lucien, minuscule village du nord de Beauvais, par exemple); mais les villages voisins ont beaucoup moins souffert, parfois beaucoup moins que la moyenne (Muidorge, par exemple, limitrophe d'Abbeville-Saint-Lucien); si bien qu'on ne peut donner de coefficient valable qu'après de nombreux dépouillements régionaux.

entre 2 500 et 3 000 habitants vers 1645). La surmortalité de crise aboutit donc, dans la plupart des paroisses, à jeter au tombeau de 10 à 20 % de la population, parfois plus si la crise se prolonge ou revêt un aspect local particulièrement grave. L'importance de cette perte, qui s'ajoute au déficit déjà étudié des naissances, et qui rétablit fort brutalement un certain équilibre entre la population et les subsistances, nous contraint à analyser cette crue de morts de beaucoup plus près.

Répartition des décès de crise dans le temps.

Le cas général est illustré par les courbes de Méru et d'Auneuil : la mortalité se déclenche dans l'été 1693, fin août ou septembre; elle croît jusqu'au début de décembre, recule légèrement l'hiver, culmine au printemps et à l'approche de la « soudure », décroît rapidement avec la moisson, et disparaît entièrement lorsque les blés de 1694, battus, sont vendus à très bas prix : l'identité de la crise céréalière et de la crise démographique est absolue. Mouy présente une variante sociale : ce gros bourg manufacturier fut atteint plus rapidement, plus tôt, et plus fortement que les bourgs agricoles. Les ouvriers du textile qui le peuplaient voyaient disparaître, en temps de cherté céréalière, à la fois le travail et le salaire. L'actif bourg d'étape de Breteuil présente l'anomalie de sa pointe estivale, donc tardive, de 1694; on la retrouve à Saint-Étienne, la plus grosse paroisse de Beauvais, avec 140 sépultures d'été, onze fois le chiffre trimestriel habituel. Il s'agit (certainement à Beauvais, fort provablement à Breteuil) d'épidémies consécutives à la cherté, et qui durent plus longtemps qu'elle. Ces maladies, attestées presque partout, naissent, dans un milieu social affaibli par la faim, de la très mauvaise qualité de ce qu'absorbaient les affamés: légumes et graines non venus à maturité, herbes des chemins, sang et viscères jetés à la voirie, etc. Les déplacements accomplis pour mendier activaient la contagion: Breteuil, sur un très grand chemin, était bien placé pour en subir les effets; Beauvais, centre de l'administration charitable, l'était bien plus encore.

Distribution par âge des décès de crise.

Quel qu'en soit l'intérêt, la distribution mensuelle ou trimestrielle des décès de crise ne constitue pas un élément d'interprétation démographique sur lequel il y ait lieu de s'appesantir. Il en va tout autrement pour leur distribution par âge. En effet, si ce sont les vieillards qui meurent, l'avenir de la population considérée n'est pas compromis; si ce sont les adultes en pleine activité reproductrice, cet avenir est compromis immédiatement, et le chiffre des naissances doit baisser dans les années qui succèdent immédiatement à la crise; si ce sont surtout les jeunes enfants qui meurent, c'est l'effectif de la génération suivante de reproducteurs qui est atteint, et une baisse des naissances doit se manifester vingt à trente années plus tard, lorsque les classes sacrifiées arriveront à l'âge du mariage et de la fécondité. L'observation attentive des élémentaires « courbes paroissiales longues » montre bien que, de ces trois hypothèses, c'est la troisième qui paraît la meilleure. Encore reste-t-il à

I		II		III	
Groupes d'âges pour 1 000 habitants, selon Bourgeois-Pichat		Mortalité annuelle normale d'après Duvillard		Triplement des chiffres précédents, pour évaluer une mortalité de crise	
Ages	Effectif	A % de chaque groupe d'âge	B Nombre effectif des morts	A % de chaque groupe d'âge	B Nombre effectif des morts
0-1 an	36	23,2	8 ou 9	69,6	25
1-4 ans	94	7,2	6 ou 7	21,6	20
5-14 ans	204	1	2	3	6
15-24 ans	184	1,2	2 ou 3	3,6	7
25-34 ans	147	1,5	2 ou 3	4,5	7
35-44 ans	124	1,9	2 ou 3	5,7	7
45-54 ans	100	2,6	2 ou 3	7,8	8
55-64 ans	66	4,3	2 ou 3	12,9	8
65-74 ans	34	7,8	2 ou 3	23,4	8
75-84 ans	10	16,1	} 2	48,3	} 6
Plus de 84 ans......	1	28,8		86,4	
	1 000 personnes		30 à 38 décès p. 1000 hab.		102 décès p. 1000 hab.

le prouver. Pour tenter d'y parvenir, nous allons à nouveau combiner l'observation détaillée des cas particuliers avec la présentation d'un « modèle ».

Pour constituer ce modèle, partons de deux hypothèses. En premier lieu, nous supposons que la composition par âge de la population était, à la fin du XVIIᵉ siècle, celle qu'à reconstituée Bourgeois-Pichat pour le XVIIIᵉ, et que chaque classe d'âge était affectée d'un taux de mortalité correspondant aux tables de Duvillard, bien que nous sachions déjà que le taux de mortalité infantile de Duvillard est trop faible (surtout pour la fin du XVIIᵉ siècle). Nous avons constaté que les crises démographiques de type ancien triplaient souvent le nombre des morts annuels ; mais nous supposons que ce triplement ait affecté également chaque groupe d'âge. Quelle fraction de chaque groupe d'âge était éliminée lors d'une mortalité de crise ?

Si nos hypothèses sont correctes, le tableau précédent permet de dégager quelques enseignements. Les reproducteurs actifs et ceux qui allaient le devenir, hommes et femmes d'entre 15 et 44 ans, sont peu touchés par la crise : sur 455, il en meurt 21, donc moins de 5 %. Les plus de 45, et surtout les plus de 55 ans, les reproducteurs de la génération précédente, meurent en nombre proportionnellement bien plus important : plus du quart de l'effectif d'avant-crise ; mais leurs décès n'abaissent pratiquement pas la fécondité de la population ; l'on avancera même que leur disparition laissait aux jeunes plus de terres, plus de travail, plus de subsistances, et qu'à tout prendre cyniquement, elle fut un bienfait. Beaucoup plus gravement touchés furent les jeunes enfants, surtout les moins d'un an, qui doivent disparaître dans la proportion des deux tiers ou des trois quarts... et théoriquement dans leur totalité si la mortalité de crise dépasse le quadruple de la mortalité habituelle ! En somme, une classe, nous l'avons vu, est déjà très réduite : celle qui a été conçue pendant la crise ; une seconde est presque entièrement sacrifiée : celle qui est née pendant la crise, ou dans les mois précédents ; par surcroît, trois ou quatre autres, immédiatement antérieures à cette dernière, sont amputées d'un cinquième ou d'un quart par la mortalité de crise. Rien ne pourra modifier cet état de choses. Le phénomène de classes creuses, déjà décelé par l'analyse des conceptions, est confirmé, renforcé et étendu par l'analyse de la mortalité par âge.

Lorsque ces 5 ou 6 classes — et, parmi elles, les deux les
plus touchées, qui sont les plus jeunes, arriveront à
l'âge de reproduction, une importante chute de baptêmes doit être enregistrée. Les « courbes paroissiales
longues » attestent que le phénomène est presque toujours bien marqué. Il constitue l'un des traits les plus
originaux — et, sauf erreur, l'un des moins connus —
de la démographie de type ancien. Les hypothèses que
nous avons présentées semblent donc contenir une part
de vérité.

Une part seulement, que l'on va essayer de circons-
crire en confrontant le « modèle » précédent à la réalité.

Nous avons supposé que le triplement de la mortalité
en temps de crise affectait également tous les groupes
d'âge. Pour le savoir, utilisons une vérification indirecte,
qui porte, non plus sur le taux de mortalité par groupes
d'âge (on ignore la composition par âge des populations
des deux exemples qui suivent), mais sur la répartition
de tous les âges au décès indiqués par les registres
paroissiaux, d'une part en période de crise, d'autre part
en période « normale ». Si la répartition est sensiblement
la même dans les deux cas, c'est que notre hypothèse
était exacte, et que le triplement de la mortalité de crise
affecta également tous les groupes d'âge. Or, il n'en est
rien, comme l'indiquent les tableaux suivants :

	POURCENTAGES DES SÉPULTURES ANNUELLES			
AGES DES MORTS	Mouy		St-Lambert-des-Levées	
	1680-1690	1693-1694	1671-1690	1693-1694
0-1 an	35,2	13,6	27,2	21,3
1-4 ans.............	12,4	12,2	17,6	18,8
Enfants	4,3	0	2,2	0
5-19 ans............	10,6	18,3	11,5	15,7
20-39 ans...........	7,8	12	11	17,2
40-59 ans...........	11,9	23,4	15,3	14,3
60 ans et plus	17,8	18,2	14,2	12,5
Adultes	0	2,3	1	0,2
	100	100	100	100

Comparons maintenant, dans les mêmes paroisses,
les répartitions des âges au décès de 1700-1708 et de
1709-1710 :

AGES DES MORTS	MOUY		SAINT-LAMBERT-DES-LEVÉES	
	1700-1708	1709-1710	1700-1708	1709-1710
0-1 an	44,8	36,3	31,6	21,7
1-4 ans	19	13,2	20,8	27,2
5-19 ans	10,8	7,7	7,9	10,3
20-59 ans	14,3	23,2	24,7	26,5
60 ans et plus	10,5	18,2	14,1	13,2
Age inconnu	0,6	1,4	0,9	1,1
	100	100	100	100

On ne s'attardera pas à relever les nombreuses variantes, anomalies, curiosités de ces tableaux : faute de nombreux renseignements de base, elles sont impossibles à
interpréter. Nous désirons cependant souligner deux
choses qui sont assez nettes. Dans ces deux grosses
paroisses, intentionnellement choisies éloignées et dissemblables, le pourcentage des décès d'adultes et d'adolescents par rapport aux décès totaux augmente habituellement en période de crise. Plus nettement encore,
le pourcentage des décès de moins d'un an *diminue
toujours*. Le triplement d'ensemble, en temps de crise,
du taux de mortalité générale, semble donc se répartir
inégalement selon les groupes d'âge : au-dessous de
5 ans, la mortalité ne paraît pas tripler ; entre 5 et 45 ans,
il semble bien qu'elle pouvait quadrupler : le bon sens
fait d'ailleurs remarquer que le taux de mortalité infantile, habituellement supérieur à 35 % à Mouy, ne pouvait tripler en période de crise, et qu'aucun taux de mortalité infantile, en aucune paroisse de cette époque, ne
pouvait quadrupler.
L'effectif de chaque classe d'âge — effectif qui se
modifie fortement en temps de crise — influe également
sur les taux par âge de la mortalité de crise. Voici, à cet
égard, un exemple. Des 43 enfants nés à Mouy entre
octobre 1693 et septembre 1694, 30 moururent avant

l'âge de un an, soit 70 % : le taux normal de mortalité infantile avait seulement doublé, mais la « promotion » 1693-1694, déjà très faible à sa naissance, se réduisait à l'âge d'un an à un effectif de 13 unités. Par surcroît, il ne fut conçu que 36 enfants pendant le même laps de temps ; et 11 ou 12 de ces 36 enfants moururent avant l'âge d'un an : ce qu'on peut appeler la promotion suivante (il y a en réalité un léger chevauchement entre les deux) comptait au plus 25 unités. Or, il naissait habituellement 90 enfants à Mouy, dont une soixantaine atteignait l'âge d'un an. Deux classes, l'une réduite des quatre cinquièmes, l'autre des trois cinquièmes, méritent sans doute l'épithète de « creuses ». L'exagération de la mortalité infantile et la baisse des conceptions, traits frappants de la crise démographique de type ancien, s'étaient à la fois conjugués et succédés pour en assurer la création.

Si la crise ne se restreint pas au cadre d'une année-récolte, le phénomène des grandes classes creuses se répète autant d'années que sévit la crise. Et celle-ci, notamment entre 1648 et 1653, puis entre 1691 et 1694, s'étendit effectivement sur plusieurs années. Dans ces conditions, l'on aimerait pouvoir dénombrer les « classes creuses » créées à Breteuil (par exemple) de 1691 à 1694, si les registres paroissiaux le permettaient. Hors du Beauvaisis, où les sources sont meilleures, voici les effectifs des « classes creuses » formées au temps de la Fronde dans le bourg angevin de Saint-Lambert des Levées : parvenues à l'âge d'un an, les « promotions » nées de 1648 à 1653 comptaient respectivement un effectif qui représentait 67 %, 52 %, 33 %, 28 %, 42 % et 49 % de l'effectif des classes normales d'avant la Fronde. Pour être complet, l'on doit rappeler encore que les crises « grignotaient » aussi l'effectif des quelques promotions nées juste avant leur déclenchement. Tous ces effets conjugués des basses conceptions et des fortes mortalités infantiles de crise, créatrices de classes creuses, constituent un important facteur d'explication de la conjoncture démographique.

Par ses effets lointains autant (et peut-être plus) que par ses conséquences immédiates et ses aspects pathétiques, la crise constitue l'un des aspects essentiels de l'histoire des anciennes sociétés beauvaisines, et au-delà de notre cadre d'élection, de la plupart des sociétés humaines de la France du nord. En essayant de décrire, d'analyser, d'expliquer longuement ses multiples caractères, il n'est pas impossible que nous ayions été en contact avec un phénomène historique que l'on doit ranger parmi les plus grands.

4. LA DISPARITION DE LA STRUCTURE ANCIENNE APRÈS 1740

A. *L'affaiblissement et la disparition des crises démographiques de type ancien.*

En 1946 Jean Meuvret opposait, à partir de deux exemples, les « grandes disettes » d'avant 1715 aux « disettes larvées » d'après 1750. Si le contraste est loin de se vérifier dans toutes les régions françaises — notamment dans le Sud-Ouest, — je l'ai toujours retrouvé, et avec la plus grande netteté, dans le Beauvaisis et dans les parties du Bassin parisien que j'ai étudiées. D'élémentaires « courbes paroissiales » présentent l'évolution des structures avec une netteté qui dispense d'un long commentaire.

Les graphiques des pages 432 et 433 opposent véritablement deux mondes démographiques. Au temps de Louis XIV, des crises plus ou moins violentes, mais fréquentes ; un excédent de naissances très régulier, et souvent négatif. Dans la seconde moitié du XVIIIe siècle, une absence complète de crise, ou des crises tellement « larvées » qu'elles deviennent imperceptibles, ce qui entraîne un excédent de naissances régulier. Ces deux exemples permettent sans doute de déceler l'une des origines du probable repeuplement de la France à la fin du XVIIIe, l'excédent devenu presque constant des naissances sur les décès ; mais à une condition : que cet excédent soit vérifié de très près, et attesté dans un grand nombre de régions, villes comprises ; et, semble-t-il, sous cette réserve que ce sont les classes les plus jeunes dont l'effectif s'accroît d'abord, et se régularise peu à peu, puisqu'elles ne sont plus touchées par les crises démographiques. Expliquer la disparition des crises au cours du XVIIIe siècle pourrait constituer un programme de travail semé de difficultés : pourrait-on jamais donner une réponse satisfaisante ? Mais cet essai d'explication déborderait nettement la période qui nous intéresse au premier chef. D'autres graphiques montreraient que les exemples d'Auneuil et de Breteuil n'offrent aucun caractère exceptionnel. On aurait pu multiplier ces comparaisons, en Beauvaisis et en dehors : il s'agit ici d'un phénomène qui ne paraît guère souffrir de discussion, dans le cadre géographique assez large du Bassin parisien.

Il est possible de suivre pas à pas le processus de disparition des crises. Il se dessine rarement avant 1743. La grande crise, ou les grandes crises voisines de 1741 constituent presque toujours des sortes d' « années-charnières ». Deux gros bourgs beauvaisins montrent deux aspects assez différents : à Auneuil, lieu favorisé, la crise est déjà « larvée »; à Bresles, bourg de mulquiniers (1) par surcroît assez malsain au bord de son marais, la crise reste vraiment de type ancien, mais elle est la dernière. Et la dernière, elle l'est presque partout. Dans la suite du XVIIIe siècle, l'on rencontrera des crises « larvées » jusqu'en 1773, mais elles ne seront alors ni générales, ni comparables, ni simultanées; à partir de 1774, il est même rare de voir le nombre des sépultures dépasser franchement celui des baptêmes. La paroisse urbaine de Clermont pourrait montrer le passage de la structure ancienne à crises accusées à la structure de transition à crises larvées, puis à la structure nouvelle sans crises. A titre comparatif, nous présentons le passionnant graphique paroissial de Saint-Lambert-des-Levées (pages 426 et 427), qui résume à lui seul l'essentiel de nos constatations, tout en apportant au Beauvaisis le témoignage concordant de la « Vallée » saumuroise.

Les étapes de cette évolution montrent, une fois encore, que les calculs opérés par les démographes à partir des dénombrements de la fin du XVIIIe siècle, et les tables même de Duvillard, risquent de s'appliquer seulement à une structure qui n'est pas celle d'avant 1740. Ils risquent de concerner seulement une population où les crises de type ancien sont disparues ou en voie de disparition, où il n'apparaît plus de classes vraiment « creuses », où l'effectif des groupes d'âges peut être calculé avec une certaine sécurité, parce que la mortalité infantile de crise ne vient plus perturber leur composition, où le taux même de mortalité infantile doit baisser et se rapprocher du taux de Duvillard (trop faible, on le sait, pour la structure ancienne). En revanche, la réduc-

---

(1) Mulquinier = tisserand en toiles de lin.

tion ou la disparition des crises anciennes, qui n'apparaît qu'après 1740, qui ne devient vraiment très nette qu'après 1760 ou 1770, ne peut, dans ces décennies, exercer son influence que sur les très jeunes classes. Il faut attendre leur âge de maturité, leur âge de reproduction, c'est-à-dire le règne de Louis XVI ou la Révolution, pour voir l'ensemble de la population faire un bond en avant, et revêtir des aspects démographiques largement et généralement nouveaux. Un changement de structure s'annonce de loin; il lui faut au moins une génération pour apparaître dans toute sa force, et produire tous ses effets.

Quelle que soit l'importance de la disparition des crises, quelles qu'en soient les considérables conséquences, ce n'est pas le seul trait d'un monde démographique en voie d'estompage qu'on peut observer à partir de 1740. Essayons d'en discerner quelques autres.

B. *La baisse de la mortalité infantile.*

Seules, les « reconstitutions de familles » permettront de bien savoir ce que devint, de décennie en décennie, le taux de mortalité infantile. Celles que nous avons entreprises jusqu'ici dépassent rarement la première moitié du XVIIIᵉ siècle; il nous est donc impossible de les utiliser directement dans la présente recherche. Mais nous savons que de simples relevés d'âges au décès peuvent apporter, quant à la mortalité infantile, des résultats presque aussi sûrs que les «reconstitutions». A Auneuil, toujours favorisée, la baisse est sensible dès la double décennie 1757-1776; à Mouy, toujours défavorisée, pas avant 1770. De sommaires comparaisons, menées dans la bourgeoise Clermont et dans les faubourgs ouvriers de Beauvais, mettent aussi en évidence une baisse notable à partir de la décennie 1760-1770. A Saint-Quentin de Beauvais, le taux fléchit de 32,8 à 28,7 %; à Clermont, de 24,7 % à 16,9 % (nourrissons envoyés au-dehors non comptés, donc taux minima, surtout pour Clermont). Si l'on tente d'évaluer la mortalité juvénile de 1 à 9 ans, on obtient les résultats suivants : voir tableau page 71.

Une comparaison lointaine présente ici quelque intérêt. A Saint-Lambert-des-Levées, la mortalité infantile, naïvement évaluée par décennie, oscille entre 27 et 35 % de 1671 à 1770, et elle est encore de 30,3% dans la décennie 1761-1770; dans les deux décennies suivantes, elle descend à 25,3 et 25,5 %, donc assez près des taux de Duvillard.

Lieux	4ᵉ quart du xviiᵉ siècle	Période 1771-1790
	%	%
Auneuil	15,7	14,4
Clermont	17,1	14,2
Mouy.................	19,3	14,5
Beauvais, Saint-Quentin .	27,1	20,9

La mortalité des enfants de 1 à 4 ans fléchit, dans la même localité à partir de 1750 : elle descend du voisinage de 20 % au voisinage de 16 %. Et la mortalité globale des enfants de moins de 5 ans, qui avoisinait 50 % avant 1750, descend à 48, puis 45, puis 41,5 % entre 1771 et 1790, ce qui est, à 0,5 % près, le taux de Duvillard.

La baisse de la mortalité infantile et juvénile après 1750, 1760 ou 1770 (selon les lieux) semble donc souvent attestée. Si l'on nourrit le dessein d'éviter des discours vagues, on en trouvera difficilement des causes précises et mesurables. La disparition des crises de type ancien pourrait bien constituer le principal facteur d'explication.

Les conséquences, si importantes, de ce phénomène apparaîtront surtout, répétons-le, au moment où les « fortes » classes viendront à l'âge du mariage et de la reproduction. Si l'on veut bien se reporter à ce qui a été dit du taux de remplacement des générations, on avancera que celui-ci doit désormais s'accroître dans les paroisses où il se trouvait déjà légèrement positif, et tendre à devenir positif dans les paroisses où il restait inférieur à l'unité. Une notable diminution de la mortalité infantile et juvénile — qu'elle soit due, ou non, à la seule disparition des crises démographiques de type ancien —, constitue l'un des plus sûrs facteurs de la croissance de la population. Si nos observations, encore partielles et limitées, reçoivent des confirmations, cet accroissement n'a pas dû se produire avant 1760, voire même 1770.

Ce qui paraît capital, étant donné la période chronologique qui nous intéresse au premier chef, c'est que la structure démographique qui la caractérise ne commença guère à s'estomper avant 1750; c'est donc que la période que nous avons choisie offre au moins une unité démographique.

A ce sujet, d'autres remarques peuvent encore être présentées.

C. *Quelques hypothèses.*

1. Vieillissement des vieillards ? des adultes ?

L'hypothèse avancée ici ne pourra être confirmée, ou infirmée, que lorsque de très nombreuses « reconstitutions » de familles auront été achevées, et publiées. Le tableau qu'on va présenter a été constitué à partir de registres paroissiaux qui indiquent l'âge d'au moins 97 % des décédés. Il ne tient évidemment pas compte de la composition par âge de la population des diverses paroisses, qui reste inconnue. Sa seule valeur réside dans une forte concordance entre les paroisses étudiées, à l'intérieur de chaque période choisie. On a seulement calculé — assez grossier moyen d'approximation — les proportions des plus de 59 et des plus de 69 ans qu'on trouvait parmi les listes des morts *adultes* de chaque paroisse, à deux époques différentes, la seconde étant toujours la double décade 1771-1790, et la première dépendant surtout de ce qu'on trouvait d'utilisable dans les sources du XVIIᵉ siècle.

Bien entendu, ces chiffres sont assez suspects. D'une part ils reposent sur les âges donnés par les curés, qui peuvent s'écarter de la réalité de quelques années, surtout aux grands âges, mais on les a tous bloqués dans la catégorie des « plus de 69 ans ». En second lieu, ils intéressent les personnes décédées dans la paroisse, et ne tiennent pas compte de celles qui ont pu mourir ailleurs (il est d'ailleurs impossible d'en tenir compte); mais on verra bientôt que c'est après 1750 que les migrations paraissent croître. Mais une nouvelle difficulté surgit, si cette dernière observation est exacte : il mourut dans les villes des vieillards qui n'y étaient pas nés; mais la plupart des exemples ci-dessus sont ruraux. Enfin, il s'agit ici de pourcentage de sépultures de vieillards par rapport aux sépultures d'adultes, et de nulle autre chose : surtout pas d'un quelconque âge moyen au décès (ainsi, les forts pourcentages de Mouy ne signifient pas qu'on y vivait plus vieux qu'ailleurs, mais seulement que les hommes qui avaient résisté aux fortes mortalités infantiles et juvéniles de ce bourg textile étaient de vigoureux gaillards qui vivaient assez longtemps). Le seul point à

PROPORTION D'ADULTES DÉCÉDÉS DANS LA PAROISSE, AYANT ATTEINT L'AGE DE :

	60 ans		70 ans	
	xviiᵉ s.	1771-1790	xviiᵉ s.	1771-1790
	%	%	%	%
Auneuil	28,3	52,1	17,1	37,3
Clermont	39,5	55,1	21,9	35,5
Crèvecœur	36,3	55,7	20,5	35,6
Senantes	33,8	56,2	16,9	31,2
Mouy	40,9	60,3	23,3	41,1
Beauvais, Saint-André.	41,7	60,9	24,7	33,6
Ibid., Saint-Quentin...	40	43,5	20	31,7
Ibid., Saint-Sauveur .	?	51,8	?	28,7
Et à titre comparatif dans le Saumurois				
Saint-Lambert-des-Levées	35,1	47,2	19,5	29
Fontevrault..........	38,3	47,5	21,1	28,5

souligner, l'exclusive remarque qu'on prétend avancer cst la suivante : parmi les adultes, la proportion de ceux qui atteignirent leur 60ᵉ ou leur 70ᵉ année a augmenté d'une manière fort importante et toujours attestée entre la fin du xviiᵉ et la fin du xviiiᵉ siècle. L'hypothèse qui sera donc à vérifier, c'est l'accroissement du nombre des vieillards de la structure ancienne à la structure nouvelle; peut-être simplement leur vieillissement, peut-être aussi l'apparition d'une conception plus moderne de ce qu'il faut appeler la sénilité. Les futures reconstitutions de familles diront ce que valent ces hypothèses.

2. Légère baisse de la fécondité?

Le tableau suivant donne, pour neuf paroisses, la valeur de quelques quotients des baptêmes par les mariages; une première série concerne la fin du xviiᵉ siècle; la seconde série s'applique à la période 1771-1790.

L'intérêt des résultats donnés par ce procédé assez grossier, c'est leur concordance. Même le cas assez aberrant de Saint-André de Beauvais participe à l'évolution générale : les quotients baissent tous, d'environ

Paroisses	Quotients baptêmes/mariages		
	XVIIe siècle	1771-1790	1813-1842
Auneuil	5,01	4.34	2,59 (sic)
Breteuil	4,98	4,77	4,21
Clermont	5,30	4,86	3,95
Mouy	5,07	4,77	3,65
Saint-Martin-le-Nœud	5,02	4,15	(d'après les
Saint-Paul	4,96	4,47	Tables
Bresles	5,19	4,63	décennales)
Beauvais-Saint-Jacques ..	5,35	4,88	
Ibid., Saint-André	6,14	5,00	

10 %, de la fin du XVIIe à la fin du XVIIIe siècle. Dirons-nous que la fécondité légitime a baissé, en Beauvaisis, de la proportion correspondante ? Avons-nous même le droit d'en formuler l'hypothèse ? Il faut bien avouer, en effet, que les quotients présentés comportent quelques causes d'erreurs qui ne sont pas légères. D'abord ils ne tiennent aucun compte des déplacements possibles de population ; en des paroisses de même type, le fait peut ne pas être très grave ; dans une même région (ici, le Beauvaisis), la concordance des résultats dans les villages d'une part, dans les villes et bourgs de l'autre, peut apporter une certaine garantie. Mais, et cette cause d'erreur paraît grave, le nombre des mariages peut subir une baisse importante si la proportion des « familles incomplètes » décroît, en d'autres termes si le veuvage devient plus rare et plus tardif et les secondes noces moins fréquentes. Et il semble bien que ce fut le cas, loin du Beauvaisis, en Sologne, en Haute-Bourgogne, dans le Languedoc carcassonnais : le nombre des mariages baissant alors plus vite que celui des naissances, le quotient obtenu risque de s'élever et s'élève effectivement.

Cependant, en des lieux moins lointains et moins dissemblables, la « France », la Beauce, le Val de Loire apportent au Beauvaisis un témoignage concordant. Les « funestes secrets » dont parlait Moheau en 1778 auraient-ils pénétré « jusques dans les villages » ? Nous le saurons vraiment lorsque la technique des « reconstitutions de familles », enfin sortie des travaux prépara-

toires et de l'échantillonnage, poursuivie jusqu'au
XIXᵉ siècle dans des régions nombreuses et variées, aura
obtenu des réponses valables aux deux questions décisives : les intervalles intergénésiques se sont-ils accrus,
où et quand ? A partir de quelles dates, et dans quelles
régions les familles dites « complètes » ont-elles nettement, volontairement cessé d'avoir des enfants, après en
avoir eu au moins un ?

La réponse décisive ne sera pas donnée dans un proche
avenir (1). L'hypothèse qui vient d'être présentée reste
une hypothèse assez fragile, sauf peut-être sur le plan
régional. La suivante paraît plus solide.

3. Mobilité accrue des populations.

Un usage à peu près général voulait que les mariages
fussent célébrés au domicile de fait de l'épousée. L'époux
était, ou non, de la même paroisse que sa fiancée. Il
paraît établi que les curés ont indiqué très tôt, et très
régulièrement, les paroisses d'origine et d'habitation des
deux conjoints, comme les y invitaient d'ailleurs le
canon I de la XXIXᵉ session du Concile de Trente et
divers actes subséquents du pouvoir royal, particulièrement l'édit de mars 1697, fréquemment allégué par les
curés eux-mêmes. Rien de plus aisé que de noter les
paroisses d'origine des époux, de les identifier, de les
porter sur des cartes, d'en dresser des tableaux de fréquence, ou même des cartes successives. Effectués sur
un grand nombre de paroisses et durant de longues
périodes (quand les registres le permettent), ces relevés
peuvent offrir quelque intérêt ; ils procurent un moyen
de traiter de la géographie des mariages, et fournissent
enfin un point de départ assuré à l'étude de certaines
migrations.

En Beauvaisis, ces élémentaires comptages donnent
des résultats d'une grande netteté. Au XVIIᵉ siècle, les
déplacements effectués pour se marier étaient extrêmement rares ; lorsqu'ils se produisaient, ils s'opéraient dans
un très faible rayon, une ou deux lieues (quelques exceptions concernent des familles d'officiers ou de marchands
importants, qui s'épousaient volontiers de ville à ville).
Après 1750, ces déplacements devinrent un peu plus

---

(1) En 1968, la question reste posée. On sait seulement que le contrôle
systématique et efficace des naissances n'apparaît pas en milieu rural, autour
de Paris, avant 1780. Le Sud-Ouest peut poser un problème particulier.

fréquents, sans devenir beaucoup plus lointains (sauf exceptions, comme celle de la paroisse Saint-Quentin de Beauvais). Le tableau ci-après résume d'une façon assez simple nos observations régionales. Un gros village pastoral et un important bourg picard suffisent à présenter le Beauvaisis rural qui, semble-t-il, ne pose ici aucun problème. La complexité de la ville a exigé une analyse un peu plus détaillée.

POURCENTAGES DES CONJOINTS NÉS

Paroisses	1º Hors de la localité		2º A plus de 20 km de la localité		3º A plus de 50 km de la localité	
	Fin xviiᵉ	1771-90	Fin xviiᵉ	1771-90	Fin xviiᵉ	1771-90
	%	%	%	%	%	%
Senantes	9	19,3	0,6	3,7	0	1,2 (a)
Crèvecœur ...	7,1	15,5	1,1	3,8	0	0,8 (b)
Beauvais-Saint-André .	4,8	20,9	1,2	8,6	0	3,2 (c)
Beauvais-Saint-Jean ...	10,2	29	1,5	4	0	1,4 (d)
Beauvais-Saint-Quentin.	8,8	43,9	2,2	20,3	1,2	14 (e)
Beauvais-Saint-Jacques.	9,7	10,8	3,3	4,6	2	3,3 (f)
Beauvais-Saint-Sauveur (paroisse bourgeoise)...	?	36,3	?	5,2	?	2,4 (g)

(a) Rouen, Elbeuf, Mantes, Saint-Flour.

(b) Paris, Arras, Tinchebray, La Chapelle-Saint-Mesmin (diocèse d'Orléans).

(c) Paris, Rouen, Douai, Amiens, La Ferté-Milon, Savoie (non précisé).

(d) Paris, Arras, Aubusson, Aigueperse (diocèse de Clermont).

(e) Ce chiffre très élevé provient des artistes et ouvriers des manufactures de toiles peintes de cette paroisse et de Saint-Just-des-Marais, qui la touche : on trouve des Rouennais, des Nantais, des Flamands, des Allemands et des Suisses (il y en a 42 en tout).

(f) Paris (plusieurs fois), Saint-Denis en France, Lille (2 fois), Arras, Aire-en-Artois, Etreville (diocèse de Rouen).

(g) Rouen, Doullens, Liège, Autun.

NOTA. — Pour la « fin du XVIIᵉ siècle », les calculs ont été faits sur des périodes au moins égales à 30 ans; dans deux cas on a dépassé la date cruciale de 1700, sans arriver jusqu'en 1720.

Cette documentation apporte une argumentation partielle en faveur d'un certain sédentarisme beauvaisin : les filles se mariaient avec des garçons de leur paroisse, ou des paroisses limitrophes. L'aire géographique des mariages s'élargit un peu dans la seconde moitié du XVIIIᵉ siècle, pendant laquelle il apparaît qu'on se déplaçait plus souvent; l'exemple, très isolé et très particulier, de Saint-Quentin de Beauvais, montre même qu'on se déplaçait parfois beaucoup.

Il serait particulièrement aisé, et rapide, de vérifier en d'autres provinces si ces constations beauvaisines offrent une valeur générale. Jusqu'à présent les quelques sondages essayés çà et là conduisent à répondre affirmativement.

Voici un exemple : Les Rosiers-sur-Loire (Maine-et-Loire).

Périodes	% des conjoints nés dans la paroisse	% des conjoints nés à plus de 10 km des Rosiers-sur-Loire
	%	%
1661-1700	93,3	1,7
1701-1750	89,7	2,8
1751-1789	82,8	6,8

(proportions calculées sur 3 897 mariages).

Il semble qu'on ait exagéré, même lors des périodes de grandes crises, l'importance des groupes d'errants, mendiants, ou vagabonds qui auraient sillonné les chemins français. En Beauvaisis du moins, on ne découvre rien de semblable.

Mais notre objectif actuel est de rechercher les éléments qui permettent de soutenir qu'une nouvelle structure démographique est née dans la seconde moitié du XVIIIᵉ siècle, et non auparavant. L'une de ses caractéristiques pourrait bien être cette extension de l'aire géographique des mariages, qui laisse supposer une plus grande mobilité des populations. Un dernier trait peut-il encore être proposé ?

4. Modification du mouvement saisonnier de la mortalité infantile ?

Les deux tentatives comparatives effectuées sur Auneuil et Mouy montrent une sensible modification dans le mouvement saisonnier des décès d'enfants de moins d'un an : le maximum principal d'été, toujours très net avant 1750, tend à s'atténuer et le maximum d'hiver (qui est le maximum moderne) apparaît avec un certain relief. Si l'on retrouvait en d'autres régimes, la même évolution, il serait permis d'en retirer d'intéressantes conclusions. En effet, le sensible recul des probables entérocolites estivales du premier âge pourrait bien dériver de quelques premiers soucis d'hygiène qui apparaîtraient dans les dernières décades du siècle. L'on tiendrait alors un début d'explication, qui pourrait contribuer à éclairer la baisse de la mortalité infantile observée durant la même période. Et l'un des facteurs d'interprétation de la nouvelle structure pourrait alors sortir de l'état d'hypothèse pure... (1).

Nous retiendrons surtout de cette série d'essais que « l'ancien régime démographique », que le « XVIIᵉ siècle démographique » se prolonge au moins jusque vers 1740.

5. LES FACTEURS DE L'ANCIENNE STRUCTURE DEMOGRAPHIQUE

Pour comprendre la structure démographique d'avant 1740, bien des renseignements nous font défaut, qui seraient indispensables, et bien des compétences nous manquent, la compétence médicale surtout.

A. *Nature et religion.*

Les lois de la nature constituent vraisemblablement un important facteur d'explication. Elles rendent évidemment compte de certains traits parmi les mieux attestés : la naissance du premier enfant vers le dixième mois de mariage, la succession assez régulièrement bisannuelle des naissances dans les ménages fertiles, la masculinité des naissances, et ce mouvement saisonnier des conceptions, d'une si grande netteté, au sujet duquel Moheau se laissait aller à quelques effusions : « Il est des temps dans l'année, marqués pour le renouvellement de toute la nature. Une chaleur intérieure et active... ». Il est en effet bien possible que les grandes « pointes » de conceptions qui, presque partout, distinguent les mois de mai

---

(1) Les recherches des historiens de l'hygiène ne confirment pas, en 1968, l'hypothèse lancée en 1958.

et juin, s'expliquent tout uniment par « le grand mouvement qui s'opère dans l'univers », par le printemps.

La profonde influence du catholicisme explique le
mouvement saisonnier assez heurté des mariages, avec
ses minima d'Avent et de Carême, avec ses maxima peu
nets, qui se logent comme ils peuvent dans les mois
canoniquement vacants. Enfin, la grande rareté des
naissances illégitimes et des conceptions franchement
anté-nuptiales tend à révéler un presque unanime respect
du IXe commandement.

Il est bien plus malaisé de retrouver les « compo-
santes » de ce grand facteur de la démographie d'ancien
type : la faiblesse des groupes humains devant la mort.
On peut tout au plus avancer quelques remarques, dont
certaines revêtent le caractère d'aventureuses hypothèses.

B. *Les aspects « normaux » de la mort.*

Une catégorie de décès échappe à toute classification
saisonnière : ceux des jeunes mères et de leurs nouveau-
nés. Leur fréquence traduit, non pas l'ignorance des
accoucheurs, mais l'absence de tout accoucheur qualifié
dans les campagnes, au moins jusqu'aux dernières années
de l'Ancien Régime. Les femmes étaient assistées par des
matrones agréées par le curé et le juge du lieu devant
lesquels elles prêtaient un serment (en ville, le contrôle
semble avoir été un peu plus sérieux); ces deux personnages ne pouvaient guère garantir que leur respectabilité...
Dans des cas très rares, les familles rurales aisées faisaient
appel à des chirurgiens, praticiens que nous connaissons
mal, mais dont l'incompétence est probable.

Ces cas mis à part, c'était partout en fin d'été que les
jeunes enfants mouraient. On ne peut s'empêcher d'évoquer les habitudes alimentaires primitives, aggravées
par l'ignorance des mères allaitant et par la malpropreté
trop connue de la province et du siècle. Risquera-t-on la
suggestion de nombreuses entérocolites infantiles ? L'on
ajoutera aussi qu'août, et plus encore septembre, étaient
incontestablement les mois où les diverses « pestes »,
« fièvres » et autres épidémies frappaient avec la préférence la plus marquée — comme on le verra bientôt.

C'était, en revanche au début et à la fin de l'hiver que
disparaissaient habituellement adultes et vieillards. Cette
différence dans le mouvement saisonnier incite à supposer une différence dans les causes habituelles de décès.

Pour les personnes d'âge mûr, on avancera l'hypothèse de grippes dangereuses, ou de maladies à évolution rapide du système pulmonaire, dangereuses dans de froides et fragiles demeures de torchis troué, jamais chauffées de manière suffisante.

L'absence du corps de santé plus que son ignorance, la médiocrité des conditions matérielles, le néant de l'éducation sanitaire de la population : telles doivent être les raisons principales des morts qu'on peut appeler « normales ». En réalité, la documentation que nous avons vue ne s'occupe guère de tout cela, qui représente le quotidien, l'ordinaire, l'évident... En revanche, elle est intarissable, bien que souvent décevante, sur les « mortalités extraordinaires », qu'elle attribue indifféremment, ou pêle-mêle, aux « pestes et disettes ».

C. *Les aspects purement épidémiques de la mort.*

La lèpre disparue, par l'un de ces reflux des agents pathogènes qui, aujourd'hui encore, restent mystérieux, le « mal qui répand la terreur » reprenait à nouveau la première place. Et les « loges » vides des maladreries servaient alors à isoler les « pestés ». Si le mot redoutable paraît employé à tort et à travers dans beaucoup de textes — certains vont jusqu'à nommer « peste » toute épidémie —, les bons médecins urbains du XVIIᵉ siècle savaient parfaitement reconnaître la peste à bubons, à laquelle ils ont consacré toute une littérature, qui n'est point méprisable. Cette forme de peste est bien attestée à Rouen, à Amiens, et probablement à Beauvais dans la première moitié du siècle surtout entre 1624 et 1640, dates entre lesquelles le mal, endémique, se réveille à plusieurs reprises avec une violence terrifiante, passant comme par plusieurs paroxysmes. Les documents beauvaisiens parlent couramment de 1 200, 1 500, 2 000 « pestés » dans une ville de 12 000 à 15 000 habitants ; ils ne disent rien du nombre des morts, que ne peuvent préciser les registres paroissiaux, perdus. Épouvantés par le caractère foudroyant de la maladie, les amiénois avançaient des chiffres incroyables : 25 000 décès en 1632, 30 000 en 1668 : plus que ne devait compter d'habitants la grande cité picarde. Quelques vestiges de registres paroissiaux apportent, en de rares villages, de maigres précisions.

A Villers-Saint-Barthélemy, modeste village d'environ 700 âmes, la peste, nommément mentionnée, fit 50 victimes lors des trois mois de l'été 1625, soit huit à dix fois le chiffre trimestriel moyen ; mais ses effets disparurent presque complètement avec l'automne, et presque personne ne mourut dans les mois qui suivirent. Dans le même village, la peste paraît avoir tué 44 personnes d'avril à octobre 1636, presque le triple du contingent semestriel normal ; mais elle disparut dès novembre. A Mouy, on note 96 morts, dont 79 « enfants », en octobre 1638, et 288 de septembre à février : soit, en six mois, le triple du contingent annuel de décès. Les observations plus nombreuses qui ont été faites hors du Beauvaisis aident à avancer quelques remarques.

En premier lieu, il semble que, dans notre région, la peste ait été une maladie qui frappe surtout l'été, et dont les premiers froids anéantissent pratiquement les effets : les observations médicales du XVIIe siècle notent d'ailleurs ce caractère saisonnier ; engourdie l'hiver, la maladie peut se réveiller et frapper encore l'été suivant. Elle frappe avec une rapidité terrifiante, et accumule les victimes, parmi lesquelles les enfants semblent fort nombreux. Elle quintuple, décuple parfois le nombre habituel des sépultures, mais dans le cadre du mois ou du trimestre, à la rigueur du semestre : car elle ne sévit de manière aiguë que durant quelques mois, rarement plus de trois, souvent quelques semaines seulement. Si bien que la rapidité de l'épidémie est au moins aussi caractéristique que sa violence ; si bien que le bilan annuel des sépultures n'atteint pas toujours un chiffre étonnamment élevé, et cela d'autant plus que la mort, une fois la peste passée, prend en quelque sorte des vacances, les éléments les plus fragiles de la population venant d'être rudement éliminés. C'est ce qui explique que des pestes tardives comme celle de 1668, venue du Nord, très vive à Amiens, notable encore dans la partie septentrionale du Beauvaisis, ne troublent guère les « courbes paroissiales longues ». A Bonneuil, elle sévit deux mois l'été, et fit 33 victimes sur un millier d'habitants, à l'intérieur de quelques familles seulement ; le bilan annuel des décès ne dépassa pas 40, à peine supérieur au bilan des conceptions. Deux traits peuvent encore caractériser les épidémies de « peste », ou assimilées : d'une part, elles ne paraissent pas influer sur les conceptions, — ce qui s'explique facilement si ce sont des enfants qui furent surtout frappés, et sous cette réserve que la rapidité des « pestes » empêche cette influence de se manifester

nettement, ou d'être décelable. En second lieu, ces
épidémies apparaissent le plus souvent strictement loca-
lisées, sauf, peut-être, entre 1624 et 1639. Ainsi, il est à
peine question de peste à Beauvais entre 1665 et 1668 —
sinon par les mesures de précaution qui furent prises —,
et l'on sait que la fameuse peste marseillaise de 1720
ne se répandit pas très loin dans le royaume. Mais à
cette date assez basse, comme déjà d'ailleurs entre 1665
et 1668, la véritable peste avait reculé, se repliant,
semble-t-il, sur des positions très isolées, ou bien lointaines.

Très sensible en Beauvaisis, à partir de 1668, peut-être
même dès 1640, le recul de la peste peut être dû à ces
périodes d'affaiblissement ou de migration des agents
pathogènes que la médecine moderne observe de temps
à autre. Mais il semble bien que les hommes eux-mêmes
remportèrent, dans ce cas précis, une véritable victoire.
Si, à Beauvais comme à Amiens, « la thérapeutique,
invraisemblable polypharmacie, était absolument illu-
soire », « l'organisation sanitaire au point de vue prophy-
lactique était très poussée, et la plupart des mesures
édictées à cette époque sont encore appliquées de nos
jours ». Ce jugement du docteur Malpart conclut une
étude amiénoise de médecine rétrospective fort détaillée.
Comme à Amiens, nous constatons à Beauvais, dès la
grave période 1624-1639, des mesures rigoureuses
d'isolement des malades, d'« airiement » (désinfection)
fort sérieux des maisons contaminées, l'achat par les
organismes municipaux de désinfectants éprouvés, l'enga-
gement de « médecins de pestes » spécialisés, la distribution gratuite de remèdes et surtout d'aliments. A ces
moments graves, les « Trois Corps » beauvaisiens —
l'évêque-comte, le chapitre cathédral, la commune —
oubliant la plupart de leurs querelles, multipliaient
les réunions communes, unissaient leurs efforts, même
financiers, et finissaient par limiter l'extension de
l'épidémie en quelque sorte en la « cantonnant ».
Chaque ville appliquant des mesures comparables,
l'effort commun aboutit, à partir de 1668 environ, à
transformer des pestes générales ou régionales en pestes
locales.

Même après 1668, on appelait encore « pestes » beaucoup d'épidémies; mais on leur donnait aussi le nom de
« fièvres miliaires » : rougeoles, scarlatines, varioles,
typhoïdes. L'épidémie de fièvre « pourpre » de 1701 est

bien attestée en Beauvaisis; le tableau qui suit en donne
une idée :

Paroisses	Nombre de décès annuels						Nombre de décès pendant les six derniers mois de 1701					
	1696	1697	1698	1699	1700	1701	Juil.	Août	Sept.	Oct.	Nov.	Déc.
Auneuil ..	27	27	21	22	39	100	5	32	36	9	8	0
Villers-Saint-B...	19	14	24	8	32	62	0	7	21	11	4	2
Ons-en-Bray	25	17	14	9	19	47	3	3	7	3	3	0
Berneuil .	11	14	8	14	11	27	3	1	6	5	0	0
Saint-Martin-le-N.	16	10	6	9	26	37	2	3	5	7	3	3
Mouy	87	52	30	65	93	99	11	13	12	8	4	10
Breteuil ..	35	28	37	36	73	93	4	10	14	13	8	12

Ce tableau suggère les remarques suivantes :
Le pourpre, maladie de fin d'été, sévit environ deux
mois. Il a surtout touché le pays de Bray : le bourg picard
de Breteuil, malgré une sensible élévation du nombre
annuel des morts, ne connut pas de paroxysme saisonnier.
Non loin du Bray, le bourg manufacturier de Mouy fut
à peu près épargné; épargnées aussi, de nombreuses
localités de la vallée du Thérain, comme Bresles, Hermes,
Troissereux. Deux villages surtout furent durement
atteints : à Auneuil, véritable foyer du « pourpre », l'on
compta plus de morts que pendant l'année 1694, mais le
cas est unique; les morts en « surnombre » se produisirent
en deux mois, août et septembre. A Villers-Saint-
Barthélemy, paroisse limitrophe, le nombre annuel des
morts tripla; septembre et octobre furent presque exclusivement responsables de ce triplement. Mais, dans trois
autres paroisses qui touchent Auneuil — elles figurent
au tableau précédent — les effets de l'épidémie furent
bénins, sinon nuls. Foudroyante en quelques villages,
faible en beaucoup d'autres, inexistante une ou deux
lieues plus loin, telle nous apparaît la « fièvre pourpre »,
de 1701. Sans doute les mauvaises nouvelles, même
exactes, voyageaient-elles vite, et une peur salutaire
isolait-elle les villages contaminés des villages préservés.

Concluons au caractère violent, mais rapide et très localisé de cette maladie épidémique.

Une esquisse statistique des effets de la « suette » de 1719 conduit à des conclusions très voisines. Une fois encore, semble-t-il, une épidémie de fin d'été, très violente, toujours rapide; dans le Nord, Crèvecœur, Breteuil et Luchy assez fortement frappés, — mais Pisseleu, Blicourt et Saint-André presque épargnés, sans qu'on puisse voir à cette distribution la moindre explication, ni de voisinage, ni d'affinité, ni d'activité semblable. Dans le sud, des inégalités comparables, avec deux fortes anomalies : Mouy et Clermont, touchées un an plus tôt.

Paroisses	Nombre de décès annuels						Décès trimestriels en 1719			
	1714	1715	1716	1717	1718	1719	1er	2e	3e	4e
1. Nord										
Crèvecœur	42	69	?	?	60	*134*	18	19	*76*	21
Breteuil	48	29	47	30	67	*91*	6	10	*43*	*32*
Blicourt	7	14	6	19	?	*20*	4	5	6	5
Luchy	12	8	14	10	?	*30*	20 en sept., 6 en oct.			
Pisseleu	12	8	18	4	13	15	10 en sept.-oct.-nov.			
Saint-André-Fari-villers (*adultes*) ..	4	3	6	4	7					
2. Sud										
Auneuil	32	19	21	16	27	*60*	6	8	*24*	22
Ons-en-Bray	17	17	22	13	26	*37*	4	3	*16*	*14*
Senantes	48	25	35	38	24	*52*	11	6	*20*	14
Saint-Paul	35	27	19	20	31	35	6	5	12	12
Troissereux	17	10	9	4	18	*25*	2	1	*19*	3
Marseille-en-B. ...	22	28	?	14	14	*41*	7	2	*18*	*14*
Mouy	62	52	61	40	*104*	75	(1718 : 16, 24, *38*, 26)			
Clermont	43	56	45	33	*75*	48	(1718 : 15, 11, 20, 27)			

Sans doute est-il bien prématuré de songer à conclure : tant d'essais statistiques n'ont pas été tentés, tant de renseignements manquent, aucune étude médicale ne paraît possible en des villages perdus. On avancera cependant que toutes ces épidémies, sauf les pestes mal connues d'avant 1640, paraissent aussi rapides qu'épouvantables, et surtout très inégalement meurtrières. Dans un village, des sépultures multipliées; une lieue plus loin, rien à signaler. Naturel ou concerté, une sorte d'isolement cantonnait le mal, au moins après 1640.

A vrai dire, les seules maladies contagieuses sont bien incapables d'expliquer les importantes « mortalités » qui caractérisent la structure démographique d'avant 1745. Les grandes et complexes « crises démographiques de type ancien » ne sont pas dues aux seules, aux « pures » épidémies, mais bien aux « disettes » et « famines », — aux crises économiques de type ancien dans leur aspect le plus grave et le plus décisif : les crises sociales de subsistances. Nous venons précisément d'étudier, sous le vocable conventionnel d'épidémies « pures », celles qui ne furent pas contemporaines de « chertés » céréalières, celles qui ne survinrent pas lors d'un paroxysme des prix du blé; les épidémies de 1625, de 1637 et 1638, de 1668, de 1701, de 1719 — pour nous limiter aux exemples les plus frappants. D'autres épidémies sont signalées par les textes, mais en même temps ou à la suite des « famines ». Ces épidémies « secondes », ces épidémies « impures » doivent être rattachées à leur antécédent insubstituable : la crise économique de type ancien.

D. *Les aspects économiques et sociaux de la mort : crises économiques et crises démographiques.*

Les très grandes crises démographiques se produisirent vers 1630, entre 1648 et 1653, en 1661-1662, en 1693-1694, en 1709-1710, en 1741-1742. Ces dates sont exactement celles des grandes crises économiques, déclenchées par une considérable hausse cyclique des prix du blé. La remarque n'est pas neuve, mais sa puissance explicative reste intacte. Il est à peine exagéré de prétendre que le prix du blé constitua un véritable « baromètre » démographique, que de la crise économique de type ancien sortit la crise démographique de type ancien.

Expliquer cette corrélation revient à analyser toute la société et toute l'économie d'avant 1740, celles du XVIIe siècle classique et de ses prolongements. Une large partie de cet ouvrage s'applique à cette tâche passionnante, qui n'a pu être entreprise que dans un cadre limité; par là, elle apporte aussi quelques éléments à l'explication démographique.

Si l'un des caractères les plus frappants de l'ancienne démographie, donc de la vie et de la mort des hommes, dépend des prix du blé, c'est que les blés dominaient l'économie et la société; c'est aussi que la majorité des hommes ne pouvait récolter suffisamment de blé pour vivre, ou bien ne possédait pas suffisamment de ressources pour en acheter lorsque son prix montait fortement. Du fait de l'organisation économique et de la structure sociale, les « pauvres » au sens de l'époque — à savoir ceux qui n'ont pas assez de pain pour vivre —, l'immense majorité des pauvres devait être tout spécialement frappée par les grandes mortalités correspondant aux grandes crises démographiques, — et celles-ci comporteraient alors une interprétation sociale.

Un seul exemple, réel, peut-il illustrer quelques-unes des hypothèses qui viennent d'être formulées ? Voici, à Beauvais, paroisse Saint-Étienne, en 1693, une famille : Jean Cocu, serger, sa femme et ses trois filles, toutes quatre fileuses, puisque la cadette a déjà neuf ans. La famille gagne 108 sols par semaine; mais elle consomme au moins 70 livres de pain. Avec le pain bis à 5 deniers la livre, la vie est assurée. Avec le pain à 1 sol, elle devient plus difficile. Avec le pain à 2 sols, puis à 30, 32, 34 deniers, — comme il fut en 1649, en 1652, en 1662, en 1694, en 1710 —, c'est la misère. La crise agricole s'aggravant presque toujours (et certainement en 1693) d'une crise manufacturière, le travail vient à manquer, donc le salaire. On se prive; il se peut qu'on retrouve quelques écus, mis de côté pour les mauvais jours; on emprunte sur gages; on commence à absorber d'immondes nourritures : pain de son, orties cuites, graines déterrées, entrailles de bestiaux ramassées devant les tueries; sous diverses formes, la « contagion » se répand; après la gêne, le dénuement, la faim, les « fièvres pernicieuses et mortifères ». La famille est inscrite au Bureau des pauvres en décembre 1693. En mars 1694, la plus jeune fille meurt; en mai, l'aînée et le père. D'une famille particulièrement heureuse, puisque tout le monde travaillait, il reste une veuve et une orpheline. A cause du prix du pain.

Des exemples encore plus pathétiques, et même horribles, on pourrait en ramasser à volonté dans les 1 214 familles — 3 584 personnes —, que les curés de Beauvais ont couchées sur leur grande enquête des pauvres de décembre 1693; ou bien parmi les centaines de misérables qui, en 1662 comme en 1709, venaient réclamer du pain au Bureau des pauvres, qui en conserve encore les interminables listes : ils étaient 728 le 1ᵉʳ mars 1709, 733 le 19 avril. Tous ceux-là nous autorisent déjà à tenter l'esquisse d'une démographie sociale différentielle.

E. *Esquisse d'une démographie sociale différentielle.*

Quelques témoignages qualitatifs fort nets ne peuvent guère être récusés. Denis Simon, qui fut maire de Beauvais, note qu'« en 1693 il mourut trois mille personnes dans la ville, dont il y en eut beaucoup moins des plus accommodés », c'est-à-dire des plus aisés. Jean Le Caron, agent des affaires de l'Évêché, décrit longuement les misères de la « mauvaise année ». De septembre 1693 à avril 1694, il ne parle que des pauvres, « un nombre infini de pauvres que la faim et la misère fait languir, et qui meurent dans les places et dans les rues... » Des riches, il est question pour la première fois en mai 1694 : sans s'étonner, Le Caron précise qu'ils « ne meurent ni de faim ni de disette », mais des maladies contagieuses venues des pauvres : « en juin », ajoute-t-il, « la misère universelle s'est encore augmentée et beaucoup de maladies dangereuses et mortifères dont est arrivé une mortalité considérable de pauvres mourant dans les rues... et même de personnes riches ». Ce « même » paraît révélateur; l'examen des chiffres tirés des registres paroissiaux l'est plus encore.

Sans doute l'absence de recensement tête par tête et la rareté des indications professionnelles ne permettent pas de dresser la rigoureuse statistique qui serait souhaitable. Du moins, ce que nous savons de la composition sociale des paroisses permet d'esquisser quelques comparaisons. Dans la paroisse Saint-Sauveur de Beauvais, peuplée surtout de marchands, d'officiers, de bourgeois vivant de leurs rentes, le nombre des convois mortuaires doubla en 1693-1694. Dans les trois faubourgs (Saint-Jacques, Saint-Jean, Saint-Quentin), le dernier purement manufacturier, le second surtout rural, et le premier plus manufacturier que rural, le nombre des morts fit plus que tripler; à Saint-Jacques même, il ne fut pas loin de quadrupler. Les petites villes voisines de Mouy et de Clermont réagirent à la même époque de manière tout aussi conforme à leur composition sociale. A Clermont, ville d'officiers, de rentiers et d'aubergistes, le nombre des morts double largement; dans la ville des sergers, il approche du quadruplement (1).

On relèvera à tout moment des variations du même ordre dans les données les plus générales de l'ancien régime démographique. Dans le misérable faubourg Saint-Quentin, la mortalité infantile et juvénile fut toujours beaucoup plus forte que dans l'opulente paroisse Saint-Sauveur (2). De même, entre Mouy et Clermont, l'avantage est toujours demeuré à la ville bourgeoise (3). Dans les campagnes, où la classe aisée est beaucoup moins groupée, beaucoup moins nombreuse, l'état des sources ne permet pas encore de distinguer une démographie des riches et une démographie des pauvres.

Au demeurant, l'existence réelle et la nécessité méthodique d'une démographie sociale différentielle ont été exprimées depuis longtemps : il n'y a là aucune distinction sommaire ou « primaire », mais le simple reflet de la nature des sociétés (4). Cette démographie

---

(1) Voici les chiffres relevés :

Paroisses	Nombre de décès moyens annuels 1683-90	Nombre de décès pendant la «crise» 1693-94 (12 mois)	Coefficient d'accroissement
Saint-Sauveur	49	99	2,02
Trois Faubourgs	53	167	3,15
Saint-Jacques	18	67	3,72
Clermont	50	122	2,44
Mouy	89	308	3,47

(2) Dans le dernier quart du XVIIe siècle, d'après un pointage effectué sur les copies, et compte non tenu des enfants mis en nourrice qui pouvaient mourir à l'extérieur (et qui n'étaient pas obligatoirement plus nombreux dans les paroisses bourgeoises), il *semble* que la mortalité infantile ne dépassait pas 20 % dans la paroisse Saint-Sauveur et atteignait 30 % dans la paroisse Saint-Quentin.

(3)

Villes	Mortalité infantile		Mortalité 0-10 ans	
	Fin XVIIe siècle	1771-1790	Fin XVIIe siècle	1771-1790
	%	%	%	%
Clermont	24,7	16,9	41,8	34
Mouy	38,1	30,5	57,4	45

(Pointages effectués sur les originaux; nourrissons envoyés au-dehors non compris, ces derniers ayant dû être particulièrement nombreux à Clermont.)

(4) MOHEAU, écrivait en 1778 : « La mortalité des enfants dans la classe des pauvres est plus forte que dans la classe des riches. »

sociale est constituée pour des périodes récentes; elle
en est encore au stade des tâtonnements pour les siècles
d'ancien régime; c'est dans les villes, sans doute, qu'il
conviendra de chercher à l'instituer. Pour Beauvais,
les lacunes des sources et les destructions d'archives
nous contraignent à un aveu d'impuissance.

Cependant, il n'est pas impossible d'apercevoir,
pour les deux paysages ruraux entre lesquels se partage
le Beauvaisis, les éléments d'une démographie différentielle. Mais elle paraît alors souligner ce qu'on pourrait
appeler une distinction géographique.

Ici encore, la plus ancienne des grandes crises bien
connues fournit un exemple décisif. Auneuil, dans le
pays de Bray, a perdu 112 habitants (différence entre
sépultures et naissances) durant la crise de 1693-1694 :
environ 12 % de sa population; treize années plus
tard, l'excédent des naissances sur les décès paraît
avoir comblé la perte. Breteuil, sur le dôme du plateau
picard, a perdu 363 personnes, peut-être le quart de
sa population; en 1750, le mouvement naturel de la
population n'a pas encore, en apparence du moins,
comblé le déficit. Si l'on tente de comparer six petits
villages du sud et cinq petits villages du nord (1),
en utilisant des indices simples de sépultures, on obtient
les résultats suivants : par rapport à la moyenne de
décès des dix années antérieures, les sépultures de 1693-
1694 ont triplé dans le Bray, et septuplé dans les villages
du nord (que nous avons choisis, il est vrai, parmi
les plus touchés). La mauvaise qualité des registres
paroissiaux du Nord interdit d'esquisser des comparaisons lors des crises antérieures. Pour celles qui
suivirent, les résultats, bien que moins saisissants,
tournent toujours à l'avantage du sud, apparemment
le plus humide et le plus malsain.

On aurait voulu pousser la comparaison hors des
périodes de crise. Mais les lacunes et déficiences des
registres paroissiaux du nord (ils donnent rarement
les décès d'enfants, et presque jamais l'âge des morts)
interdisent des conclusions vraiment solides avant le

---

(1) Les villages du sud qui ont permis de calculer cet indice sont :
Cuigy-en-Bray, Espaubourg, Ons-en-Bray, Saint-Aubin-en-Bray, Saint-
Germer-de-Fly, Villers-Saint-Barthélemy. Les villages du nord sont :
Abbeville-Saint-Lucien, Maulers, Muidorge, Pisseleu, La Chaussée-du-
Bois-d'Écu.

second tiers du XVIIIᵉ siècle, qui sort à la fois de notre cadre de travail et de la structure démographique que nous avons tenté de définir. Il semble cependant qu'on mourait plus jeune dans le nord, que le fécondité des mariages y était moins forte (ce qui pourrait signifier que les mariages étaient rompus plus tôt et plus fréquemment), et que la fécondité n'ait pas esquissé de baisse sensible dans les dernières décennies du XVIIIᵉ siècle. En somme, ces plateaux septentrionaux au paysage « picard » pourraient être caractérisés par des traits démographiques plus sombres, qui se seraient conservés plus longtemps.

Quoi qu'il en soit de ces fragiles hypothèses, il n'est pas douteux que les crises frappèrent plus durement le nord que le sud du Beauvaisis, le plateau céréalier que le Bray verdoyant et ses confins nuancés. Contraste « géographique » d'une démographie des blés et d'une démographie des pâtures? Contraste économique d'une région de monoculture céréalière où tout manquait lorsque le blé manquait, et d'une région de polyculture plus herbagère où subsistaient en temps de cherté céréalière des ressources annexes : laitages, produits variés de courtils plus vastes, vente de fagots, gibier plus ou moins braconné? Cette opposition dans la mise en valeur, dans le système de culture, dans la structure économique, de vieux auteurs, comme Antoine Loisel, l'avaient vivement ressentie, et nous aurons à l'examiner de près.

Nous aurons aussi à nous demander si cette opposition géographique de caractère économique ne se traduirait pas, dans la réalité quotidienne, par une grossière opposition sociale : le plateau, surabondamment peuplé de très pauvres gens aux ressources étriquées et fragiles; le Bray et ses confins, pays de gens moins pauvres, ou moins facilement affaiblis. Une esquisse de démographie comparative a du moins permis de poser la question.

L'ensemble de ce long chapitre a peut-être aussi permis de montrer l'intérêt de ce précieux instrument de connaissance historique que peut constituer la discipline démographique. Véritable préface à la connaissance des hommes du Beauvaisis, elle introduit aux problèmes économiques et aux problèmes sociaux, qui nous retiendront longuement; elle pourrait aussi introduire aux problèmes de mentalité et même de piété, qui nous retiendront moins, faute de sources suffisantes pour les premiers, faute de compétence pour les seconds.

En elle-même enfin, l'analyse démographique minutieuse et prudente ne peut être absente d'une histoire sociale qui aspire à être complète, à tout connaître de tous les groupes humains, et d'abord des plus humbles, qui sont les plus nombreux.

CONCLUSION

Il a existé une structure démographique ancienne; sa formation se perd dans la nuit de notre ignorance; son existence est attestée jusque vers 1740 — rarement un peu plus tôt, souvent un peu plus tard, selon les lieux.

Paradoxalement, l'un des traits les plus saisissants de cette structure est révélé par un fait de conjoncture : des crises d'une grande acuité qui, partout et au même moment, affectèrent à la fois les mariages, les conceptions et les sépultures; des crises qui, amputant la population d'un ou deux dixièmes, la ramenaient brutalement au niveau requis par les subsistances, c'est-à-dire par le système économique et social. Ces crises entraînaient des conséquences lointaines et graves : la création d'une ou plusieurs classes creuses. Sauf exception, ces crises n'étaient pas provoquées par des épidémies « pures », mais par l'aspect céréalier d'une pointe cyclique des prix, donc par des crises économiques de type ancien. En Beauvaisis comme dans une partie de la moitié nord du royaume, ces crises commencèrent à s'adoucir, puis à disparaître à partir de 1740, ou à peu près.

Le rythme puissant de ces crises — qui parfois paraît s'orchestrer selon deux rythmes trentenaires — concourut, avec d'autres facteurs, à former des populations dont le taux de remplacement était voisin de l'unité : légèrement supérieur dans les lieux favorisés comme Auneuil, nettement inférieur dans des régions maudites comme la lointaine Sologne ou, en Beauvaisis même, les bourgs et les faubourgs manufacturiers. Si bien qu'on doit poser le principe d'une stagnation d'ensemble des populations anciennes, mais d'une stagnation en quelque sorte algébrique, que troublent localement et périodiquement des flux et des reflux, des oscillations souvent importantes, qu'on essaiera d'étudier. Cette probable situation résulte du concours de nombreux facteurs qu'on peut parfois distinguer et rarement mesurer : la physiologie humaine, les lois religieuses, des coutumes, des habitudes, le mouvement régulier des saisons. Certains phénomènes démographiques assez importants ont pu être appréhendés quantitativement : la mortalité infantile et juvénile, si considérable; la fécondité légitime, moins exubérante qu'on ne l'a cru d'abord, puisqu'elle était limitée par l'âge au mariage, par la longueur des intervalles intergénésiques, par la fréquente rupture des unions, et même par la fin relativement précoce de la période de fécondité féminine.

Cette structure démographique, nous en avons souligné les variantes locales et les éléments de différenciation sociale, sans pouvoir, malheureusement, préciser suffisamment ces derniers. Nous avons essayé de la voir dégénérer et mourir à partir de 1740, parfois même de 1760 ou 1770. En même temps, se formait obscurément une structure nouvelle. Une structure sans crises, ou plutôt sans crises graves, générales, simultanées; une structure dans laquelle les classes creuses allaient tendre à disparaître, et la mortalité infantile à baisser; une structure dans laquelle les vieillards même allaient, semble-t-il, vieillir plus longtemps, donc plus nombreux, mais surtout, à ce moment unique où le recul sensible de la mort n'était pas encore accompagné (sauf peut-être dans le groupe infime des familles très aisées) d'un sensible recul des naissances, des générations pléthoriques de jeunes adultes — futurs soldats, futurs ouvriers — se préparaient à envahir, et envahissaient déjà la scène nationale, chargeant de problèmes nouveaux la France « déprimée » de Louis XVI.

Mais les hommes d'avant 1740, et surtout les hommes du classique XVIIᵉ siècle, qui tremblaient toujours devant les trois fléaux traditionnels et quasi canoniques — « A peste, fame et bello, libera nos, Domine » — ces hommes n'imaginaient pas, ne pouvaient imaginer semblable transformation, semblable « révolution ».

CHAPITRE IV

STRUCTURES ÉCONOMIQUES
D'ENSEMBLE

I. LES COMMUNICATIONS :
L'ISOLEMENT APPARENT DU BEAUVAISIS

A presque toutes les époques et dans la plupart des lieux, la nature, la facilité, la fréquence et le coût des communications ont imprimé aux économies leur caractère dominant. L'on sait les profondes transformations apportées au régime économique par la construction des grandes routes royales, des canaux, puis des chemins de fer. Au XVIIe siècle, aucun de ces signes de renouvellement ne s'était encore manifesté. L'on vivait sur un très vieil héritage, venu du fond des siècles, et entretenu tant bien que mal, plutôt mal que bien : la mer et les rivières, telles que la nature les avait données, ou peu s'en faut; la gamme infinie des innombrables routes de terre, presque toutes héritées des voies romaines et des chemins gaulois. De ce point de vue encore, le canal de Briare et Riquet ne suffisent pas à donner au XVIIe siècle l'apparence d'un siècle moderne.

Alors la France était diversité, beaucoup plus que pendant les siècles qui suivirent. Les oppositions provinciales et locales traduisaient, dans une certaine mesure, les conditions très différentes offertes aux relations, intérieures et extérieures. De grands ports, Saint-Valery, Rouen et Le Havre, Saint-Malo, Nantes — pour s'en tenir à la France du nord —, de grandes voies fluviales comme la Loire, la Seine, l'Oise, la Somme même, étaient en relations constantes et fructueuses

avec presque tout le monde connu. A Rouen comme
à Saint-Valery, les vaisseaux, les marins et les marchandises du nord étaient rarement absents, même
aux périodes de guerre; aux années de disette, Amiens
faisait venir son blé de Dantzig; Abbeville, Amiens,
Rouen jouaient le rôle de marchés nationaux des harengs
et des « mollues » de carême; à Amiens se tenait une
véritable bourse des fromages de Hollande, et des vins
français transitant pour le Nord. Dès la fin du XVIIe siècle,
Le Havre, Rouen, Saint-Malo surtout, armaient pour
l'Amérique espagnole, la « mer du Sud », la Chine;
bien avant Bougainville, leurs navires risquaient le
tour du monde. Des vaisseaux hollandais venaient
chaque année enlever les vins de la Loire, de Nantes
à Orléans, ce nœud de routes et de batellerie. Depuis
La Fère ou Noyon, de véritables flottilles descendaient l'Oise, portant vers Paris les blés de Picardie
et du Vermandois. Ces navires et ces barques, ces
marins et ces mariniers donnaient aux côtes et aux
rives qu'ils animaient une activité intense et comme
des horizons lointains. La diversité des marchandises,
des monnaies, des langues, des coutumes et des reli-
gions s'installait en ces endroits favorisés du royaume
de France, à la vie colorée, plus fiévreuse, plus étonnante.

A ce trafic national et international, présent sur les
quais voisins d'Amiens et de Rouen, le Beauvaisis
resta, au XVIIe siècle, à peu près étranger. De Beauvais
à la mer — une centaine de kilomètres — il fallait compter
deux jours d'un voyage difficile, par de vieux chemins
étroits, sinueux et boueux que seuls les chasse-marée
osaient encore emprunter. Le Beauvaisin du XVIIe siècle,
ce terrien, manifestait peu de goût pour la mer, monde
lointain et hostile : sauf quelques gentilshommes picards,
on ne trouve pas trace de vocation maritime ou coloniale
dans la région; au XVIIIe siècle, il en sera tout autrement.
Et pourtant, les ports de Rouen et d'Amiens, que les
marchands étaient loin d'ignorer, ne se trouvaient
qu'à une ou deux petites journées de voyage; l'Oise,
si intensément naviguée, à moins de 10 lieues de la
ville épiscopale.

Sans doute ce Beauvaisis est-il le pays du Thérain,
modeste rivière à truites, qui devient pourtant, après
Beauvais, assez large, toujours profonde, jamais à sec,
rarement en crue. Classique rivière du Nord dans sa

large vallée tourbeuse, elle n'offrait à la navigation
aucun obstacle naturel. Peut-être les Bellovaques
l'avaient-ils utilisée : les archéologues pensent qu'elle
fut jadis beaucoup plus importante; ils ont même
retrouvé les restes d'une barque ancienne, prise dans
les vases de ce qui fut Bratuspantium. Mais que prouvent
quelques textes imprécis et un seul vestige ? Au XVIIe siècle
aussi, des barques parcouraient le Thérain. Elles portaient des pêcheurs, à qui les seigneurs louaient leur
« rivière ». Elles servaient à mener les étoffes de la ville
aux moulins à foulon de Miauroy et de Voisinlieu.
Parfois, le bailli du seigneur de l'eau — l'évêque-comte
— empruntait solennellement la barque d'un meunier
pour effectuer la « visite des rivières », suivant un
itinéraire compliqué et rituel. Quelquefois, l'on transporta des « pestés » par eau jusqu'à Saint-Lazare.
Plus souvent encore, les barques servaient nuitamment
à frauder l'octroi. La batellerie du Thérain ne dépassa
jamais ces modestes dimensions. Cette carence, pour
une ville comme Beauvais et pour le pays qu'elle dominait, constituait une faiblesse et même une menace
dont il faut bien souligner la gravité. Car les exemples
sont rares, au XVIIe siècle, de villes qui dépassaient
largement la dizaine de milliers d'habitants, et qui
n'étaient ni ports maritimes, ni ports fluviaux. Si bien
que la réussite commerciale et la densité humaine de
Beauvais tiennent quelque peu de la gageure, en l'absence
de cet agent capital de l'activité économique : une
rivière naviguée.

Dès le XVe siècle, peut-être plus tôt, des Beauvaisiens
songèrent à « faire porter la rivière ». Au XXe siècle
encore, il arrive qu'un journaliste en mal de copie
relance ce vieux thème, manifestement dépassé. Fort
bavardes, mais sans doute incomplètes, nos sources
mentionnent des projets de navigation du Thérain
en 1483-1484, 1567, 1572, 1583, 1588, 1604, 1614-1615,
1698 avec Vauban, 1718, 1738-1739, sans compter
la « fièvre des canaux » qui sévit, en Beauvaisis comme
ailleurs, de 1780 à 1840 environ. Tant de projets se
classent, par leur origine, en trois catégories. Sous
Louis XI, sous Henri IV et au XVIIIe siècle, l'initiative
gouvernementale paraît attestée; mais l'on peut penser
que des requêtes beauvaisiennes ont déclenché le mécanisme d'enquête *de commodo et incommodo* qui suit
toujours l'arrivée d'un officier royal. Les marchands

de Beauvais devaient s'intéresser à une tentative dont le
succès ne pouvait leur apporter que des avantages.
En effet, deux marchands du lieu, Dauvergne en 1583
et Boileau en 1615 s'offrirent pour réaliser la navigation
du Thérain, tout en demandant l'établissement d'un
péage à leur profit. Une troisième catégorie de personnages, ingénieurs plus ou moins visionnaires, hommes
d'affaires plus ou moins honnêtes, apparaissait de temps
à autre, avec des propositions mirifiques — l'on pro-
jetait encore en plein XIXᵉ siècle un canal Dieppe-Paris
par Beauvais — accompagnées d'une demande de
subsides. Si les projets de Vauban restaient parfaitement
désintéressés, ceux de Jean de Marine, « capitaine de
la grosse tour de Bourges et ingénieux du Roi »,
le parurent beaucoup moins : en 1572, il demandait
200 000 livres en or pour « rendre navigable la rivière ».
Messieurs les Maire et Pairs — ce furent les titres
officiels des échevins de Beauvais — répondirent :
« la ville n'a point de deniers ».

Ce fut en effet l'une des causes qui firent échouer
les projets de navigation. Une seconde joua un rôle
sans doute déterminant : l'opposition constante de
l'Église de Beauvais, c'est-à-dire des chanoines de
la cathédrale. Il ne s'agissait point en l'occurrence
d'intérêts spirituels, mais de moulins. On aurait pu
rendre la rivière navigable, précisait Loisel, « n'estoit
qu'on a mieux aymé s'en ayder à plusieurs moulins ».
La totalité des moulins à eau de Beauvais, 12 à 15 selon
l'époque, 25 au moins des 30 ou 40 que le Thérain
faisait tourner de Beauvais à Creil, appartenaient
au clergé, et surtout au chapitre. La plupart étaient
banaux. Presque tous écrasaient les blés. Le chapitre,
tout en les utilisant pour ses propres grains, tirait
de leur amodiation des revenus considérables, en
nature ou en argent. Or, la régularisation de la rivière,
c'était la disparition de la plupart des moulins, tout
au moins leur reconstruction sur des dérivations nouvelles.
Aussi, à chaque tentative de « faire porter la rivière »,
le chapitre s'opposait immédiatement et énergiquement,
« attendu, déclarait-il dès 1484, le dommage et incom-
modité qui en reviendront à l'Église et à tout le païs ».
Les seigneurs riverains élevaient à leur tour des prétentions fondées sur des droits certains, dont ils auraient
pourtant accepté le remboursement avec dommages
et intérêts. Reconnaissons que la présence de tant de

moulins avec leurs barrages et leurs chutes eût singulièrement compliqué le travail des ingénieurs. C'est
ainsi que, les intérêts des uns s'opposant aux intérêts
des autres, le Thérain demeura une rivière sans
batellerie.

Il restait au Beauvaisis, pour communiquer avec les
régions voisines, les seules voies de terre. Du sentier
au grand chemin royal, les coutumes — en attendant
l'ordonnance d'août 1669 — avaient soigneusement
défini les chemins, fixé théoriquement leur largeur
et leur usage. Malgré des discordances, elles apportaient
au moins en ces matières confuses un souci de clarté.
Rien ne nous assure que les prescriptions coutumières
furent respectées; pour celles qui prétendaient régler
la largeur des chemins, nous savons bien qu'elles ne
le furent guère. Ces sentiers, voies, carrières et chemins
étaient fort nombreux. On demeure étonné du nombre
de ceux qu'on retrouve dans les plans-terriers, dans
les tenants et aboutissants des actes de vente, de location,
de succession. Beaucoup d'entre eux sont aujourd'hui
réduits à l'état de chemins de terre, quand la charrue
ne les a pas détruits : le promeneur, le cartographe,
l'amateur de lieux-dits peuvent suivre leur ancien
tracé avec une certaine aisance. De Beauvais à Amiens,
on avait le choix entre trois ou quatre itinéraires. Entre
chaque village et le bourg ou la ville voisine, il existait
toujours quelque « voye » ou sentier direct, que les
paysans empruntaient les jours de marché, que les
manouvriers suivaient matin et soir pour aller travailler
chez les drapiers ou les bourgeois. Si l'on portait tous
ces chemins sur une carte, on obtiendrait un réseau
extrêmement dense, avec une étoile particulièrement
fournie autour de l'ancienne cité. Mais il ne faudrait
pas se laisser abuser par une telle représentation
figurée.

Sur la plupart de ces vieux chemins, circulaient
des mendiants, des femmes chargées d'un ballot, des
hommes avec leur pièce de serge sur l'épaule, quelques
ânes bâtés, les mules des potiers ou des chasse-marées,
les chevaux des gros fermiers ou des gentilshommes
parcourant leurs terres. Sur les plus grands de ces
chemins, tout « royaux » qu'ils se prétendissent, la
« Poste du Roi » ne passa jamais. La Poste aux lettres
venue de Paris n'atteignit Beauvais qu'en 1738. Jusque-là,
entre la route postale de Rouen par Magny et Gisors

et celle de Calais par Clermont, Saint-Just et Breteuil, le Beauvaisis apparaissait comme une zone vide de grandes routes, à l'écart des courants importants de circulation. Jusque-là, deux coureurs piétons allaient journellement de Beauvais à Clermont et de Clermont à Beauvais pour effectuer le service des « depesches », c'est-à-dire du courrier. Au XVIIᵉ siècle, les usagers de la route d'Angleterre avaient délaissé le trajet le plus court, par Beauvais et Abbeville pour adopter un parcours plus long, mais plus facile, plus rapide grâce à la poste aux chevaux, mieux entretenu aussi, et qui offrait l'avantage supplémentaire de traverser la grande cité d'Amiens. Cet isolement du Beauvaisis, qu'on ne pouvait guère imputer aux obstacles naturels, s'est prolongé, à certains égards, jusqu'en plein XXᵉ siècle. Les routes, ses seuls débouchés, n'étaient au XVIIᵉ siècle que des routes secondaires.

Par surcroît, ces routes étaient fort mauvaises : il est vrai que, sur ce point, le Beauvaisis ne présentait alors aucune originalité. Le « très mauvais estat de toutes les chaussées s'éloignantes de Beauvais » et de Clermont est signalé, en 1684, par deux rapports d'intendants. Le premier résume une requête des « messagers, rouliers, maîtres des coches et voituriers de Beauvais », datée du 5 novembre 1683 : ils exposaient que « les chemins de Beauvais à Paris sont impraticables, et qu'ils ne peuvent plus passer sans perdre leurs chevaux et sans courir risque de la vie ». Ils demandaient qu'on ordonnât « des corvées pour rétablir la route ». A en croire le sub-délégué Le Scellier, sept paroisses « riveraines » qui avaient intérêt à ces réparations se seraient spontanément offertes pour des corvées. Le second rapport émanait de l'intendant de Soissons. Il précisait que, sur le chemin de Clermont à Compiègne, « les charrettes n'y pouvaient plus passer, à grand peine mesme les gens de pied ». Dès 1670, avertis de la venue du roi, les échevins de Beauvais expédiaient en hâte des ouvriers pour réparer les chemins. Cette pratique était fort répandue : le roi voyageait précédé d'une équipe de cantonniers d'occasion, que l'annonce de son arrivée faisait surgir du plat pays. En 1693-1694, on utilisait ainsi des pauvres oisifs, mais valides. On note sans doute, au XVIIIᵉ siècle, une amélioration sur quelques routes; mais les autres continuèrent à susciter des protestations fréquentes, qui finirent par échouer dans les cahiers de doléances.

Il ne faut pas les assimiler toutes à de rituelles lamentations. Ainsi, en 1788, on transporta une statue de Louis XIV du château de Crillon à la grande place de Beauvais : la route, celle de Dieppe, se trouva si défectueuse qu'on jugea plus commode de passer par les champs. Manière de circuler qui n'offrait rien d'exceptionnel, et dont les paysans se plaignaient fréquemment. En vain : dès 1653, dans son commentaire sur la coutume d'Amiens, article 185, Adrien de Heu donnait cette précision : « Si lesdictz grands chemins estoient inondes, ou tellement rompus que l'on n'y puisse passer... l'on pourrait prendre passage sur les terres voisines... (car) la nécessité n'a pas de loi. » Un tel texte, intégralement réédité en 1726, doit retenir l'attention. La nécessité de commercer amenait en effet à utiliser tels quels ces chemins qui, à distance, nous paraissent impraticables. Malgré les redoutables lacunes et imperfections de leur réseau routier, Beauvais et sa région y lançaient, dans toutes les directions, des bêtes de somme, des charrettes, des coches. Ils passaient quand ils pouvaient, comme ils pouvaient, empruntant la voie la moins inondée ou la moins « rompue », et à l'occasion les terres labourées, malgré les cris des paysans. Les conducteurs de chariots n'exerçaient pas un métier dépourvu de risques, quand les lourdes voitures s'embourbaient ou versaient.

A Beauvais, deux messagers de l'Université de Paris assurèrent la poste aux lettres et les messageries au moins jusqu'en 1649, date de l'installation d'un maître des courriers royaux, venu de Soissons. Pour toutes les villes voisines, des services privés de carrosses, coches, voitures, messageries sont attestés dès le XVIe siècle, et existèrent sans doute antérieurement. En 1572, le Corps de Ville autorisait Simon Vérité, voiturier, à établir « un coche à trois chevaux en été, et quatre en hiver, pour mener personnes à Paris, s'il plaist au Roy... à charge de ne prendre que 25 sols par chaque habitant ». L'année suivante, un boulanger proposait d'établir un nouveau coche pour Rouen : il exigeait 40 sols par personne. En juin 1674, la « charrette pour Rouen » prenait gens et marchandises; elle y ajoutait sans doute les lettres, malgré le monopole de la Ferme. En 1678, on signalait des difficultés entre les « messagers de Calais » et les commis des aides. L'almanach de 1764 donne un tableau tardif, mais

commode et complet, des « carrosses et messageries »,
qui d'ailleurs existaient tous au siècle précédent : Paris,
tous les deux ou trois jours; Amiens, deux fois par
semaine; Orléans, Rouen, Calais, Saint-Quentin (et
de là en Flandres), chaque semaine; Eu et Reims,
une fois par quinzaine. La plupart de ces voitures
partaient des grandes auberges de Beauvais, situées
sur l'artère principale de la ville, l'axe nord-sud.
L'on verra que les balles de laine et les toiles à blanchir
arrivaient par milliers à Beauvais, et que les pièces
d'étoffes en repartaient par dizaines de milliers; chiffres
qui laissent à penser ce que pouvait être la circulation
des lourdes charrettes sur ce réseau routier déplorable,
— que ne craignaient jamais d'emprunter les régiments
qui venaient, trop souvent, faire étape, loger, prendre
même leurs quartiers d'hiver.

L'absence de toute voie d'eau, le caractère secondaire
et le mauvais entretien des voies de terre contribuaient
donc à faire du Beauvaisis un pays terrien, sédentaire,
qui vivait à l'écart des grands axes de circulation. Le
« commerce honorable », c'est-à-dire le grand commerce
de mer, ne le touchait apparemment pas. Le grand
trafic inter-régional, celui des produits agricoles essentiels,
les blés, les bois, les vins, ne l'animait guère plus :
par son volume, son poids, son coût, il ne supportait
guère que la voie d'eau. Cependant, s'accommodant
de chemins déplorables, les hommes, les lettres, les
papiers d'affaires, les marchandises partis de Beauvais
atteignaient couramment les grandes villes voisines
ou lointaines.

Certes, si le Beauvaisis agricole consommait la plus
grande partie de sa production, s'il tendait à vivre
en autarcie, un réseau de mauvais chemins pouvait
suffire à ses charrois locaux. Mais le Beauvaisis manufacturier exportait, souvent fort loin, la plus importante
et la meilleure part de sa fabrication. Il fut obligé de
s'accommoder de ces routes défectueuses : il lui fallait
atteindre à tout prix la mer et les grands centres de
vente et de transit pour continuer à travailler et à vivre.
Ainsi s'esquisse une nouvelle opposition, purement
économique, entre deux branches, socialement et géographiquement inséparables, de la production beauvaisine : l'agricole, repliée sur elle-même; la manufacturière, largement, obligatoirement ouverte sur le
monde.

2. UNE AUTARCIE AGRICOLE :
LE NORD, OU LE BEAUVAISIS DES BLÉS

A. *Grands traits du paysage rural.*

« Toutes les terres de la Picardie sont en labours, il n'y a point un endroit qui ne soit cultivé », écrivait l'intendant d'Amiens, Bignon, en 1698. Trois ans plus tard, il précisait : « Après avoir fait examiner ce qu'il peut y avoir de terres incultes, landes et pâtures servant à usage de pâturage, je crois qu'il n'y a point de province dans le Royaume où il s'en trouve moins... Presque tout est en culture... A peine y a-t-il assez de communes pour la nourriture des bestiaux ». Pour les négociants anciens comme pour les géographes modernes, la Picardie englobe le Beauvaisis du nord ; l'on sait d'ailleurs qu'une cinquantaine de paroisses de notre région dépendaient de la généralité d'Amiens. Le jugement de l'excellent intendant que fut Bignon rejoint celui de Loisel, quand il décrivait « le septentrion » de sa province natale : « pays de labours, si bon, si fertile... ».

Au-delà de ces jugements précieux, mais vagues, peut-on apercevoir avec plus de précision le paysage rural du Beauvaisis septentrional ? Un remarquable ensemble de plans par masses de cultures, que l'élection de Beauvais doit à Bertier de Sauvigny, permet de « voir » tout le pays, vers 1780. Les tableaux suivants résument 20 arpentages paroissiaux. L'insignifiance des friches, des prés et des communaux — les trois quarts des paroisses en étaient dépourvus —, la superficie fort modeste des bois, tout cela est moins éclatant encore que l'extraordinaire domination des terres labourées : plus des quatre cinquièmes de la superficie totale. Ainsi, dans ces espaces sans arbres et presque sans haies, le rythme puissant de l'assolement triennal faisait pousser, deux années sur trois, toute la gamme des blés et dès mars, quand des « grains ronds » comme la vesce et la bizaille — deux légumineuses — ne venaient pas s'emparer subrepticement d'une partie des jachères.

Observations sur le tableau suivant.

1. Sources : plans par masses de 1778-1786 (Oise, C 1 à C 153).

2. Dans les « terres labourées de non valeur » sont comprises des friches.

3. Nous n'avons pas porté sur le tableau les superficies occupées par maisons, jardins, chemins et rivières.

4. Dans tous les cas, il s'agit d'arpents « de roi » de 51,02 ares.

5. Les paroisses qui précèdent ne sont pas toujours devenues des communes. Donc toute comparaison avec les cadastres du XIXᵉ siècle devra être précédée d'une enquête précise.

BEAUVAISIS NORD, MASSES DE CULTURES, 1780

PAROISSES	Superficie totale en arpents de 51,02 ares	Terres labourées	Terres labourées de « non-valeur »	Bois	Prés	Communaux	Friches
Blicourt	3 133	2 777	—	66	22	0	79
Essuiles	2 494	1 461	387	391	88	31	—
Fay-Saint-Quentin	1 150	984	91	0	0	0	—
Fouquerolles ..	1 985	1 601	226	106	0	0	—
Gaudechart ...	1 127	976	—	26	0	0	0
Le Hamel	2 453	2 093	—	14	0	0	46
Hétomesnil	1 468	1 334	—	15	0	0	9
Juvignies	1 482	1 254	—	77	0	0	15
La Neuville-s.-Oudeuil	477	380	—	0	0	0	0
Laversines	2 900	2 311	226	73	26	14	—
Maisoncelle-Saint-Pierre....	643	571	—	1	0	0	6
Nivillers	1 579	1 300	144	44	1	3	—
Pisseleu	531	427	—	0	0	0	0
Rouge-Maison .	261	227	—	0	0	0	0
Roy-Boissy	1 647	1 368	—	103	2	0	0
Sauqueuse-Saint-Lucien .	785	602	—	100	0	31	0
Thieuloy-Saint-Antoine	457	411	—	11	0	0	5
Tillé	2 156	1 604	—	322	26	0	26
Velennes	1 001	721	82	80	0	0	—
Verderel	1 606	1 384	—	40	0	18	13
TOTAUX ...	29 335	23 786	1 156	1 477	165	97	199
		81 %	4 %	5 %	0,6 %	0,3 %	0,7 %

Vérité du XVIIIe siècle finissant, dira-t-on : mais cent, cent cinquante ans auparavant? Les plans du XVIIe siècle sont, sur le plateau picard, plus rares, moins complets et moins précis que dans le pays de Bray. Pourtant, là ou l'on peut esquisser des comparaisons d'un siècle à l'autre, à Rotangy, à Haudivillers, à Noirémont, à Maulers, à Luchy, les mêmes tracés d'ensemble apparaissent. Mais la possibilité d'une comparaison globale nous est refusée par les textes. Peut-on tenter des comparaisons partielles?

Les bois n'ont-ils pas reculé du XVIIe au XVIIIe siècle, ces bois si intensément exploités dans l'ancienne économie? Une heureuse rencontre d'arpentages forestiers permet de répondre avec quelque précision : trente-quatre massifs appartenant à l'abbaye de Saint-Lucien ont été soigneusement mesurés en 1674, en 1725 et en 1754. Éliminons quatre d'entre eux, vendus vers 1700, et trois autres, achetés peu de temps après. Voici en arpents forestiers de 51,02 ares les résultats globaux de ces arpentages, pour les 27 bois qui restent comparables, et plus spécialement pour les 21 situés franchement sur le plateau picard :

Date de l'arpentage	Les 27 bois	Les 21 bois « picards »
	arpents	arpents
1674	1 191,7	829,76
1725	1 320,96	979,77
1754	1 385,93	1 032,61

La bonne administration de l'abbé et des religieux, l'excellente application de l'ordonnance des Eaux et Forêts par les officiers de la maîtrise de Clermont avait donc abouti, du XVIIe au XVIIIe siècle, non pas à un déboisement, mais bien à un reboisement, car on ne saurait douter des sources de cet ordre. Comme il n'existait dans ce Beauvaisis du nord aucun bois communal et très peu de bois appartenant à des seigneurs laïcs; comme Saint-Lucien était, avec le chapitre cathédral, le seigneur et le propriétaire le plus important, on ne peut que conclure au progrès d'ensemble de ces superficies boisées, aux revenus importants et d'ailleurs croissants.

Mais les communaux? Avides de gagner quelques
« rayes », des cultivateurs avides les ont un peu grignotés.
C'est bien ce qui ressort d'un autre groupe de comparaisons, faciles à mener à l'aide des déclarations fournies
en 1634 par toutes les communautés comprises dans
le ressort du parlement de Paris. Ainsi, de 1634 à 1785,
les pâtis réunis de Verderel et de Sauqueuse-Saint-Lucien
passèrent de 59 arpents à 49; le modeste communal
de Nivillers perdit la moitié de ses 6 arpents. Mais les
véritables « marests », plus difficiles à entamer, se sont
mieux défendus : celui de Laversines s'est maintenu
à 14 arpents.

Alléguera-t-on des modifications dans les masses de
cultures, apportées par les défrichements officiels
d'après 1764? A défaut de ceux de la généralité de
Paris, nous avons les états de défrichements de la généralité d'Amiens et ceux de l'élection de Clermont.
Les premiers montent à un peu plus de 2 000 arpents.
Mais cette généralité comprenait plus de 1 400 paroisses,
ce qui donne une moyenne de défrichement par paroisse
inférieure à un hectare.

Quant aux papiers qui concernent une partie de notre
région, — le sud de la généralité — ils sont essentiellement constitués par des états « néant ». Les états de l'élection de Clermont montrent également des défrichements
insignifiants : 180 hectares en 11 ans dans 99 paroisses.

L'on sent bien qu'il s'agit là de menus détails. Dans
l'ensemble, pour ce coin de France, le paysage rural
du temps de Louis XIV et celui du temps de Louis XVI
se ressemblent : sur les dizaines de milliers d'arpents,
quelques contours à modifier, quelques limites à déplacer,
et pas toujours dans le sens qu'on imaginerait volontiers.

Depuis la fin du XVIe siècle, quelques transformations
légères étaient pourtant intervenues.

La première, à peine sensible dans des paysages d'ensemble, concerne le choix des céréales cultivées. Que
l'on consulte les baux à ferme ou les distributions de
grains aux chanoines de Beauvais, et l'on verra assez vite
que le XVIIe siècle resta sous le signe du méteil, alors
que le XVIIIe vint se placer sous celui du froment. Tout
au moins sur les importantes exploitations louées
par les grands propriétaires, les fermages en pur froment
« à deux deniers près du meilleur » se substituèrent
aux vieux « muisons », ces méteils à un tiers de seigle.
Bien plus tôt, à l'époque Louis XIII, semble-t-il,

l'orge avait été réduite à un rôle très subalterne : les
Beauvaisins, qui n'en consommaient presque jamais
dans le pain, avaient cessé de la transformer en bière.
La plupart s'étaient voués au vin ou à la « piquette »,
puis de plus en plus, au cidre. Pamelle et escourgeon
restèrent cantonnés dans la véritable Picardie, celle
d'Amiens, beaucoup plus fidèle à la boisson d'orge,
surtout dans les classes populaires.

Bien étudiée, et d'ailleurs signalée par les contemporains, cette transformation dans la boisson devait
entraîner des modifications de détail dans le paysage
rural. L'on sait que, dès le Moyen Age, la vigne fut
cultivée presque partout sur le plateau picard : d'innombrables lieux-dits l'attestent encore, ainsi que certains
traits cadastraux persistants, comme l'exiguïté des parcelles près des villages, la présence de « sentiers aux
vignes » de trois ou quatre pieds, les restes de haies
vives, ancienne clôture du vignoble toujours « en défend »,
où courent encore quelques vrilles et grapillons de
la plante devenue sauvage. On arrive presque à saisir,
aux XVIe et XVIIe siècles, le repli de la vigne vers les
banlieues urbaines : Mouy, Clermont, Beauvais surtout.
Le pommier à cidre normand, maître du pays de Bray
depuis longtemps, paraît dans les plaines du nord
vers 1680, mais reste longtemps cantonné dans les jardins.
Il faut attendre le plein XVIIIe siècle pour voir les pommiers s'aligner le long des routes, et s'installer même
dans les labours, remplaçant souvent d'anciens et énormes
poiriers à cidre. Cet ensemble de lentes modifications
ne devait s'achever qu'en plein XIXe siècle, avec la disparition définitive des vignobles et la domination
incontestée du cidre de pommes.

Ainsi, sur ces terres presque sans friches, sans communaux, sans prés, sans bois et sans vignes, les céréales
dominaient largement. Au XVIIe siècle, elles l'emportaient
plus encore qu'aux époques postérieures : pas encore
de pommiers en ces temps anciens, pas de prairies
artificielles, moins encore de betteraves à sucre et de
pâtures encloses. Il n'est que de relever la nature et
la quantité des redevances que les grands seigneurs
ecclésiastiques tiraient du Beauvaisis septentrional
pour en être plus persuadé encore.

Des neufs granges du chapitre, chacune des 44 prébendes pleines reçut annuellement, de 1629 à 1640,
23 à 34 muids de blé, 8 à 14 muids d'avoine; chacune

des 8 semi-prébendes, 17 à 25 muids de blé, 5 à 8 d'avoine.
Soit, pour l'ensemble des prébendes, 4 500 hectolitres
de blé pour l'année 1630, la plus mauvaise, et 6 800 en
1639, lors de la meilleure récolte; quant à l'avoine,
les quantités reçues varièrent de 2 400 à 4 100 hectolitres. Il n'est question en tout cela ni de bestiaux,
ni de beurre, ni même de chapons ou de cochons de lait.
Dès 1648, les ursulines de Beauvais tiraient 40 muids
de grains de leur grosse ferme de Moyenneville, outre
quelques deniers; leur beurre et leurs bestiaux provenaient uniquement de Ravines près Doudeauville, en
plein pays de Bray. Les receveurs généraux de l'abbaye
Saint-Lucien louaient habituellement les fermes picardes
une mine et demie de grains (50 litres) par mine de
terre (24 ares). Pour leur seule mense conventuelle
— le tiers du total —, les religieux de l'illustre abbaye
recevaient annuellement de leurs terres du plateau
picard, entre 1710 et 1720, 950 hectolitres de blé et
450 hectolitres d'avoine. Muison, blé tel que de fermage,
blé tel que de dîmes, autant de notions courantes,
fort précises pour ceux qui les employaient, et qui sont
comme l'expression symbolique de ces terres du
Beauvaisis septentrional où toutes les « mines » en « labeur »
donnaient, deux ans sur trois, des « diziaux » de bon
méteil, puis des « diziaux » de mars.

B. *Production, consommation et commerce des blés beauvaisins.*

Dans son mémoire sur la Picardie, Bignon écrivait :
« ... Le principal commerce, la ressource du pays,
sa richesse est en grains de toute espèce... les récoltes
médiocres donnent plus de blé que les habitants n'en
peuvent consommer. On en transporte en Flandre...
le Vermandois en fournit une grande quantité pour le
Royaume : des provinces ne peuvent se passer du
concours de la Picardie... Il s'en fait aussy des transports
par Saint-Vallery dans les autres provinces du Royaume
lorsque le Roi l'a bien voullu permettre... les marchands
en tirent du Santerre qui est conduit à Paris par la
rivière d'Oyse ou en voiture même par charroi et à dos
de cheval jusqu'à Gonesse... ». De ces trois voies d'exportation, la dernière seule pouvait intéresser le Beauvaisis,
d'autant que nous savons déjà à quel point l'Oise
pouvait être animée par les bateaux de grains — et

aussi de bois — descendant vers la Seine et Paris. Le rôle de Clermont, de Beaumont et de Pontoise comme marchés ravitaillant Paris est souvent attesté et assez bien connu. Il est possible que le marché exportateur de Clermont ait attiré quelques blés des fertiles marges orientales du Beauvaisis. Il est certain qu'en 1699, et probablement plus tôt, des petits « blattriers » tiraient quelques grains de Beauvais pour les « aller revendre à Beaumont, Pontoise et autres lieux ». Une fois au moins, Beauvais ravitailla Rouen. Mais nulle part nous n'avons trouvé trace de fournitures habituelles, normales, fréquentes ou massives de céréales beauvaisines aux grands centres de consommation des régions voisines, spécialement à la capitale. L'absence de voie d'eau et la médiocrité des chemins en furent-ils les seuls responsables ? Il est probable que non, mais il est difficile de le montrer avec précision : il se pose en effet ici de véritables problèmes de rendement, de population et de consommation. Les éléments d'une solution, rares et vagues, existent pourtant : peut-on en risquer l'esquisse ?

L'évaluation des rendements céréaliers se heurte à des obstacles nombreux, presque infranchissables. Obstacles géographiques, qui se ramènent à la diversité des régions, des paroisses, des lieux-dits, de la manière de cultiver jusque dans les parcelles d'une même sole ; on peut au moins les limiter en considérant toujours les meilleurs blés et les meilleures terres d'une petite circonscription, et même d'un seul terroir. Obstacles de méthode : travaillera-t-on sur les innombrables mesures de capacité, sur le poids des céréales — mal connu avant le XVIIIe siècle ? — Décidons d'opérer sur un rapport simple, celui de la récolte à la semence, qui constitue d'ailleurs le moyen d'estimation le plus fréquemment employé au XVIIe siècle. Mais le plus décourageant, ce sont les sources mêmes. Elles abondent : elles sont trop souvent tardives ; elles sont presque toujours volontairement inexactes. Du moins, les documents des premières années du XIXe siècle fournissent-ils des chiffres assez précis, qui présentent une certaine valeur rétrospective ; on doit les interpréter raisonnablement comme des maxima.

L'on pourrait utiliser les données de l'enquête agricole de 1816-1817, qui posa justement la question qui nous occupe : « Combien de fois chaque hectare a rendu

la semence? » L'on sait quel crédit il convient d'attribuer
à tant de réponses prudemment paysannes : des maires
ne craignirent pas d'indiquer des rendements en froment
de 3, de 2,5, de 2 pour 1. Cependant, la plupart d'entre
eux avouèrent 6 pour 1, parfois 7 ou 8. De tels chiffres
peuvent donner des cadres à ce que nous recherchons
pour une époque certes fort antérieure, mais qui participe
tout de même d'un régime économique comparable.
Dans les années 1830-1840, l'excellent Graves, qui
connaissait bien le pays et n'avait aucun intérêt à ménager,
donne des rendements variant entre 6 et 10 pour 1,
selon les cantons, 11 pour 1, précise-t-il, « pour les
bonnes terres bien préparées ». Considérons cette dernière
proportion comme un maximum, jamais atteint au
XVIIᵉ siècle.

À cette époque, les sources de première main dont
nous disposons se réduisent à une seule catégorie :
les « prisées de récolte » qui terminent les inventaires
après décès. Leur abondance ne doit pas faire illusion.
Si nous n'ignorons pas ce qu'on semait — environ
1,5 quintal à l'hectare — nous manquons de précisions
pour donner tout leur sens aux chiffres de récoltes
qu'on nous présente. Presque toujours — on nous le
dit parfois — la dîme a été déduite; nous pouvons
connaître le taux de cette dîme, très variable. Mais
a-t-on déduit le champart, s'il était dû dans le canton
où se trouvaient les champs? Suppose-t-on payés,
toujours en nature, les « scieurs »? Il semble du moins
que le salaire des batteurs ne soit jamais déduit.
N'oublions pas enfin que les priseurs pouvaient estimer
en prévoyant le « parisis », soit un cinquième au-dessous
de la valeur réelle. Enfin les estimateurs ne disent
jamais si les semences ont été déduites. Un exemple,
l'un des plus précis que nous ayons trouvés, permettra
de donner une idée de la difficile interprétation de ces
textes courants.

La femme de Christian Le Teux, laboureur à Saint-
Just-des-Marais, décéda en juin 1672. Le 29 juillet,
deux laboureurs du voisinage vinrent, serment prêté,
pour estimer les récoltes. Sur les 49 mines de la première
sole, 33 1/4 étaient chargées en bon blé-froment; elles
donnèrent 266 mines de grain, la seule dîme à 6 %
étant enlevée. Ajoutons-la et traduisons : 94 hectolitres
pour 8,5 hectares, soit un rendement proche de 11 hectolitres à l'hectare; la semence montait à 2 hectolitres

à l'hectare, ou peu s'en faut. Dans ces terres assez bonnes, probablement fort bien fumées, le cheptel de Le Teux se trouvant assez considérable, en une année de très bas prix, donc abondante, le rendement probable peut être évalué à 5,5 pour 1. Le « parisis » n'ayant joué que sur l'estimation en argent de la valeur de la récolte, nous sommes probablement assez près de la vérité.

Malheureusement, les documents aussi précis n'abondent pas, du moins sur le plateau picard. A Thieux, en 1677, année médiocre, le rendement probable, en blé, des terres de feu André Beudin ne semble pas dépasser 5 pour 1. En octobre 1676, celui de Jean Rousselle, à Froissy-la-Ville, atteignit peut-être 6. Plus précis, les inventaires du pays de Bray — terres lourdes dans les « fonds », caillouteuses sur les « montagnes » — donnent avec assez de sécurité des rendements notablement inférieurs, qui ne paraissent pas dépasser 5 pour 1. Sur les terres assez bonnes de la bordure du plateau de Thelle, au Coudray-Saint-Germer, l'on s'est livré, pour la période 1680-1700, à l'analyse complète et méthodique des données de cet ordre : le rendement le plus fréquemment observé n'atteint pas 4 pour 1; jamais le coefficient 5 ne s'est trouvé dépassé; mais ce n'est pas là, en bordure de la forêt, le beau limon picard.

Malgré sa date tardive, il faut rapprocher de ces données l'enquête de 1761, lancée auprès des propriétaires « éclairés » par le Bureau d'agriculture de Beauvais, que dirigeaient des hommes très remarquables comme Borel, Bucquet, l'abbé Danse. Pour le froment, pour les meilleures terres — rappelons qu'elles ne valaient pas celles du Santerre — et pour les meilleures années, les plus forts rendements donnés sont de 8 à 9 pour 1. Mais le chiffre le plus fréquemment cité reste celui de 6 pour 1, supérieur aux vagues et partiales estimations de Quesnay ou de l'abbé Raynal, inférieur à celui que donnera Young pour les terres à limon. Mais il s'agit du XVIIIᵉ siècle. En 1716 du moins, le subdélégué de Clermont classait les terres de l'élection, meilleures que celles du Beauvaisis, en trois catégories : un tiers pouvait donner 8 pour 1; le second tiers 5 pour 1, la dernière partie ne remboursait pas les frais de culture.

Au XVIIᵉ siècle, nous allons rencontrer — ce ne sera pas la dernière fois — le plus sérieux et le moins passionné des « économistes » de son temps, Sébastien Le Prestre, sieur de Vauban. Après bien des hésitations, il s'arrête à un rendement de 3 1/2, semences remplacées, soit 4 1/2 pour le bon blé dans les terres médiocres; pour les bonnes terres, il ne dépasse pas 4 1/2, semences remplacées, soit 5 1/2. Nous pensons que ces estimations méritent créance, et s'appliquent bien aux terres à blé du Beauvaisis à l'époque de Louis XIV. Mais nous devons, dans cette même région, nous séparer de Vauban quand il prétend que certaines terres riches « rapportent communément 10, 12 et 15 pour 1 ». Même sur les limons beauvaisins proches du Santerre et dans les meilleures années, nous admettons difficilement que le rendement de 9 pour 1 ait été dépassé; il convient même de le considérer comme exceptionnel.

Si le rendement variait avec les terroirs, il variait aussi avec les années. L'on sait que les hommes du XVIIIᵉ siècle admettaient, entre les très mauvaises et les très bonnes récoltes, un rapport d'environ 10/22. Le XVIIᵉ siècle semble avoir connu des écarts du même ordre.

Les distributions de grains aux chanoines de Beauvais provenaient en partie des dîmes et champarts, strictement proportionnels à la récolte, en partie des fermages en nature, qui ne variaient d'une année à l'autre qu'en raison de quelque nouveau bail ou des retards dans les livraisons. Dans l'ensemble, la part qui reflétait la récolte semble l'avoir emporté. De 1630 à 1640, nous suivons parfaitement ces distributions. Elles oscillent, pour le blé, de 22 muids 3/4 à 34 muids 1/5, rapport voisin de 10/15; pour l'avoine, de 97 mines 1/2 à 168, rapport voisin de 10/17. Compte tenu du jeu de la partie fixe et de la partie variable des redevances, il semble bien que nous soyons proche du rapport presque classique de 10/22.

Ces positions de départ à peu près assurées, permettons-nous quelques conjectures. Les 20 paroisses picardes que nous avons étudiées pouvaient compter 25 000 arpents de terre labourable, soit 8 300 à la sole. Nous savons que la « solle aux bleds » n'était pas entièrement consacrée aux céréales : l'on y trouvait fréquemment fèves et bizaille. En revanche, il y avait quelque dessolement, surtout sur les parcelles des petites gens; en outre, les mars comportaient un peu d'orge, dont une part entrait parfois dans le pain des pauvres ; ceci pouvait compenser cela. Pour une excellente année, un rendement moyen de 6 pour 1 — 9 quintaux à l'hectare — apparaissait comme une bénédiction du ciel. Distrayons la future semence, les dîmes, champarts et censives, les salaires des scieurs et batteurs : il restait alors 6 quintaux, ce qui donnait, pour nos 20 paroisses, une cinquantaine de milliers de quintaux. Combien d'être humains pouvaient-ils nourrir ? A raison de 4 quintaux par an et par personne — un minimum — environ 12 500. Quelle était donc la population de ces 20 paroisses ? Nous avons confronté les chiffres donnés par Saugrain en 1720 avec ce que nous avaient appris les registres paroissiaux de quelques-unes de ces localités, et avec le précieux dénombrement de 1724-1725-1726. De ces deux comparaisons, moins décourageantes que nous le craignions, il résulte que nos 20 paroisses pouvaient contenir environ 2 100 feux. En Beauvaisis, l'on ne peut évaluer le feu à plus de quatre personnes. Sauf erreur, il serait ainsi resté à nos paysans de quoi nourrir environ 4 000 « étrangers », et le tiers de leur récolte était négociable. Rappelons que cette suite de suppositions repose sur la récolte d'une excellente année. L'éventail des rendements s'ouvrant de 10 à 22, l'on comprendra aisément qu'en une année médiocre nos paysans eussent tout juste de quoi manger, et qu'en une année mauvaise ils fussent en proie à la disette, du moins les plus pauvres d'entre eux.

Dans son ensemble, le Beauvaisis septentrional ne fut vendeur que dans les années très bonnes, bonnes, ou assez bonnes. Où vendre ? Les 12 000 ou 14 000 habitants de Beauvais ne pouvaient être suffisamment nourris par la partie négociable des dîmes, champarts et fermages, bourgeois ou ecclésiastiques. Beauvais devait dévorer quelque 50 000 quintaux de blé chaque année ; chapitres, couvents et bourgeois rentiers du sol réussissaient-ils, tous réunis, à en fournir 15 000 quintaux ? Pour ceux de nos paysans qui disposaient d'excédents négociables, inutile donc de chercher d'autre débouché. L'absence de grand commerce céréalier découlait de la faiblesse des rendements en un sol rarement excellent, de la densité générale de la population, du régime alimentaire populaire, de cette ville importante qu'il fallait rassasier. Aux années favorables, la consommation de la ville absorbait les excédents de la campagne. Aux années de disette, les pauvres mouraient partout.

Le Beauvaisis céréalier du XVIIe siècle vivait sensiblement en économie fermée.

C. *La question du bétail : pays de blé, pays de moutons.*

Le Beauvaisis du nord, comme l'ensemble géographique picard, fut à la fois pays de blé et pays de moutons.

Tous les témoignages concordent : l'intendant d'Amiens, Bignon, répéta plusieurs fois le sien : « Les pasturages ne sont pas assez abondants pour la nourriture des bestiaux des habitants... à peine y a-t-il assez de communes pour la nourriture des bestiaux. » Les subdélégués du XVIIIe siècle ont renchéri : « l'on est en usage d'aller arracher l'herbe dans les fossés ». Avec quelque exagération, Demangeon a encore accusé le trait : « le blé avait chassé l'arbre... ». « En perdant ses forêts, où les bestiaux trouvaient une abondante pâture, le nord de la France renonçait aux ressources qu'il pouvait attendre de l'élevage ». En 1789, les paysans des paroisses sans pâtures se plaignaient toujours, ceux d'Avrigny comme ceux de Luchy et de Juvignies. En 1759, on ne dénombrait à Blincourt que 43 vaches et 66 à Rémérangles ; les deux villages possédaient presque autant de chevaux : 33 et 54, mais près de 900 moutons. On retrouvera des chiffres du même ordre dans les exemples de cheptels paysans que nous énumérons à la fin du chapitre suivant : beaucoup de bons laboureurs possédaient moins de vaches que de chevaux ; la plupart nourrissaient plusieurs dizaines de moutons ; quant aux porcheries et aux basses-cours, elles furent presque partout insignifiantes, souvent inexistantes.

C'est que la question de l'élevage, que nous essayons d'embrasser d'un coup d'œil, ne se posait pas d'un bloc. Chaque espèce animale avait sa destination propre, son mode de nourriture, son territoire de pâture, sa place dans une structure agraire et dans un type d'exploitation rurale.

Comme presque toute la France du nord, le Beauvaisis ignora l'utilisation du bœuf pour le labour et la traction ; à l'opposé de la Normandie, il ne l'engraissa jamais. Sur ce point, le précieux témoignage de Bosquillon, si formel, peut paraître un peu tardif : il date de 1716 ; mais nul inventaire, nul surtaux ne nous montre un bœuf pâturant. Ceux qu'achetaient les bouchers de Beauvais venaient tous de Normandie. La paire de chevaux, qui caractérisait le laboureur, était nourrie sur la seconde sole : l'avoine et surtout les « ronds grains » (bizaille, vesce, lentille), battus ou non, constituaient la partie la plus substantielle de leur nourriture, complétée par de la paille. Les chevaux s'adaptaient bien à une économie céréalière, où leur alimentation occupait une place précise, qui ne gênait pas l'alimentation humaine.

L'extrême faiblesse du cheptel porcin et de la basse-cour paraît bien infirmer les lieux communs de la soupe au lard et de la poule au pot : elle nous a d'abord surpris. L'accumulation, la diversité et la qualité de la documentation entraînent pourtant la conviction. Picoreuse infatigable, glaneuse efficace, rivale alimentaire de l'homme, la volaille se réduisait à quelques unités. La presque totalité des paysans n'avaient pas 10 poules ; seuls les très gros fermiers pouvaient en vendre abondamment. La moitié des ruraux ne possédaient pas de porc : sur 30 manouvriers, 27 en étaient dépourvus ; sur 31 paysans moyens, 22 ; de riches laboureurs, de gros fermiers n'en nourrissaient que deux ou trois ; seuls, les heureux fermiers de glandée pouvaient garnir abondamment leur rouillis. Animal fouisseur et dévastateur, écarté de la plupart des bois par le roi et les seigneurs propriétaires, le porc vivait presque toujours enfermé. Des paysans aisés l'engraissaient à l'orge ; les plus modestes allaient dérober des glands quand l'automne était venu, au risque de se voir dresser procès-verbal par les sergents et gardes des Eaux et Forêts.

Vauban, Boisguilbert, et d'autres ont soutenu que la cherté du sel interdisait l'élevage du porc : « il n'y a point de ménage qui ne puisse nourrir un cochon, ce qu'il ne fait pas, parce qu'il n'a pas de quoi avoir pour le saler ». Ainsi se révélerait un effet du système fiscal sur l'élevage. Le même Vauban est souvent revenu sur une malfaisance comparable de la taille : elle aurait incité le paysan désireux de paraître malaisé à ne « pas se pourvoir de bétail selon ses facultez ». Par surcroît, beaucoup de forêts furent interdites aux porcs : la glandée s'est trouvée restreinte, en Beauvaisis, aux seuls fermiers de seigneurie. Le receveur général de l'abbaye Saint-Lucien, s'en réserva toujours le profit : en 1681, il affermait celle de Fontaine-Saint-Lucien à un seul laboureur, Jean Sangnier. Dans le bail général de 1709, Bossuet concédait au sieur Onfroy la totalité du droit de glandée dans les 31 massifs forestiers de sa belle abbaye. Enfin, comment de pauvres gens, qui mélangeaient la farine d'orge à la farine de méteil pour cuire leur pain, auraient-ils pu engraisser vraiment des cochons ? Comment leur eussent-ils réservé les « sous-produits » d'un élevage laitier quasi inexistant ?

La carence des bovins sur le plateau septentrional ne doit pas surprendre : elle relève de phénomènes bien connus. Comme les porcs, ils furent généralement exclus des rares taillis : les seuls fermiers de seigneuries avaient le droit d'y mener leur propre bétail, dans des conditions définies par les coutumes locales et par leur bail. En 1601, les bêtes aumailles et chevalines de la Neuville-en-Hez conservaient encore le droit de pâturage dans la forêt de Hez; en 1664, elles en furent chassées : trois communautés villageoises durent se contenter de cent arpents de taillis bourbeux en copropriété, vite dévastés et retournés à l'état de marais. Le 19 août 1669, le cardinal Mancini interdisait formellement à ses fermiers généraux de « mettre ou faire mettre » dans les bois de Saint-Lucien « aucuns bestiaux sous peine de la confiscation d'iceux ». Partout sur le plateau picard, l'absence ou l'exiguïté des prés et des communaux enlevait toute possibilité de nourrir en abondance les vaches et leur progéniture. On allait cueillir l'herbe des champs, des chemins et des bois, et on la faisait sécher sur des claies, pour l'hiver. Tant qu'il ne neigeait pas, le manouvrier déléguait un gamin pour tirer sa vache au long des sentiers, des haies, des bordures de champs, d'où elle empiétait parfois sur les labours, malgré les cris des propriétaires. Mais la vaine pâture ? les jachères ?

En Beauvaisis, en Picardie, dans bien d'autres régions sans doute, les deux grandes catégories de bétail, bovins et ovins, étaient souvent séparées, et distinct leur lieu de pâturage. On pensait encore, en plein XVIIIᵉ siècle, que les bêtes à cornes éprouvaient « de l'aversion » pour les bêtes blanches. Aux moutons la vaine pâture et la jachère, et souvent à eux seuls; aux aumailles les prés de coupe et les communaux, et seulement à elles. Beaucoup de communaux, des vaches assez nombreuses; peu, ou pas de communaux, très peu de vaches. Le plateau picard, voué à la quasi-monoculture céréalière, ne pouvait convenir qu'aux moutons. Les lourds sabots du gros bétail gâchaient en effet les jachères, labourées dès la Saint-Rémi, labourées et hersées encore en fin mars.

Ces distinctions étaient inscrites dans les coutumes. Lorsque les rédacteurs de la coutume d'Amiens s'occupaient d'élevage, ils pensaient aux moutons. L'article 209 interdisait les marais communs aux bêtes à laine; l'article 200, les taillis jeunes ou nouveaux; l'article 208, les prés en toute saison, car après le mouton « l'herbe ne repousse plus » ajoutait Heu en son commentaire. Deux siècles plus tard, le Cahier de doléances de Songeons déclarait que « l'aleine et la dent » des ovins constituaient « une espèce de peste ». Plus au sud, les paysans de Flavacourt, qui conservaient en 1660 des droits d'usage importants dans la forêt de Thelle, acceptaient volontiers de « n'y mettre ni mener brebis ne chevres ». De rares paroisses méridionales, particulièrement riches en communaux, en réservaient pourtant un aux moutons : Saint-Martin-le-Nœud et Warluis étaient du nombre.

Inversement, pas la moindre vache sur les labours en dehors des quelques semaines qui séparaient la fin du glanage des labours d'octobre; il est même probable qu'en certaines paroisses l'usage les leur interdisait totalement. Dans chaque paroisse du nord, on rencontre, non pas le vacher et le porcher, mais le seul berger communal. Pendant quelques semaines — la scène a été maintes fois décrite — il appelait le troupeau au son de la trompe et menait les maigres bêtes tondre une portion du terroir. D'un finage à l'autre, les bergers s'installaient, plaisantaient, se querellaient parfois pour des chiens hargneux, des agneaux perdus, des bornages incertains. Une par une, deux par deux, les vaches des paroisses sans prés et sans communaux devaient se contenter d'errer au long des chemins, des haies, des rideaux. En 1761 du moins, les labours ne les voyaient jamais.

Qu'on examine quelques cheptels du nord. Modestes laboureurs, Ranson et Dobigny exploitaient chacun une « charrue », environ 20 hectares; à eux deux, ils possédaient 24 moutons, 5 vaches, 4 chevaux. Pierre de Blangy, qui habitait Rothois, nourrissait une vache contre 33 moutons. Un fort laboureur à 4 chevaux comme Andrieu, de Loueuse, avait 23 moutons, 5 vaches et 2 porcs. A Essuiles, Vibart, fermier du chapitre cathédral, qui exploitait 80 hectares avec 8 chevaux, ne possédait que 4 vaches. Inutile de multiplier les exemples : le plateau picard présentait, à côté d'un élevage bovin insignifiant, une association blés-moutons qui reposait sur la prédominance écrasante des terres labourables, l'assolement triennal et la vaine pâture saisonnière.

Les mêmes tableaux montrent d'ailleurs la faiblesse générale du bétail, même dans le Bray. Sur 145 cheptels paysans analysés, 7 seulement atteignent la dizaine de vaches; sur 63 laboureurs dont nous connaissons la bergerie, 38 n'y renfermaient pas 20 bêtes à laine, 51 n'en avaient pas 50, deux parvenaient à la centaine. Un tel défaut de bétail étonne les paysans du XXe siècle, quand on les en informe : que pouvaient récolter ces anciens avec si peu de fumier? que pouvaient-ils vendre, s'ils ne possédaient qu'une vache? que pouvaient-ils manger, sans porc et sans volaille, alors que le lapin domestique était, semble-t-il, inconnu? Tous les réformateurs, Boisguilbert en tête, ont rendu la taille responsable du manque de bétail. Certes, une enquête sur le cheptel de l'opposant accompagnait toujours les procès en surtaux; mais pas seulement sur le cheptel : les maisons, les terres, les fermages, les meubles, l'état des dettes entraient aussi en ligne de compte pour l'établissement de la cote. Les bestiaux ne jouaient aucun rôle prédominant dans cette assiette.

L'explication principale est ailleurs. On avait peu de bétail parce que l'on ne pouvait pas le nourrir. On ne pouvait le nourrir, spécialement dans le nord, parce que les pâturages manquaient, nous l'avons assez dit. La hantise de la disette poussait à mettre en labour toute terre qui acceptait la semence. Les gros fermiers utilisaient presque seuls les prés et les bois, accaparés par les bourgeois et les privilégiés. Partout enfin, la nécessité et l'usage imposaient au bétail cinq longs mois de stabulation. Les bons laboureurs lui donnaient un peu de « grains ronds », vesce et bizaille; les pauvres, on le sait, cueillaient l'herbe l'été pour la donner sèche l'hiver. Mais le « fourrage » beauvaisin — aucun doute n'est permis — c'était la paille, fouarre, gerbée, chaume parfois; la paille à la fois litière et aliment, que des éleveurs du sud allaient acheter aux paysans picards. Encore fallait-il pouvoir acheter. Les conditions de l'exploitation paysanne étaient telles que l'énorme majorité des exploitants ne pouvaient rien acheter. Le chapitre suivant aidera à saisir ce point important : la nullité de presque toutes les trésoreries. Une des grandes faiblesses de l'économie rurale, le bétail, était le reflet des conditions de l'exploitation et d'une certaine misère paysanne, qu'il faudra étudier de près.

Dans l'ensemble, un chétif bétail, insuffisant en nombre, ne pouvait généralement nourrir son maître, encore moins l'enrichir. Il était incapable de fumer les terres à blé, dont l'extraordinaire extension et les maigres rendements — que seul ce bétail eût pu accroître — limitaient pour lui, par un surcroît d'infortune, toute possibilité de progrès.

Dans cette misère générale de l'élevage, les deux paysages beauvaisins offraient cependant des visages différents. Vers le Midi verdoyant, plus de vaches et moins de moutons ; sur le plateau septentrional, sec et presque nu, plus de bêtes blanches et beaucoup moins d'aumailles.

Que ce pays à moutons soit devenu un pays de draps et de serges, voilà qui semble naturel, et doué apparemment d'une grande vertu explicative. On ne s'arrêtera guère à ce déterminisme facile. Nombreux furent en effet les pays à moutons qui ne devinrent pas des pays de manufacture lainière : le Noyonnais, le Vermandois, le Soissonnais, où abondaient les bêtes blanches, peuvent servir d'exemples ; ces régions vendaient leurs toisons aux provinces voisines, et nous les retrouverons. La Beauce, la Brie, le Berri même n'ont jamais alimenté une « industrie » comparable à celle du Beauvaisis et de l'Amiénois qui, réunis, furent sans doute la première région de « lanifice » de l'ancienne France. Bien mieux, presque toutes ces régions alimentaient en laine les fabriques picardes et beauvaisines, qui étaient loin de trouver sur les moutons de la province la matière première suffisante pour faire battre des milliers de métiers. Le seul mouton n'a pas suffi à faire naître le « lanifice », moins encore à le développer dans de telles proportions. L'explication du lanifice est ailleurs : nous le chercherons surtout dans les villes.

Ainsi le Beauvaisis du nord, morceau d'une certaine Picardie créée par les géographes, offrait l'aspect d'une campagne souvent nue, presque exclusivement vouée aux céréales et aux moutons. Sa production ne suffisait généralement pas pour alimenter une exportation de grains, même légère ; il n'est pas certain qu'elle ait toujours pu nourrir sa nombreuse population, urbaine et rurale. Quant à son bétail, surtout ovin, il était incapable de fournir la seule ville de Beauvais, qui s'alimentait au sud et à l'ouest; il ne pouvait même ravitailler en laine les tisserands et les sergers de la région. De ce point de vue, l'autarcie beauvaisine doit être corrigée dans un sens en quelque sorte négatif : le Beauvaisis était largement importateur de laines. Mais ce Beauvaisis-là était celui des manufactures.

3. UNE RÉGION QUI EXPORTE UN PEU :
LE BEAUVAISIS VERT DU SUD

Les vieux auteurs, tout comme la voix publique, ne pouvaient que ressentir vivement l'opposition des deux paysages que sépare le Thérain, dont la vallée appartient déjà au second. « Pays de plaine, pays de pâturages », telles sont les expressions qui viennent à la plume de Louvet et de Loisel, qui se retrouvent encore dans la prose assez lourde, mais utile, des amateurs d'agriculture d'après 1750. Pays de plaine, c'est-à-dire pays de blé, pays sans pâturage et presque sans arbre, pays dur à vivre, où la disette menace. Pays de pâturage signifie toujours, et cela dès 1617, pays où la vie est plus facile et plus riante, les paysans plus « paresseux et festards » selon Loisel. En 1761 encore, M. de Sénéfontaine souhaitait « que tout village eût des pâturages », et accordait une pensée émue aux exploitants des pays où il n'y a pas de pâturages : « ils sont bien misérables, les gros laboureurs qui y tiennent des fermes de cinquante arpens de solle (qui) ne peuvent tirer aucun produit de leurs animaux, et n'en ont que pour consommer et faire fumier ». Certains paysans du pays de Bray se vantaient d'habiter un pays fertile : témoignage inhabituel de satisfaction dans le concert un peu trop lamentable des doléances de 1789:

A. *Grands traits du paysage rural : prédominance des céréales.*

Aux arpentages picards extraits des plans d'intendance, largement valables pour le XVIIᵉ siècle, opposons l'arpentage complet de la « vallée de Bray », 21 paroisses, ou celui du Bas-Thérain beauvaisin, 10 paroisses.

Paroisses du Bray	Superficie totale	Labours	Bois	Prés	Communaux	Étangs
	arpents	arpents	arpents	arpents	arpents	arpents
Saint-Quentin-des-Prés	1 146	706	8	378	0	0
Saint-Pierre-ès-Champs	2 090	1 314	220	122	177	4
Saint-Germer-de-Fly	3 729	1 818	232	733	688	71
Ons-en-Bray ...	2 799	1 017	384	460	705	83
Cuigy-en-Bray .	1 953	791	118	180	775	2
Espaubourg....	1 235	620	16	143	424	1
Blacourt.......	2 125	761	658	274	330	0
Senantes	4 153	2 599	192	837	461	0
Villembray	927	685	99	68	?	0
Hodenc-en-Bray	1 918	1 150	288	296	37	21
Villers-sur-Auchy	1 150	610	25	286	186	0
La Chapelle-aux-Pots	1 924	574	583	290	366	0
Villers-Saint-Barthélemy ..	2 725	1 423	537	305	261	3
Saint-Aubin-en-Bray	1 097	456	21	117	458	0
Saint-Germain-la-Poterie.....	1 094	289	535	494	120	0
Saint-Paul	3 358	1 193	1 335	251	283	0
Rainvillers.....	1 386	365	684	215	42	0
Saint-Léger-en-Bray	837	534	61	172	0	0
Auneuil	4 049	2 720	297	469	133	10
Berneuil	2 999	1 585	554	371	266	0
Auteuil........	2 078	1 280	321	175	32	0
TOTAUX	44 772	22 590	7 168	6 236	5 744	195
Pourcentage ...	....	50,5 %	16 %	13,9 %	12,8 %	0.4 %

(Maisons, cours, jardins, chemins et divers : 6,4 %.)

Rappelons qu'il s'agit d'arpents de 51 ares environ.

Paroisses du Bas-Thérain	Superficie totale	Labours	Bois	Prés	Communaux	Friches
	arpents	arpents	arpents	arpents	arpents	arpents
Therdonne	1 670	953	55	63	247	114
Rochy-Condé ..	1 292	742	79	141	221	43
Montreuil-sur-Thérain	253	92	61	27	41	8
Villers-Saint-Sépulcre	1 314	583	252	232	83	27
Bailleul-sur-Thérain	1 978	901	307	351	236	65
Heilles	1 195	484	169	253	196	24
Hermes	2 250	1 261	392	296	115	16
Berthecourt ...	1 408	832	219	125	126	16
Mouy	1 975	1 253	197	208	91	36
Balagny-sur-Thérain	1 331	972	77	127	45	36
TOTAUX	14 666	8 073	1 808	1 825	1 401	385
Pourcentage.		55 %	12,3 %	12,4 %	9,6 %	2,7 %

(Maisons, jardins, rivières, chemins, divers : 8 %.)

Féconde comparaison : du plateau picard au pays de Bray, les prés passent de 165 arpents à plus de 7 000, de 0,6 % des terroirs à près de 14 %; les communaux, de 99 arpents à 5 744; la surface boisée a triplé; absents du nord, les étangs et viviers seigneuriaux, régulièrement empoissonnés couvraient dans le sud environ, 100 hectares. Dans les paroisses beauvaisines riveraines du Bas-Thérain, la répartition des natures de culture se présentait d'une façon très comparable.

De tels chiffres se passent de longs commentaires. Valent-ils qu'on se demande si un arpentage antérieur d'un siècle eût révélé une distribution des masses culturales quelque peu différente? Il est certain que des empiétements sur les communaux ont été commis aux XVIIᵉ et XVIIIᵉ siècles : la disposition de certaines parcelles le montre clairement, et d'assez nombreux dossiers révèlent les contestations soulevées par ces « entreprises ». Mais le « Bray » — car le mot, quelle que soit son origine s'appliquait avant tout à l'immense « coutume » qui fit la fortune du pays — occupait une étendue évaluée en 1732 à 8 332 arpents pour sa partie beauvaisine : plus de 4 200 hectares. On comprend alors que les rares défrichements qu'on tenta d'y pratiquer, et dont les plus importants (50 à 200 arpents) restèrent à l'état de projet, représentent des étendues vraiment négligeables. Quant aux autres natures de culture, nous ne pouvons alléguer à leur égard que deux certitudes : la « mise en herbe » progressive de tout le Bray ne commença pas avant le milieu du XIXᵉ siècle; nous n'avons trouvé aucune indication sérieuse qui permette de supposer qu'une transformation notable ait pu modifier le paysage du sud beauvaisin entre 1600 et 1800.

Il faut y insister : le pays de Bray, comme tout le Beauvaisis du sud, fut d'abord une terre à céréales. Là comme ailleurs, le paysan mangeur de pain, obsédé par la crainte de la disette, désira toujours récolter son blé. Sans doute la nature du sol, trop pierreux ou trop humide selon les endroits, lui interdisait le fort méteil des campagnes du nord. Il semait un méteil plus faible, et même du seigle; il récoltait aisément de l'avoine à Beauvais ou ailleurs, spécialement pour l'étape. En ce pays dont la réputation est devenue toute pastorale, on ne peut que constater au XVIIᵉ siècle la prédominance du souci céréalier.

Remarquons d'ailleurs que, par paroisse et par tête, la surface en labours restait sensiblement la même que sur le plateau picard. Au nord, une moyenne de 1 247 arpents par paroisse; au sud, près de 1 100 arpents; dans les deux cas, un chiffre de population comparable, sinon identique : un peu plus de 100 feux. Les grands marchés céréaliers du nord ravitaillant surtout Beauvais, ceux du Vexin voisin écoulant surtout vers Paris leur excès de production, on conçoit que le Beauvaisis méridional ait tenté de se suffire à lui-même. Ce souci se reflète d'ailleurs dans la structure parcellaire des terroirs brayons, que les beaux plans ecclésiastiques du XVIIᵉ siècle permettent de bien connaître.

En dehors de la zone des jardins, des prés de vallée et

des communaux excentriques, l'aspect des champs labourés fut le même que sur le plateau picard. Mêmes parcelles en lanières, limitées par de simples bornes, rarement plantées de quelques gros poiriers ; mêmes exceptions, constituées par les vastes champs qui appartenaient au domaine seigneurial ; même disposition du terroir en nombreux petits cantons livrés à l'unité de sole ; même domination incontestée de l'assolement triennal. Sans doute des haies plus nombreuses, parfois doublées de fossés, le long des chemins qu'empruntait le bétail pour se rendre à la pâture — chemins plus nombreux euxmêmes parce que le pâturage était moins rare. Sur ces morceaux d'« openfield » picard, insérés dans le paysage plus verdoyant du sud, les mêmes coutumes qu'ailleurs : Amiens, Clermont, Senlis, si discrètes en dispositions agraires, si dépourvues des prétendues interdictions qu'on a voulu voir partout dans l'ancien monde rural.

Tout ancien coin de France était d'abord un pays de céréales. Les hommes des XVIIᵉ et XVIIIᵉ siècles furent plus sensibles aux différences qu'à des ressemblances qui leur paraissaient évidentes, qui découlaient de l'existence même d'une campagne et de paysans. Ces évidences, qui furent les leurs, nous ne les apercevons pas toujours ; c'est pourquoi il nous a fallu présenter le sud beauvaisin, et spécialement le pays de Bray, comme une terre à blé. S'il est apparu aux yeux d'un Loisel ou d'un Louvet comme un pays de pâturages, c'est par opposition aux terres du nord, presque livrées à la monoculture céréalière. En réalité, l'opposition réside dans la multiplicité des ressources du Beauvaisis du sud et la spécialisation excessive du Beauvaisis du nord. Elle réside encore dans ce fait que le sud, loin de vivre comme le nord replié sur lui-même, au point de vue agricole seulement, s'insérait dans un réseau de relations actives et s'ouvrait largement sur Paris.

B. *Le bétail du sud.*

Mise à part la vaine pâture, réservée aux moutons, trois sortes de pâturages s'offraient aux bovins dans le Beauvaisis du sud.

Le long des rivières et des ruisseaux s'allongeaient les prés des particuliers, dont l'ensemble constituait « la prairie » d'une paroisse, ou d'un hameau. « Rigolés », arrosés, entourés de fossés, débarrassés des taupinières, ils étaient souvent fort bien entretenus. Les bestiaux n'y avaient accès qu'à des périodes bien déterminées, quoique variables avec les lieux ; les coutumes refusaient explicitement de fixer des dates générales d'ouverture et d'interdiction. Chaque parcelle, ou chaque groupement parcellaire, était enclos de « vifves hayes ». Le rôle de la prairie consistait surtout à fournir le foin, qu'on liait en bottes de 12 à 15 livres poids de Beauvais, récoltées à la fin de juin. En juillet ou en septembre, le bétail « entrait » dans les prés ; nous savons que porcs et moutons n'y avaient jamais accès. Au 15 mars, en général, l'interdiction était prononcée. Ce type de pâturage s'estimait et se vendait à un prix fort élevé : à surface égale et à qualité comparable, au moins le triple des labours. Lorsque les trois enfants de Nicolas Ticquet se partagèrent, en 1645, les terres de la succession, réparties en 10 paroisses, ils firent procéder à des estimations comparatives aussi justes que possible : la mine de terres labourables fut appréciée de 30 à 40 livres ; les prés de Senantes et de Songeons montèrent toujours au-dessus de 100 livres pour la même unité de surface. En 1675, deux pièces de pré touchant à la rivière, sises en la prairie de Saint-Lucien, furent estimées 330 et 400 livres la mine, alors que les meilleures terres à blé de la plaine de Tillé se tenaient entre 60 et 100 livres. Les biens ruraux de Jean Michel, partagés en 1687, donnèrent lieu à des estimations du même ordre : 50 livres la mine pour des labours assez bons, de 100 à 200 livres pour les prés. Ces trois successions bourgeoises permettent en outre d'apercevoir ce fait considérable : la propriété des beaux prés de fauche échappait généralement aux paysans. A Goincourt, plus des neuf dixièmes de la prairie étaient partagés entre des établissements ecclésiastiques et des bourgeois de Beauvais. L'exemple de Goincourt offre une valeur générale : les morceaux de prairie que le seigneur n'avait pas réunis à son domaine furent acquis par des ecclésiastiques, des officiers et des marchands.

Une seconde catégorie de pâturages, au moins aussi recherchée que la précédente, était caractérisée par sa position : à côté des groupes de maisons, villages ou hameaux. Tous enclos de haies, souvent plantés de pommiers, ils furent par excellence les pâturages du Bray, et les ancêtres des modernes herbages. Ils échappaient complètement à la dépaissance collective, et ne pouvaient être pâturés que par les bêtes du propriétaire

ou de son fermier. Beaucoup appartenaient à des petits
paysans, du moins à des « haricotiers ». Ils devenaient
de plus en plus nombreux à mesure que l'on approchait
de l'Epte, frontière séculaire entre Normandie et Beauvaisis. Ces herbages paraissent avoir une triple origine,
que leur dénomination même révèle assez bien. En
Principe, les « masures non amasées » représentaient des
« espaces » où furent assises jadis des maisons : elles
échappaient donc à l'assolement; on les transforma
presque toujours en « plant et pâturage ». Les courtils
ou jardins, clos aussi, prenaient dans le sud beauvaisin
des proportions inconnues dans le nord : au lieu de
couvrir une demi-mine, on pouvait les voir s'étendre
sur trois, quatre et cinq mines, près d'un hectare et
demi. Au voisinage de la chaumière, le potager et la
chenevière; un peu plus loin, le pré et les pommiers :
paysage demi-normand autour des hameaux brayons.
L'analyse et la comparaison des plans du XVIIe et du
XVIIIe siècle amènent à constater que les pâtures se sont
accrues à partir des jardins. Bien souvent, on a dû
annexer au courtil la pièce de terre qui le touchait, et la
transformer en herbage enclos. Dans beaucoup de ces
plans, des taches vertes se propagent à partir des maisons,
et atteignent le milieu d'un « canton » de labour, ou l'orée
du taillis voisin. Il en était ainsi à Monceaux-l'Abbaye, à
Morvillers, à Puiseux-en-Bray, à Saint-Arnoult, à Saint-
Aubin, à Wambez. En cette dernière paroisse, divisée en
deux hameaux, les herbages enclos étaient tous situés
derrière les jardins, dont ils triplaient au moins la superficie. Plus rares furent les herbages enclos installés franchement au cœur des labours; on les trouvait pourtant
en abondance dans tout l'ouest du Bray, à Molagnies et
à Saint-Germer-de-Fly par exemple. Ces clôtures indi-
viduelles, que la coutume n'interdisait pas, suscitèrent-
elles des protestations ? Dans les papiers qui nous sont
passés sous les yeux, nous n'en avons jamais trouvé
trace.

Les communaux, appelés « coustumes » dans le Bray,
constituaient la dernière catégorie de pâturages. Leur
extraordinaire extension et le caractère collectif de leur
utilisation en faisaient la valeur. Car toutes ces « communes » ne s'étendaient que sur de mauvais sols : sols
pierreux des larris à genévriers des raides pentes du
Bray, broussailles et fougères au voisinage des bois,
mauvais taillis sur les sables, les graviers, les argiles

molles de l'ancienne forêt de Bray, marécages spongieux de Bas-Thérain, presque toujours communs, à tel point que le mot « marest » fut souvent synonyme de communal. Auprès de Merlemont, de Bailleul, de Hermes, les vaches risquaient l'enlisement en période pluvieuse. L'intérêt principal de ces nombreux et vastes communaux, c'était leur quasi-gratuité : une mesure d'avoine, une « poulle de feu » appréciée quelques sols, telle était la redevance annuelle qu'il suffisait de verser au seigneur propriétaire pour jouir de la plupart des communes. Seul, le droit royal de franc-fief pesait assez lourdement sur les collectivités usagères ; mais il n'était levé que tous les vingt ou trente ans, et payé seulement après d'âpres discussions. Si quelque seigneur désirait enclore pour son compte une partie de communal, les paysans gémissaient, plaidaient, perdaient parfois ; tout cela sans grande conviction, puisqu'il restait toujours assez de pacage pour les vaches de la communauté. Il faut préciser — et ce fut à l'honneur de l'évêque de Beauvais et de l'abbé de Saint-Germer — que les seigneurs propriétaires du Bray protégèrent toujours leurs paysans contre les « entreprises » des hobereaux et des princes. Il est vrai que les fermiers de ces seigneurs propriétaires profitèrent largement du Bray, dont les meilleurs cantons étaient réservés à leurs troupeaux, qui avaient le droit de pâturer à part. Les riverains de la forêt de Thelle jouissaient d'usages anciens et étendus ; le duc de Longueville les obligea à se cantonner. Ils protestèrent amèrement, mais ce qui leur restait était considérable.

Tant de prés, de masures en herbe, d'herbages, de larris, de marais, de communaux et d'usages auraient dû permettre l'entretien d'un considérable cheptel, producteur d'importants bénéfices.

A égalité d'exploitation, il est hors de doute qu'un laboureur brayon possédait vers 1680 plus de bovins qu'un laboureur picard, et à peine moins d'ovins. Beaucoup plus rares étaient dans le Sud les manouvriers sans vache ; certains purent même en nourrir deux ou trois. De gros fermiers se trouvaient à la tête d'un troupeau de trente vaches, plus quelques veaux et génisses. Mais ce chiffre représente un maximum, qu'on s'étonne de voir aussi réduit. Une fois de plus, en cette région à l'évidente vocation pastorale, nous nous heurtons à une sorte d'incapacité paysanne : les cheptels ne paraissent pas avoir été ce qu'ils auraient dû être... Impossible d'alléguer ici le manque de pâtures. La faiblesse des exploitations paysannes, l'insuffisance des revenus et le déséquilibre des budgets ruraux peuvent rendre compte du phénomène : le chapitre suivant permettra en effet d'arriver à cette conclusion.

Tous ces petits élevages réunis finissaient cependant par constituer un élevage important pour cette époque et cette petite région. Beauvais et Paris constituaient ses débouchés habituels.

La comptabilité de l'Hôtel-Dieu de Beauvais, conservée jusque dans ses moindres détails, montre que la totalité des veaux de boucherie et des porcs venaient du Pays de Bray. D'autres veaux partaient vers Paris, « voiturés » par des laboureurs-transporteurs de Gisors, de Chaumont, de Méru. Par troupeaux serrés, des moutons gras gagnaient aussi la capitale : les bouchers de Beauvais les engraissaient durant seize mois dans les bergeries et les prés du Thérain, tout près de la ville. Il y eut toujours à Paris une « Boucherie de Beauvais ». L'échevinage beauvaisien avait même l'habitude d'offrir au roi, au début de chaque année, le plus bel échantillon de cet élevage.

Mais le Beauvaisis méridional ne pratiqua jamais l'engraissement systématique des jeunes bovins; on se contentait d'engraisser sommairement de vieilles vaches pour les vendre à meilleur compte aux bouchers. Ceux-ci se ravitaillaient en bêtes de qualité sur les marchés normands, où ils recherchaient les bœufs gras pour leurs meilleurs clients; de Normandie, ils ramenaient aussi des moutons. Le proche marché de Gournay était le plus fréquenté : il en est question à tout moment. Bréviaire, boucher au faubourg Saint-Jacques, allait pourtant chercher des bœufs au-delà de la Seine, au grand marché du Neubourg. Corroyeurs et cordonniers s'adressaient ordinairement aux grandes tanneries de Gisors et de Rouen. Les documents locaux, que confirment les indications administratives venues des intendants, montrent que le Beauvaisis du sud fut sillonné de troupeaux. Les uns, venus de Normandie, gagnaient les tueries de Beauvais; les autres, bien plus nombreux, descendaient vers Pontoise, Poissy et Paris.

Les produits laitiers prenaient aussi les mêmes directions. Gournay n'est séparé du Beauvaisis que par un mince ruisseau : une dizaine de paroisses beauvaisines y portaient leur beurre, leur crème et leurs fromages, qui se vendaient à Paris dès le XVIIe siècle. Le reste du Bray alimentait en beurre les bourgeois de Beauvais et assurait le fonctionnement des petites fromageries d'Ons-en-Bray, dont les produits se débitaient chaque samedi sur le marché; ces fromages connurent un certain renom, puisque la ville en offrit à des visiteurs de marque. Les blanchisseries de Beauvais utilisaient une grande quantité de lait; on se le procurait à si bon compte que le Conseil du commerce pensa à transférer à Beauvais les blanchisseries d'Antony.

Vocation herbagère précoce, excédent de bestiaux et de lait, voisinage de la Normandie, proximité des grands marchés, des grandes routes et de la grand-ville, tout cela contribua à faire du Beauvaisis du sud un pays bien plus ouvert que le Beauvaisis du nord replié sur lui-même, plus routinier, plus pauvre aussi, malgré l'étendue de ses moissons. Il est évident, d'autre part, que ces pays de pâtures ne vendaient pas à l'extérieur la totalité de leurs produits. Le laitage, les jeunes bêtes aussi durent entrer dans l'alimentation humaine plus fréquemment que dans les régions septentrionales. Si le Beauvaisis du sud résista toujours mieux aux épidémies et aux crises de subsistances, c'est qu'il se nourrissait moins exclusivement de pain bis : la disette de blé ne s'y identifiait pas à la famine. Les hommes du XVIIe et du XVIIIe siècle ont toujours présenté ces habitants comme des manières de privilégiés. L'élevage ne constituait d'ailleurs pas leur unique supplément de ressources. Toute une gamme de récoltes secondaires, de travaux annexes et de légers profits achève de lui donner sa physionomie nuancée, sa relative aisance, sa plus large ouverture sur l'extérieur.

C. *La diversité des ressources secondaires.*

Futaies et taillis, particulièrement nombreux dans le sud, apportaient aux habitants une aide aux formes multiples, bien qu'atténuée en principe par l'ordonnance de 1669. Du bois du Parc au bois de Fecq, de la forêt de Hez à la forêt de Thelle, sortit tout ce qui bâtit, chauffa, meubla et outilla Beauvais, du chêne et du hêtre jusqu'au bois blanc des marais. A la saison propice, de petites gens venaient livrer des lattes pour les toitures, des échalas pour les vignes. De solides « bosquillons », qui travaillaient à la tâche, façonnaient cordes de bois, fagots et « fatrouilles ». Les forts chevaux des meilleurs laboureurs en assuraient le débardage et la livraison. Tous ces travaux figuraient parmi les mieux rémunérés. Souvent limités à quelques « triages », restreints à l'usage simple et durement surveillés, les usages en forêt enlevaient tout de même aux Beauvaisins du sud tout souci de chauffage et de menues réparations. Il apparaît par surcroît que les sergents des Eaux et Forêts ne suffisaient pas à contenir un indéracinable pillage de bois : ces « fardeaux » de branches enlevées, ces souches dérobées, ces ramassages illégaux de glands, ces bestiaux qui s'introduisaient subrepticement dans les massifs, ce braconnage intense et cette chasse paysanne qui persistait (presque tous les paysans étaient armés au XVIIᵉ siècle, les inventaires après décès sont formels), tout cela aidait sérieusement à vivre. Quand la maîtrise de Clermont, qui avait juridiction sur tout le Beauvaisis, voulait ou pouvait sévir, c'est par douzaines qu'elle mettait à l'amende les délinquants forestiers. Au bord des marais du Thérain, dans les « aulnois », aux clôtures des jardins humides, les « vanniers » de Beauvais et d'ailleurs trouvaient dans les oseraies la matière abondante d'une petite industrie active, fort précieuse en un temps où les hottes, mannes et paniers étaient indispensables dans tous les foyers.

La rencontre des bois et de certaines argiles fit mieux encore. Des fours de potiers et de briquetiers s'alignaient des portes de Beauvais aux portes de Gournay : la Chapelle-en-Bray, Saint-Germain-la-Poterie. Célébrés par Rabelais et Palissy, les deux ou trois cents potiers de Savignies, qui avaient fourni au XVIIᵉ siècle d'admirables pièces décorées et vernissées, ravitaillaient aux XVIIᵉ et XVIIIᵉ siècles la campagne, la ville et la capitale en « vaisseaux » de toutes dimensions : saloirs, pots à huile, à vin, à lait, à œufs, à beurre, abondamment répandus dans les ménages, complaisamment énumérés par les inventaires après décès. Les derniers gentilshommes verriers de Normandie, les Dorillac et les Le Vaillant, vivaient encore, dans une demi-misère, aux confins du plateau de Thelle et du Bray. Quant à la métallurgie médiévale, elle ne survivait que dans les lieux-dits et les amas de scories qui encombraient, et qui encombrent encore certains taillis du Haut-Bray et les bordures du bois de Belloy, près Beauvais.

Anciens, mais toujours bien entretenus, les étangs artificiels de Saint-Germer, d'Hodenc-en-Bray et d'Onsen-Bray, viviers ecclésiastiques et seigneuriaux consacrés à l'élevage des carpes, ne se contentaient pas de nourrir les seuls religieux. Dès carême-prenant, les poissons capturés au filet étaient mis au frais dans des mannes d'osier baignant dans le Thérain, aux faubourgs de Beauvais. Des courriers spéciaux en conduisaient aussi à Paris, où ils retrouvaient les barils de harengs, de morues, et la marée fraîche venue, par Beauvais aussi, de Calais, de Boulogne, de Saint-Valery. Les poissons de vivier constituaient, pendant quarante jours, des mets de choix, sûrs de trouver une clientèle gourmande, mais soumise à la loi religieuse.

Les vins rouges et gris du Beauvaisis méridional, récoltés dans les vignobles suburbains et sur les versants bien exposés du Bas-Thérain, étaient vendus au Moyen Age dans tout le nord du royaume, et même en Flandre. De 1565 à 1667, on les cotait régulièrement à la mercuriale d'Amiens. Sous Louis XIV on ne les exportait presque plus. L'intendant de Paris écrivait en 1684 qu'on consommait presque tout le vin de Beauvaisis dans l'élection même, et spécialement dans la ville de Beauvais, où l'on dénombrait plus de cent cabarets. Mais les pommes à couteau du sud-ouest, comme la « Bondy » de la région de Noailles, étaient régulièrement enlevées par les fruitiers de Paris, tandis que l'excellent cidre de Formerie et du Bray envahissait peu à peu, et de manière définitive, tout le Beauvaisis.

En diverses paroisses du sud, deux activités particulièrement délicates apparurent sous le règne de Louis XIV. Les dentelles noires ou blanches, les « blondes », débordaient du Vexin sur quelques localités beauvaisines, comme Puiseux-en-Bray et Flavacourt ; au Coudray-Saint-Germer, on comptait vers 1680 une douzaine de dentelières. Plus récente et plus nettement beauvaisine, la minutieuse fabrication des éventails et des objets d'ivoire était déjà installée à Méru. Dans ce gros bourg, essentiellement marché de grains et de bestiaux destinés à Paris, elle n'occupait alors qu'une place secondaire, ainsi que la tabletterie. L'ivoire venait de Rouen ; tout le travail, réglé à façon, se vendait à Paris. Ce fut seulement au XVIIIe siècle que, la mode aidant, l'adresse merveilleuse des artisans d'Andeville et de Méru connut un succès et une prospérité qui ne devaient se terminer qu'avec le XIXe siècle ; les dernières fabriques de boutons de nacre du Thelle conservent encore le souvenir de la tabletterie. Méru, possession des

Conti, marché-frontière du Beauvaisis, était donc destinée à s'orienter de plus en plus vers Paris, qui seul soutenait la jeune activité des éventaillistes.

Méru, Chaumont, Gisors, Gournay, le Pays de Thelle,
le Vexin, le Bray normand : là se terminait le Beauvaisis
du sud, région riante, ici à demi parisienne, et là plus
qu'à demi normande. Il convient de la tenir pour la
partie la plus variée, la plus animée par la vie commerciale, la plus ouverte et la moins malaisée de ce vieux
pays des Bellovaques dont nous essayons de retracer
l'ancienne économie. A cette reconstitution manque
encore une pièce maîtresse, qui relève l'importance du
pays, qui l'apparente cette fois aux régions septentrionales, qui permet de saisir sur le vif l'intime union de
l'activité agricole et de l'activité manufacturière, et
l'action déterminante de la ville sur la campagne :
l'énorme fabrique textile du Beauvaisis qui débouche,
non seulement sur Paris et le royaume de France, mais
sur une partie du monde connu.

4. UN OBJET DE GRAND COMMERCE :
LES MANUFACTURES TEXTILES

De la Somme au Thérain et à la Bresle, à l'ouest d'une
ligne Clermont-Amiens, battaient les milliers de métiers
à tisser laine de la grande fabrique picardo-beauvaisine ;
plus à l'est, des milliers de métiers à tisser lin.

A. *Leur importance.*

1º Étoffes de laine.

Les draperies de qualité y jouèrent dans le passé un
rôle important ; en quantité et en valeur, elles ne représentaient plus, au XVIIᵉ siècle, une part considérable.
A Abbeville même, les magnifiques draps des Van
Robais ne constituaient qu'un accident heureux, soutenu
par de multiples privilèges ; en 1716, Van Robais produisit
1 170 pièces de drap, mais tout Abbeville tissa 7 700 pièces
d'étoffes de laine : c'étaient des « baracans façon de Valenciennes », meilleur marché, bien plus faciles à vendre.
A Amiens, l'on tissa 102 000 pièces la même année ; plus
des deux tiers étaient constitués par des camelots et des
étamines, étoffes vivement colorées et d'apparence bril-

lante, mais fragiles et peu coûteuses. A Beauvais, l'ancienne draperie, qui survivait chez les tisserands de ratines, recula sans cesse devant le débit croissant de robustes et grossières serges, et spécialement des « reveshes », faites en grande partie de « pignon, excrément de la laine ». Colbert tenta, en pure perte, d'établir en la ville des manufactures de drap de Hollande et de serges de Londres. Ce que cette évolution peut révéler des tendances profondes d'une époque qui demanda de plus en plus d'étoffes à bas prix, ce n'est pas encore le moment d'y insister. Nous désirons seulement souligner le caractère populaire des débouchés du « lanifice » beauvaisin et picard.

Les étoffes qu'on tissait sur le plateau qui séparait la Somme du Thérain valaient encore bien moins. Noëtte qualifiait de « très-grossières » les serges d'Hanvoile et Glatigny; Bignon, vantant la robustesse des étoffes de Crèvecœur, Grandvilliers, Feuquières et Aumale, reconnaissait néanmoins qu'elles ne pouvaient servir qu'aux petites gens et aux paysans. Les plus grossières de toutes, celles de Mouy et surtout de Tricot, étaient utilisées dans les établissements de charité, et pour les culottes de soldats. La technique des petites étoffes, venues du nord à Amiens vers 1480, d'Amiens à Beauvais en 1535 avait envahi la région, essentiellement productrice d'étoffes grossières à grand débit populaire.

Cette région produisait, d'après une enquête de 1669, 37 % des tissus de laine du royaume; elle utilisait 120 000 ouvriers, plus que la Flandre française, plus que la Normandie, la Champagne ou le Languedoc. Estimations grossières, qui ne peuvent donner qu'une vague idée de la réalité. L'enquête de 1692 les confirme tout de même en les précisant. La manufacture urbaine d'Amiens fut, de loin, la première de France : à cette date, plus de 2 000 estilles battaient dans la cité picarde, deux fois plus qu'à Reims, trois à cinq fois plus qu'à Rouen, Beauvais, Sedan ou Châlons, sept fois plus qu'à Elbeuf, dix à vingt fois plus qu'à Darnétal ou Romorantin. Le dénombrement des métiers battants, institution de police municipale liée aux habitudes financières de ce que nous appelons « corporations », constitue le seul élément solide de statistique industrielle ancienne. Cette « recherche », effectuée chaque semestre à Amiens dès le XVIe siècle, à Beauvais dès le début du XVIIe, visait à répartir exactement les dépenses des communautés textiles au prorata des métiers battants; la jalousie réciproque des fabricants, la surveillance attentive exercée par les autorités de police, échevinales ou non, qui ordonnaient souvent des contrôles, les confrontations de documents d'origine diverse, tout incite à considérer ces chiffres comme des minima très proches de la réalité. Par la suite, l'administration des subdélégués et des inspecteurs de manufactures opéra tous ses calculs d'après les recherches de métiers battants.

À partir de 1700, cette documentation statistique devient courante, et permet une connaissance plus exacte du monde manufacturier. En 1708, 7 900 métiers battaient entre Somme et Thérain. En 1722, près de 9 000. L'inspection de Reims s'exerçait alors sur 1 400 métiers; à Rouen, on en trouvait moins de 600. De 1690 à 1730, la domination du groupe textile Amiens-Beauvais demeura éclatante dans le domaine des étoffes de laine. Pendant toute cette période, la première place appartint toujours à la fabrique urbaine d'Amiens, forte de 2 000 à 2 500 métiers. Celle de Beauvais a toujours occupé une place d'honneur, après celle de Reims, et au même niveau que celle de Rouen; elle fut bien plus considérable que des fabriques mieux étudiées comme Abbeville, Sedan, Elbeuf et Caen.

Le Beauvaisis que nous avons délimité n'englobe qu'une portion de cette grande région textile, qui formait une solide unité manufacturière. C'est pourquoi, nous réservant de donner à Beauvais même la place qui lui revient, nous ne craindrons pas d'étendre cette vue générale à l'ensemble manufacturier du lanifice picardo-beauvaisin, Amiens comprise.

2° Toiles de lin.

L'activité manufacturière de la contrée ne se limitait pas à cette seule branche du domaine textile. Dans toute la région, les paysans cultivaient, filaient et tissaient le chanvre. Cette activité, surtout domestique, laissait, vers Montdidier, Péronne et la Basse-Somme, des excédents négociables. Les grosses toiles appelées « Picardies » formaient un objet important de commerce pour les marchands d'Abbeville, d'Amiens et de Beauvais. Mais l'essentiel n'était pas là.

Dès le XIIIe siècle, la région de Bulles fut célèbre pour ses lins. Au XVIe et au début du XVIIe siècle, les Hennuyers, les Flamands et les Hollandais venaient les acheter : leur finesse, maintes fois vantée, permettait de tisser de très belles toiles. En 1636, l'invasion espagnole endommagea fortement les linières : les contemporains virent dans ces destructions l'effet de la jalousie commerciale. Reconstituées, les linières furent détruites par des inondations : celle de 1711 les rendit stériles, en les couvrant de sables et de graviers. L'intendant de Soissons et la Société d'agriculture de Beauvais essayèrent de les remettre en culture vers 1760 : ce fut pratiquement un échec. Mais le tissage des toiles de lin les plus fines de France, — les « demi-hollande », qu'on imita dans le Maine —, l'ancienne « mulquinerie » survécut aux malheurs des linières. Elle se mit, dès le XVIIe siècle, à utiliser les fils flamands, cambrésiens et saint-quentinois, qu'importaient pour les revendre des marchands de Clermont. De Beauvais à Bulles et de Bulles à Compiègne, les mulquiniers continuèrent à travailler dans leurs caves sombres et humides : c'est que la vente de leurs ouvrages se trouvait largement assurée. A partir de 1645 s'étaient créées à Beauvais, sous l'impulsion de Nicolas Danse, de grandes « bueries et blanchisseries » propres surtout aux toiles de lin. A partir de 1669, elles livraient au commerce, annuellement, 30 000 pièces de 15 aunes, dont le blanchissage était renommé. Cela représentait dix à vingt fois la production de Bulles et des villages voisins; la province du Bas-Maine, avec ses célèbres fabriques de Laval, Mayenne et Château-Gontier, ne produisait guère que 10 000 pièces de 120 aunes, qui en équivalaient 80 000 de Beauvais.

En réalité, dans cette importante question des toiles de lin, deux choses doivent être distinguées : la fabrication, d'une part, le négoce lié au blanchissage, de l'autre. L'est du Beauvaisis et de la Picardie ne formaient que la pointe méridionale d'une importante zone de manufactures de toiles de lin : elle mordait sur la Flandre, empiétait sur l'Artois, couvrait Hainaut et Cambrésis, mais possédait à Saint-Quentin sa véritable capitale. En cette ville moyenne, animée par un remarquable groupe de marchands protestants, on marquait annuellement, au XVIIIe siècle il est vrai, de 60 000 à 110 000 linons et batistes.

Grâce aux bueries, les négociants en toile de Beauvais faisaient un trafic bien supérieur à la production de leur petite région. Ils achetaient en écru une part importante de la production du Maine, de la Normandie, du Vermandois et du Cambrésis ils blanchissaient le tout, et revendaient au monde entier, ou peu s'en faut. Cette remarquable création montre à elle seule l'ancienne importance de la ville qui l'a vue naître. Elle permet aussi de saisir, à l'aide d'un exemple particulièrement favorable, à quel point le monde du textile pouvait être lié au grand commerce, alors que les horizons purement agricoles étaient demeurés singulièrement limités.

B. *Une fabrique plus rurale qu'urbaine.*

Sur le plateau qui séparait Amiens, Aumale et Beauvais, l'on trouvait bien plus de métiers à serge que de charrues : à Brombos, en 1714, l'inspecteur des manufactures dénombrait 86 estilles; une recherche des charrues n'aurait peut-être pas permis d'en trouver vingt. A Feuquières, en 1715, l'on compta 208 métiers à serge — plus qu'en des villes comme Darnétal ou Romorantin —; dans ce gros village beauvaisin ne vivaient certainement pas vingt laboureurs. Dans la seule inspection de Grandvilliers, toute rurale, il battait généralement, dans 110 villages, autant de métiers que dans la grande fabrique urbaine d'Amiens. Au début du XVIIIe siècle — on ne peut citer plus tôt de chiffres acceptables et globaux —, plus des deux tiers des tisserands de draps, serges, étamines, tiretaines, revêches et autres étoffes de laine habitaient la campagne et y travaillaient : 2 000 métiers à Amiens, 500 à Beauvais, 5 500 dans le plat pays, telle nous paraît avoir été alors la répartition des fabriques. En réalité, le rôle tenu par les campagnes dans la production des étoffes de laine fut bien plus considérable encore.

En effet, si l'on peut considérer que les dénombrements de métiers urbains approchent la vérité, il convient de rester sceptique sur la valeur des dénombrements ruraux. Relisons plutôt les plaintes des inspecteurs opérant à la campagne. Dans la région de Feuquières, « les fabriquans... ne veullent chez eux souffrir que l'on y fasse de visitte, fermant les portes, demontant les mestiers, avec menaces... ». Noëtte, qui s'occupa durant trente années de l'inspection de Beauvais, déclarait en 1713 que les métiers étaient « répandus en divers hameaux dans des lieux inconnus, tantost dans une grange et tantost dans un grenier et souvent changez de place pour en cacher la fraude ». Les dénombrements de métiers ruraux d'origine administrative représentent probablement des estimations inférieures à la réalité.

Même à l'intérieur des fabriques urbaines, le rôle de la campagne restait important. Des villageois, sortes de migrants journaliers, venaient parfois travailler dans les « ouvroirs » de la ville. D'autres ruraux préparaient chez eux la tâche des « trameux », les tisserands urbains : peigneurs, fileurs et fileuses, faiseurs de chaînes habitaient une douzaine de villages avoisinant Beauvais vers le nord, où l'on ne trouvait presque pas d'estilles. Chacun sait que toute la campagne filait. Les filles et femmes picardes ne filaient pas seulement pour leur usage et pour leur région, mais pour Paris, pour la Flandre, la Hollande et l'Angleterre : fils de laine vers l'ouest, fils de lin vers l'est, jusqu'au-delà de Cambrai et de Saint-Quentin.

Dans toutes les régions de toiles de lin, de Flandre en Beauvaisis comme en Normandie et dans le Maine, la totalité de la fabrication, ou peu s'en faut, resta rurale; les villes se consacraient au blanchissage et au commerce. D'après les listes d'impositions du temps de Louis XIV, il n'y eut à Beauvais que deux tisserands en toile, et pas plus de vingt à Amiens; encore travaillaient-ils probablement pour les ménages des particuliers. L'importance des centres de travail textile de Beauvais, d'Amiens, de Saint-Quentin ne doit pas faire illusion : dans leur presque totalité pour les toiles, dans une proportion supérieure aux deux tiers pour les étoffes de laine, les manufactures du Beauvaisis et de Picardie furent des manufactures rurales. Autour d'un gros bourg qui leur servait de marché, —Aumale, Grandvilliers, Feuquières, Blicourt, Crèvecœur, Bulles, Tricot — plusieurs centaines de villages étaient peuplés de peigneurs, de fileurs, de tisserands, de mulquiniers; tous, petites gens, manouvriers l'été, occupés d'industrie à la mauvaise saison, jardiniers quand ils en prenaient le temps. Dans leur modeste intérieur, les outils de manufacture, peignes, quenouilles, dévidoirs et estilles tenaient la première place, figuraient toujours dans leurs élémentaires papiers de succession. Ce fut comme sergers, comme peigneurs, comme « marchands » parfois qu'ils furent couchés sur les registres de baptêmes, mariages et sépultures : ces titres-là devaient leur apparaître moins vils que celui de manouvrier.

Rien d'étonnant donc à ce que le rythme saisonnier de la production soit resté tout rural. Dès qu'on dressa des statistiques semestrielles, les chiffres du second semestre se montrèrent toujours les moins forts : c'est que, de juillet à octobre, le peuple du textile se faisait moissonneur, vendangeur, parfois batteur. Les champs réclamaient des bras nombreux, et il fallait que chacun gagnât son blé.

Manufactures rurales, elles échappaient à l'organisation dite « corporative » des communautés d'arts et métiers, comme à la réglementation échevinale et royale. Les règlements de Colbert ne concernaient que les villes. L'échevinage d'Amiens et le bailli du comté de Beauvais, qui exerçaient les fonctions de juge de police des manufactures, n'avaient aucune action hors des limites très étroites de leur juridiction; les murs de la ville, plus une banlieue restreinte. Les houppiers d'Amiens dépendaient des échevins; les houppiers du plateau, non pas. Les peigneurs de Beauvais — plusieurs centaines — étaient soumis au contrôle du bailli; ceux qui habitaient les villages de la bordure nord lui échappaient complètement. Deux conséquences découlent immédiatement de ces observations, et paraissent valables pour toutes les manufactures rurales. La première, c'est qu'une étude purement juridique du monde manufacturier, une étude qui s'appuie sur les règlements urbains des communautés urbaines, laisse échapper une part de la réalité humaine qui constitue presque toujours l'essentiel. La seconde, c'est l'avantage évident offert par les campagnes incontrôlées sur les villes au travail réglementé et plus facilement surveillé. Pas de « taux » de salaires à la campagne, pas de cotisation perçue par la communauté — qui n'existe pas —; pas de surveillance tracassière des dimensions et de la qualité des laines et étoffes. On comprend alors les incessantes protestations des ouvriers des villes contre ceux des campagnes, que les maîtres fabricants et les marchands employaient préférablement. Les raisons de cette « préférence » paraissent claires : les ouvriers ruraux se contentaient de salaires inférieurs, car ils n'appartenaient à aucun « corps » et n'étaient protégés par aucune juridiction de police; en outre, l'absence de contrôle permettait de faire préparer et tisser les étoffes que l'on désirait, celles que l'on pourrait vendre avec le maximum de bénéfices, et qui correspondaient rarement aux prescriptions officielles. Il se pourrait même que la réglementation croissante ait provoqué un croissant exode des ouvriers des villes vers la campagne.

Si bien que ces manufactures rurales semblent l'avoir été de plus en plus pendant le XVIIe siècle. A l'époque de Louis XIV, on retrouve même des traces d'émigration de tisserands urbains vers la campagne, traces d'ailleurs peu nombreuses.

Exista-t-il toujours des manufactures rurales? Dans le cadre de ces recherches, est-il possible d'apporter quelque confirmation à l'idée habituellement soutenue, à savoir que l'industrie s'étendit des villes aux campagnes pendant le XVIe siècle? Malheureusement, les documents « industriels » antérieurs au XVIIe siècle concernent, en notre région, les seules grandes cités. Leur développement est d'ailleurs évident, et les influences venues du nord y ont joué un grand rôle : tout comme Amiens avait reçu la sayetterie d'Arras à la fin du XVe siècle, Beauvais la reçut d'Amiens avant le milieu du XVIe siècle. Seul, un passage d'Antoine Loisel paraît confirmer l'extension des manufactures textiles de la cité beauvaisienne au plat pays. Il écrivait en 1617 : « Pour le regard du menu peuple de Beauvais, il s'emploie principalement à la manufacture des laines et drapperies... signamment (de) serges si fines, qu'on les peut parangonner à celles de Florence... et par adventure s'y adonne-on un peu trop, en ce que les habitans de la ville ne pouvans fournir à filer la laine qu'il y convient employer, on est contrainct avoir recours aux habitans des villages voisins, qui est cause que les terres n'en sont pas maintenant si bien labourées ny cultivées qu'elles souloient ». Fort d'une expérience personnelle qui remontait bien à 1550 — Loisel était âgé de 82 ans en 1617 —, notre Beauvaisien présentait l'extension rurale des manufactures comme un fait assez récent. Le témoignage de cet homme de premier plan mériterait grande considération, s'il était plus net et s'il ne demeurait isolé; encore ne concerne-t-il que la filature des laines, dont on ne peut s'empêcher de croire qu'elle fut répandue dans les campagnes bien avant le XVIe siècle, tout au moins pour l'usage domestique. La seule nouveauté se réduirait au fait que les campagnes se mirent à filer au XVIe siècle pour les fabricants des villes. Quoi qu'il en soit, il demeure certain que le plateau picard apparaît dès le début du XVIIe siècle tout bruissant de fabriques, ce qui ne constitue à aucun degré une exception dans la France de cette époque.

Albert Demangeon a recherché les raisons de cette localisation rurale des fabriques. Nous ne pouvons que renvoyer à son analyse et à ses intuitions, souvent admirables ; tout au plus se permettra-t-on d'apporter quelques précisions, qu'il n'a pu donner, sur ce problème d'origines.

Par rapport à ses faibles rendements agricoles, la Picardie des temps modernes fut surpeuplée : la meilleure preuve réside dans les lourds tributs qu'elle dut payer dans les années de disette céréalière, pendant lesquelles on voyait couramment quadrupler le nombre moyen annuel des décès. Nous aurons l'occasion de suggérer qu'on trouvait sur le plateau, vers 1640 et 1670, un niveau de population à peine inférieur à celui de la période 1800-1840. Tant de campagnards vivant de champs dont la surface et les rendements ne pouvaient s'accroître constituèrent un terrain favorable pour l'extension rurale des manufactures textiles. Une main-d'œuvre saisonnière, abondante, famélique, bon marché, devait tenter, et tenta sans doute les entrepreneurs de fabriques. Ainsi l'évolution démographique a pu constituer un important facteur de l'évolution industrielle.

Il ne fut pas le seul. Le paysage rural lui-même interdisait aux paysans picards le secours d'occupations accessoires. Sur ce plateau, ni rivière, ni prairie, ni communal important ; presque pas de massifs boisés, pas encore de pommiers, et un vignoble aux vendanges tellement incertaines qu'il s'était réfugié près des villes et dans quelques sites favorisés. Hors des grands travaux d'été et de la culture des terres, ni pêche, ni boisillage, ni élevage véritable, ni vin, ni cidre : de longues périodes d'hiver pendant lesquelles beaucoup de bras étaient disponibles.

D'autant que la plupart des exploitations paysannes furent minuscules : les structures sociales elles-mêmes poussaient à l'occupation textile. L'on verra bientôt que les trois quarts des paysans de notre région ne possédaient ni assez de terres, ni assez de fermages pour assurer la subsistance de leur famille et pour être occupés toute l'année. D'ailleurs Picards et Picardes avaient acquis une grande habileté, que soulignait Bignon, à travailler la laine de leurs moutons.

Essor démographique, utilisation du paysage rural, structure des exploitations paysannes et habitudes anciennes purent donc favoriser l'implantation rurale des manufactures textiles. Faut-il souligner l'insuffisance de ces éléments d'explication? Cette énorme production textile — peut-être 300 000 pièces annuelles de draps, serges et toiles au temps de Colbert — ne s'écoulait pas dans la région. Elle ne peut s'expliquer sans de vastes débouchés, une clientèle importante et éloignée, une organisation de la vente par de puissants marchands. Si enfoncée qu'elle parût dans le limon picard, notre fabrique textile dépendit entièrement de marchés extérieurs, souvent lointains : sans eux, elle eût à peine existé, et se fût réduite à cette indigente production domestique et locale, qui caractérise si souvent l'ancienne France.

C. *Les manufactures picardes et beauvaisines dans le commerce régional, national et international.*

1º Les manufactures d'étoffes de laine.

Les rapports administratifs de la fin du XVIIᵉ siècle énuméraient les débouchés de notre fabrique textile.

Jusque vers 1700, le lieu de débit le plus important des étoffes de laine demeura la capitale voisine : « la plus grande vente s'en fait aux foires de Paris et de Saint-Germain », affirmait en 1692 l'inspecteur Chrestien. Nous savons en effet que les marchands de Beauvais possédaient des loges dans ces foires, où les marchandises du Beauvaisis connaissaient un débit considérable. Chrestien, que l'intendant de Paris devait résumer dans son médiocre mémoire de 1698, indiquait aussi que les diverses serges tissées dans la région et apprêtées à Beauvais étaient « envoyées dans toutes les villes du royaume ».

Il faut nuancer ces vues. La plupart des marchands de Beauvais ne vendaient pas directement au-delà de limites assez étroites, qui n'atteignaient pas même celles du bassin de Paris. Les expéditions en direction des Flandres, fort actives avant la guerre de Trente Ans, ne paraissent pas avoir repris après 1660. Rouen, Orléans, Troyes, les villes de la Meuse et de la Somme, tel fut le cadre rarement dépassé du négoce des marchands beauvaisiens les moins aisés, ou les moins hardis. Encore la plupart de ces derniers paraissent-ils s'être spécialisés dans le ravitaillement en serges d'un étroit secteur géographiquement bien constitué. Les uns travaillaient surtout avec des villes de Haute-Picardie, comme Noyon et Saint-Quentin; d'autres dirigeaient leurs envois vers les deux Vexins et les petites villes de la Seine, entre Rouen et Paris; ceux-ci s'occupaient surtout d'Orléans et des cités ligériennes; beaucoup réservaient tous leurs soins au grand marché parisien.

Les très grands marchands visaient beaucoup plus loin. Dès la période 1640-1650, Lucien Motte trafiquait essentiellement avec Lyon. En 1685, c'est à Lyon que le conseil de famille envoya un de ses descendants effectuer son apprentissage de négociant. De Lyon, les étoffes des Motte atteignaient, par les routes de terre et de mer, les cantons suisses, l'Italie du nord, Avignon, Marseille, Montpellier, et le monde méditerranéen. L'intendant de Paris soulignait d'ailleurs ce commerce des étoffes beauvaisines « en Savoie et en Italie ». Bien supérieur, le solide rapport de Noëtte, en 1708, confirmait les relations lyonnaises; mais il insistait tout spécialement sur une orientation nouvelle du commerce des étoffes de laine, appelées à un bel essor.

Il s'agissait du débouché occidental et atlantique. Même pour les étoffes de laine, tout semble avoir changé de face après le testament du roi d'Espagne. A Beauvais, comme à Amiens et Rouen, il ne fut alors question que de remplacer le fournisseur britannique sur le marché espagnol et ses prolongements américains. En même temps, les « Isles » françaises, aux richesses nouvelles et croissantes, commençaient à éveiller un intérêt exceptionnel. Toute notre région se mit à travailler pour ces contrées lointaines. Adaptées aux habitudes et aux besoins exotiques, sempiternes, bayettes, flanelles, écarlatilles sortirent des métiers beauvaisins et picards. La manufacture de Boufflers, jadis vouée aux serges façon de Londres, ne s'occupa plus que d'expédier à Saint-Domingue des étoffes légères. Le plus souvent, les Beauvaisiens se contentaient de livrer leurs étoffes aux marchands exportateurs des ports de la Manche et de l'Atlantique, et d'abord à ceux de Rouen. Mais les plus hardis tentèrent l'expédition directe à Cadix, et même à la Mer du Sud. Les papiers des marchands confirment les documents de police et les rapports administratifs : après 1700, Beauvaisis et Picardie, comme bien d'autres régions sans doute, étendirent leur champ d'action commerciale jusqu'aux terres les plus lointaines. En échange, celles-ci modifièrent profondément les habitudes et les mentalités de notre petite région, si écartée en apparence des grandes avenues du négoce : en plein règne de Louis XIV, elles contribuaient à préparer le paysage humain du XVIIIe siècle.

Depuis longtemps, les moutons de Picardie ne suffisaient plus à fournir la laine aux métiers du groupe manufacturier. Au Moyen Age, les toisons anglaises et flamandes ravitaillaient les fabriques de Beauvais, qui appartenaient alors à la Hanse de Londres. A notre époque, les laines locales, tout à fait médiocres, ne fournissaient, en dehors du tissage domestique, que les catégories de serges les plus grossières; en particulier les revêches et les « Tricot ». Les meilleures serges et toute la draperie requéraient des laines supérieures. Par pleines charrettes, les « balles » de cent et deux cents livres affluaient vers les halles aux laines de Beauvais et d'Amiens. Elles venaient de France, de Soissonnais, de Valois, de Brie, de Sologne et de Berri : tous les rapports administratifs signalaient ces expéditions, dont les traces se retrouvent dans tant d'inventaires d'ouvroirs et greniers de fabricants. Les marchands de laine des villes revendaient ces balles aux maîtres de la cité et aux sergers ruraux, qui les payaient souvent avec des pièces tissées. Pour les ratines, il était indispensable d'utiliser les meilleures laines d'Espagne. Les marchands importateurs de Rouen les fournissaient régulièrement, même en temps de guerre; mais d'importants négociants de Beauvais semblent les avoir importés directement d'Espagne, en utilisant des vaisseaux malouins ou normands. Pour la seule fabrique urbaine de Beauvais, on aurait importé en 1682 — année médiocre — 160 000 livres pesant de laines françaises, 115 000 livres de laines d'Espagne, et 2 000 livres de laines anglaises; pour l'ensemble du « département de Beauvais », composé essentiellement du chef-lieu, de Mouy, Hanvoile et Glatigny, les importations de laine auraient atteint 859 800 livres, poids de marc, c'est-à-dire plus de 400 tonnes métriques.

Un coup d'œil aux papiers administratifs montre que

la grande fabrique amiénoise possédait des sources d'approvisionnement en matière première et des débouchés au moins aussi lointains, mais beaucoup plus considérables. Tout le groupe lainier était donc engagé, à l'époque Louis XIV, dans les voies les plus fréquentées du trafic interrégional, national et international.

2º Les manufactures de toiles de lin.

Les fines toiles tissées avec le lin de Bulles prirent, sans doute au début du XVIIᵉ siècle, le nom de « demi-Hollande ». En 1614, Louvet insistait sur le trafic considérable qui unissait la région de Bulles, le Hainaut, les Flandres, et les Pays-Bas : ce trafic, un inventaire après décès de 1622, celui de Nicolas Loisel, permet de le bien connaître. Vers 1650, mettant à profit la qualité, appréciée encore au XXᵉ siècle, des eaux du Thérain, Nicolas Danse créait, sur le modèle saint-quentinois, les premières « bueries » spécialisées dans le blanchissage des toiles. En 1661, ses papiers de succession montraient qu'il exportait par Dieppe, Rouen et Lyon. Inventaires, papiers de succession et rapports d'inspecteurs de manufactures permettent de déceler aisément, par la suite, l'étendue du trafic. Albert Girard a souligné la prééminence des toiles dans le commerce français en Espagne : il ne se doutait pas qu'une partie des toiles de Laval, des batistes et des demi-hollande, et des toiles dites normandes étaient passées par les mains des négociants-blanchisseurs de Beauvais.

En 1698, l'intendant de Paris écrivait : « Les marchands (de Beauvais) ne se contentent pas d'acheter les toiles qui se façonnent dans le pays, ils vont à Saint-Quentin et en Flandres en acheter, et les font venir à Beauvais, où elles sont blanchies et apprêtées. Les marchands les commercent ensuite de tous côtés, au dedans et au dehors du royaume, et ce commerce ne s'étend pas moins que celui des étoffes ». A partir de 1730, une frappante convergence de documents administratifs met en lumière le rôle considérable des blanchisseurs et marchands de toile de Beauvais. En 1734, Harlay écrivait au subdélégué de Beauvais au sujet de la marque des toiles de « Laval, Mayenne, Saint-James, Marigny, Carnet, Argouges et Cholet... envoyées à Troyes, Beauvais et Compiègne pour y être blanchies et vendues en crû ». Depuis 1735, les états semestriels de l'inspection des toiles de Laval, Mayenne et Château-Gontier signalaient que les « négociants de Troyes, Senlis et Beauvais tirent d'icy la plus grande partie des demi-Hollande, royales et ce qu'il y a de plus fin en laisots et petites laises »; de fait, l'inventaire après décès de Jean Pousteau de Grenusse, blanchisseur et marchand à Avenières près Laval, atteste, de 1701 à 1711, ses relations avec deux marchands de toiles de Beauvais. Le 21 juillet 1731, l'inspecteur des toiles de Picardie soulignait l'importance du commerce de linons et batistes effectué par les marchands de Beauvais. A la même époque, Savary des Bruslons vantait l'excellence du blanchissage de Beauvais, appliqué spécialement aux toiles de Saint-Quentin.

Les papiers des marchands de toiles font ressortir plus sûrement encore l'étendue du commerce. De Dunkerque à Toulon, tous les ports français importants comptaient des clients de Gabriel Motte, décédé en 1693. Vers l'Europe centrale, Metz, Lyon et Genève, où d'énormes créances restaient à recouvrer, servaient de lieux de vente et revente pour ses linons, batistes, demi-hollandes et royales. Vers le Midi, Toulouse, Montpellier, Avignon, Marseille et Nice même jouaient un rôle analogue. Plus importants encore, les papiers des trois frères Danse attestent le caractère international d'un négoce qui prenait pour objectifs habituels Harlem, Londres, Lisbonne, Cadix et Saint-Domingue. Ce début du XVIIIe siècle vit d'ailleurs les marchands de toiles de Beauvais prendre part à l'armement de vaisseaux pour le Pacifique et la Chine, et les plus hardis d'entre eux s'embarquer pour Saint-Domingue ou « Mississipi ». Un Danse mourait à Léogane, un Motte décédait à Batavia; un autre Danse, plus heureux, se vantait d'avoir parcouru « toute l'Amérique ». Traits du grand siècle commençant sans doute — du grand siècle négociant, le XVIIIe — mais qui prolongeaient et amplifiaient des tendances plus anciennes, dessinées déjà au cours du siècle précédent.

Ainsi, manufactures de laines, et plus encore de toiles entraînèrent les étoffes, les capitaux et les espoirs du petit Beauvaisis sur les routes les plus larges du monde des affaires. Vue sous l'angle manufacturier et négociant, cette modeste région prend un éclairage assez surprenant : l'examen de sa médiocre agriculture, autarcique plus qu'à demi, ne pouvait le laisser prévoir, non plus que la faiblesse marquée de ses moyens de transports, réduits à de mauvaises routes. De misérables estilles de bois, perdues dans la boue picarde, les taillis du Haut-Bray et les marais du Thérain, contribuaient à vêtir la grand-ville, la France du nord, les régions méditerranéennes et les hommes du Nouveau Monde. On ne saurait penser que ces larges débouchés étaient dus au talent et à l'habileté de fabricants plus ou moins faméliques, de marchands ruraux aux horizons et aux moyens limités. Les grands marchands de la ville avaient prospecté, provoqué, organisé, alimenté le vaste terrain du négoce qui faisait vivre la région entière. De l'excellence de leur génie commercial, ils se sont vantés sans pudeur : « Il est évident que les seuls Drapiers en Teint maintiennent à Beauvais et en tous lieux voisins la fabrique de leurs estoffes, puisque cessant les achapts journaliers quils en font des Façonniers, lesdits Façonniers seroient reduicts a abandonner leursdittes Fabriques... » et qu'on verrait alors « les Drapans languir dans l'oisiveté, et tous les ouvriers sans aucun travail, obligez de s'étendre en divers lieux du Royaume y mendier leur pain... et la desolation parmi les Habitans de laditte Ville et de la campagne du Beauvoizin... ».

Des hommes qui tenaient un tel langage, certains sont déjà apparus, au cours de cette tentative pour définir une région de manufactures textiles. Ils tinrent en leurs mains ses destinées industrielles et commerciales. Ils méritent une étude assez approfondie, qui doit être replacée dans le cadre habituel de leur vie et de leur travail : Beauvais, où ils occupaient le plus souvent, comme leurs collègues d'Amiens, de Saint-Quentin et de Laval, la place qui revenait à leur activité et à leur fortune : la première.

Car il est trop évident que, pour le monde manufacturier comme pour le monde agricole, d'ailleurs étroitement unis dans la réalité sociale, ce fut la ville qui inspira, qui dirigea, qui peut-être exploita la campagne.

5. LES PAYEMENTS ET LA PLACE DE LA MONNAIE DANS LA VIE ÉCONOMIQUE

Jean Meuvret a formulé en termes clairs les véritables problèmes que pose la technique des payements ;

aucune étude économique ne saurait les esquiver. Des transactions les plus humbles aux plus considérables, comment s'effectuaient les règlements ? Quel rôle y jouaient la monnaie d'or, la monnaie blanche, le billon, le papier, le troc ? Lorsque le « remploi » des recettes n'était pas immédiat, y avait-il véritablement thésaurisation, et sous quelle forme ?

Pour répondre à ces questions, une région comme le Beauvaisis, avec ses activités variées, son cadre limité et l'abondance de la documentation qui s'y rapporte, peut constituer un intéressant champ de recherches. Malheureusement, les sources ne donnent pas fréquemment des indications très précises. Presque toujours, les contrats de vente et les baux à ferme, conservés en très grand nombre, se contentent de noter, lorsqu'il y a payement en numéraire, que celui-ci a été ou doit être effectué en « espèces d'or et d'argent et autres monnaies ayant cours », ce dont le vendeur s'est « déclaré content ». Dans cette catégorie de sources, les détails de payements sont donc inexistants ; mais nous savons au moins si l'on règle en argent liquide, ou non. Les papiers de succession fournissent des renseignements bien plus intéressants : pour certains paysans et certains ouvriers du textile, pour le groupe bourgeois surtout, l'on peut reconstituer de nombreuses transactions, et connaître précisément les disponibilités et les « trésors familiaux ». Il paraît évident que les uns et les autres variaient d'abord en fonction du groupe social auquel appartenaient les intéressés, mais aussi en raison de la place qu'ils occupaient dans un ou plusieurs circuits économiques. Compte tenu de ces différences et de ces oppositions, qui relèvent surtout du bon sens, on peut formuler deux constatations d'ensemble, qui demandent justification.

La première confirme entièrement la principale hypothèse de Jean Meuvret : la « bonne monnaie », or ou argent, n'est intervenue dans les transactions que d'une manière exceptionnelle. La seconde va à l'encontre des observations de Raveau, Doucet et Meuvret : les disponibilités liquides des meilleurs bourgeois furent loin d'être insignifiantes, et les « trésors familiaux », en dehors de l'argenterie et des bijoux, comprenaient un nombre imposant d'écus et de louis d'or, et peu de monnaies étrangères.

A. *Insignifiance des monnaies d'argent, et surtout d'or, dans les payements et transactions.*

Les petites gens constituaient peut-être les neuf dixièmes de la population du Beauvaisis. A la campagne, ceux qui s'attachaient à récolter ou fabriquer l'essentiel de leur nécessaire, qui vivaient presque en autarcie, étaient les plus nombreux. Leurs achats et leurs ventes se réduisaient au minimum : céder un veau, payer le collecteur, acquitter de petits fermages. Les plus humbles des ruraux, et presque toute la « populace » de Beauvais vivaient, plus ou moins mal, de travaux à façon ou à la journée, pour lesquels ils recevaient des salaires, que nous connaissons bien. Comment leur étaient-ils versés ? Comment réglaient-ils ce qu'ils devaient acheter ? Choisis dans une vaste documentation, quelques exemples apportent des réponses convergentes.

Tout d'abord, en ce qui concerne les salaires.

Vendangeurs et moissonneurs de Beauvaisis reçurent toujours l'essentiel de leur salaire en nature. Pour les moissonneurs et les batteurs en grange, la tradition durait encore au début du XIXᵉ siècle : une gerbe ou une mine sur 20, sur 22, sur 24. Ainsi était réglée leur rémunération. Tous étaient nourris par l'employeur. Pour des travailleurs non spécialisés, cette nourriture représentait, au bas mot, la moitié du salaire théorique, du moins au début du XVIIᵉ siècle. La très riche comptabilité de l'Hôtel-Dieu de Beauvais suffit à étayer ces remarques.

En septembre 1624, les vendanges de Fay-sous-Bois ne durèrent que deux journées. Les 21 « coupeurs » furent payés 2 à 4 sols par jour, selon l'âge et le sexe ; le fouleur et les six « hotteurs » reçurent chacun 5 sols, pour récompenser sans doute les forces qu'ils dépensèrent. On les nourrit tous, et nous n'ignorons pas ce qu'ils consommèrent : soupe de viande et ventre de veau, copieusement accompagnés de pain bis et de vin du cru. Pour chaque année et pour chacun des trois vignobles de l'Hôtel-Dieu, les vendanges se déroulaient de manière toute comparable : il est patent que la nourriture constituait l'essentiel des salaires versés, et qu'il suffisait de disposer de quelques sacs de monnaie « noire » pour régler le complément aux vendangeurs. Pas un écu, jaune ou blanc, ne devait sortir des coffres de l'établissement.

STRUCTURES ÉCONOMIQUES D'ENSEMBLE

Quand il s'agissait de travaux plus longs, donnant lieu à une rémunération plus importante, les techniques de payement permettaient d'arriver aux mêmes résultats. A Martin Pelletier, qui avait « porté le fumier » aux vignes de Morienval, on donna six livres « en monnaie », mais les mines de blé et d'avoine qu'il avait reçues devaient représenter plus du double.

Plusieurs vignerons des faubourgs de Beauvais cultivaient à façon le vignoble de l'Hôtel-Dieu. Vers le milieu du XVIIe siècle, ils recevaient de 40 à 48 livres par arpent. Mais les contrats d'octobre 1651 — pour nous limiter à cet exemple — précisaient que l'argent serait versé « à mesure du travail ». Le journal de l'établissement montre en effet que les huit façonniers, qui s'occupaient chacun d'un arpent environ, furent réglés en 8, 10, 11, 12, 13, 14, 15 et 18 versements ; une bonne partie de ces versements furent effectués en blé, le reste en deniers. On pourra suivre le détail des opérations pour chaque vignoble, et chacune des deux cents années pour lesquelles la comptabilité hospitalière de Beauvais a été conservée en détail. De très nombreux renseignements, épars dans les papiers de succession, permettent de conclure que les manouvriers de toute sorte étaient traités comme ceux de l'Hôtel-Dieu.

On pourrait penser que les ouvriers du textile tinrent, dans le domaine des salaires, une place à part. Il n'en fut rien, du moins au point de vue qui nous occupe. Les tisserands ruraux devaient se contenter de garder une partie de la pièce tissée. Les ouvriers urbains, payés chaque samedi, empochaient quelques livres : une enquête de 1693 montre que ceux qui recevaient plus de 10 sols par journée de travail étaient fort rares. Les tisserands de drap touchaient 7 à 10 livres par pièce : ils n'en tissaient guère que deux par mois. Ainsi la faiblesse de tous ces salaires ne permettait guère des versements en monnaie d'argent, encore moins en monnaie d'or. Par surcroît, les ouvriers se plaignaient souvent de la mauvaise qualité du numéraire qu'on leur remettait, et suppliaient le bailli d'ordonner qu'on les payât en monnaie blanche. Un survivant du XVIIIe siècle racontait encore, au temps de Louis-Philippe, comment le marchand réglait le fabricant : jamais d'écu, mais des sous, du billon, ou de mauvaises valeurs de portefeuille sur de petites localités.

Ainsi, le monde des humbles recevait de la mauvaise monnaie et des payements en nature. Lorsqu'il avait à régler un achat, un service, un fermage, une imposition, il ne pouvait que rendre ce qu'on lui avait donné.

Ces achats et ces versements restaient souvent minimes : une brebis, une jeune coche ne coûtaient que 3 ou 4 livres ; une mine de blé (environ 33 litres) était cotée 20 sols sur le marché de Beauvais, dans les bonnes années ; une messe, un écolage, un salaire de berger, une paire de sabots, une livre de « chair » ne revenaient qu'à quelques sols. La taille était versée « sol à sol », le plus lentement possible. Les manouvriers remboursaient en journées les laboureurs qui leur avaient prêté des chevaux. Les petits fermages étaient assez souvent stipulés en nature ; dans le cas contraire, le preneur échelonnait ses versements pendant toute l'année. S'il ne parvenait pas à s'acquitter, il signait une reconnaissance de dette, sous seing privé ou devant notaire ; le créancier passait volontiers le papier à ceux dont il se trouvait lui-même débiteur. Ces minuscules billets, vite transformés en obligations et en cédules, toujours gagés sur les biens du premier débiteur, circulaient beaucoup et rapidement. Ils se trouvaient souvent compensés par d'autres papiers ; sinon, en cas de difficulté dans le règlement, une décision devenait nécessaire. Quand elle était prise à l'amiable, on assistait à une sorte de conversion : la dette était transformée en vente à réméré, plus souvent en rente foncière, parfois en rente constituée : des créances de cette sorte, certaines successions bourgeoises en détaillent jusqu'à un millier. Si le débiteur se montrait récalcitrant, ou le créancier rapace et avide de biens au soleil, l'affaire se terminait en justice par une saisie réelle et une vente par décret : bien des parcelles paysannes tombèrent ainsi en de bourgeoises mains.

A l'autre bout de l'échelle sociale beauvaisine, l'on peut penser que les écus, les louis et toute la bonne monnaie jouèrent un rôle plus considérable, du moment que les transactions portaient sur des chiffres plus élevés — des centaines et des milliers de livres — et qu'elles s'entrecroisaient dans une aire géographique et économique d'une tout autre extension.

Les plus grosses transactions étaient le fait des meilleurs marchands d'étoffes de Beauvais, dont nous connaissons les larges débouchés. Des négociants comme les Loisel, les Motte, les Ticquet, les Danse ou les Michel vendaient annuellement 100000 à 200000 livres tournois de draps ou de toiles chacun. Toutes ces ventes étaient faites à terme : 3 mois, 6 mois, un an même, la date des payements étant déterminée ainsi : pour les plus importants, aux termes de Lyon; pour les moins importants, à la prochaine foire (Guibray, Lendit, Saint-Germain) ou à tel « franc-marché » (mensuel) de Beauvais; tout payement comptant donnait droit à un escompte, dont le taux varia au XVIIᵉ siècle, et se fixa au début du XVIIIᵉ à 0,5 % par mois « d'avance ». Mais, le terme échu, comment s'opérait le règlement?

A vrai dire, la documentation du type successoral ne permet pas de le savoir de manière certaine, du moins avant la fin du XVIIᵉ siècle : il faudrait des livres de marchands et nous n'en avons aucun. Mais de nombreuses indications permettent d'avancer les remarques suivantes.

Le troc, plus ou moins comptabilisé, joua, à Beauvais, un rôle considérable pendant une bien longue période. L'on décèle, çà et là, des opérations qui se ramènent à un simple échange de marchandises : livraisons d'étoffes soldées par des barils de harengs, des balles de laine d'Espagne, des muids de vin. Un texte de 1680, étonnant par sa date plus que par son contenu, énumère les « commoditez » que les marchands prennent habituellement « en contre-échange et trocq de leurs marchandises », et dont ils « font la revente soit en gros soit en détail dans le Beauvoisin, lequel par là se trouve abondant de toutes les denrées qui lui manquent à meilleur prix de beaucoup que si les marchandises foraines estoient apportées exprès sans retour et sans troc ». L'énumération des produits importés en « trocq et contre échange » ne manque pas d'intérêt : « des vins de France, de Champagne et autres lieux, des laines d'Espagne, d'Angleterre, de Beausse, Gâtinais, Vallois et autres, des poissons de mer salez, des huiles, beurres, fromages, savons, cuires, fourrures, pelleteries, des drogues de teintures, d'espiceries et apotiquairerie et autres commoditez pour la vie et pour la fabrique des estoffes ».

Il semble aussi que ce fut bien tardivement que les marchands beauvaisiens firent un usage courant de la lettre de change. Les premières successions qui mentionnent un nombre important de ces moyens de payement, souples et mobiles, ne sont pas antérieures à 1685. Il se pourrait que ce retard ne soit pas spécial à Beauvais, qu'on le retrouve à Amiens, peut-être même qu'il caractérise une certaine timidité technique du négoce français. Mais, à partir de 1685, l'évolution apparaît rapide : dès le début du XVIIIᵉ siècle, le change continu et universel est installé dans les mœurs ; entre 1710 et 1730, les plus grands négociants de Beauvais ont leur banquier à Paris, qui se charge d'effectuer la plupart de leurs opérations commerciales.

Entre 1600 et 1685, le système de règlement le plus fréquent dut être la compensation. Chaque marchand inscrivait dans ses livres, qui faisaient foi en justice, ses dettes et ses créances ; à chaque réception de marchandise, une « promesse » était envoyée à l'expéditeur : la signature du client l'engageait sans discussion ; elle l'engageait plus sûrement encore quand la promesse, reconnue en justice ou enregistrée chez un notaire, devenait « cédule » ou « obligation » (mais le vocabulaire ne paraît pas très rigoureux à ce sujet). De temps en temps, deux marchands qui étaient en relations d'affaires « faisaient leur compte » : d'additions et de soustractions successives, il résultait un chiffre, bilan de nombreuses transactions ; le plus souvent, ce résultat global était réinscrit en compte, sans donner lieu à un payement en espèces sonnantes. Pour des marchands aux relations moins régulières, ou dans un seul sens, il fallait bien que le payement s'effectue. Et cependant, même dans ce cas, c'était parfois du papier que le débiteur envoyait à son fournisseur : une créance à recouvrer sur un autre marchand. Obligations, promesses, cédules circulaient ainsi plus aisément et avec moins de risques que les espèces monnayées. Tout reposait sur une sorte de crédit : la confiance que les marchands — qui se connaissaient presque tous — avaient les uns dans les autres. Mais, au moment des grands règlements de comptes, qui suivaient la plupart des décès, il fallait bien que les espèces monétaires finissent par se déplacer.

Il fallait bien aussi qu'un certain nombre de payements fussent effectués en espèces, notamment avant l'installation, vers 1685, du système de compensations continuelles facilité par la circulation incessante des lettres de change et l'intervention habituelle des banquiers parisiens. Sans cela, nous n'aurions pas rencontré, chez presque tous les négociants, des encaisses monétaires de l'ordre de 3 000 à 10 000 livres, précisément déclarés dans leur papiers de succession. Un Gabriel Motte, décédé en 1693, laissait, certes, l'énorme somme de 163 000 livres en créances diverses : promesses, obligations, lettres de change surtout; sa caisse contenait tout de même 4 000 livres; celle de son aïeul, mort en 1650, en contenait plus de 7 000; de grands marchands amiénois possédaient, avant 1625, plus de 45 000 livres d'argent liquide, dont l'origine commerciale n'est pas douteuse. Petit à petit, malgré la prédominance croissante d'une sorte de monnaie commerciale de papier, les coffres-forts des bourgeois de Beauvais engagés dans le négoce finissaient par se garnir d'espèces sonnantes. Nous retrouverons bientôt ces trésors familiaux.

Toutes les grandes fortunes beauvaisiennes ne vivaient pourtant pas du négoce. Les plus anciennes, ne lui devaient plus rien : les fermages, les prêts et les « recettes » contribuaient à les entretenir et à les accroître. Si les fermages consentis par les bourgeois contenaient toujours une part en nature — celle que nécessitait l'entretien du ménage —, une autre part, qui n'était pas la moindre quand les terres louées étaient importantes, se trouvait stipulée en argent. L'on pouvait alors compter sur l'âpreté bourgeoise pour exiger des règlements en forte monnaie; au début du XVIIIe siècle, on précisait même dans les baux que le fermier devrait s'acquitter en or et en argent « et non autrement ». Les recettes des seigneuries d'abbayes, d'évêchés, donnaient l'occasion de manipuler de belles quantités de numéraire. Sans doute, les 13 907 livres que versa, en 1644, Pierre Morel, receveur de l'évêché, comportaient une majorité de pièces blanches françaises et de menue monnaie (cette dernière évaluée d'après son poids); mais 136 pistoles y figuraient, dont 19 étaient italiennes. Enfin il est certain que ces prêts déguisés que furent les constitutions de rentes, si fréquentes durant tout le siècle, étaient versés en monnaie sonnante, devant les notaires qui assistaient au comptage des espèces. Quand le couvent de Saint-Paul avançait la dot des demoiselles Le Bastier, quand un Serpe ou un Foy prêtait à un gentilhomme de quoi équiper son fils, c'était en bonnes espèces sonnantes. Les contrats de mariage que renferment les minutes notariales permettent de savoir comment étaient versées les dots. Une fille de riche bourgeoisie recevait, sous Louis XIV, une vingtaine de milliers de livres; les trois quarts représentaient ordinairement des terres et des rentes; les écus et pistoles atteignaient bien rarement 5 000 livres. Le mariage de Jean Borel et de Marie Pocquelin, en 1648, doit être considéré comme exceptionnel : chaque époux reçut, en espèces, la moitié de ce que lui offrirent ses parents : 14 000 et 16 000 livres. Plus exceptionnelles encore, à la même époque, les dots que versa à ses trois filles Nicolas Tristan, bailli à Beauvais; réunies, elles atteignirent 45 000 livres, entièrement comptées en espèces sonnantes. En ces occasions solennelles, les grandes familles mettaient leur orgueil à mobiliser les réserves de leurs cassettes et de leurs coffres. Elles en faisaient autant lorsqu'il s'agissait d'acquérir une charge anoblissante ou fructueuse : en 1701, Louis Allou, qui avait acheté sa charge de receveur des tailles de l'élection pour 82 250 livres, put payer comptant 32 332 livres en numéraire.

Tous ces cas — des exceptions — ne concernent que la partie la plus élevée de la bourgeoisie beauvaisienne, observée en des circonstances uniques. Dans l'ensemble du Beauvaisis, aussi bien chez une poignée d'aisés que dans la masse des humbles, l'or et l'argent ne jouèrent pas dans les transactions un rôle habituel et normal, mais un rôle accidentel. Le troc, le billon, les versements en nature, l'utilisation sur une vaste échelle d'une manière de monnaie de papier qui s'échangeait et aboutissait à des compensations, telle était la règle générale. Elle s'accordait bien avec l'aspect monétaire, financier et économique de ce siècle difficile qui vécut sous le signe, non pas de la « famine », mais d'une relative « disette monétaire ».

B. *La place du numéraire dans les fortunes privées.*

Étudiant le Poitou au XVIᵉ siècle, Paul Raveau mettait en relief le caractère presque monstrueux des 1 500 livres en monnaie d'or conservées en 1542 par un « très riche commerçant ». M. Doucet, analysant « la fortune en France au XVIᵉ siècle » à partir de documents, surtout lyonnais, affirmait : « les inventaires font ressortir l'absence presque totale des espèces en caisse ». Le Beauvaisis fut-il un pays particulièrement fortuné? Le XVIIᵉ siècle doit-il apparaître, contre toute attente, plus favorable aux fortunes en numéraire que le XVIᵉ? plus favorable à la thésaurisation des espèces qu'à leur circulation — ce qui étonnerait moins? Pour notre époque et notre région, nous ne pouvons souscrire à ces conclusions.

Hors des couvents, et peut-être de quelques grosses fermes, ce n'est évidemment pas à la campagne qu'il faut aller chercher des fortunes solides, moins encore des amas d'or et d'argent. Pierre de Blangy, bon laboureur de Rothois — il possédait 3 hectares, en exploitait beaucoup plus, et avait garni sa bergerie d'une vingtaine de moutons — ne laissa à son décès, en 1673, que 15 livres tournois. Trois ans plus tard, Charles Forestier, laboureur, fermier et marchand serger à Grandvilliers, ne laissait rien du tout, « les frais funéraires ayans absorbez tous les effets laissez par le deffunt ». Cas unique, Collechon de Bailleu, décédée à la Neuville-Saint-Pierre, un quart de siècle plus tôt, conservait en sa cassette sept écus d'or, une pistole d'Italie, une autre d'Espagne, et quelques pièces blanches, le tout estimé à plus de 100 livres; le reste de l'inventaire évoque l'intérieur et l'équipage d'une « laboureuse » assez aisée, qui tint peut-être un important fermage. Ces chiffres, bien modestes, restent exceptionnels. Doublement exceptionnels : quand les papiers de succession mentionnent l'argent-monnaie, les sommes retrouvées se réduisent à quelques livres; mais le plus souvent, même au XVIIIe siècle, les inventaires ruraux ne contiennent aucune mention de numéraire. Il est difficile de croire qu'on ne trouvait pas un écu chez un laboureur à quatre chevaux, qui faisait valoir une trentaine d'hectares — à plus forte raison, chez un de ces gros fermiers d'abbaye qui cultivaient jusqu'à 100 hectares. Cette discrétion, qu'on n'observe pas en ville, doit être mise au compte d'un prudent usage paysan. Cependant, la fortune paysanne, c'était la terre, le cheptel, les créances sur les petits paysans.

C'est à la ville qu'il convient de rechercher la fortune. Les terres d'abord, les rentes ensuite, les maisons et les offices enfin, en furent les éléments constitutifs. Le numéraire n'y joua généralement qu'un rôle de second plan, ou un rôle d'appoint; mais certainement pas un rôle négligeable. Chez des boutiquiers et des fabricants, en pleine période de crise monétaire, en 1722, on trouve toujours de 100 à 500 livres d'argent liquide, quelques marcs d'argenterie, et une grosse quantité de vaisselle d'étain ,— valeur refuge. Sans doute, les louis restèrent-ils rares : la veuve Cornillot, « revenderesse », n'en possédait qu'un, et laissa pourtant 495 livres. Charles Andrieux, marchand de toile au détail, avait bien 500 livres, mais en menue monnaie. Thomet, « drapier drapant », donc fabricant, collectionnait patiemment les pièces d'argent : en pièces de 50 sols et de 7 livres 10 sols, il avait économisé 276 livres. Procureur, Léonor Caignart laissait 200 livres, dont nous ignorons la composition métallique. En 1672, Florimond Ticquet, à la fois fabricant et marchand drapier, assez modeste d'ailleurs, ne possédait pas moins de 805 livres en argent et en or, plus 12 marcs d'argenterie et quelques bijoux. Un demi-siècle plus tard, le mercier François Lesage — les merciers de Beauvais ne furent guère que des épiciers — dépassait les 2 000 livres : il est vrai qu'il laissait 400 livres en pièces de 3 sols et de 25 deniers, et 148 livres en billon de 4,8 et 16 deniers. Moyens et modestes bourgeois que tous ceux-là, chez lesquels on ne peut pourtant constater une « absence presque complète d'espèces en caisse ».

Si l'on interroge les papiers de succession des plus notables personnages — quand ces papiers se trouvent complets —, la quantité d'espèces précieuses thésaurisées apparaît plus importante. « Sire Nicolas Gallopin, vivant marchand et ancien maire de Beauvais », avait laissé, en 1656, un petit trésor, estimé 10 159 livres et 7 sols. On y trouvait bien deux sacs de deniers, valant 34 livres 13 sols; mais 4 577 livres 18 sols étaient d'argent blanc, et 5 546 livres 16 sols étaient d'or. Parmi les espèces d'or, l'on compta 43 pistoles d'Espagne, 24 d'Italie, « sept ducats a deux testes et deux petites piesses estrangeres »; mais, pour 937 livres d'or étranger, 4 608 d'or français, en 64 écus et 427 louis. Quand à l'argent, il était tout français, sauf un teston de Lorraine : on dénombra, dans « trois sacqs de louis blancs », 1 010 écus et 600 pièces de trente sols. Gallopin, qui avait un « facteur » à Reims et un autre à Tournai, possédait donc moins de monnaies étrangères que l'orientation de son trafic aurait pu le laisser prévoir.

Il n'est pas permis de considérer Gallopin comme un heureux collectionneur d'écus dont la réussite fut exceptionnelle. Quelques années plus tôt, en 1650, Lucien Motte laissait 6 638 livres d'« argent monnoie », dont nous ignorons le détail. Deux ans auparavant, un Borel et un Pocquelin versaient chacun 6 000 à 8 000 livres, en numéraire, à leurs enfants qui allaient s'épouser. A la même date, maître Nicolas Tristan, bailli de la « ville et comté-pairie », écrivait en son testament qu'il avait dans son « coffre-fort » 12 000 livres d'argent comptant, « destiné de longtemps » pour le mariage de sa troisième fille; il avait déjà donné 18 000 livres à son aînée, 15 000 livres à la seconde, en argent comptant comme pour la cadette. En juillet 1645, Jehan Serpe, marchand drapier aisé, mais encore étranger au groupe des notables, laissait, avec six maisons, des terres et des créances, plus de 3 000 livres en espèces; sur 2 300 livres dont on nous indique le détail, il se trouvait 2 053 livres en or; comme monnaie étrangère, seulement « 4 escus de Flandre et 12 pistolles d'Italie ». De tous ces numéraires, il convient de rapprocher les pièces d'argenterie, que les priseurs-jurés pesaient toujours avec une scrupuleuse précision : dans la bonne bourgeoisie, jamais moins de 20 marcs, souvent plus de 50 (le marc correspond sensiblement à notre demi-livre).

Après 1660, la part en numéraire paraît fléchir, alors que le poids de l'argenterie et la quantité des bijoux semblent s'accroître. En 1687, Pierre Pécoul, marchand et ancien échevin, laissait cependant 10 600 livres, somme considérable, dont on n'a pas détaillé la composition; bien entendu, son stock de marchandises et ses créances représentaient beaucoup plus : quelque 50 000 livres. En 1685, Gabriel Motte, dont le commerce, les stocks et les créances étaient énormes, laissa 4 000 livres, dont 3 000 en or. La plupart des négociants, des officiers, des bourgeois vivant de leurs rentes et de leurs terres, laissaient en numéraire, 1 000 à 2 000 livres : Vigneron d'Hucqueville lui-même, président au présidial et maire de Beauvais, qui passait pour gêné après avoir élevé douze enfants, conservait dans un sac, en 1714, près de 1 200 livres.

Aucun de ces trésors familiaux ne constitue l'essentiel de la fortune de nos riches Beauvaisiens. Mais, lorsque leurs papiers de succession paraissent complets, explicites et sincères, l'on constate qu'aucun de ces bourgeois, notables ou non, ne fut dépourvu d'espèces sonnantes, spécialement d'écus d'or et de louis d'or.

Ces analyses de trésors bourgeois ne concernent que la couche supérieure de la société beauvaisine, c'est-à-dire une minorité, importante certes puisqu'elle anima toute la région; mais, sur le plan humain, une minorité tout de même. Dans l'ensemble des « peuples », l'or et l'argent restèrent extrêmement rares. Si les paysans et les ouvriers urbains ont vu et touché des écus ou des louis d'or, ce dut être généralement à titre de curiosité. Le mode de vie de la majorité, l'insignifiance de la plupart des salaires et des transactions, l'habitude des versements fragmentaires et échelonnés, la rareté des espèces, tout contribua à réduire le rôle de l'« économie-argent » et à conserver à l'« économie-nature » sa place prédondérante en Beauvaisis, son rôle presque exclusif pour la masse des Beauvaisins. Hors de brillantes exceptions, propres aux classes aisées, la société du XVIIᵉ siècle continua à pratiquer le troc, les payements en nature, en papier et en monnaie divisionnaire, toutes pratiques héritées d'un passé plus ou moins lointain.

CONCLUSIONS

Ainsi apparaissent, au terme de ce très long chapitre, les traits économiques essentiels d'une région historique de la France du Nord.

Une agriculture de type ancien, presque immobile, qui tente de satisfaire les élémentaires besoins des paysans, et de la ville importante qui domine la région. Elle n'y parvient pas toujours, puisque la disette, et parfois la famine, continuent de frapper durement, certaines années, les pauvres gens du Beauvaisis. Par ses paroisses méridionales, elle contribue cependant, bien modestement, à alimenter la capitale du royaume. Une agriculture céréalière médiocre, assez souvent autarcique, dont les ventes au dehors furent légères, intermittentes, et effectuées dans une aire géographique fort étroite.

En revanche, une considérable fabrique d'étoffes, grossières pour les lainages, très fines pour les toiles de lin; une fabrique très ancienne, qui se rattache au complexe économique picard; une fabrique bien plus rurale qu'urbaine, mais fortement urbaine cependant : une ville comme Beauvais offrait avant tout l'aspect d'une active manufacture textile, dispersée en de multiples « ouvroirs ». Ses produits donnent lieu à un négoce fort important, que dirigeaient une petite équipe de riches marchands. Malgré la médiocrité des routes, l'éloignement de la mer et l'absence de toute voie d'eau, ils vendirent régulièrement à Paris et dans le bassin parisien, mais aussi dans toutes les places du royaume, dans les nations étrangères, et jusque dans les « Isles », les « Indes », et la « Mer du Sud ».

Une région assez représentative, croit-on, de l'ancienne France royale. L'économie peu ouverte des petits agriculteurs, souvent dépourvus de numéraire, y voisinait avec l'économie très ouverte des négociants qui animaient les ateliers textiles. Au rythme des saisons et des fêtes religieuses, au hasard des toutes puissantes intempéries, au train lent des chevaux et des charrettes, on labourait, battait et vendangeait, on filait, cardait et tissait comme aux siècles passés. Comme aux siècles passés, les Beauvaisins, casaniers, sortaient peu de leurs villages de torchis. Chargés d'enfants qui mouraient trop tôt, impuissants devant la peste et la cherté, démunis de bétail, de terres, de linge, de provisions et surtout d'argent, ils menaient une existence routinière, courageuse, pieuse, et brève. A quinze lieues de Paris, malgré ces marchands chargés d'écus qui travaillaient pour Cadix et Saint-Domingue, le Beauvaisis du XVIIe siècle laisse l'impression d'un pays vieillot, traditionnel, assez isolé. A quelques détails près, c'est un monde médiéval qui survit. Après les tempêtes et les colères du XVIe siècle, enfouies dans le passé, aucune « révolution », de quelque ordre qu'elle fût, ne paraît l'avoir profondément touché, ne paraît capable de le toucher un jour.

CHAPITRE V

LA SOCIÉTÉ RURALE : LES PAYSANS

A un degré variable, tous les habitants de la campagne beauvaisine furent agriculteurs. Le maréchal, le charron, le tonnelier étaient de petits exploitants pourvus d'un métier rural, souvent saisonnier. Peigneurs de laine et tisserands de serges cultivaient leur jardin, semaient de fèves et de méteil une ou deux parcelles, s'engageaient comme moissonneurs ou vendangeurs. Le curé, le gentil-homme rural, le notaire, le chirurgien de village n'exploi-taient pas directement, en général; mais ils savaient discuter avec leurs fermiers, apprécier un cheval, une vache, une terre, une récolte.

Comme toute société humaine, la société paysanne laisse apparaître des oppositions brutales et des nuances infinies, qu'il est possible de connaître, au XVIIe siècle, avec quelque détail : après 1660, l'on en est même écrasé sous le poids de la documentation. Trop souvent, sa qualité est discutable, sa portée exclusivement indivi-duelle. Les milliers d'inventaires après décès qui encom-brent les liasses venues des anciennes justices seigneu-riales offrent des défauts habituels de cette catégorie de documents : incomplets souvent, peu sincères parfois. Au moins apportent-ils, avec l'habituel cortège des dettes actives et passives, des renseignements utiles sur le cheptel du défunt, sur les façons pratiquées, les semences effectuées, les récoltes obtenues. Plus difficiles à repérer dans les fouillis des papiers d'audiences de l'élection, les expertises jointes aux procès en surtaux donnent des renseignements d'une autre sécurité. Véritables et com-plètes enquêtes sur la fortune, les biens, les fermages, le cheptel, les dettes, les meubles, la situation de famille et la santé de l'opposant, menées avec compétence par des laboureurs ou des marchands du voisinage promus au titre d'experts, aucune source ne nous paraît capable de les égaler. Nous l'avons utilisée de préférence à toute autre. Comme les inventaires, elle offre cependant l'inconvénient de se rapporter aux couches supérieures et moyennes de la paysannerie. La manouvrier misérable pouvait rarement engager devant l'élection une instance de cet ordre, pourtant peu coûteuse. Enfin, pour tirer des renseignements acceptables de ces deux catégories de documents, il faut en rassembler un nombre considérable.

Les documents cadastraux et fiscaux semblent avoir une portée beaucoup plus générale. Quand un plan-terrier englobe une paroisse qui s'identifie à une seigneu-rie; quant on parvient — cas trop rare en Beauvaisis — à retrouver des rôles de tailles, on croit tenir en ses mains tout le tableau d'une société rurale. Illusion relative; du moins ces documents d'ensemble peuvent-ils donner une première et assez grossière idée du monde rural que nous essayons de reconstituer.

I. LES GRANDES LIGNES DE LA SOCIÉTÉ PAYSANNE

A. *Une image grossière : le rôle des tailles.*

Sur les injustices qui présidaient au « département » par élection et par collecte, sur celles dont se rendaient coupables les collecteurs eux-mêmes, on a beaucoup trop insisté. L'étude de plusieurs centaines de cas, dans une région limitée, nous a laissé plutôt une impression favorable : sans doute aperçoit-on, dans l'étendue d'une élection, quelques taillables surchargés, quelques autres singulièrement ménagés; mais une élection comme celle de Beauvais pouvait comporter vingt mille taillables... Les assiettes de taille paraissent généralement honnêtes : comment en eût-il été autrement? On était collecteur à tour de rôle, ou peu s'en faut; l'opinion du village tenait lieu du plus efficace des contrôles, chaque paysan passant sa vie à épier le voisin, dont il connaissait parfaitement les ressources; une opposition devant le tribunal des Élus était presque toujours possible, précisément par le mécanisme des surtaux; enfin des collecteurs, respon-sables sur leurs deniers, leurs biens et leur liberté de la solvabilité de leurs compatriotes, n'allaient pas s'amuser à les « cottiser » à tort et à travers, de manière à rendre les payements impossibles à ceux qu'ils surchargeraient. L'échelle des cotes de tailles, assortie des indications professionnelles relevées sur le document, donne une idée sommaire, mais intéressante, de la composition sociale du village. Pour Cuigy-en-Bray, on peut obtenir le tableau suivant :

Cotes en livres	Notable	Laboureurs	Haricotiers	Manouvriers	Artisans	Indéterminés	Totaux
254 ...	1 (notaire)						1
50-87..		4					4
20-49..		1	16			1	18
10-19..			4	4	8	4	20
5-9 1/2.			2	6	4	5	17
2-4 1/2.			4	18	6	7	35
0-2				16		4	20
TOTAUX	1	5	26	44	18	21	115

Si sommaire qu'il soit, ce tableau illustre bien l'extrême inégalité de la condition paysanne. Il donne aussi un premier aperçu de ce que furent les haricotiers : quelque chose d'intermédiaire entre laboureurs et manouvriers. Il ne dit pas que les artisans ruraux, dont il marque cependant la place modeste, se distinguaient peu des véritables paysans. Mais il exprime cette constatation majeure : les humbles constituaient la majorité d'un village qui ne comptait que quatre laboureurs, où les deux tiers des habitants payaient moins de dix livres, et la moitié moins de cent sols.

On peut supposer que cette inégalité fiscale reflétait, jusqu'à un certain point, une inégalité dans la répartition de la propriété. Les documents cadastraux permettent de l'apprécier.

B. *La part des paysans dans la propriété rurale : les plans-terriers.*

Mettant à profit la grande période de paix inaugurée en 1661, de nombreux seigneurs beauvaisins firent arpenter leurs terres et leurs seigneuries. Utilisant des géomètres venus de Saint-Wandrille, l'abbé et les religieux de Saint-Germer semblent avoir montré la voie. Une belle part de ces travaux a été conservée; pour le XVIIe siècle, elle concerne uniquement les grands établissements ecclésiastiques.

Un « arpentement » complet comporte un plan parcellaire, un répertoire des parcelles et un répertoire des tenanciers. Quand l'ensemble nous est parvenu, il est possible de saisir la répartition de la propriété dans une seigneurie importante, qui correspond très souvent à une paroisse entière; les trois analyses qui suivent répondent à ces conditions.

Les plans-terriers ne renseignent évidemment pas sur les paysans non propriétaires, espèce rare en Beauvaisis. Ils ne permettent pas toujours de saisir la totalité des terres possédées par un paysan, qui peut avoir plusieurs parcelles sur des terroirs voisins. Réciproquement, on trouvera sur le répertoire des propriétaires qui n'habitent pas la paroisse : leur nombre est insignifiant. Avouons que des terriers sans répertoire nominal, qui requerraient un dépouillement par parcelles, comme celui de Goincourt, demandent un si long travail qu'ils nous ont fait reculer.

A une lieue de Beauvais, sur la route de Rouen à Gournay, les dames de Saint-Paul firent lever vers 1680 un premier atlas terrier de *Goincourt*. Les bourgeois de Beauvais possédaient alors 47% des terres : si près de la ville, la proportion n'offre rien qui doive surprendre, et s'observe en bien d'autres banlieues urbaines. L'abbaye de Saint-Paul, seigneur du village, détenait deux gros domaines, qui formaient la presque totalité de la part du clergé, 29 %. Les paysans devaient se contenter des 24 % qui restaient; leurs parcelles se trouvaient d'ailleurs trois fois plus petites, en moyenne, que les parcelles non paysannes. Presque exclus des terres les plus recherchées, les prés, dont ils ne possédaient pas la vingtième partie, les paysans essayaient de se rattraper par la possession de 60 % des vignes : une douzaine d'hectares en 70 parcelles.

Quittons ce village de banlieue où l'on rencontrait les derniers vignerons pour gagner, en plein pays de Bray, le terroir d'*Espaubourg*, arpenté en 1678. A une vingtaine de kilomètres de la ville, la part de la bourgeoisie se réduisait à 7 % du total. En revanche, la petite noblesse s'adjugeait 26 % des terres : part importante, mais divisée entre six gentilshommes, dont trois seulement habitaient le village. On retrouvait le clergé avec 21 % des terres, appartenant presque toutes au seigneur, l'abbé de Saint-Germer. Il restait aux paysans 46 % du terroir.

Non loin de là, après avoir gravi la côte méridionale du Bray, l'on découvre, au *Coudray-Saint-Germer*, le plus ancien plan parcellaire du Beauvaisis, levé en 1672. A près de trente kilomètres de la ville, les bourgeois de Beauvais ne possédaient plus rien. Comme à Espaubourg huit petits nobles détenaient 21 % du terroir : ramenée à chacun d'eux, la part restait modeste. L'abbaye de Saint-Germer se taillait la part du lion avec 40 % du sol, près de 450 hectares. 27 % des terres demeuraient aux paysans, avec leurs droits sur une vaste commune (12 % du total).

Dans ces trois terriers, il semble qu'on puisse tirer quelques enseignements.

La part des paysans n'atteignit jamais la moitié du terroir; elle en fut parfois fort éloignée. La part de la bourgeoisie, prédominante à proximité de la ville, décroissait avec l'éloignement. La petite noblesse semblait alors la relayer, sans posséder jamais de considérables domaines. Les grands établissements religieux ont détenu en revanche des terres importantes et solidement groupées, comme en d'autres régions de la France du nord.

Mais que prouvent trois analyses de plans-terriers dans un Beauvaisis de 200 paroisses ? Ces trois seigneuries ecclésiastiques sont-elles qualifiées pour représenter toute une région ? Il se trouve que nous pouvons effectuer une contre-épreuve, grâce à un document assez tardif, mais de portée plus générale.

C. *La part des paysans dans la propriété rurale* : *l'enquête de* 1717.

Cette année-là, l'intendant de la généralité de Paris expédia dans quelques élections des commissaires chargés d'étudier l'application d'un projet de « taille proportionnelle ». Ils étaient munis d'un questionnaire en 31 points, étonnant de précision, dans lequel était solidement marquée l'influence posthume de Vauban. Les commissaires devaient fournir des réponses pour de nombreuses « collectes » ou paroisses, après une enquête effectuée sur place. Pour l'élection de Beauvais, une paroisse sur quatre fut étudiée : exactement 38 sur 156. Les questions 18 à 25 répondent à nos préoccupations. Elles demandaient l'arpentage total de la paroisse, le nombre d'arpents possédés par l'Église, la noblesse, les « privilégiés et exempts », les taillables, et ce qui restait de terres vagues ou vaines, communes et fonds abandonnés. Les « privilégiés et exempts » englobaient les petits officiers non anoblis et les habitants des bonnes villes, Paris et Beauvais, exemptes de taille : en gros, la bourgeoisie. Nous avons éliminé de nos calculs les terres vagues et vaines, les communes et fonds abandonnés, dont la propriété était mal déterminée ou non indiquée par la source. Nous n'avons pas tenu compte de l'arpentage de Loueuse, incomplet.

Les 37 paroisses arpentées couvraient, toutes réductions de mesures agraires effectuées, 24 894 hectares. Le Clergé possédait 18,2 %, la noblesse 22,9 %, la bourgeoisie 13,5 % et les taillables 45,4 %. A première vue, ces chiffres ne jurent pas avec ceux qu'ont fournis les trois plans-terriers qui viennent d'être analysés. Encore faudrait-il être absolument convaincu par une enquête officielle, aux buts fiscaux, menée par des étrangers qui pouvaient avoir reçu des consignes, ou n'être pas insensibles à certaines influences. Il existe justement des raisons de mettre en doute ce beau document.

Qui connaît un peu le Beauvaisis ne manquera pas d'être surpris par la liste des paroisses choisies par les commissaires enquêteurs : 31 sur 38 situées dans le Beauvaisis du sud, deux seulement sur le plateau picard. Proximité de Paris ? Peut-être; mais c'était précisément sur le plateau qu'étaient groupées les principales terres et seigneuries de l'évêché, du chapitre cathédral, de l'abbaye de Saint-Lucien. Des 38 paroisses choisies, 7 seulement dépendaient d'un seigneur ecclésiastique, alors qu'en Beauvaisis une seigneurie sur deux appartenait à l'Église. Le choix même des paroisses a faussé le résultat en ce qui concerne le clergé, et spécialement la partie la plus riche du clergé. Il est vrai que M. de Beauvais était alors un Beauvillier de Saint-

Aignan, et qu'il symbolisait, à plus d'un titre, l'époque de la Régence.

On pourra objecter que ce choix ne fut peut-être dicté que par le hasard. Certaines anomalies de l'enquête ne lui doivent rien. A Boufflers, on négligea volontairement de faire figurer dans les terres de la noblesse le château, le parc et les bois du maréchal-duc; à Loueuse, on fit de même pour toutes les terres du marquis de Gouffier. Encore, pour ces deux paroisses, nous a-t-on prévenu de la soustraction; mais ailleurs? A Laversines, où l'évêché possédait 1 100 arpents de terre, on en classe 1 000 comme « terre inculte, pleine de cailloux et de non-valeur »; nous possédons des plans anciens de ce riche terroir; ils ne laissent pas apercevoir ces mille arpents incultes, qu'une enquête sur les lieux chercherait aussi vainement. Au Coudray-Saint-Germer, ce qu'on décèle ressemble fort à une supercherie : les religieux de Saint-Germer, riches de 450 hectares d'après l'arpentage de 1672, de 500 d'après celui de 1740, figurent au dossier de 1717 pour 430 mines, soit 259 hectares...

Volontairement ou non, l'enquête de 1717 a réduit la part de la noblesse et surtout du clergé. Leurs membres ont dû craindre un nouvel essai d'impôt général, et prendre leurs précautions : comment de modestes commissaires pouvaient-ils résister aux suggestions des grands personnages possessionnés en Beauvaisis? Si nous connaissons le sens des erreurs qui entachent l'enquête officielle, nous en ignorons la valeur. Essayons de l'estimer. Les considérables domaines ecclésiastiques du Beauvaisis nord doivent amener la part du clergé au-dessus de 20 %, peut-être assez près du quart. La part de la noblesse, sous-évaluée dans le sud, était faible dans le nord; dans l'ensemble, elle devait se tenir aussi entre 20 et 25 %. La bourgeoisie, que l'enquête n'a pas ménagée, n'a certainement pas dépassé les 13,5 % précédemment calculés. Il restait ainsi aux taillables un peu plus de 40 %. La majorité des terres du Beauvaisis échappait à la propriété paysanne.

D. *La répartition des propriétés paysannes entre les paysans.*

L'abondante documentation des inventaires et des surtaux permet de connaître beaucoup d'exemples dispersés de propriétés paysannes. Les plans-terriers offrent l'avantage de fournir des exemples d'ensemble pour trois paroisses entières.

A Goincourt, sur 98 paysans propriétaires, on ne comptait en 1680 que trois laboureurs, qui possédaient chacun de 10 à 16 hectares. 94 avaient moins de 2 hectares et 72 moins de 1 hectare. Sans doute la plupart de ces derniers, simples vignerons, maîtres d'une terre qui réclamait de nombreuses façons, étaient voués à la propriété minuscule, comme dans la plupart des vignobles.

Mais à Espaubourg aucun paysan n'atteignait 10 hectares : six laboureurs se partageaient 43 hectares; 142 n'arrivaient pas à 4 hectares; 125 d'entre eux restaient au-dessous de 2 hectares. Il est vrai que la paroisse possédait, avec sa propre commune de 150 arpents, des droits d'usage très larges sur l'immense communal du Bray.

Au Coudray-Saint-Germer, le fermier des religieux émergeait du lot, avec 30 hectares de terres en propre, que ses descendants devaient tripler en 68 ans. Neuf laboureurs possédaient de 8 à 14 hectares. Une vingtaine de haricotiers s'échelonnaient entre 3 et 8 hectares. Des 95 manants qui restaient, 52 possédaient moins de un hectare. Bref, 106 paysans sur 125 se partageaient 12 % du terroir.

A ces trois analyses concordantes, les papiers de succession et les procès de surtaux apporteront bientôt la plus large des confirmations. La plus grande inégalité régnait à l'intérieur des foules paysannes. Un écart important séparait le laboureur propriétaire d'une quinzaine d'hectares du paysan parcellaire et du manouvrier; écart accentué encore par l'inégalité numérique des groupes ruraux. Presque partout, les trois quarts des paysans ne possédaient guère que le dixième du terroir.

Il semble qu'un village de quelques centaines d'habitants ait souvent présenté la hiérarchie suivante : une paire de riches laboureurs ou de gros fermiers; cinq ou six laboureurs moyens; une vingtaine de paysans « médiocres », comme on disait alors, à la fois petits propriétaires et petits fermiers, volontiers artisans; vingt à cinquante familles de manouvriers, souvent tisserands de serges ou de toiles, dont les situations matérielles allaient de la médiocrité au dénuement. Une sorte de pyramide sociale, avec une base très large, comme rongée par la misère.

2. LES MANOUVRIERS

Les manouvriers étaient souvent trop pauvres pour figurer sur des documents personnels comme les inventaires — leurs héritiers n'en pouvaient toujours régler les frais — ou comme les procès en surtaux, qu'ils furent incapables d'engager. Ceux qui ne possédaient aucun bien au soleil sont absents des plans-terriers. Mais tous figurent sur les rôles de tailles, malheureusement trop rares en Beauvaisis. Aucun des manouvriers de Cuigy ne payait 20 livres de taille; plus des deux tiers étaient « cottizes » à moins de cent sols. Des plus misérables, nous ignorons tout. A Cuigy comme ailleurs, bien qu'ils fussent sédentaires, on les qualifiait parfois de « mendiants ». On les voit seulement mourir en masse, quand les registres paroissiaux reflètent l'épidémie passagère, ou la famine « cyclique ». Est-il même nécessaire de préciser ce que pouvaient représenter, dans la réalité humaine, tant de misères silencieuses ? La détresse rurale se dérobe aux recherches. Seule, son existence est attestée, ainsi que le nombre souvent effrayant de ceux qu'elle frappait. Ce qui suit ne concerne que les moins malheureux des manouvriers.

Avec quelques familles de mendiants, ils ont toujours constitué la couche inférieure de la société paysanne, mais aussi le groupe le plus nombreux, dans le Beauvaisis du nord, le groupe majoritaire. Quelques artisans ruraux devaient présenter un niveau de vie et même des occupations proches de celles des manouvriers : ainsi, ces couvreurs de chaume, ces « massons de terre » d'Abbeville-Saint-Lucien, de Muidorge, d'Haudivilliers qui partaient chaque matin vers les villages ou la ville voisine pour offrir leurs services. Mais c'étaient déjà « gens de profession », même si leur spécialisation restait élémentaire et saisonnière. L'usage leur refusait d'ailleurs le titre de manouvrier, l'un des plus vils.

Dans le Beauvaisis du XVIIe siècle, qu'entendait-on pour manouvrier ? Un rural non spécialisé, qui travaillait chez les autres, à des tâches banales, saisonnières, intermittentes : faner, moissonner, vendanger, battre en grange, aider aux menus travaux des exploitations importantes. Ces dernières ne pouvaient vivre sans cette abondante main-d'œuvre temporaire, d'ailleurs peu coûteuse. Presque toujours, elle était nourrie à la ferme et recevait une part en nature ou quelques sols par jour. Théoriquement du moins : en effet, le manouvrier se trouvait souvent débiteur de celui qui l'employait. Ce dernier avait labouré son champ, avancé des semences, du bois, des écus. En travaillant pour son créancier, le manouvrier acquittait sa dette.

Sans doute connaissons-nous surtout ceux qui ne furent pas absolument démunis ; mais il est bien rare que le manouvrier rural ait été un pur « prolétaire ». Assez souvent, on le voit propriétaire de sa maison, modeste chaumière d'une pièce, surmontée d'un grenier, flanquée d'une étable, d'un rouillis, d'une petite grange, d'un jardin de quelques ares. A l'intérieur, quelques meubles grossiers, des paillasses, de la vaisselle de terre, deux ou trois paires de draps, quelques chemises de chanvre, des vêtements et une couverture de serge : rarement plus, parfois beaucoup moins. Plus souvent encore, la chaumière a été partagée entre plusieurs héritiers. Deux familles l'habitent, dans une affligeante promiscuité ; ou bien l'occupant paye à ses frères les quelques livres annuelles qui représentent leur part du revenu de la maison : petite charge qui, ajoutée à des censives ou des rentes foncières parfois très lourdes, finissent par vider de tout contenu réel le titre apparemment enviable de propriétaire. Quelques manouvriers, peut-être le quart du total, furent locataires de leur maison : leur loyer dépassait rarement dix livres par an.

Terres comme maison, les manouvriers en furent rarement dépourvus, à l'exception de quelques vieillards qui avaient partagé leurs biens entre leurs enfants, à charge pour eux de les nourrir et entretenir. Ainsi, Hiérosme Boileau, de la Neuville-d'Aumont possédait au moins un arpent et demi d'« héritage », sorte de jardin enclos, à la fois potager, verger, pâture et terre à méteil. A Hannaches, Françoise Le Clerc joignait une pièce de terre de 38 ares à ses 21 verges de jardin. Antoine Davesne, de Luchy, venait de « charger en bled » deux mines de terre « de ses propres », lorsqu'il mourut, en 1681. Sans doute pourrait-on trouver, en remuant les procès en surtaux, des personnages un peu mieux pourvus, comme ce Martin Lorfèvre, de Laversines, qui possédait plus de 10 mines en blé et mars, ce qui faisait presque 4 hectares avec la sole en jachères. D'évidents degrés se découvrent dans le groupe des manouvriers. Mais aucun n'était capable de nourrir sa

famille sur le produit de ses terres. Pas même Martin
Lorfèvre, dont la première sole devait donner aux meilleures années 12 quintaux de blé, soit 6 à 7 livres de
pain par jour, à peine suffisantes pour nourrir trois
personnes.

Pour y parvenir, le manouvrier pouvait-il compter sur
le bétail ? Par définition, et celle-là ne souffre pas d'exception, en Beauvaisis le laboureur seul possédait chevaux
et charrue. Il fallait être vigneron pour s'embarrasser
d'une « bourrique » ou d'une mule. Aucun de ces animaux chez les manouvriers. En revanche, seuls les très
pauvres manouvriers ne possédaient pas de vache, animal
étique nourri le long des chemins et des haies dans les
paroisses dépourvues de communaux, rarement estimé
à plus de 20 livres, alors qu'un bœuf normand dépassait
souvent 100 livres. Du petit lait, du « caillé », un peu de
beurre qu'on vendait au marché voisin, un veau par an
quand la bête n'était pas stérile, un veau vendu tout
jeune, au franc-marché de mai, pour 3 ou 4 livres, tel
était le maigre secours que la vache apportait au foyer,
si elle échappait aux terribles épizooties qui fondaient
sur le bétail comme les « pestes » sur les hommes. Encore
les vaches qui figurent aux inventaires et aux rapports
d'experts n'appartenaient-elles pas toutes aux manouvriers. Celle de Martin Lorfèvre, qui venait de donner
un veau, n'était pas payée : le vendeur reprit le tout pour
le montant de sa créance. Patard et Catigne, deux beaux-
frères de Therdonne, paraissent avoir une vache pour
eux deux : ils la tenaient d'un bourgeois de Beauvais, qui
la leur donnait à ferme moyennant 5 livres l'an, plus que
la valeur d'un veau.

Nous savons déjà quelle place secondaire tenaient dans
les campagnes beauvaisines ces animaux éminemment
nourriciers, mais rivaux alimentaires de l'homme : les
porcs, la volaille. Trois, quatre, cinq poules, tel fut
l'effectif habituel de la basse-cour du manouvrier.
Philippe Mauborgne, de Silly, vient en tête de liste
avec « douze poulles et le coq ». Quand à la porcherie,
elle fut généralement inexistante : on rencontre çà et là
une truie accompagnée de quelques cochons de lait,
vite vendus, rarement salés.

En revanche, beaucoup de manouvriers parvenaient à
nourrir trois ou quatre « bestes à layne », grâce à la vaine
pâture et au berger communal, qu'ils payaient d'ailleurs
difficilement. Les plus déshérités pouvaient ainsi vendre,

à la mi-juin, quelques toisons à trente sous l'une, et à Pâques un ou deux agneaux. Le plus pénible était de nourrir les moutons par temps de neige, à la bergerie : les pauvres bêtes devaient souvent se contenter de paille. Bien plus que la vache et surtout que le porc, le mouton fut, en Beauvaisis, l'animal du pauvre.

Quelques manouvriers parvinrent pourtant à entretenir plusieurs vaches et une douzaine d'ovins : c'étaient les *manouvriers-fermiers*. Ce type de petit paysan était fort répandu dans le Beauvaisis du sud; si répandu même qu'on peut se demander si ces petits fermages n'ont pas sauvé beaucoup d'humbles familles de la misère permanente à laquelle leurs maigres biens semblaient les condamner. Si Jean Delafosse, de Saint-Paul, ne possédait qu'un demi-hectare de terre, une vache et deux moutons, il tenait heureusement le petit fermage d'un boucher beauvaisien et quelques mines pour la fabrique de sa paroisse. Michel de Beauzamis, de Villers-Saint-Barthélemy, joignait à sa maison, à son arpent et demi de terre, à ses cinq vaches, trois petits fermages dont il « rendait » 45 livres par an. Cinq paysans de Corbeil-Cerf, tous manouvriers et minuscules propriétaires, avaient pris de 1 à 5 arpents de fermage, ce qui valut à deux d'entre eux d'atteindre 25 livres de taille. Les biens de fabrique, les parcelles bourgeoises dispersées, les lopins d'un paysan parti pour occuper une grosse ferme dans une paroisse éloignée : tout cela devenait le lot des manouvriers-fermiers.

Le profit qu'ils en tiraient paraît avoir été bien mince, quand il y avait profit. Ce n'est pas empiéter beaucoup sur les développements à venir que d'avancer cette évidence : les meilleures récoltes ne pouvaient être vendues qu'à vil prix, alors qu'aux années de haut prix les petits fermages des manouvriers ne pouvaient laisser aucun excédent négociable. D'ailleurs, tous ces fermiers parcellaires figurent sur nos sources avec un éloquent cortège de dettes. La veuve Roussel, de Therdonne, devait de sérieux arrérages de fermage à Jean Hanin, marchand et bourgeois de Beauvais, et au sieur de Merlemont; elle n'avait pu régler Patard, qui avait fait ses labours et assuré ses charrois. Martin Lorfèvre devait de grosses sommes à ses trois bailleurs, à un laboureur et à deux bourgeois de Beauvais, l'un procureur, l'autre avocat : aussi ses récoltes furent saisies, et ses enfants durent renoncer à la succession. D'importants arrérages de fermage figurent toujours dans les expertises jointes aux surtaux et dans les inventaires les moins négligés, surtout au lendemain des grandes crises de subsistances. Du moins ces petits marchés contribuèrent-ils, bon an mal an, à apporter un peu de blé aux familles de manouvriers, un peu de paille et de foin à leur petit bétail.

En certains terroirs, spécialement sur le plateau septentrional, la médiocrité des conditions offertes à l'élevage non ovin, la concentration des terres d'Église en gros domaines affermés en bloc interdisaient au manouvrier tout effort efficace pour sortir de sa misère sociale. En revanche, l'abondance des moutons, la densité de la population et le voisinage des grandes villes marchandes favorisaient la naissance d'un type différent de petit paysan : l'ouvrier en laine, en serges, en toiles, houppier ici, mulquinier ailleurs, serger ou peigneur plus souvent. Conservons à cet important groupe social la dénomination qu'on lui réservait souvent : les *manouvriers-sergers*, manouvriers l'été, sergers l'hiver, jardiniers toujours. Ils possédaient moins de terre et moins de bétail, ils tenaient bien moins de fermages que les manouvriers du Midi beauvaisin. Mais le métier à serge se dressait dans la pièce principale, tandis que le métier à toile garnissait les caves humides et obscures du pays des mulquiniers. Auprès de l'«estille», les paniers de fil, la chaîne, les dévidoirs et pilotoirs : outillage et matière première communs à toute la famille. Au grenier, quelques toisons à vendre, ou à laver et éplucher.

Deux types de manouvriers-sergers ont vécu sur le plateau picard : des sortes d'artisans apparemment indépendants, des ouvriers à façon au service d'un marchand. Philippe Le Clerc, mulquinier à Bresles et Louis Barbier, mulquinier à Litz illustrent assez bien la première catégorie. Tous deux achetaient le fil de lin venu des Flandres à un marchand de Clermont : ils lui devaient respectivement 300 et 459 livres tournois. Tous deux faisaient battre deux estilles, et étaient aidés par un compagnon; chez Barbier, son fils aîné remplissait cet office. S'ils ne sont pas qualifiés de « maîtres » mulquiniers, c'est que les métiers ruraux n'étaient jamais jurés, qu'ils ne formaient même pas une communauté. L'état de leurs affaires, tel qu'il résulte de l'enquête des experts, n'offrait rien de brillant. C'est qu'ils dépendaient surtout, pour le débit de leurs toiles, du bon vouloir des grands marchands blanchisseurs de Beauvais, dont l'évident intérêt consistait à acheter le moins cher possible, et qui n'achetaient plus du tout quand le marché était saturé, quand les débouchés lointains se fermaient, quand une crise « cyclique » s'étendait des subsistances au textile. Ainsi, l'indépendance économique et sociale de ces petits fabricants risquait d'être plus apparente que réelle. Il en était de même pour les manouvriers-sergers qui avaient réussi à conserver une apparence d'autonomie dans des régions plus occidentales. Louis Caillotin, de Luchy, riche de deux hectares de terre, d'une vache, de cinq moutons et de quatre poules, mourut en 1681, laissant sur son métier une pièce de « blicourt » inachevée. Les 200 livres qu'il devait à Lemaire, gros marchand de laine de Beauvais, dépassaient la valeur de son matériel de serger, de son maigre bétail et de la future récolte des cinq mines ensemencées.

Beaucoup plus simple apparaît la condition de la majorité des manouvriers-sergers, étroitement liés à un marchand ou à un grand fabricant urbain, parfois à un entrepreneur de bourgade, lui-même simple agent des négociants. Ainsi Charles Forestier, agent à Grandvilliers des Pingré d'Amiens, répartissait le fil entre une dizaine d'ouvriers ruraux, à Omécourt, à Feuquières, à Broquiers ; les sergers lui rapportaient la pièce achevée, qu'il envoyait à Amiens. Ces ouvriers, qui ne possédaient ni la matière première, ni même le métier à tisser, étaient pratiquement réduits à la condition de salariés, avec toutes les servitudes de chômage qu'elle comportait alors.

Du manouvrier simple au manouvrier-fermier et au manouvrier-serger, les nuances furent souvent moins sensibles que dans les exemples que nous avons choisis. Aux variétés sociales s'ajoutaient encore les variétés géographiques et les variétés personnelles. D'autres types de paysans pourraient figurer auprès des manouvriers. Des artisans de village, de petits vignerons leur ressemblaient par la modicité de leurs biens, par cette habitude estivale de louer leurs bras aux gros exploitants qui les réclamaient. On ne leur donna jamais le titre de manouvriers. Dans une société aussi formaliste, aussi sensible aux dénominations et aux dignités que celle du XVIIe siècle, c'est un point qui nous contraint à les écarter d'un groupe où l'opinion

publique ne les rangeait pas. Ils entrent dans cette
paysannerie moyenne, nombreuse surtout dans le
Beauvaisis du sud plus riche en nuances qu'en contrastes,
— une paysannerie modeste encore, mais non plus
misérable, que le terme brayon de « haricotiers » semble
bien caractériser.

3. LA PAYSANNERIE MOYENNE :
HARICOTIERS, ARTISANS RURAUX, VIGNERONS, JARDINIERS

L'opposition classique du manouvrier au laboureur
néglige tout un groupe de paysans, particulièrement
nombreux dans le sud de notre région; si nombreux
qu'il dut détenir la majorité dans quelques villages.
En ces contrées verdoyantes et variées, on leur donnait,
ainsi qu'en d'autres régions, le nom de « haricotiers ».

A. Haricotiers du sud beauvaisin.

Faut-il, pour chercher l'origine de ce terme pittoresque,
penser au « haricot de mouton », pour lequel on coupait
la « chair » en petits morceaux ? Le haricotier possédait
de petites parcelles de terre; il en faisait valoir d'autres,
qu'il affermait; il engraissait un petit troupeau; et
il vivait de tout cela, petitement. Il ne s'engageait pas,
comme le manouvrier, pour la moisson ou la vendange;
entre haricotiers, on s'entraidait seulement, à charge
de revanche. Ce petit paysan paraît revêtu d'une manière
de dignité que lui conféraient des biens moins ridicules,
une dépendance sociale moins visible.

Le haricotier possédait toujours sa maison de torchis,
avec ses dépendances et son courtil, planté d'arbres
fruitiers. Ses champs couvraient habituellement de 2 à
8 hectares, mais c'est le chiffre de 4 hectares qui lui
convient le plus fréquemment. Dans ce domaine,
la part des laboureurs assolés fut toujours et partout
prédominante; mais le haricotier leur joignit une pâture,
un pré de vallée, et même, dans le Bray, un de ces
beaux herbages « enclos de vifves hayes » qui se pro-
pageaient dans le terroir à partir du courtil, qu'aucune
disposition coutumière n'interdisait, et qui préfiguraient
la moderne « Vallée » aux somptueuses pâtures.

Presque tous les haricotiers tinrent à ferme, d'un
ou plusieurs propriétaires, de petits « marchés » qui

doublaient souvent l'étendue de leur exploitation. Ainsi
Pierre Desloges de Senantes, joignait à ses propres terres,
(4 hectares dont une mine de pâture) trois hectares
en deux fermages. Jehan Mauborgne, de Tillard possédait
un hectare de plus, mais prenait à ferme un demi-hectare
de moins.

A défaut de chevaux de labour, le haricotier nourrissait volontiers une « cavale », une mule, une « beste asine »,
animaux de bât ou d'attelage léger, fréquents au voisinage
de l'Oise, vers Noailles et Méru. Le cheptel s'harmonisait
évidemment à l'exploitation : trois ou quatre bovins,
cinq ou six dans le Bray grâce aux communaux. La
gent porcine apparaissait plus fréquemment, et atteignait
parfois jusqu'à trois représentants adultes. Les moutons
arrivaient volontiers jusqu'à la dizaine, du moins en
apparence : Philippe Mascré, haricotier d'Ully-Saint-
Georges avait bien trente « bestes a laine », mais il les
tenait « à moitié » de Durant, élu en l'élection.

Le meilleur des haricotiers était-il un paysan indépendant ? Dans le cas le plus favorable, il exploitait
4,5 hectares de ses propres et autant comme fermier.
Les meilleures années, il pouvait récolter 36 hectolitres
de blé sur sa première sole. La future semence lui
prenait 6 hectolitres ; sa taille de 20 livres en représentait
6 autres ; sa dîme à 8 %, 3 hectolitres ; les aides, gabelles,
champarts, cens et censives absorbaient souvent plus
que la valeur des 3 hectolitres que nous retenons ;
argent ou nature, son fermage ne pouvait représenter
moins de 4 hectolitres. Il lui restait 14 hectolitres,
au plus. La nourriture d'une famille de cinq ou six personnes réclamait, à 8 livres de pain par jour — bien
modeste ration — environ 19,5 hectolitres. En bonne
année, le meilleur des haricotiers ne pouvait nourrir
les siens sur sa sole en blé. Pour y parvenir, il lui fallait
vendre de l'avoine, un veau, quelques agneaux, quelques
petits porcs. Inutile d'ajouter qu'en année seulement
médiocre, il était impossible au haricotier de nourrir
sa famille. Son apparence d'indépendance était strictement limitée aux années très fertiles. Une année stérile,
et le haricotier ne vit qu'en empruntant, en signant
des obligations dont il ne pourra jamais se libérer.
Aussi les haricotiers, comme les manouvriers, nous
apparaissent toujours perdus de dettes, au lendemain
surtout des grandes crises agricoles : arrérages de fermages, de taille, de labours, de semences... Or, l'énorme

majorité des paysans du Beauvaisis était constituée
par les manouvriers et les haricotiers : ils ne pouvaient
vivre de leurs terres, de leur exploitation, de leur travail,
qu'en s'endettant.

Les plus démunis d'entre les laboureurs se confon-
daient pratiquement avec le groupe des haricotiers.
Des hommes qui subirent des revers, qui ne conservaient
plus qu'un cheval, ou aucun, qui avaient perdu une
partie de leurs terres, comme Pierre de Blangy, gardaient
encore le titre de laboureur, manière de dignité héritée
de leur père. Mais ces déclassés ne représentaient
que des situations personnelles; ils s'accrochaient
désespérément à leur titre.

C'était globalement, au contraire, que les artisans
ruraux et les vignerons présentaient une condition
voisine de celle de ces paysans moyens que furent
les haricotiers du Beauvaisis.

B. *Les artisans ruraux.*

Ceux qui figurent dans les procès en surtaux possédaient leur petite maison accompagnée d'un héritage,
sauf Nicolas Rohard, pauvre tisserand de toile de Villers-
Saint-Barthélemy. Dans tous les cas, ils apparaissent
d'abord comme de petits paysans, riches de quelques
arpents de terre, de quelques bêtes, parfois d'une pièce
de vigne. La plupart trouvait le temps de faire valoir
quelque menu fermage.

Le plus riche, Jean Régnier, charpentier à Villers-
Saint-Lucien, possédait même un petit cheval, prisé
12 livres avec son collier et ses « harnachures ». Aussi
faisait-il valoir « de ses propres » sept mines et demie à
la sole, six hectares en tout. Une demi-aisance apparaissait chez ce paysan-artisan, dont le cellier abritait
deux muids de cidre, deux muids de vin, et une truie
salée dans un grand saloir. Il mangeait dans de la vaisselle
d'étain; il revêtait le dimanche sa culotte et son justau-
corps de serge de Londres, tandis que Catherine,
sa femme, arborait, sur son « corps » et sa cotte rouges,
un tablier ouvré de fine toile de lin. Il est vrai que les
charpentiers figuraient parmi les mieux payés des ouvriers
de ce temps.

Ces artisans ruraux ne travaillaient de leur profession
que de manière intermittente : l'été, leur double activité
d'artisans et de paysans devait être exténuante. Ce

qu'on nous dit de Gilbert Petit, maçon au Coudray-Belle-Gueule, doit s'appliquer à tout le groupe : « il travaille bien de son mestier la moitié de l'année, à la belle saison ».

Quant aux tisserands de village, aux tailleurs d'habits, aux charrons, aux maréchaux et tonneliers, qui travaillaient surtout l'hiver, cette activité apparemment mieux équilibrée ne paraît pas leur avoir valu un surcroît de prospérité. Ceux que nous connaissons furent de bien médiocres personnages : pour un Estienne Mesnard, tailleur assez aisé, que de Noël Lefebvre, tonnelier-vigneron d'Angy, quatre fois moins riche en terres, deux fois plus chargé de dettes. Les tisserands de village — ceux qui travaillaient à façon les filés de chanvre de leurs concitoyens — descendaient presque à la condition manouvrière, par la modicité de leurs biens, de leurs meubles, de leurs revenus : pour Nicolas Messe, de Saint-Sulpice, les experts précisent qu'il « fait peu de chose de son mestier, parce qu'ils sont plusieurs qui en font proffession dans ladicte paroisse ».

Malgré la relative variété de leurs conditions, ces artisans ruraux furent, dans l'ensemble, de médiocres paysans pourvus d'un second métier, qui était souvent un métier bien secondaire. La qualification sociale qui accompagnait l'énoncé de leurs noms et surnoms laissait dans l'ombre l'essentiel : ces « gens de profession » furent d'abord des haricotiers, parfois moins, rarement plus.

C. *Les vignerons.*

Comme partout en France, ce furent des personnages nettement dessinés et souvent hauts en couleur que les vignerons du Beauvaisis. Disséminés sur les coteaux qui bordaient le Bas-Thérain, ils se groupaient fortement dans la banlieue de Beauvais, où la majorité des vignes étaient concentrées dans une demi-douzaine de terroirs, tous seigneuries ecclésiastiques.

Les archives des justices seigneuriales nous ont conservé le reflet des querelles de vignerons, le détail de leurs parcelles et de leurs biens, leurs signatures, appliquées ou malhabiles, parfois curieusement chiffrées ou remplacées par le dessin de leurs outils. Ils formèrent de véritables dynasties, les Mullot, les Salmon, les Régnier, les Rémond, les Fournier et les Thiot, — sans compter les Bajet de Marissel, véritables articles

de folklore, symboles beauvaisins de la simplicité
d'esprit. La plupart d'entre eux avaient hérité de leurs
ancêtres des sobriquets souvent irrévérencieux, qui
finirent par forcer la gravité des greffiers de seigneurie ;
« Rondin », « Multier », « Coquard » et « Cornard »
figurent parmi les plus innocents. Tout ce monde
mal meublé, assez déguenillé, chargé d'une ribambelle
d'enfants, d'une « bourrique », d'une vache, de quantités
de mannes et hottes à fumier et à vendange, de muids
à vin plus souvent vides que pleins, avait la parole facile,
l'injure aisée, et les poings exercés. Il apportait une
certaine agitation à la banlieue de cette ville de Beauvais,
longtemps remuante et coléreuse, qui commençait
à s'endormir au temps de Louis XIV.

Non qu'ils aient été des personnages bien riches
et abondamment pourvus de terres. En 1681, six « visittes
d'héritages » furent accomplies par des experts, à
Villers-Saint-Lucien. Jean Régnier dit Page, le plus
opulent des visités, ne possédait pas un hectare : deux
mines en labour, 78 verges de vigne en huit parcelles.
Car l'insignifiance des parcelles, partout observée,
n'était point compensée par leur multitude. Il est vrai
qu'une famille suffisait à peine à l'exploitation de
quatre hectares de vigne, tant les soins délicats, multiples,
incessants dont il fallait entourer le fragile arbuste
demandaient de temps et d'application. Encore le vigneron se faisait-il souvent jardinier, semait fèves et choux
entre deux rangs de vigne, risquait un petit « parquet »
de méteil au milieu de sa parcelle. Par surcroît, il tâchait
de cultiver, pour son compte ou à loyer, quelques terres
labourables, afin de récolter un peu de blé, tandis
qu'un enfant tirait dans les chemins la vache du ménage.

Une relative providence pour ces vignerons propriétaires de quelques dizaines d'ares, ce furent les
vignes bourgeoises et ecclésiastiques. Un Aloph
de Norroy, chirurgien à l'affût des vignerons malaisés,
véritable collectionneur de parcelles, n'allait évidemment
pas les cultiver lui-même. Il prenait comme vignerons
à façon ceux qu'il avait expropriés ; ou bien, s'il pouvait
y parvenir, il leur réclamait un fermage ; s'il le pouvait
seulement : l'incertitude de la production viticole
sous le ciel beauvaisin empêchait souvent les fermiers
de s'acquitter. Le propriétaire, fort attaché à sa vigne,
aimait surveiller de près le travail qui s'y accomplissait,
qu'il était souvent capable de juger : dans la bourgeoisie

comme dans le clergé, on mettait de l'orgueil à boire son vin, on manifestait une sorte d'affection pour la vigne, culture moins vile que celle de la terre. C'est pourquoi les vignerons reçurent de leurs employeurs une sorte de salaire à la tâche : le marché était fait d'avance, pour une seule année et pour un nombre déterminé de « façons », souvent huit. L'Hôtel-Dieu agissait généralement ainsi : ses cinq pièces de vignes, 3,55 hectares étaient remises à huit vignerons ; on leur fournissait échalas et fumier, et ils effectuaient les huit « labours » traditionnels : retirer les échalas, fumer, tailler, fouir, ficher, provigner, lier et refouir. On leur attribuait un prix de façon, payé lentement et par petites sommes : 50 livres au temps de Louis XIV, par arpent de 72 verges (environ 37 ares). Pour la vendange, on engageait une nuée de « couppeurs, hotteurs et foulleurs », menés par un conducteur de vendange. Ils étaient copieusement nourris de soupes solides et de tripes de veau, et recevaient quelques sols par jour. Les vignes de l'Hôtel-Dieu à Fay-sous-Bois et Morienval étaient exploitées de manière comparable.

Le joyeux peuple de la vigne unissait étroitement l'exploitation de ses menues parcelles au travail à façon des vignes ecclésiastiques et bourgeoises. Autour de Beauvais, même s'il possédait un arpent de labour, le vigneron restait avant tout un vigneron. Sur les versants du Bas-Thérain, aux vignobles moins importants, ceux qu'on appelait vignerons ne furent en réalité que des haricotiers qui joignirent à leurs terres et prés quelques verges de « morillon » ou de « bourguignon ». À Angy, Nicolas Favier, Antoine de la Marre et François Villain, dénommés tous trois vignerons, ne possédaient que 30, 35 et 42 verges de vigne, guère plus d'un demi-hectare en tout ; chacun avait sa vache, son morceau de pré, ses quelques mines de terre, et tenait de légers fermages. Le noble titre de vigneron a représenté, dans le petit monde rural, quelque chose de plus que les termes assez vils de manouvrier et de haricotier.

D. *Airiers et jardiniers.*

Comme l'arpent de vigne et l'arpent de pré, l'arpent d'« aires » ou de jardin maraîcher atteignait une valeur bien plus élevée que l'arpent de terres labourées : au moins le triple, parfois beaucoup plus. Les airiers étaient de minuscules propriétaires groupés dans les faubourgs orientaux de Beauvais, « hors et près la poterne Saint-André », sur des terres marécageuses drainées par ce dense système qui caractérisa très tôt le site beauvaisien.

« Là croissaient à plaisir l'oseille et la laitue », mais aussi les choux, les carottes et les raves destinés au marché urbain, où chacun pouvait compléter les produits du potager domestique. Au bord du marais de Bresles, d'habiles maraîchers avaient créé aussi de petits jardins; ils avaient su se spécialiser dans la production fort recherchée des artichauts et des asperges, que venaient enlever des marchands de Paris.

A Beauvais, on comptait une trentaine de familles d' « airiers », presque tous paroissiens de Saint-André. Comme les vignerons ils constituaient de véritables dynasties, qui ne se marièrent qu'entre elles : les Rousseauville, les Dedreux, les Dobigny, les Mennessier, les Vast et les Louvet, dont beaucoup de descendants vivent encore. Nous les connaissons mal. Quelques-uns étaient locataires de l'Hôtel-Dieu pour une maison et quelques verges d'aires, jamais plus d'un hectare à la fois; là ne se réduisait sans doute pas leur activité. Le taux habituel de leurs impositions ne permet pas de voir en eux des éléments bien considérables : en 1696, six sur trente atteignaient six livres de contribution à la « subsistance et subvention » de la ville; trois, plus aisés ou plus chargés, dépassaient 10 livres, chiffre supérieur à la cote moyenne de l'année. Il est possible que ces derniers ne fussent pas de purs airiers : on qualifie Nicolas Régnier du terme mixte de « laboureur et airier ».

Le peu que nous savons de ce petit groupe, intéressant mais très peu nombreux et à demi-urbain, n'autorise pas à le ranger dans les degrés supérieurs du monde rural; certainement pas parmi ces laboureurs chez lesquels nous verrons apparaître, pour la première fois, ce type rarissime du Beauvaisis de Louis XIV : le paysan indépendant.

4. LES COUCHES SUPÉRIEURES DE LA PAYSANNERIE : LABOUREURS, GROS FERMIERS, RECEVEURS DE SEIGNEURIES

Si l'on veut absolument représenter par un type « le » paysan beauvaisin, il faut choisir entre un bon manouvrier et un petit haricotier. Laboureurs, gros fermiers et receveurs ne constituèrent que d'heureuses exceptions : dans un village moyen de 120 feux, ils n'étaient pas une dizaine (1).

L'exploitation systématique d'archives seigneuriales et fiscales sans lacunes devrait permettre de les retrouver tous. Cette minorité d'aisés offre un intérêt particulier : elle permet de comprendre la société rurale. Son étude contribue à expliquer la gêne ou la détresse des paysans sans chevaux, leurs obligés, leurs débiteurs, leurs salariés ; elle éclaire aussi les relations avec les grands propriétaires, les seigneurs, les rentiers du sol, leurs créanciers souvent ; laboureurs, grands fermiers et receveurs occupent dans le monde des campagnes ce qu'on appellerait une position-clé, si l'expression n'avait été galvaudée. Ils méritent une étude assez détaillée, que permet une documentation abondante, précise et vivante.

A. *Les laboureurs moyens*.

Rien de clair comme la définition du laboureur : celui qui possède au moins deux chevaux qui, attelés à une charrue, lui permettent de labourer. Au prix habituel du cheval, toujours supérieur à 50 livres lorsqu'il n'est ni vieux ni malade, cela situe le personnage. Déjà, la dénomination de laboureur nous est apparue comme un titre qu'on portait avec fierté, auquel on renonçait difficilement, même si l'on avait subi des revers : ainsi s'expliquent sans doute quelques mentions de laboureurs sans chevaux, qu'on rencontre parfois dans les papiers d'élection ou de seigneurie. Le fermier important portait volontiers ce titre, même s'il ne possédait en propre que quelques arpents. Les receveurs de seigneurie le portaient encore, mais ils le joignaient à cet autre qui contenait comme un reflet de la dignité seigneuriale : avec orgueil, ils se disaient « laboureurs, fermiers et receveurs de seigneuries ».

Un laboureur moyen possédait rarement plus d'une dizaine d'hectares. Avec sa paire de chevaux, accompagnés souvent d'une cavale et d'un poulain, il cultivait

---

(1) En 1717, on comptait : à Achy, 2 laboureurs sur 106 taillables ; à Bracheux, 2 sur 46 ; à Crillon, 6 sur 70 ; à Glatigny, 3 sur 90 ; à La Houssoye, 1 sur 46 ; à Litz, 6 sur 43 ; à Loueuse, 3 sur 86 ; à Ons-en-Bray, 10 sur 136 ; à Saint-Omer, 10 sur 93, etc. Dans l'ensemble, moins d'un laboureur sur 10 ruraux.

sa tenure, il exploitait aussi quelque fermage qui pouvait
égaler en étendue ses propres terres, et il labourait
pour des voisins moins fortunés. Toujours propriétaire
de sa maison, il en donnait souvent à louage une seconde,
qui lui était venue d'un aïeul ou d'un beau-père, également laboureur; car les laboureurs se mariaient
aussi entre eux, et s'accrochaient solidement aux lopins
légués par leurs ancêtres.

Le cheptel du laboureur moyen n'atteignait pas
des proportions très importantes. L'obsession du blé
nourricier, le manque de pâtures, la faiblesse de ce
qu'on n'ose appeler les « trésoreries » paysannes s'y
opposaient presque toujours. Jamais un laboureur
moyen n'a nourri plus de 8 bovins, de 5 porcins, de
30 ovins, en considérant seulement les animaux adultes;
beaucoup plus fréquemment, son cheptel se réduisait
à la moitié de ces chiffres maxima. Pierre Dobigny
et Jacques Ranson, deux laboureurs de Maulers, ne
possédaient en 1681 que 5 vaches, 5 porcs et 24 moutons
à eux deux, plus quatre poules et une ruche pour Ranson.
Et Ranson faisait cependant valoir, avec ses deux chevaux,
20 mines à la sole, dont un tiers de fermage, c'est-à-dire
plus de 15 hectares; avec le même train de culture,
Dobigny cultivait une superficie supérieure, dont il
ne possédait que peu de chose. Dans les deux cas,
la disproportion entre les terres exploitées et le cheptel
illustre ce trait septentrional : l'absence de pré, de commune, d'herbe.

Une disproportion inverse caractérise les moyens
laboureurs du pays de Bray et de toute la région méridionale. Avec 6 hectares de ses propres et autant de
fermage, la veuve Dumont, de Saint-Sulpice, entretenait
5 vaches et 20 moutons, le double de chaque laboureur
picard. Avec 7 hectares dont la moitié à ferme, Martin
Carpentier, de Villers-Saint-Barthélemy, élevait deux
poulains, deux vaches et deux génisses : nous savons
qu'il disposait des coutumes du Bray.

Le Beauvaisis fut-il spécialement un pays de laboureurs
très modestes ? Les points de comparaison, — ceux
qui reposeraient sur un dépouillement à la fois massif
et localisé d'archives rurales — nous font totalement
défaut. A Feuquières, Jean Lenglier, qui exploitait
6 hectares, n'avait qu'une vache, trois « cochons »
et trois agneaux. A Warluis, François Mercier, avec
moins de 3 hectares de propres, mais de gros fermages,

nourrissait seulement 3 vaches et 40 moutons. Au même
village, Mathieu Batardy, qui possédait plus de terres,
mais tenait moins de fermages, se contentait de 2 vaches
et 18 moutons. A Sainte-Geneviève, Jacques Ménart,
avec 8 hectares « de ses propres » et 70 livres de fermage
annuel, entretenait 3 vaches, 9 brebis et 7 agneaux.
En plein Bray, Antoine Rohard, de Villers-Saint-
Barthélemy, riche de 7 hectares et fermier d'une Michel
pour 40 livres, ne pouvait nourrir qu'une vache, un
« génisson », 2 porcs et 6 bêtes à laine. Tout cela, qu'on
pourrait allonger encore, ne respire pas l'opulence,
ni même l'aisance. Le Beauvaisis de la fin du XVIIe siècle
comptait, parmi ses laboureurs, une incontestable
majorité de laboureurs modestes, qu'on ne peut ranger
parmi les paysans riches. Médiocres propriétaires,
médiocres fermiers, petits éleveurs, ils ne furent guère
que des haricotiers à chevaux.

Pour essayer d'accroître leurs ressources, pour mieux
employer leurs chevaux insuffisamment utilisés sur
une médiocre étendue de terres, tous prirent des fermages.
Un laboureur non fermier comme Jean Bouchart,
de Gancourt, constitue un exemple exceptionnel.
Bouchart, qui possédait de beaux herbages enclos,
pouvait se permettre une telle indépendance : encore
avait-il atteint 73 ans, âge où l'on ne trouve plus guère
de terres à affermer. Presque tous les autres tinrent un,
deux, trois, jusqu'à six petits fermages. Ménart, de
Sainte-Geneviève, appartenait à la troupe nombreuse
des fermiers de la famille Foy, de Beauvais. Poulain,
du Déluge, avait loué les parcelles de Ticquet, gros
marchand d'étoffes et d'Aux Cousteaux, dit de Fercourt,
magistrat. Mercier, de Warluis, cultivait les terres
d'un chanoine, d'un curé, d'une riche « fille ancienne »
et d'un juge opulent, Tristan, qui se fit appeler
de Houssoy. Au même village, à la même date, Fron
exploitait celles d'un Tiersonnier et d'un autre Foy.
Intéressants aux bonnes années pour le supplément
de grains et de fourrages qu'ils apportaient, tous ces
fermages, dont nous renonçons à évoquer les interminables listes, constituèrent en revanche de très lourdes
charges dans les années difficiles, le montant du loyer
restant constant.

D'autres laboureurs, qui possédaient aussi trop
peu de terres pour s'occuper et nourrir leur famille,
recherchaient un second métier. A Tillard, Masson,

laboureur et boucher, alimentait le relais et ses auberges.
A Méru, Florent Fleury voiturait des veaux pour Paris
« dont il faisait peu de proffit », nous-dit-on. Plus nombreux, d'autres se faisaient blatiers, achetant à Beauvais
pour revendre à Pontoise, comme Barthélemy Le Moyne,
de Cauvigny. Dans les régions manufacturières soumises
à l'influence d'Amiens, un Charles Forestier, de Grandvilliers, apparaît à la fois comme laboureur, fermier,
marchand serger et entrepreneur de tissage rural;
il vendait les étoffes à son frère, établi à Paris, et à
de puissants marchands amiénois, les Pingré. D'autres,
pourvus de chevaux trop nombreux pour leur exploitation, voituraient du bois, des briques, des pierres,
entreprenaient parfois de lointains roulages. On les
trouve aux portes de Beauvais, dans la région de
Troissereux, et ils furent d'importants personnages,
qu'utilisaient les marchands de Beauvais. Maîtres
de forts chevaux, les nombreux meuniers, dont l'activité
était saisonnière, tiraient souvent leurs meilleurs revenus
des transports qu'ils effectuaient. Grâce au second
métier, certains se hissaient au niveau des riches laboureurs et des gros fermiers et receveurs.

B. *Vers les sommets de la hiérarchie paysanne : riches
laboureurs et gros fermiers.*

C'est aux confins des terres picardes et des « conquêts »
normands, à Loueuse, que nous avons rencontré le
plus fort laboureur du Beauvaisis, François Andrieu,
dont la cote de taille ne s'élevait qu'à 106 livres, et qui la
trouvait trop forte. Andrieu possédait 108 mines de
terres labourables : 32,4 hectares; il constitue aussi un
des très rares exemples de laboureurs qui n'ont pris
aucune ferme : c'est qu'il avait de quoi s'occuper.
A ses 32 hectares de terres labourées, il joignait deux hectares et demi de bois-taillis, trois hectares d'« héritages »,
pâtures encloses plantées d'arbres à cidre, et trois maisons. Quatre chevaux lui suffisaient pour exploiter le
tout. Malgré ses bois et ses prés, il n'élevait qu'un poulain, trois vaches, deux génisses, deux veaux; deux
grands porcs et cinq petits cochons garnissaient son
rouillis; sa bergerie ne contenait que 23 bêtes à laine.
Il lui avait fallu emprunter quelque argent par le mécanisme des constitutions de rentes : à son frère, aux
Mynette de Beauvais — famille spécialisée dans les

prêts —, à un habitant de Formerie dont nous ne savons
rien ; en tout 2 900 livres. Il réglait sans peine ces 145 livres
de rentes : pas le moindre arrérage. Avec près de
11 hectares à la sole, l'indépendance économique
de Charles Andrieu était assurée. Dans les mauvaises
années, il pouvait récolter trois fois la semence :
22 hl × 3 = 66 hl. Après avoir réservé la future semence
(22 hl), la taille (106 livres, qui font 10 hl en année
de cherté), la dîme à 8 % (5 hl) et 5 hectolitres pour les
impositions, gabelles et droits seigneuriaux, il lui restait
près de 25 hectolitres, sur lesquels il pouvait régler
ses moissonneurs, ses batteurs, et nourrir la maisonnée :
cinq personnes à 4 kilogrammes par jour n'ont en effet
besoin que de 20 hectolitres. Ainsi, dans le cas le plus
défavorable, un laboureur comme Andrieu assurait
la marche de son exploitation et la subsistance de sa
famille sur la première sole seule. Mais il lui restait
peu de chose à vendre, s'il ne décidait de payer sa taille
l'année suivante, ce qu'il devait certainement faire.

Mais les Andrieu furent extrêmement rares en
Beauvaisis. Parmi les autres laboureurs propriétaires
que nous connaissons, un seul dépassait 30 hectares :
Christian Le Teux, de Saint-Just-des-Marais, avec
32 hectares, plus 4,5 tenus à fermage. Avec les quatre chevaux nécessaires à l'exploitation, il possédait deux cavales,
six poulains et quelques vaches. Antoine Bergue,
de Feuquières, était fermier de l'Église de sa paroisse,
d'un bourgeois de Gerberoy et de Maître Durant,
élu en l'élection ; il possédait 21 hectares de ses propres,
dont un arpent de taillis et un petit pré. Deux chevaux
suffisaient à ses travaux. Il ne nourrissait que deux vaches
et 38 bêtes à laine. La seule originalité de Nicolas
Cressonnier, qui n'avait qu'une dizaine d'hectares,
était d'habiter le pays de Bray. Aussi ne possédait-il
pas moins de sept pièces de pré et deux de pâtures ;
l'on s'étonne pourtant de le voir à la tête d'un bien
faible cheptel, trois vaches et vingt moutons, qui ne
l'empêchait pas de payer 80 livres de taille.

En réalité, c'est plutôt du côté des fermiers importants
qu'il faut se tourner pour atteindre les couches supérieures de la paysannerie. Charles Bournizien, de
Villers-Vermont, possédait sans doute une quinzaine
d'hectares dont un quart en herbages enclos ; il était
surtout un très gros fermier, qui rendait annuellement
950 livres à son propriétaire ; ce qui expliquait l'abon-

dance de son cheptel : 6 chevaux, 13 vaches, 85 ovins. Quand il abandonna ce fermage, sa cote de taille descendit de 125 à 80 livres. Si Jean Sangnier, de Villers-Saint-Lucien, pouvait compter 22 porcs adultes dans ses rouillis — chiffre extraordinaire —, c'est qu'il avait affermé la glandée des bois de sa paroisse, par faveur spéciale du sieur Aubereau, receveur général de l'abbaye de Saint-Lucien. Dans la troupe des gros fermiers, accordons une mention spéciale à Louis Delaherche, du Mont-Saint-Adrien, dont les descendants vivent encore dans la même région; en 1694, leur ancêtre ne possédait que quelques hectares, épars en cinq paroisses; mais le fermage des 33 hectares de M. de Campeaux — un bourgeois — lui permettait d'entretenir 9 vaches, 80 moutons, et quelques porcs. Tous ces fermiers réglaient difficilement leur propriétaire : Louis Delaherche devait quatre années d'arrérages. Tous prenaient volontiers le titre de laboureur : Grégoire, à Grez; Puissant, aux Marais; Beudin, à Thieux; Delamotte, à Rainvillers, et la veuve Leleu, de Berneuil, fermière de deux Beauvaisiens que nous connaissons bien : Allou, receveur des tailles, Claude Danse, fils du « fameux marchand de Beauvais ».

Certains fermiers tenaient des marchés très importants, qui pouvaient dépasser un millier de livres par an : Adrien Dobigny, fermier de l'abbaye Saint-Lucien à Bonnières, « rendait » annuellement 1 360 livres; de ses propres, il ne possédait pas 5 hectares de terre, mais ses 15 chevaux lui permettaient d'importants charrois. Dans la paroisse de Goincourt, Marie Vuaré, veuve Delespine, fermière de Montguillain pour les Dames de Saint-Paul, nourrissait un cheptel bovin de 30 têtes, grâce à trois hectares de prairie et à un droit de pâture dans quelques arpents de taillis. Pour l'exploitation de quelque 60 hectares, elle ne payait d'ailleurs que 500 livres de fermage, parce que l'exploitation, d'acquisition récente, n'était pas en bon état.

Un demi-siècle plus tôt, le père de la fermière de Montguillain, Antoine Vuaré, tenait deux fermes de l'abbaye de Froidmont, celle de Froidmont et celle de Parfondeval près Warluis, pour 1 250 livres; il les cultivait à l'aide de huit chevaux; 27 vaches, 140 moutons et 2 truies constituaient alors son cheptel. La même abbaye affermait aussi, sur de riches terres picardes, les plus considérables exploitations de la région : Campremy, Mauregard, La Borde, Campcoustant, Gouy, toutes supérieures à 100 hectares (1). Gouy atteignait même 250 hectares, presque d'un seul tenant. Au XVIIᵉ siècle, il fut presque toujours impossible d'affermer de pareilles exploitations à un seul paysan : on partageait chaque ferme en deux ou en trois. Détail qui révèle bien la relative faiblesse des paysans les plus fortunés et les plus courageux.

Ainsi chez les plus forts laboureurs comme chez les plus importants fermiers, ni le cheptel, ni l'état des dettes, ni les inventaires ne révèlent une richesse considérable et solide. De l'aisance souvent, mais rien de plus.

C. *Les receveurs de seigneurie.*

Quand mourut Claude Dumesnil, fermier à Goincourt des Dames de Saint-Paul et de quelques bourgeois, il exploitait une centaine d'hectares avec douze chevaux, deux charretiers et deux valets de charrue. Dans l'exploitation étaient compris douze hectares d'excellents prés, un clos de vignes et deux taillis. Fermier des terres, il était aussi fermier de la seigneurie : il percevait les deux tiers des dîmes et des droits seigneuriaux, plus le droit de pressoirage au sixième. Pour l'ensemble, il rendait 1 200 livres tournois et 40 hectolitres de blé-froment. Il louait ses propres biens — une maison et quelques arpents à Saint-Léger-en-Bray — pour une centaine de livres. Vingt vaches et cinq veaux, six porcs et truies, 225 bêtes à laine constituaient son très beau cheptel, estimé 2 500 livres, chevaux exclus. Fermier des dîmes et du manoir seigneurial, il pouvait nourrir 80 couples de pigeons et 188 pièces de volailles : exceptionnelle basse-cour, où l'on remarquait deux douzaines de dindes et autant de canards, volatiles inconnus chez la plupart des laboureurs.

Comme l'inventaire fut effectué au lendemain de la récolte, la visite des celliers, granges et greniers ne manque pas d'intérêt. Trente muids de cidre, sept muids de vin, et 80 futailles vides attendant le prochain pressoirage. Au grenier, 193 toisons; dans

---

(1) En marge du Beauvaisis, la plus grosse ferme connue est celle de Warnavillers, appartenant à l'abbaye d'Ourscamps : 566 hectares de terres labourables, en 7 pièces (Oise, H 4269), tenus par un seul fermier.

les granges, plus de 8 200 gerbes de grain. Sur les
5 100 gerbes de blé, qui devaient rendre, nous dit-on,
1 014 mines de grain (338 hl), 293 suffiraient pour régler
le fermage, le « soyage » et les « calvaniers » les moissonneurs. L'on voit que les semences, la nourriture
et d'importantes ventes au dehors étaient solidement
assurées. Et il restait encore le seigle (450 gerbes);
l'orge (1 340 gerbes), l'avoine (1 710 gerbes). La vesce,
les fèves, la bisaille, le chanvre domestique, tout cela
figure à l'inventaire en quantités considérables.

Le plus intéressant, c'est pourtant l'énumération
des dettes actives. A Goincourt, 36 familles sur 80
lui devaient 1 691 livres et quelques sols; dans cinq
villages limitrophes, et même à Beauvais, 41 autres
lui devaient près de 1 000 livres. Pour quelles raisons ?
Labours, charrois, avance de semence, de bois, de foin,
souvent « pour argent presté ». Le montant de chaque
créance variait de 6 à 123 livres, avec une moyenne
et une plus grande fréquence proches de 50 livres.
Les débiteurs étaient en majorité des manouvriers
et des vignerons; leurs dettes envers le receveur dépassaient couramment une trentaine de livres : pour
d'aussi petites gens, cela constituait des charges appréciables, toutes « couchées par escrit », certifiées et
entraînant hypothèque. Avec cette clientèle de débiteurs
paysans, Dumesnil s'était assuré une main-d'œuvre
docile et une puissance certaine. Tous ceux qui signèrent
l'inventaire, les Dumesnil et leurs parents, étaient
« laboureurs et receveurs » : importants personnages
dont l'écriture même révèle une instruction au moins
élémentaire. Le défunt possédait d'ailleurs une modeste
bibliothèque, qui n'eût pas été déplacée chez beaucoup
de bourgeois : les deux Testaments, des ouvrages de
piété, mais aussi quelques livres de voyage et de « géographie » dont on ne précise pas la nature. Le curateur
aux causes des enfants émancipés d'âge — Dumesnil
était veuf — était le chapelain des Dames de Saint-Paul,
Augustin Audefroy, janséniste probable qui avait dû
fournir à ses pupilles ces ouvrages de morale sévère
et de dévotion stricte. Tout montre que Dumesnil
mourut avec la confiance des Dames de Saint-Paul.

Dumesnil ne s'était installé à Goincourt qu'en
novembre 1694, prenant la suite de fermiers plus modestes, écrasés par la tempête de l'année précédente.
A ce solide laboureur, on confia d'abord l'ancienne ferme,

puis la seigneurie, puis une seconde ferme constituée
avec de nouvelles acquisitions effectuées par les Dames.
L'ascension du receveur commença donc fort tard
dans le XVIIᵉ siècle, et coïncida curieusement avec la
plus triste période du règne de Louis XIV; elle s'acheva
pendant la Régence. Au cours du XVIIIᵉ siècle, ses descendants devaient la poursuivre encore, ils finirent
par acheter les biens du couvent, vendus comme biens
de première origine. Cette destinée d'une famille de
receveurs, nous avons pu la suivre à l'aide des abondantes
archives de Goincourt : elle est le contraire même d'un
événement isolé. Dumesnil symbolise toute la classe,
la caste même des receveurs de seigneurie, qui apparurent au premier plan à la faveur des misères de la
fin du siècle, qui s'élevèrent ensuite irrésistiblement,
et dont les descendants tiennent encore, en plein
XXᵉ siècle, la plupart des positions conquises de haute
lutte sous l'Ancien Régime, largement consolidées
par la Révolution.

Des Dumesnil, on en identifiera dans toutes les
seigneuries importantes; l'état de conservation des
Archives de l'Oise interdit seulement de les repérer
ailleurs que dans les grandes seigneuries ecclésiastiques.

Sur les terres de l'abbaye de Saint-Germer, à Espaubourg, nous en voyons surgir un dans l'intervalle
de deux cadastres. On se souvient qu'en 1678 aucun
paysan de ce village ne possédait 10 hectares de terre
dans les limites de la paroisse. En 1694, l'abbaye change
de fermier et loue terres et seigneurie à un certain
Jean Hattez dont nous ignorerions tout, s'il n'apparaissait
soudain, dans l'arpentage de 1740, à la tête de 26 hectares
de terres. Après l'abbaye, il était alors devenu le plus
important propriétaire du village, et de fort loin. Par
le système des prêts gagés sur les terres des haricotiers
et manouvriers, il avait acquis 78 parcelles en 45 ans.

Sur les terres des mêmes seigneurs, on voit s'élever
pareillement les receveurs du Coudray-Saint-Germer.
En 1672, Nicolas Caron, qui venait de mourir, laissait
28 hectares de terres à ses héritiers. Soixante-huit ans
plus tard, son petit-fils Thomas, receveur et fermier
de l'abbaye, possédait en propre plus de 102 hectares,
que d'ailleurs il affermait. La moitié de cette belle
exploitation avait été achetée à un noble ruiné, M. de
la Chapelle; le reste venait de sa famille, et des paysans
endettés. A la Révolution, les Caron achetèrent la ferme

de l'abbaye, à peine plus grande que la leur. Leurs descendants y sont toujours.

L'histoire des fermiers des ursulines de Beauvais en plein plateau picard, à Moyenneville, illustre en un paysage bien différent la même ascension, la même évolution sociale, aux mêmes dates. Achetées le 25 juin 1631 pour 26 300 livres, les terres de « la Saux et Cartenage au terroir de Moyenneville », 160 hectares en deux pièces, furent immédiatement affermées pour 1 500 livres à trois laboureurs de la région : les frères Tarlay et Nicolas Vuaterre. Un compte de 1639 nous apprend que les trois hommes ne purent acquitter leur fermage qu'en abandonnant aux Dames des terres et maisons qu'ils possédaient en propre. Nouveaux fermiers, nouvelles difficultés : en 1673, on les saisit. Apparurent alors deux receveurs picards : Millon (1), receveur de Sains, Tricostel, receveur de Rémy ; nouveaux fermiers, ils payèrent un peu mieux, mais en rechignant. En 1689, Desmarets, gendre de Millon, devint l'unique fermier et receveur de Moyenneville : avec lui, la race des fermiers perdus de dettes et traînés en justice est bien terminée. Le 7 août 1794, Desmarets avance aux ursulines son fermage de 1695, « pour (leur) faire plaisir ». En 1697, les Sœurs lui versent 400 livres de rente annuelle « pour argent presté » ; elles le remboursent en partie, mais lui devaient encore 166 livres de rente en 1703. En 1709 et 1710, années noires, Desmarets règle son fermage le jour même de l'échéance ; le 12 décembre 1710, il avance trois années de fermage. En 1713, on apprend que les élus lui doivent une rente de 2 000 livres. A cette date, les deux filles du receveur étaient pensionnaires du couvent, où elles achevaient leur éducation. Tous ces traits montrent qu'aux fermiers partiels et misérables du milieu du XVIIe siècle avait succédé un seul et opulent receveur, dont la fortune et les prétentions sociales se situaient très au-dessus de la masse des paysans picards.

Ces receveurs se constituèrent en caste sociale fermée dès qu'ils eurent acquis la plénitude de leur puissance, au début du XVIIIe siècle. Les registres paroissiaux en apportent les décisifs témoignages. A La Chaussée du Bois d'Écu, en septembre 1704, le fils du receveur fut

_____

(1) Ses descendants prirent le nom d'une terre qu'ils avaient achetée : Montherlant.

tenu sur les fonts baptismaux par le receveur de Francastel, Anty. Un an plus tard, Anty épousait son ancienne
commère, la fille du receveur Boullet, qualifiée « demoi-
selle ». A Reuil-sur-Brèche, en novembre 1717, grand
mariage : Nicolas Hermand, fils du fermier et receveur
de l'abbaye de Froidmond à Mauregard, épousait Marie
Tourin, fille du fermier et receveur du chapitre cathédral à Reuil ; trois chanoines s'étaient dérangés pour la
cérémonie. A Maulers, le 12 juin 1731, deux fils de
Lenglet, receveur de Bonnières, épousaient deux filles
de Boullet, receveur de Saint-Lucien à Maulers ; sept
receveurs de seigneurie les assistaient : ceux du maréchal
de Boufflers à Bonnières et à Canteville, celui de M. de
Barentin pour Hétomesnil, celui de Muidorge et celui
de Juvignies, celui de Rothois et celui de Savignies, tous
parents. Jamais on ne vit tant de receveurs pour solen-
niser l'union de quatre enfants de receveurs ! A Muidorge,
quelques années plus tard, trois curés, enfants de receveurs, se joignaient à trois autres receveurs pour fêter
le mariage de deux enfants de receveurs... La caste
monta à une telle opulence, à une telle puissance pendant
le XVIIIe siècle qu'elle finit par réunir en ses mains toutes
les grosses fermes de la région, et beaucoup de petites,
ne laissant plus rien à louer aux laboureurs médiocres,
aux haricotiers, aux manouvriers. C'est pourquoi tant
de Cahiers de doléances s'élevèrent avec force contre
ces réunions de fermes — on est tenté d'écrire : contre
ce « trust » des fermages —, « qui ruyne la pauvre populasse », comme devaient l'écrire, en 1789, les paysans de
Saint-Pierre-ès-Champs.

Avec les receveurs se termine, loin au-dessus du
commun, la hiérarchie des paysans du Beauvaisis.

5. L'ÉVASION DES REVENUS RURAUX

Dans ce tableau de la société rurale, centré sur la
période 1680-1690, nous avons généralement évité les
années tragiques de la fin du XVIIe siècle et du début
du XVIIIe siècle. D'autre part, l'état de notre documentation conduisait à écarter de l'analyse les mendiants et
les très pauvres manouvriers, dont on ne nous dit presque
rien, tant il est vrai que les gens malheureux n'ont pas
d'histoire, du moins à la campagne. En ces régions qui
ne sont ni les Flandres, ni le Santerre, ni la Beauce,

mais qui pouvaient figurer tout de même parmi les plus
riches du royaume, l'impression d'ensemble que laisse
l'examen de la paysannerie est pourtant celle d'une
médiocrité marquée. Médiocrité, et non pas misère
permanente. Nous ne pouvons appliquer au Beauvaisis
du XVIIe siècle la trop littéraire comparaison de Taine :
« Le peuple ressemble à un homme qui marcherait dans
un étang, ayant de l'eau jusqu'à la bouche... ». S'il n'a
pas confondu seigneurie et propriété, s'il n'a pas accepté
trop facilement des documents fiscaux et des doléances,
alors Gaston Roupnel a révélé dans son Dijonnais
des paysans exceptionnellement malheureux, démunis,
« spoliés » par la noblesse parlementaire de Dijon. Le
Beauvaisis des années 1680-1690 nous a semblé paré
de couleurs moins sombres : il offrait plutôt le tableau
d'une demi-misère, avec de rares touches d'opulence
et de fortes ombres de détresse. Cette médiocrité générale du monde paysan demande un essai d'explication.

On ne saurait alléguer seulement la faiblesse et l'incertitude de la production agricole, qui faisait que la France
côtoyait souvent la « disette ». Car nous savons tout de
même que celle-ci n'a sévi qu'en certaines années, et n'a
jamais touché qu'une partie de la société, la plus démunie :
avaient faim seulement ceux qui n'avaient pas d'argent,
ou pas assez de terre. Ce qui surprendrait des esprits
modernes, ce serait de voir souffrir une part importante
du peuple des campagnes. Le problème serait bien mieux
posé si l'on pouvait déterminer avec précision le rapport
entre la population et les subsistances. Par rapport aux
chutes soudaines de la production céréalière, il est bien
certain que le Beauvaisis d'alors, comme beaucoup de
régions de la France du nord, apparaissait surpeuplé dans
les mauvaises années. Impossible de donner d'autres
précisions sans solliciter les textes ou bâtir dans le vide
de vagues théories.

Dans les conditions techniques de l'époque, nous avons
presque toujours constaté l'insuffisance de la propriété
paysanne, qui fut rarement à la mesure de la famille qui
l'exploitait. Dans la grande majorité des cas, trop de
ruraux ne récoltaient pas ce qu'il fallait pour vivre,
même dans les bonnes années; trop de ruraux ne possédaient qu'une part infime des fermes laissées aux tenanciers paysans. Une des plus sûres origines de la médiocrité paysanne est là.

Mais, comme fermiers, les mêmes paysans cultivaient

aussi des terres d'Église, les terres des nobles et celles des bourgeois : elles auraient dû apporter une partie de ce qui manquait aux petits exploitants. Les situations paysannes que nous avons passées en revue montrent qu'il n'en était rien. Sans doute un fermier pouvait-il devenir un véritable « coq » de village, si son fermage était considérable et comportait la recette d'une seigneurie. Dans les autres cas, la monotone médiocrité de la paysannerie beauvaisine semble à peine modifiée par les fermages : et pourtant, bien rares les paysans qui n'en tenaient pas un...

Il faut chercher ailleurs la principale raison de la demi-misère des paysans beauvaisins : dans la cascade des prélèvements, dans l'accumulation des parties prenantes qui s'abattaient sur leurs revenus bruts.

A. *Prélèvements sur les revenus paysans.*

Le roi, le clergé, le seigneur prélevaient sur la campagne, en espèces et en nature, des impôts, des dîmes, des droits divers dont on ne peut se dispenser d'évaluer l'importance.

1. Un haricotier aisé payait 20 livres de taille (1) par an : le prix d'une bonne vache, ou bien de 5 à 6 veaux, ou bien de 6 ou 7 moutons adultes; en bonne année, l'équivalent de 5 hectolitres de blé, en année mauvaise, l'équivalent de 2 hectolitres; dans ces deux cas, la taille absorbait la production d'un hectare et demi. Comme un haricotier n'exploitait jamais plus de 8 hectares, et bien plus souvent 4 ou 5, il est aisé d'apercevoir l'énormité de l'impôt.

De cette manière, assez simple et concrète, on peut calculer ce que représentait pour un bon laboureur-fermier une taille de 60 livres : un prélèvement d'au moins un cinquième sur le produit brut de sa première sole. Mais sur l'ensemble de ses revenus ? Les produits de la seconde sole et ceux d'un trop maigre élevage ne doublaient certainement pas les produits de la première : au XVIIIᵉ siècle, où l'on usa et abusa de tels calculs, on ne les estimait qu'à la moitié. Mais la taille et ses accessoires ne représentaient qu'une partie de l'impôt : les aides s'y ajoutaient, le franc-fief de temps à autre, et surtout la

_____

(1) Taille et autres impositions royales directes perçues sur le pied de la taille (subsistances, taillons, ustensiles, etc.).

gabelle. Si bien qu'en estimant au cinquième la part des revenus ruraux prélevés par les agents du roi sur la majeure partie des paysans, nous restons dans des limites très raisonnables — que les historiens ont presque toujours dépassées. A ce taux, il restait au paysan 80 % de sa récolte.

2. La dîme ecclésiastique ne fut nulle part inférieure à 6 gerbes du cent; elle atteignait généralement 8, et même 9 sur les terres du chapitre cathédral. En beaucoup de terroirs, Saint-Germer dîmait même au sixième. Sur de nombreux triages, le champart accompagnait la dîme : sur toutes les terres picardes du chapitre, les deux droits joints atteignirent 18 %, et provoquèrent de vives protestations qui allèrent jusqu'à la révolte (1). Le propre des cens seigneuriaux et des diverses censives fut toujours leur extraordinaire variété : énormes sur certaines maisons et héritages, jusqu'à emporter tout le revenu, on les voit souvent plus recognitifs qu'onéreux. Les dépenses de l'église paroissiale, de la fabrique, de la communauté d'habitants, si légères qu'elles fussent, demandaient aussi à être couvertes (2). Les paroisses viticoles n'étaient pas ménagées : les droits de pressoirage montaient ordinairement au sixième. Nous ne pouvons évaluer la dîme à moins de 8 % du revenu brut, et les autres droits et dépenses à moins de 4 %. Il ne restait plus alors au paysan que 68 % de ce revenu brut.

3. Les semences de blé absorbaient, en bonne année, le sixième de la récolte, et jusqu'au tiers lors des moissons désastreuses. Pour d'autres céréales, comme l'avoine, il est à peu près certain que la semence ne faisait qu'approcher du dixième. Dès qu'une exploitation prenait quelque importance, il fallait réserver une part de la récolte pour le salaire des moissonneurs et des batteurs. Si l'on vendait quelques muids sur le marché de Beauvais, le minage emportait la quarante-huitième partie des grains. A la grange, au grenier, gerbes et grains souffraient souvent

---

(1) La violence anti-cléricale des Cahiers paroissiaux de doléances (inédits) du bailliage de Beauvais s'explique en partie par ce fort prélèvement capitulaire de 18 %, qui touchait une dizaine de paroisses en totalité, et quelques autres en partie : Auchy-la-Montagne, Bonlier, Guignecourt, Haudivillers, Lafraye, Litz, Noyers-Saint-Martin, Oroër, Remérangles, Reuil-sur-Brèche, Rotangy (pour ne citer que les principales).

(2) Petites réparations, objets du culte, habits et linges sacerdotaux, registres paroissiaux sur papier timbré. Payer le magister, le berger, une part du casuel : menues dépenses, à peu près inévitables.

de l'humidité, malgré des « remuages » : des pertes étaient à prévoir. Dans tous les cas, le meunier, souvent banal, prélevait son « boitel », la seizième partie, souvent accrue par l'utilisation d'un ingénieux système de mesures à grains à fond mobile. Pour le bétail, l'on voit mieux les accidents naturels : maladies, épizooties, stérilité des femelles, que les prélèvements seigneuriaux, inégaux et mal connus. En évaluant à 20 % l'ensemble de tous ces frais de culture et d'exploitation, il nous semble rester au-dessous de la vérité. Mais il ne restait plus au paysan que 48 % de sa récolte (1).

4. Les fermages furent souvent fixés, en Beauvaisis, à raison d'une mine de grain pour une mine de terre, mesure de Beauvais : jamais moins, parfois plus. Cette proportion correspond au taux de un hectolitre un tiers par hectare. Ce loyer était exigé les deux tiers ou les trois quarts en blé — c'est-à-dire en bon méteil, le reste en avoine. Sous le strict régime de l'assolement triennal, le tiers d'hectare en blé ne donnait guère, par bonne moisson, que 4 hectolitres. C'est dire que le payement du fermage emportait, pour le blé seul, un quart du revenu de la première sole; dans l'ensemble, près du cinquième de son revenu de fermier. Réunissant ce prélèvement aux autres, on peut avancer qu'un pur fermier ne gardait que le tiers de son revenu brut; dans le cas le plus fréquent, celui du propriétaire paysan qui exploite à la fois ses terres et quelques fermages, entre le tiers et la moitié. — Mais le montant d'un fermage était fixé, pour neuf années, à un chiffre invariable, argent ou nature, ou les deux combinés : ainsi le prélèvement immuable du propriétaire pouvait atteindre, en cas de mauvaise récolte, des proportions considérables : le quart, le tiers même, parfois plus... L'on comprend alors le calcul quasi désespéré des preneurs de petits fermages : possédant insuffisamment de terre pour vivre, ils forçaient la chance en prenant ces fermages; si la moisson était bonne, ce qu'il leur resterait après avoir tout payé leur permettrait de vivre. Si la récolte se trouvait médiocre ou mauvaise, leur fermage se retournerait contre eux, jusqu'à dévorer leur propre récolte. La seule manière de vivre à coup sûr sur un fermage, c'était d'en prendre un très gros,

---

(1) Ce chiffre de 48 % a été contesté. Rappelons qu'il concerne le revenu *en blé* des paysans, et laisse de côté les revenus du jardin, le petit élevage, l'artisanat à domicile, les journées, etc.

la forte différence entre la récolte et les prélèvements permettant même la vente au dehors. Mais pour conclure de tels marchés, il fallait déjà posséder des chevaux, du bétail, et même de l'argent...

Pour fournir le pain à une famille de six personnes, réduite à la modeste ration de 4 kilogrammes par jour, vingt hectolitres de blé étaient nécessaires. Par le mécanisme des prélèvements, des paysans qui voulaient disposer de ces vingt hectolitres devaient en récolter au moins 40 sur leur première sole; ce chiffre représentait, en bonne année, la récolte de 3 hectares un tiers. Ainsi, au-dessous de dix hectares de terres, aucun paysan du Beauvaisis ne pouvait récolter lui-même sur sa première sole le pain de sa famille, les moissons fussent-elles très abondantes. C'était le cas de tous les manouvriers, de tous les haricotiers. En année médiocre, 40 hectolitres requéraient une exploitation de 20 hectares, comprenant le moins de fermages possible. Rares étaient les laboureurs qui atteignaient ce chiffre. Exceptionnels étaient donc les paysans qui pouvaient se vanter d'avoir le pain quotidien assuré en toutes circonstances.

Et cependant tous ces paysans qui théoriquement ne pouvaient vivre sur leurs terres, ont vécu. Petitement sans doute, et en payant de lourds tributs aux disettes et aux épidémies; leur jardin, leur seconde sole, leur vache, leurs journées, leurs seconds métiers, un peu de fraude et de braconnage, les ont aidés. Mais ils ont vécu en s'endettant.

B. *La dette rurale.*

Lorsque la disette menaçait, lorsque les moissons de l'exploitation allaient risquer de ne pas nourrir la famille, la réaction naturelle des paysans offrait une belle simplicité. Ils se refusaient aux prélèvements. Contre la dîme et le champart, âprement perçus et d'ailleurs proportionnels aux fruits de la terre, ils ne pouvaient que protester. Mais ils ne payaient pas la taille, ou se contentaient de la verser lentement, sou à sou. Fermiers, ils omettaient de régler le propriétaire, qui les contraignait alors à passer obligation : les fermiers signaient, espérant une année meilleure, implorant des réductions, rusant sur les délais et les échéances. Ils oubliaient de payer le tonnelier, le berger, le magister. A l'occasion, ils cuisaient la future semence. Mais il fallait alors emprunter. Au laboureur solide, au receveur, le paysan gêné empruntait un sac de blé, un boisseau de fèves, un ou deux écus, — jurant de rendre le tout à la prochaine récolte, en nature ou en travail. Parfois, le créancier traînait le débiteur chez quelque praticien, prenait hypothèque, ou convertissait la dette en constitution de rente. Aux grandes années de misère, la dette paysanne se gonflait dans des proportions prodigieuses, qui se reflètent encore dans le volume même des minutes notariales.

Cette dette paysanne, l'on pressent son importance, son universalité, tout ce qu'elle peut expliquer des anciennes sociétés. Il est difficile de la saisir avec précision et d'une manière globale. Elle n'a pas d'archives propres, classées dans des dossiers qui s'ouvriraient tout seuls : elle est partout dans les dépôts d'archives, comme la poussière. Soixante procès de surtaux des années 1683, 1684 et 1685 pourront peut-être en donner une idée.

Soixante paysans, aucun qui ne soit sans dette. Neuf dont le passif fut inférieur au quart de l'estimation des biens ; quatorze pour qui le passif approcha de la moitié de l'actif ; vingt-neuf chez qui cette proportion fut largement dépassée ; huit enfin dont les dettes dépassèrent l'actif. Le montant des dettes doit être considéré comme exact : les experts ne reconnaissaient que les dettes justifiées par des documents écrits, promesses ou obligations, et refusaient de noter les simples dettes verbales. En revanche, l'estimation des biens des opposants apparaît souvent assez arbitraire, et d'une paysanne prudence : un « parisis » (1) tacite devait pousser les experts à descendre un bon cinquième au-dessous de la valeur réelle. Malgré ces réserves, ce tableau exprime suffisamment la fréquence et le degré de l'endettement des campagnes beauvaisines.

Pour mieux analyser ces dettes, prenons, en 1684, cinq exemples dans la même paroisse : Villers-Saint-Barthélemy. Le manouvrier Rohard, dont tous les biens furent estimés 180 livres, tenait d'un certain Garreau, médiocre bourgeois de Beauvais, un fermage de 28 livres ;

---

(1) Dans les successions, le montant de la vente aux enchères ne pouvait dépasser de plus d'un quart le montant de l'estimation faite pendant l'inventaire : c'est ce qu'on appelait le parisis (on sait que la monnaie parisis était plus forte que la monnaie tournois, précisément d'un quart). Aussi les jurés-priseurs estimaient-ils habituellement un cinquième au-dessous de la valeur réelle, sauf s'ils précisaient le contraire.

mais il lui devait 175 livres d'arrérages. Haricotier, Decaux arrivait à 510 livres d'actif; ses dettes justifiées s'élevaient à 253 livres : 100 à Mathieu, bon marchand de la ville, 63 à Goguet, un de ces procureurs qu'on voyait toujours apparaître quand il y avait de l'argent à prêter, et des terres à ramasser. Bien petit laboureur, Nicolas Lenglet tenait, pour 180 livres, deux marchés : celui de la fabrique, celui d'un autre marchand beauvai- sien, Robert Prévost; il ne leur devait qu'une centaine de livres, arrérage fort raisonnable. Mais il en devait tant à d'autres personnages que son passif dépassait de 212 livres son actif : 80 livres pour un cheval, 30 livres pour des roues, 240 livres au receveur de M. d'Ons-en- Bray pour argent prêté, 400 à Jean Michel — un des grands noms du négoce beauvaisien —, 300 livres au receveur des tailles, Leuillier; car Lenglet eut le malheur d'être collecteur, et y perdit ses vaches, mises en fourrière par le même Leuillier. Deux importants laboureurs enfin, Carpentier et Antoine Rohard, offraient une situa- tion moins alarmante : 1 000 livres de dettes, plus de 2 000 livres d'actif. Tous deux avaient omis de régler deux chevaux à Jean Lemaire, de Beauvais : une tradi- tion. Cette fois, les membres les plus notables de la bour- geoisie de Beauvais apparaissent parmi les créanciers, avec un visage nouveau : Michel encore, Legay, Vuatrin, Dagneaux, un membre de la puissante tribu des Foy se sont constitué des rentes au denier 20 sur ces bons laboureurs; il y avait de trois à quatre ans de retard dans les règlements, mais nos rentiers ne durent guère s'in- quiéter : les biens de Rohard et de Carpentier étaient hypothéqués à leur profit, comme il était de règle dans toute constitution de rente.

Bien d'autres exemples pourraient illustrer, trop longuement sans doute, cette analyse. Dans l'ensemble du monde rural, on peut distinguer quatre catégories de dettes.

La première semble inhérente, à la condition, à la mentalité paysanne : le charron, le maréchal, le berger, le magister, qu'on payait à l'année, qu'on faisait attendre souvent bien plus longtemps, tant paraissait difficile, ou douloureuse, la moindre sortie d'espèces sonnantes. Elle l'est restée : les artisans du Beauvaisis sont, aujourd'hui encore, péniblement honorés de leurs services; heureuse- ment pour eux, les maîtres d'école ont pu esquiver l'inconvénient. Plus lourdes, les dettes envers le marchand de vaches ou de chevaux peuvent être rattachées à cette catégorie.

Une seconde est propre aux paysans sans chevaux : dettes envers le riche laboureur ou le gros fermier, pour labours toujours, pour charrois souvent, mais aussi pour semences avancées, pour bois fourni, pour argent prêté. Elles encombrent les surtaux les plus modérés, les inventaires les plus humbles.

Une troisième catégorie de dettes provient des années de crise agricole. Elles offrent avec les précédentes des différences dans le degré et dans la fréquence : semences et écus avancés plus souvent et en plus grande quantité, arrérages de rentes ou de fermages qui s'accroissent soudain. Aux emprunteurs, il fallait un bel optimisme, une foi tenace pour espérer s'acquitter à la faveur des futures moissons, en la générosité desquelles on ne pouvait jamais compter.

Petites et grosses dettes s'accumulant au hasard des récoltes, des épizooties, des fêtes et des deuils familiaux, les créanciers finissaient par s'inquiéter. S'ils ne l'avaient déjà fait, ils pensaient à prendre des assurances plus solides : opérations toujours pénibles, parfois déchirantes, qui conduisaient le paysan chez l'homme de loi, puis devant le juge. Si le débiteur avait du bien ou de bonnes cautions, une obligation en forme pouvait suffire ; avides de rentes, les bourgeois préféraient souvent une constitution, au denier du roi (1) : pour une avance de 500 livres, réelle ou à demi fictive, le paysan verserait chaque année 25 livres de rente, dont ses terres, précisément décrites, garantiraient le payement. Une nouvelle charge, un nouveau prélèvement s'ajoutait alors à tant d'autres : 25 livres, 6 hectolitres de blé en bonne année, la production d'un hectare et demi... Mais si le débiteur se révélait trop obéré, l'obligation transformée en cédule était remise au tribunal compétent. Créancier pour marchandise, le marchand s'adressait au consulat ; le collecteur et le receveur des tailles, à l'élection ; le simple bourgeois, au présidial ou au comté. Alors se jouait le dernier acte, la vente par autorité de justice, précédée souvent d'une saisie des chevaux, du bétail, de la récolte. Ainsi Jean Delamarre, fermier des Boicer-

---

(1) On sait que le taux maximum de l'intérêt était réglé par édit : le denier 20 avait succédé en 1665 au denier 18, qui avait lui-même remplacé en 1634 le denier 16, établi en 1601.

voise, fut saisi, en novembre 1685, par ces honorables bourgeois, à qui il devait 3 125 livres d'arrérages. Ainsi Toussaint Foy, au lendemain de la crise rurale contemporaine de la Fronde, fit tomber dans l'héritage déjà considérable de sa riche famille le domaine de Senantes, qu'il avait acquis parcelle par parcelle sur une nuée de paysans perdus de dettes.

C. *Les créanciers des paysans; la bourgeoisie et les revenus ruraux.*

Par le système des créances, un certain nombre d'hommes surent tenir en leurs mains les paysans du Beauvaisis, et acquérir des rentes et des biens au soleil. Ces hommes furent parfois des ruraux; bien plus souvent, des bourgeois.

Les créanciers de village — on n'ose dire : les usuriers — constituèrent une variété sociale assez impopulaire. On peut cependant soutenir que c'était là une variété inévitable et qui, comme beaucoup de mauvaises herbes, rendait des services. L'insuffisance des techniques agricoles, la soumission de l'agriculture à la météorologie, la surpopulation probable, l'insuffisance des propriétés paysannes, le nombre et l'avidité des parties prenantes, tout conduisait la plus grande partie des paysans à vivre d'emprunts. Un gros laboureur, un aubergiste, un chirurgien, un tabellion, l'un d'entre eux ou tous à la fois semblaient désignés pour prêter. En un temps où les notaires, minces personnages, ne paraissent pas avoir découvert l'une des branches les plus fécondes de leurs offices, de grands receveurs de seigneuries remplirent souvent, par la force des choses, les fonctions d'usuriers de village.

A l'exception des receveurs, les usuriers de village agissaient rarement seuls : ils servaient de prête-nom aux bourgeois de Beauvais. C'était un officier, parfois un marchand, plus souvent un de ces « rentiers » aux activités discrètes que nous verrons bientôt apparaître avec plus de détails; c'était encore un de ces receveurs d'abbaye, de chapitre ou d'évêché qui furent à l'origine des plus solides fortunes beauvaisiennes. Ils possédaient déjà quelques terres dans la paroisse où leur prête-nom avançait grains, bétail, deniers. Mais ils n'apparaissaient qu'au moment où le débiteur, traîné chez le notaire, allait signer son obligation. Après les Pocquelin, les

Mynette, les Foy, les Tristan, les Mauger, les Serpe et vingt autres semblent avoir vécu à l'affût des terres obérées ; au lendemain des catastrophes cycliques, ils réussirent à rafler parcelles, maisons et rentes rurales dans des proportions parfois impressionnantes.

Les prélèvements opérés par la bourgeoisie beauvaisienne sur le monde paysan prirent encore bien d'autres formes. Les créanciers urbains du paysan étaient aussi des marchands de chevaux, des marchands de laine : feuilleter les registres d'audiences des juges-consuls donne une idée du nombre et du montant des créances que détenaient certains. En cinq mois, Antoine Compagnon, marchand de laines, présentait 47 demandes en règlement de créances, pour 7 984 livres, dans 18 paroisses manufacturières. A la même époque, Hanin, marchand de chevaux, en présentait 42, qui montaient à 5 384 livres. Un marchand d'étoffes, Le Barbier, engageait, en six mois, 37 requêtes, contre des sergers ruraux, qualifiés de marchands, habitant la région de Froissy, qui lui devaient 5 636 livres.

Propriétaires ruraux, les mêmes bourgeois avaient encore prise sur les paysans qui payaient mal leurs fermages : l'on sait comment se terminait l'accumulation des arrérages. Receveurs des tailles, ils pouvaient saisir cheptel, récoltes et biens des collecteurs défaillants : les Leuillier et les Allou ne manquèrent pas de le faire. Receveurs généraux des communautés ecclésiastiques, chargés d'affaires des grands personnages, ils poursuivaient les tenanciers récalcitrants devant les tribunaux, peuplés de leurs parents. Fermiers du roi pour les tailles, les aides, les octrois de l'élection, fermiers des nobles pour leurs biens beauvaisins, fermiers des abbayes et des chapitres pour leurs droits, seigneuries et domaines, les bourgeois voyaient passer par leurs mains l'ensemble des prélèvements effectués sur la campagne. Le montant de leur propre bail récupéré, à eux de retenir une part de ces prélèvements, la plus forte possible : neuf années d'un fermage de cet ordre suffisaient généralement pour doubler le capital engagé (1). Dans la capture des revenus de la campagne beauvaisine, les grands bourgeois s'étaient emparés des meilleurs postes.

---

(1) Quant à Favier et Aubereau, receveurs généraux de Bossuet pour l'abbaye de Saint-Lucien de 1673 à 1682, tout se passa comme s'ils avaient effectué un placement au taux annuel de 28 %.

Leurs profits ruraux ne s'arrêtaient pas là. Le clergé du Beauvaisis, si riche qu'on a pu soutenir qu'il possédait les onze douzièmes du revenu de la province, cet abondant clergé beauvaisin, comment se recrutait-il ? Des fils de riches bourgeois, des filles d'officiers et de marchands formaient, à quelques exceptions près, le personnel des chapitres et des couvents. Des 50 prébendes de la cathédrale, 35 au moins furent occupées par les grandes familles de Beauvais. Les cadets de la bourgeoisie entraient en masse dans le clergé régulier, aux ursulines comme à Saint-Lucien, à Saint-Paul comme à Saint-Symphorien ; ils accaparaient les cures les mieux pourvues, celles des gros bourgs et toutes celles de la ville. Ce n'est qu'au XVIIIe siècle qu'on vit parisiens et provençaux monter à l'assaut des bénéfices du Beauvaisis.

Largement installée dans le clergé, la bourgeoisie colonisait aussi la noblesse. Nobles reconnus, les Le Bastier de Goincourt et de Rainvillers n'avaient pas à remonter bien haut dans leur généalogie pour trouver des marchands et des changeurs. Anobli de marque, le comte d'Ons-en-Bray n'était qu'un Pajot, dont les ancêtres vendaient du drap sur la grand-place. Anoblis par l'achat d'offices, les Malinguehen, les Le Caron, les Foy, les Serpe, et bientôt le petit groupe des blanchisseurs de toiles — Danse et Michel — étaient à peine dégagés de la boutique, de l'écritoire ou de l'usure. Des profits sur les blés, sur les serges rurales, sur les fermes, les obligations et les recettes rurales furent à l'origine de leurs armoiries timbrées. Perdus de dettes, les derniers nobles d'ancienne extraction, s'ils ne se décidaient pas à vivre, comme le comte d'Auteuil, en gros propriétaires, versaient le plus clair de leurs revenus à leurs créanciers bourgeois ; et ces derniers, accumulant obligations, cédules, titres de rentes, toutes hypothèques prises, attendaient le moment de faire prononcer le décret qui leur permettrait de cueillir enfin les terres, et surtout le manoir. On trouvera plus loin le récit de quelques opérations de ce genre, qu'il suffit pour l'instant de mentionner, afin d'apercevoir les détours de la conquête bourgeoise.

Tout se passe comme si un système ancien, complexe, mais efficace, avait organisé une sorte de mise en coupe réglée des campagnes beauvaisines. Les victimes en furent l'énorme majorité des paysans, sauf les meilleurs laboureurs et les grands fermiers ; une partie de l'ancienne noblesse rurale connut le même sort. Un ensemble d'institutions juridiques et financières, de pratiques économiques, d'insuffisances techniques et d'astuces usurières aboutit à ne laisser aux populations campagnardes qu'une part minime des biens qu'elles produisaient : une part qui suffisait à peine à leur subsistance, et qui n'y suffisait plus lorsque le ciel n'était pas favorable aux récoltes.

Les bénéficiaires de ce complexe de prélèvements furent apparemment le roi — qui en avait d'ailleurs grand besoin —, et les privilégiés, nobles, clercs, simples exempts. En réalité, présents partout, — surtout quand on ne les voyait pas — les bourgeois de Beauvais et quelques parisiens percevaient les fermages, fournissaient les marchandises, recouvraient des créances, touchaient les revenus du clergé ou de la noblesse, s'installaient dans le clergé, s'insinuaient dans cette noblesse. Qui étudie la campagne aboutit inévitablement à la ville voisine. Là siégeaient les grandes fortunes, dix fois, vingt fois plus fortes que les rares fortunes paysannes ; des fortunes qui s'étaient formées souvent et qui s'entretenaient encore par des fermages ruraux, par des rentes rurales, par des recettes de seigneuries rurales, par des fabriques rurales de serges et de toiles. La ville vivait et prospérait par la campagne, au détriment des campagnards ; non pas la ville tout entière, mais le groupe étroit et solide des grandes familles bourgeoises.

Sans qu'elles s'en rendissent bien compte, et probablement sans qu'elles l'aient consciemment voulu, ces familles portaient une responsabilité partielle, mais certaine, dans la situation médiocre de la très grande majorité des paysans beauvaisins. Une situation médiocre, malaisée, sur laquelle pesait cette quintuple malédiction : l'insuffisance des terres, l'insuffisance du bétail, la tragique irrégularité des rendements, la lourdeur et l'universalité de l'endettement, l'évasion vers la ville d'une large part des revenus. Peuple rural de demi-pauvres, soumis par moments aux épisodes épouvantables de la famine et de la contagion ; mais peuple de mendiants, peuple mourant de faim de façon permanente, non pas. Répétons-le : ces paysans de Beauvaisis nous ont offert un tableau moins noir que les bourguignons de Roupnel, le tableau de la demi-misère, avec de rares touches d'opulence et de fortes ombres de détresse.

Resterait à savoir si ces tonalités d'ensemble résultent d'un éclairage fugitif, d'une période passagère, — ou si elles sont l'expression des structures même de la société du XVIIᵉ siècle. Ce que chacun sait de la fin du « grand règne » montre au moins dans quel sens la période suivante put lui apporter des retouches. Mais cinquante années plus tôt? Véritables inconnues de l'évolution sociale, que nous renonçons à aborder ici. Ce que l'on peut seulement avancer après cet examen du monde paysan, c'est qu'à cette époque où Louis XIV brillait de tout son éclat, en cette région variée et plutôt riche, il n'offrit qu'exceptionnellement le spectacle de l'opulence.

CHAPITRE VI

LA SOCIÉTÉ RURALE (suite) : LES PRIVILÉGIÉS AUX CHAMPS

Dans la société française du XVIIᵉ siècle, le privilège caractérisa spécialement deux ordres juridiques, le clergé et la noblesse. Cependant, personnels ou liés au domicile, les privilèges s'étendaient aussi à une partie du tiers état. Un grand nombre d'offices dispensaient de la taille sans donner la noblesse. Une infinité de petites charges étaient assorties de privilèges plus modestes, mais fort appréciés des titulaires : dispenses de collecte, de logement, de tutelle et de curatelle, faculté de ne plus être augmenté à la taille... Le Boulonnais, la principauté d'Yvetot, la Bretagne, la plupart des grandes villes, et notamment Paris, Rouen, Dieppe, le Havre et Beauvais, constituaient des pays exempts et des villes franches de taille. S'il fallait au nouveau venu des lettres de bourgeoisie parisienne pour jouir de ce privilège, une résidence d'un an suffisait à Beauvais, dont la franchise fut un résultat du célèbre siège de 1472; cette franchise n'entraînait d'ailleurs pas l'absence de tout impôt royal; celui-ci changeait simplement de nom, mais « subsistances » et « subventions » furent toujours moins lourdes que la taille.

Bourgeois exempts, clercs, nobles possédaient fréquemment des domaines ou des droits ruraux. Nous pensons avoir montré le rôle prédominant que jouèrent de riches privilégiés, particulièrement les bourgeois de Beauvais, dans l'exploitation économique et sociale des campagnes. Bien peu de ces bourgeois résidèrent hors de Beauvais, où les retenaient leurs affaires, leurs relations et leurs privilèges. Certains possédaient cependant des « maisons

des champs », parfois de petits châteaux, qu'ils venaient
habiter à la belle saison. De grands seigneurs suivant la
cour comme le duc de Noailles ou le maréchal
de Boufflers, des officiers de cours souveraines, comme
Perrot ou Hanyvel, agissaient de la même manière.
Une poignée de gentilshommes d'ancienne extraction
et quelques anoblis vivant noblement habitèrent de
manière continue la campagne beauvaisine, et s'inté-
grèrent dans la société rurale; encore les chefs de famille
et les plus âgés des fils étaient-ils souvent à l'armée.
Mis à part des gentilshommes, souvent modestes,
qui vivaient en contact permanent avec les paysans,
les privilégiés laïcs possessionnés en Beauvaisis furent
généralement absents.

Il en fut de même pour la partie supérieure du clergé.
L'évêque et les abbés commendataires résidaient
rarement. Les chanoines de Beauvais, par nécessité
religieuse et par goût, ne quittèrent guère le voisinage
de la cathédrale. Les grandes abbayes envoyaient
aux paysans leurs hommes d'affaires et leurs officiers
laïcs, et leur faisaient présent d'un receveur et d'un juge.
Moines et religieuses avaient peu de contacts avec les
humbles : dans leurs couvents, ils se consacraient
aux exercices pieux, à l'éducation de la jeunesse aisée,
à l'administration du temporel, à de menus travaux,
parfois à des distractions assez profanes. En revanche,
une importante partie du clergé séculier vécut toujours
avec les paysans. Présent dans chaque village, ou peu
s'en faut, le curé y exerçait un ministère difficile, chaque
jour alourdi d'obligations nouvelles. Bien plus que le
seigneur ou que le syndic, il fut souvent l'âme de la
paroisse.

I. LES CURÉS DE CAMPAGNE (1)

Les trois quarts des curés du diocèse de Beauvais
étaient des Beauvaisins. La plupart des « horsins »
avaient été ordonnés prêtres dans les diocèses voisins,

(1) Je n'ai pas qualité pour traiter des aspects religieux ou juridiques
du ministère curial; dans cette étude sociale, j'essaie seulement de rendre
compte des origines, des revenus, du mode de vie de ceux que les Beauvaisins
appelaient couramment les « curés », au sens populaire du mot, qu'ils fussent
vicaires en chef ou desservants; je laisse de côté les vicaires et les « habitués »,
rares dans la campagne, sauf dans les bourgs.

surtout celui de Rouen. On rencontre çà et là quelques méridionaux, venus avec Forbin-Janson, évêque depuis 1680. Des réguliers assuraient parfois le service des petites paroisses et des « secours », par obligation traditionnelle ou comme remplaçants provisoires. Mais, dans l'ensemble, les curés du Beauvaisis étaient des enfants du pays (1). A partir de 1650, ils sortirent du séminaire de Beauvais, où l'esprit janséniste les marqua fortement. Grâce à leurs titres cléricaux — appelés encore patrimoniaux, — nous pouvons connaître l'origine familiale et sociale des séminaristes (2).

Parmi les cent douze dossiers les plus anciens, six donnent des renseignements insuffisants. Quarante-deux séminaristes étaient nés en ville, soixante-quatre à la campagne. Parmi les premiers, vingt-trois fils de marchands étaient promis aux canonicats et aux cures les mieux dotées; quelques-uns cependant consacrèrent leur vie à évangéliser de petits villages, comme ces curés Vuatrin, dont quatre au moins tinrent à vieillir dans leur paroisse d'adoption. Onze autres beauvaisiens venaient du monde des officiers : conseillers au présidial, en l'élection, notaires, procureurs, avocats; tous ne durent pas mourir simples curés. Les huit autres, fils d'apothicaires, de boutiquiers et d'artisans — boulanger, charron, maréchal — finirent plus probablement dans un presbytère rural. De la foule des tisserands, sergers, manouvriers et gagne-deniers, aucun prêtre ne sortit. Donner l'instruction nécessaire à un futur séminariste, l'entretenir en partie, lui assurer les 50 livres de revenu annuel sans lesquels il ne pouvait accéder à la prêtrise : obstacles insurmontables pour les hommes du petit

_____

(1) L'origine de tous les curés du diocèse est connue par une sorte de recensement effectué en 1708 par l'administration épiscopale. Pour 420 curés, un pointage donne les résultats suivants :

Prêtres du diocèse de Beauvais : 303 (env. 72 %);
Prêtres du diocèse de Rouen : 43 (env. 10 %);
Prêtres du diocèse d'Amiens : 15 (env. 4 %);
Prêtres du diocèse de Paris : 9 (env. 2 %);
Prêtres du diocèse de Senlis : 8 (env. 2 %);
Prêtres de 23 autres diocèses : 42 (env. 10 %).

(2) Pour accéder à la prêtrise, les « acolytes » devaient justifier d'une rente annuelle d'au moins 50 livres, que leurs parents leur constituaient. Ce sont ces titres de rente, signés des parents, d'un notaire et de deux témoins, qui nous renseignent sur la famille de l'acolyte. Nous avons seulement dépouillé cette série de documents pour les années 1653 à 1678 (Oise, G 2885 à 2891).

peuple, quelle que fût leur foi ou leur désir de promotion sociale.

Des 64 séminaristes originaires du plat pays, 24 ne naquirent pas dans une famille de paysans : leur père était marchand dans un gros bourg, chirurgien, procureur, officier de seigneurie; quatre même étaient « escuyers », donc nobles. Sur les 40 paysans, 2 enfants de magister, 3 enfants de petits artisans — cordonnier, houppier, tonnelier —, 7 fils de receveurs de seigneurie et 27 de laboureurs bien pourvus de terre. Les cinq premiers mis à part, tous appartenaient à la partie la plus aisée et la moins nombreuse du monde paysan. Pas un prêtre issu de la masse des haricotiers, des sergers et des manouvriers. A la campagne comme à la ville, les prêtres du diocèse de Beauvais provenaient des couches supérieures, et surtout des couches moyennes de la société. L'exode des plus aisés vers les canonicats étant évident (sur 23 fils de marchands, 16 devinrent chanoines), on peut avancer que les curés de campagne sortaient de la boutique, de l'écritoire et de la charrue. Assez proches du peuple, urbain ou rural, ils n'en faisaient pas vraiment partie; mais ils le connaissaient bien, pour avoir été élevés à son contact. On les verra fréquemment revenir au pays natal, tout près de leur famille temporelle, pour s'y fixer et prendre en charge les destins spirituels de leur paroisse d'origine.

Nous ne redirons pas quelles étaient les charges de toutes sortes qui reposaient sur les curés de campagne, parce qu'elles sont bien connues. La remise en ordre du diocèse de Beauvais dès le début de l'épiscopat de Buzenval (en 1650), le rôle croissant des curés comme agents du pouvoir central, la place qu'ils tenaient dans la vie de la communauté rurale, tout cela dut contribuer à rendre leur ministère de plus en plus lourd. D'autres, plus qualifiés, ont étudié, étudieront encore la place fondamentale que tinrent les querelles doctrinaires dans la vie religieuse de ce diocèse profondément janséniste. Au seul point de vue temporel, il nous semble intéressant de rechercher la place réelle que tinrent les curés dans la société rurale, et d'évaluer, avec une précision que la passion a éliminée de maintes études, leurs revenus et leur mode de vie.

A partir de 1650, on ne signale point, dans ce diocèse, de cures vacantes ou de presbytères inoccupés. Arrive-t-il qu'un pasteur qui s'est mal conduit se trouve enfermé

dans les prisons de M. de Beauvais ? La première chose
qu'il réclame, avant la liberté même, c'est qu'on ne le
prive point de son bénéfice. Pour un procureur, un boutiquier, un fermier, c'était certainement une grâce
que de voir un de ses fils entrer dans les ordres, ou,
comme on disait joliment « prendre estat de perfection »;
ce devait être aussi un assez bon « établissement ».
Sinon, les curés de campagne n'eussent-ils pas été
recrutés dans les couches beaucoup plus humbles
de la population ?

Un certain nombre de documents chiffrés permettent
de soutenir l'hypothèse qui vient à l'esprit : un curé
de Beauvaisis n'avait rien d'un misérable. Sans doute,
les déclarations envoyées à la Chambre diocésaine
par les curés eux-mêmes — on en retrouve quelques-unes
— sont-elles pleines des gémissements qui emplissent
habituellement les documents de cet ordre. Bien ren-
seignés et plus impartiaux, les officiers de l'évêché
estimèrent, en août 1708, toutes les cures du diocèse.
Quelques vicariats, simples ou « en chef », ne dépassaient
pas 300 livres de revenu annuel. La moitié des cures
montaient à 400 livres, plus du tiers atteignaient
500 livres, 77 se haussaient jusqu'à 600, 800 et 1 000 livres
tournois. Pour le pain seul, à raison de 5 livres à 6 deniers
par jour, le prêtre et sa servante pouvaient dépenser,
en année normale, une cinquantaine de francs. On
voit donc qu'ils ne craignaient pas la cherté, et qu'un
nombre appréciable d'écus pouvaient être consacrés
à des nourritures plus recherchées, à l'entretien, à
quelques « douceurs », ou aux pauvres. L'on s'explique
ainsi comment tant de prêtres purent se charger d'un
jeune frère, d'un neveu, d'une filleule.

Les chiffres établis par l'évêché ne risquaient cependant
pas d'être surestimés : ils concernaient le revenu des
cures, et non pas les revenus des curés. Ces derniers
n'étaient pas dénués de fortune personnelle : ils héritaient
de leurs parents, qui n'étaient jamais, nous l'avons dit,
de pauvres gens. De leurs meilleurs paroissiens, ils
recevaient des offrandes en nature et des invitations
à dîner ou souper, traditionnelles lors des grandes
cérémonies du baptême, de la communion, du mariage,
des obsèques même, contributions appréciables à la
vie matérielle d'un prêtre. Par surcroît, les estimations
épiscopales ne faisaient pas entrer en ligne de compte
le casuel, et appréciaient le revenu en nature des cures

sur le pied de la valeur des grains en « année commune »,
c’est-à-dire d’assez bas prix. C’est dire que ces estimations doivent être interprétées comme des minima.

Neuf années plus tard, en 1717, les commissaires
à l’établissement de la taille proportionnelle durent
apprécier à leur tour les revenus curiaux. Trois exemples
permettent de juger leur manière de travailler :

Cure de Bailleul-sur-Thérain :

« Gros » versé par l’abbaye de Froid-mont, gros décimateur............	50 livres
Menues dîmes et novales perçues par le curé	205 —
Revenu de 6 arpents 5 verges (= 3 ha) de terres appartenant à la cure et affermées........................	81 —
Versé par la fabrique pour l’acquit des fondations et l’office des trépassés...	120 —
Casuel estimé (cas exceptionnel).... .	30 —
Revenu du presbytère et du jardin ..	30 —
TOTAL	516 livres

Cure de Balagny-sur-Thérain :

Part de dîmes perçue par le curé ...	386 livres
Location de 5 arpents de pré et terres..	120 —
Versé par la fabrique	100 —
Casuel, presbytère et jardin non estimés.	—
TOTAL	606 livres

Cure de Longvilliers-Boncourt (Noailles) :

Gros versé par le chapitre cathédral..	100 livres
Portion de grosses dîmes, menues et novales	484 —
Versé par la fabrique	180 —
Casuel, presbytère et jardin non estimés.	—
TOTAL	764 livres

Ces estimations détaillées restent incomplètes, et de la même manière que les estimations épiscopales : elles apprécient le revenu des cures, et non pas le revenu réel des curés. Cependant, elles aboutissent à des chiffres sensiblement supérieurs à ceux de l'évêché : pour 30 cures de l'élection de Beauvais, une moyenne de 620 livres, au lieu de 500 à peine dans le document ecclésiastique (1). Et cependant, les calculs des commissaires aux tailles négligent généralement le casuel et le revenu du presbytère et de son jardin, négligent toujours les revenus personnels des curés.

Mais ils offrent l'avantage d'énumérer les divers éléments qui entraient dans la composition même des revenus curiaux : gros et parts de dîmes, terres de l'église paroissiale, subventions données par les fabriques.

Il est certain que l'essentiel des dîmes n'appartenait plus aux curés. Depuis longtemps, évêché, chapitres et couvents, en tant que « curés primitifs », avaient confisqué à leur profit ce qui rapportait le plus : les grosses dîmes. Les curés du doyenné de Bray ne les percevaient que dans 5 paroisses sur 52 ; ceux du doyenné de Montagne, dans 4 sur 65 ; ceux du doyenné de Breteuil, nulle part. Souvent les gros décimateurs restituaient

---

(1) Voici, d'après les deux sources (Bucquet, t. XIV et Arch. nat. Q³ 206), un sommaire tableau comparatif :

Revenus de la cure de	Estimation épiscopale de 1708	Estimation administrative de 1717
	livres	livres
Bailleul-sur-Thérain	500	516
Balagny-sur-Thérain	600	606
Cauvigny	600	811
Coudray-Saint-Germer	600	798
Haucourt	300	450
Heilles	300	370
Hodenc-en-Bray	400	600
La Houssoye	500	450
La Landelle	500	600
Noailles	400	764
Notre-Dame-du-Thil	500	800
Ons-en-Bray	800	900
Ponchon	600	744
Savignies	800	1 000
Songeons	500	600
Villers-Saint-Barthélemy	600	900
Villers-sur-Auchy	400	500

Le sens de la variation n'est pas douteux ; l'estimation administrative résulte d'une enquête sérieuse, et approche de la vérité.

quelques muids de grain pour le « gros » du curé. Presque toujours, le haut clergé beauvaisin lui abandonnait menues dîmes, vertes dîmes et novales, de valeur faible et de perception difficile, qui provoquaient des procès incessants. On vit des curés menacer de ne pas dire la messe avant que leurs paroissiens n'aient versé ces dîmes minuscules. On en vit d'autres copieusement rossés par des paysans récalcitrants.

L'importance des sommes versées aux curés par les fabriques paroissiales a pu surprendre. La fabrique, forme religieuse de la communauté d'habitants, possédait toujours quelques parcelles de terre, données par des âmes pieuses et prévoyantes, qui désiraient s'assurer des messes à perpétuité. Par ce moyen, la fabrique assurait au curé une sorte de salaire, moins incertain que le casuel — si bien nommé —, difficilement payé par une population pauvre, réfractaire aux « sorties » de deniers et peut-être indignée de voir la dîme détournée de sa destination primitive.

L'église paroissiale possédait aussi des terres, distinctes de celles de la fabrique; elles s'accroissaient par des legs pieux. Leur produit entrait pour une part parfois importante dans les revenus curiaux. Le curé les affermait ou les faisait cultiver par des façonniers. Par-là, le curé semble se fondre dans le monde paysan qui était le cadre de son ministère, et dont il était souvent issu.

Il convient d'y insister : à bien des égards, le curé fut aussi un paysan. Autour de son presbytère, on pouvait le voir cultiver son jardin, quelquefois avec amour. Sous forme de fermages ou de portions de dîmes, il recevait des gerbes, du grain, un mouton, des paniers de pommes, quelques pots de vin, des toisons, des bottes de chanvre et de foin. Il employait des journaliers, des batteurs en grange, des remueurs de blé. Le jour de la fenaison, de la moisson, de la vendange, il pouvait jouer au chef d'exploitation. Fréquemment, il nourrissait une mule, engraissait un porc, buvait le lait de sa vache, gobait les œufs de ses poules, faisait filer la laine de ses brebis. On vit des curés convoquer quelque habile paysan quand un veau allait naître dans leur étable. Le curé connaissait toutes les familles du village, où il avait baptisé, porté les sacrements, distribué semonces et encouragements, enseigné les rudiments du catéchisme. Si on l'aimait bien, on l'invitait aux festins traditionnels, au cours desquels il était l'objet d'attentions spéciales, quelquefois malicieuses.

Malgré le secours de leur foi et les remontrances de leurs supérieurs, ces prêtres campagnards n'échappaient pas toujours aux travers paysans. En effet, les archives de l'officialité de Beauvais contiennent un nombre assez imposant de procès « criminels »; la plupart datent de ce rigoureux réformateur des mœurs du clergé que fut l'évêque Choart (1650-1679). En ce diocèse de 432 paroisses, plus de 400 prêtres firent l'objet d'une information et d'un procès en règle devant l'officialité; presque toutes ces actions en justice furent ouvertes entre 1650 et 1680, en pleine réforme du diocèse. On pourra penser que ce nombre est élevé, ou que l'officialité concevait son rôle d'une manière bien sourcilleuse. Sans insister sur des personnages particulièrement odieux comme Allart, curé de Cinqueux, particulièrement débauchés comme Demachy, curé de Savignies, ou sur des demi-fous dont la place n'était pas dans une église, comme Guéroult, curé de Longmesnil, on soulignera la grande fréquence de déportements choquants chez des clercs, mais sans doute fréquents dans le monde de paysans frustes où leur ministère les avait jetés, et qui finissait par déteindre sur les moins énergiques : violences verbales, coups et blessures, mais surtout ivrognerie et importants accrocs au célibat ecclésiastique. Souvent savoureuses, parfois écœurantes, les informations détaillées qu'ouvrait le tribunal constituent toujours des documents singulièrement vivants. L'on y voit défiler tout un village, avec ses soucis, ses élans, ses racontars, ses silences prudents, ses haines féroces et ses petits clans : celui des dévotes et celui des servantes, celui des tisserands et celui des riches fermiers, — puis, solitaires, les cabaretiers et les maris trompés. Après 1680, Choart disparu, le clergé se conduisit beaucoup mieux, la réforme ayant fait son œuvre; ou bien l'officialité se montra moins sévère; en tout cas, les procès criminels devinrent très rares.

Enfants du pays, venus de familles modestes ou à demi aisées, les curés du Beauvaisis se rapprochaient, par leurs revenus. leur situation sociale et parfois par leurs travers, du groupe des laboureurs aisés et des bons fermiers, leurs paroissiens, parfois leurs parents et leurs amis. Les plus mauvais d'entre eux ont seuls laissé trace dans les archives : on ne peut douter pourtant que le plus grand nombre, assuré d'une vie matérielle convenable, accomplit très honnêtement son ministère sacré et ses tâches temporelles. Beaucoup tinrent fort soigneusement leurs registres paroissiaux, mirent leur sagesse au service des syndics, des collecteurs, et aussi des juges et des administrateurs qui recouraient souvent à leurs témoignages. Quant à l'enseignement des enfants, l'on peut affirmer qu'ils y veillèrent presque partout. Grâce à eux et aux magisters, les campagnes du Beauvaisis comptèrent parmi celles, fort rares, où la majorité des hommes sut lire et écrire dès la fin du XVIIe siècle. Mais il faut reconnaître que le clergé rural fut surtout digne de son ministère après la réforme janséniste, œuvre de Buzenval et de ses amis. Alors il s'appliqua à demeurer dans une cure durant 30, 40, 54 années même, créant des confréries, exhortant les fidèles, donnant à la vie religieuse renouvelée la gravité augustinienne, et cela jusqu'au fond des campagnes. Solidaires de leur troupeau, l'on vit des pasteurs le défendre contre le seigneur temporel, parfois jusqu'à la révolte ouverte : ainsi, ce curé de Ressons-sur-Matz qui, en 1722, entraîna ses paroissiens soulevés contre le séminaire de Beauvais pour une question de bois d'usage.

Entre les curés et les paroissiens se nouait généralement une sorte de solidarité, qui devait se manifester d'une manière éclatante vers la fin du XVIIIe siècle. Ici, les curés semblaient s'agréger à la partie la plus élevée et la plus éclairée du peuple : laboureurs, receveurs, moyenne bourgeoisie urbaine; là, ils manifestaient leur charité et leur sympathie envers la pauvre foule des manouvriers. Dès la fin du XVIIe siècle, on dirait que les options révolutionnaires s'annoncent faiblement. Il dut contribuer à leur naissance, ce fossé qui s'élargissait entre le clergé rural, modeste et chaleureux, et le haut clergé, séculier et régulier, aux revenus souvent énormes, au luxe parfois insolent, et dont la ferveur religieuse n'était pas toujours éclatante.

2. GENTILSHOMMES RURAUX

On n'ignore pas que le critère de la noblesse fut le droit de porter au moins le titre d'écuyer, reconnu par l'ensemble des nobles d'une province, par la voix publique, et surtout par la législation et l'administration royale; cette dernière décidait périodiquement, avec d'évidentes arrière-pensées fiscales, des « recherches de noblesse ». Dès qu'un bourgeois avait acquis — à prix d'or — un office anoblissant au premier degré, il se paraît du titre d' « escuyer », auquel il avait absolument droit, quel que fût le mépris que pussent manifester les gentilshommes d' « ancienne extrace » envers cette sorte de parvenu. La fameuse particule n'abusait, au XVIIe siècle, que les ignorants, et peut-être ceux qui s'en paraient; elle ne constituait guère qu'un génitif ou un locatif, qui indiquait qu'Arnolphe avait acheté la ferme de la Souche, à laquelle pouvaient se trouver attachés de vagues droits seigneuriaux. Bien des gentilshommes de vieille souche, les Gouffier, les Le Vaillant, les Le Bastier, ne portaient pas la particule; et de très grands seigneurs n'éprouvaient pas le besoin d'en allonger leur signature.

Au XVIIe siècle, noblesse, terre noble et seigneurie n'étaient pas rigoureusement liées. De nombreux paysans possédaient de petits fiefs, auxquels on ne faisait guère attention : dans la région de Crèvecœur, vers 1690, une vingtaine appartenaient à des marchands, des laboureurs, des manouvriers; chaque fief ne donnait d'ailleurs que quelques sous de revenu annuel. A Beauvais, les anciens fiefs tenus de l'évêque-comte ne provoquaient plus d'enthousiasme parmi les bourgeois ou les boutiquiers qui en héritaient; beaucoup n'étaient pas servis. On ignorait souvent où se trouvaient et en quoi consistaient la plupart des fiefs. Ce qui n'empêche pas que, parmi les biens des nobles, les biens nobles aient pu occuper une place prédominante : à eux seuls, et non pas aux rotures, s'appliquait un droit d'aînesse qui variait suivant les coutumes. Ce qui n'empêchait pas non plus certains enrichis en mal d'anoblissement d'affectionner les fiefs, de les acheter volontiers, et de se parer de leur nom : les MM. de la Souche furent nombreux dans la haute bourgeoisie de Beauvais. Mais ceux-là jouaient sur une confusion, signalée par Loyseau, qu'ils s'efforçaient d'entretenir : répandre l'idée que la possession d'un fief de quelque consistance pût être une présomption de noblesse, surtout lorsque ce fief était assorti d'une portion de seigneurie.

Et cependant, la seigneurie était en fait et en droit

tout autre chose que la noblesse. S'il exista un temps où tous les seigneurs furent nobles, ce temps était bien révolu au XVIIᵉ siècle. L'évêque-comte et quelques abbés commendataires mis à part, la plupart des importantes seigneuries ecclésiastiques du Beauvaisis étaient entre les mains des roturiers. Ni en bloc ni en particulier — sauf très rares exceptions — les chanoines et les religieux ne furent écuyers; ils possédaient pourtant une trentaine de seigneuries entières, et beaucoup de portions de seigneuries. Enfin, d'authentiques bourgeois furent seigneurs de villages ou de hameaux; ils avaient acheté leur seigneurie comme on achète une terre ou une maison : ainsi, dès le milieu du XVIIᵉ siècle, les Tristan à Goincourt, à Juvignies, à Verderel, les Malinguehen à Douy, les Le Caron à Troussures, et les Foy un peu partout. Aux premières années du XVIIIᵉ siècle, les blanchisseurs de toiles se mirent, avec beaucoup d'émulation, à acheter aussi des seigneuries : les Danse à Hécourt, les Motte à Bizancourt, les Michel à Anserville. Pajot, l'homme de la Poste du roi, fut longtemps seigneur d'Ons-en-Bray avant d'être anobli.

La noblesse était un titre personnel, très souvent héréditaire et transmissible, que ni la terre, ni le fief, ni la seigneurie, ni même la possession du manoir seigneurial ne pouvait donner. En pratique, les nobles possessionnés et seigneurs en Beauvaisis appartinrent à trois catégories : les étrangers, très grands personnages, nobles d'épée, de robe ou de fonctions, qui résidaient habituellement à Paris, et étaient attachés, souvent d'assez près, au service du roi; les bourgeois anoblis d'origine beauvaisienne, peu nombreux, qui seront étudiés avec la classe de laquelle ils émergeaient à peine; la vieille et authentique troupe des écuyers et chevaliers issus du terroir, accrochés encore au manoir natal, liés au Beauvaisis qu'ils habitaient, où ils essayaient de survivre fièrement. Cette noblesse seule faisait partie des cadres permanents de la société rurale; elle n'est pas inconnue, puisqu'elle a été étudiée en d'autres provinces, et qu'en celle-ci de nombreux mémoires particuliers lui ont été consacrés. Il convient cependant de lui réserver quelques pages.

A. *La noblesse du bailliage de Beauvais dans le dernier quart du XVIIe siècle* (1674-1697).

Quelque réserve qu'on puisse faire sur sa valeur, l'ensemble des dossiers de l'arrière-ban offre l'occasion — unique — de saisir la situation de tous les gentils-hommes beauvaisins à une même époque. L'on sait que Louis XIV, espérant renforcer ses armées, convoqua à plusieurs reprises l'arrière-ban de ses « vassaux »; que ces décisions, d'application difficile, amenèrent à l'armée les quelques milliers de gentilshommes qui n'étaient pas déjà en service, qui ne jouissaient pas d'exemptions, qui n'étaient pas malades ou infirmes. On eut le spectacle de troupes composites, mal équipées, indépendantes, à peu près inutilisables. Assez vite d'ailleurs, les besoins financiers de la monarchie ame-nèrent à dispenser du service d'arrière-ban les nobles qui versaient une somme égale au cinquième de leurs revenus annuels, taxe qui s'étendit aux roturiers possédant fiefs. Comme on devait s'y attendre, beaucoup de per-sonnages visés par cette fiscalité alléguèrent une extrême pauvreté pour être exemptés, sinon du service personnel ou des frais d'équipement, du moins de la contribution du cinquième. C'est précisément en cette marée de lamentations, d'ailleurs rituelles, que résident les réserves qu'il convient d'apporter à la valeur des documents abondants qui se rapportent à ces opérations.

Il se trouve cependant que l'arrière-ban fut, dans chaque bailliage, dirigé et contrôlé par le président ou le lieutenant général, un bourgeois dont les senti-ments de jalousie à l'égard des gentilshommes ne faisaient aucun doute, mais qui connaissait bien le pays, et pouvait contrôler les déclarations de revenus envoyées par les intéressés. Ce fut à Beauvais le cas de M. de Malinguehen, dont la particule n'exprimait que la roture. Il se trouve aussi qu'un heureux hasard nous a conservé les pièces détaillées de l'opération, et spé-cialement la correspondance des gentilshommes du bailliage avec le lieutenant général. Cette dernière, qui nous a aidé à constituer 135 dossiers de familles nobles — il n'est pas question d'en donner le détail —, permet de présenter l'état matériel et moral de la noblesse purement beauvaisine. Nous n'insisterons que sur ses traits essentiels, parce que l'étude du Beauvaisis n'apporte, en somme, rien de vraiment nouveau à ce qu'on savait déjà des gentilshommes ruraux dans la France de Louis XIV.

Leur dévouement au roi, leur empressement à servir dans ses armées et leur courage militaire ne font aucun doute. Le sieur Hameline de Francastel, écrit une dame de ses amies, « est tout prêt de marcher... on luy fera un fort plesirs (sic) de luy donner les moiens de servy Sa Majesté, y aiant longtans qu'il ce trimouce pour pouvoir avoir de l'anploy ». A la même époque, un religieux de Saint-Germer a « trouvé M. de Saint-Pierre es Champs dans une grande inquiétude, estant tout ensemble malade et pressé d'aller à l'arriere ban ». Bien d'autres manifestent leur regret de ne pouvoir « marcher » à l'arrière-ban, à cause de leur âge, de leurs infirmités, de leurs blessures, de leur misère aussi. Jean de Carvoisin, chevalier, seigneur d'Achy, écrivait en juin 1690 « qu'il estoit plein de zele pour continuer ses services au Roy et à l'Estat, ayant l'honneur d'estre nay gentilhomme, qu'il a passé sa jeunesse dans le service, en qualité en dernier lieu de capitainne... il n'a quitté que par force et parce qu'il s'est trouvé sans santé et pendant cinq années sans voix et sans parolle... ». François de Paule de Senicourt, chevalier, seigneur de Sesseval, infirme à la charge de sa mère — on devait le trouver mort, en 1710, dans une auberge de Beauvais avec 54 sols en poche et une cassette bourrée d'exploits, et de commandements —, tout en manifestant son chagrin de ne « pouvoir suivre la trace de ses ancêtres », rappelait que ses trois frères, un aide de camp, un mousquetaire et un chevalier de Malte, étaient tous les trois morts à la guerre. Le chevalier d'Hanvoile, âgé de 66 ans, avait été colonel; trois de ses fils furent tués en campagne, et les deux autres servaient le roi, l'un depuis 30 ans, l'autre depuis 22; le chevalier avait cédé tous ses biens à son fils aîné, contre une pension de 200 livres, sur laquelle il entretenait deux petits-fils orphelins, qui se préparaient aussi à « entrer en service ».

Bien des familles nobles pleurèrent ainsi des enfants dont elles étaient fières. Toutes pourtant ne manifestèrent pas le même dévouement. On vit certains écuyers implorer des exemptions de service ou de contribution. Les bonnes relations qu'ils entretenaient avec le lieutenant général, assez enclin au favoritisme, ou avec Précy, le secrétaire du maréchal d'Estrées, personnage fort vénal, aidaient ces nobles à ne pas se conduire en gentilshommes. Une seule lettre de Précy à Malinguehen suffit à illustrer ces combinaisons :

« Vous m'avez demandé, Monsieur, de ne point faire poursuivre M. Le Clerc de Blicourt pour l'obliger à joindre l'escadron, parce qu'il est de vos amis. Je vous l'ay accordé, mais à condition d'un semblable plaisir pour M. le marquis de Roncy, qui ne doit point estre taxé, ayant fait servir l'année dernière, et d'ailleurs estant parent assés proche de ma femme. Je vous demande donc de le faire rayer du Roolle des taxes et je vous promets de laisser M. de Blicourt en repos. Je vous envoyeray point l'ordonnance pour vostre voyage de Soissons que je n'aye eu une response favorable... »

Ayant obéi, Malinguehen fut remboursé de ses frais de voyage quatre jours plus tard, et reçut de Blicourt la plus plate des lettres de remerciements. L'abus de ces pratiques lui avait valu une verte semonce du maréchal d'Estrées :

« Vous vous conduisez avec peu de discernement... Pourveu que vous trouviez les moiens de mettre au couvert vos amis, vous vous mettez peu en peine de faire votre devoir, je vous conseille de vous conduire avec plus de sagesse et de retenue si vous voulez que je m'en tienne à une réprimande ».

La tâche du lieutenant général n'était pas des plus aisées, l'orgueil nobiliaire ne la facilitant pas. Plus d'une fois, le juge dut éprouver durement la distance qui séparait un gentilhomme d'un petit robin. « Je croiois », lui écrivit le marquis de Saint-Rémy qu'il avait eu la hardiesse de taxer, « qu'on se persuaderoit bien que quand des gens telles que nous disent une chose, qu'on y adjouste foy ». « Il est assez extraordinaire », précisait le chevalier du Metz d'Hécourt en menaçant Malinguehen d'un placet au roi, « qu'un juge prenne un aussy meschant party que celuy d'un miserable faquin comme Limermont contre des gens de qualité pour qui vous debvez naturellement avoir plus de consideration, sans compter le deub de vostre charge ». Sans une formule de politesse, Perrot de Fercourt, dont le fermier avait reçu un commandement pour la taxe de l'arrière-ban, rappelait sa « dignité et (ses) prérogatives... Je remarque même de l'injure » ajoutait-il, « dans les termes de fermier judiciaire, cela me parroist une niche de vostre procureur du Roy. Mais comme vous estes le superieur, c'est a vous de prendre garde a ce que vous signez... Donnez-y ordre ». Une autre forme de fierté, plus noble et plus triste, marque beaucoup de lettres qui ressemblent à celle que dut écrire, le 13 mais 1692, Jean de Carvoisin, qui venait d'être taxé à 200 livres :

« N'estes vous pas bien convaincu qu'elle est hors de mon pouvoir ? Faut-il que vous en cognoissiez davantage ? J'ay assez de gloire et de cognoissance de ce que je doibs à ma naissance pour taire le malheureux estat ou je suis pour une somme aussi médiocre. Si je trouvois à l'emprunter, j'aymerois mieux n'en jamais parler. Mais ou trouve-t-on ? et quand rendre ? ».

A plus de 70 ans, Louis de Fontette, sieur de Théméricourt, rejoignait encore l'escadron, en déclarant : « J'ayme mieux soufrir la peine de mon cors que de voir reduire mais enfant a la mandicytés ».

Quels que soient les doutes qu'on puisse opposer au concert de lamentations venu des gentilhommières beauvaisines, l'on doit considérer, après avoir recoupé beaucoup de situations personnelles, que le cas de Jean de Carvoisin ou du sieur de Théméricourt exprimait bien l'état moyen des écuyers et chevaliers du bailliage.

« Tâchez d'avoir des bottes et des pistollets, et on se forcera de vous donner encore quelque secours », écrivait le lieutenant général à ce petit écuyer de Francastel à qui il faisait prêter un cheval pour « marcher » à l'arrière-ban. Le même Hameline était pourvu « d'un fort médiocre bien... dont il n'a quasy rien recoeully aiant esté niellé de manière... qu'il y a plus de quatre mois qu'il agette le bled qu'il mange... ». En 1693, Adrien de Villepoix, chevalier, seigneur de Saint-Félix, allié aux maisons de Noailles et de Vignacourt (grand maître de Malte), suppliait l'intendant de Paris de le dispenser de taxe : ses biens ne valaient pas, affirmait-il, 400 livres de revenu ; il était chargé de plus de 25 000 livres de dettes « en sorte qu'il ne possede pas seulement un sol, mais qu'il s'en manque de plus de moitié qu'il n'ait de quoy païer ses dettes... ses créanciers aïans mis ses biens en saisie réelle et voïant qu'ils estoient a la veille de perdre leurs creances par les frais d'un decret, s'ils en eussent poursuivy l'effet, ils sont convenus de les vendre à l'amiable... ». La lamentable lettre de l'épouse d'Antoine de Sulfour, sieur de Pauville, accompagnée d'un mot du curé de Sainte-Geneviève, devait amener une forte réduction de la taxe : « Sy vous voulé prandre la paine d'anvoier ché nous, vous verray sy je ne vous dy pas la verité et sy tous la messon nes pas a moitié fondu et les couverture toute a jour... Nous sommes au désespoir, bientot faudra aller a l'aumone... ». Bien pitoyable aussi, l'orthographe de Mademoiselle de Pauville...

Des documents de cette sorte, on pourrait en citer longtemps encore. Plus sèche, plus précise aussi, est l'estimation du revenu de 109 nobles par Malinguehen, lieutenant du bailliage. On ne peut douter pourtant qu'elle ne soit, intentionnellement, supérieure à la réalité. D'une part, elle donnait des revenus bruts, sans tenir compte des dettes dont étaient surchargées la plupart des familles nobles, — dettes qui entraînaient hypothèque des biens-fonds; d'autre part, prévoyant les récriminations des intéressés et les interventions qu'ils ne manqueraient pas de demander à de puissants amis, le lieutenant général avait pris ses précautions : et en effet les gentilshommes goûtèrent peu les estimations du juge, dont ils dénoncèrent le caractère exorbitant. S'il eût additionné 109 nombres de 3 à 5 chiffres, Malinguehen se fût aperçu qu'il estimait les revenus de toute la noblesse possessionnée dans le bailliage à 269 000 livres. Deux années plus tôt, il avait estimé ceux du seul clergé habitant Beauvais à une somme assez comparable. La moitié des revenus nobiliaires — ou peu s'en faut : 128 200 livres — appartenait à treize grands personnages, parlementaires, conseillers d'état ou nobles hautement titrés, tous étrangers à la province : chacun d'eux tirait du Beauvaisis un revenu annuel de 5 000 à 20 000 livres. Une vingtaine d'autres, également étrangers et à peine moins puissants, se partageaient encore une soixantaine de milliers de livres. Soixante-dix familles de véritables gentilshommes campagnards devaient se contenter d'un revenu global et surestimé de 81 000 livres, fortement entamé d'avance par une meute de créanciers que nous allons bientôt retrouver. Vingt-trois « escuyers » ne recevaient que 500 livres — 27 sous par jour, moins qu'un curé de campagne qui n'avait pas d'enfants à établir, ni de rang comparable à soutenir. Un bon tiers des familles nobles du bailliage pouvait entrer dans ce qu'on appelait la catégorie des « pauvres honteux »; il est d'ailleurs certain que plusieurs d'entre elles ne subsistèrent que par de discrètes aumônes, comme l'attestait le curé d'Auneuil au sujet des Prouville de Brunaulieu.

Cet affaiblissement matériel d'une noblesse qui, au siècle précédent, paraissait plus nombreuse et plus aisée — en 1593, un Gouffier entretenait encore en son château de Crèvecœur 57 personnes! — paraît s'être accompagné d'une sorte d'affaiblissement spirituel. Certes, dévouement et bravoure militaire restèrent ardents et vivaces. Mais certains personnages cherchaient pourtant à s'exempter du service, et allaient jusqu'à flatter les juges roturiers pour y parvenir. L'instruction des fils nobles semble, au XVIIe siècle, réduite aux rudiments : bien des lettres à l'écriture malhabile et à l'orthographe presque phonétique attestent qu'on ne trouve plus de précepteur dans mainte gentilhommière. En des époques plus passionnées, on s'engageait à fond pour une cause religieuse, politique ou princière : l'on vit, sous Louis XIV, un Hercule de Fallart, chevalier et seigneur d'Ablemont, se quereller avec Claude du Biez, chevalier et seigneur de Savignies, pour un pâturage à moutons; puis le second débaucha les moissonneurs du premier, tandis que celui-ci décoiffait le fils de celui-là. En pleine église de Songeons, sur l'ordre de son maître, un valet de M. d'Humermont assassinait un jeune homme. Plus tard, les frères Alexandre de la Motte d'Hannaches iront jusqu'à se colleter avec des paysans pour une affaire de braconnage. Tantôt, des gentilshommes impotents, muets, sourds, parfois totalement « imbeciles »; tantôt de robustes pères de famille dont la descendance légitime se doublait d'un beau nombre de bâtards, souvent reconnus, et pourvus d'une nourrice par leur noble père, parfois même d'un petit « établissement ». Indices dispersés, et sans doute peu décisifs; ils ne militent cependant pas en faveur d'une élévation spirituelle de la petite noblesse beauvaisine. Quant à son appauvrissement matériel, on ne peut en douter et il a été signalé en d'autres régions. L'on voudrait essayer de le comprendre mieux : dans cette recherche, les archives de la bourgeoisie apportent une contribution décisive.

B. *Gentilshommes et bourgeois : liens financiers, liens familiaux, liens sociaux.*

Un exemple illustre avec une force particulière la destinée de la noblesse campagnarde du Beauvaisis, et jette en même temps une vive lumière sur les liens étroits qui unissaient la bourgeoisie à cette ancienne

noblesse rurale. Nous le tirons d'un testament, rédigé
le 4 juillet 1647 par Maître Tristan, président en l'élection et bailli de la « ville, bailliage et comté-pairie
de Beauvais ».

Sa grosse fortune, dans laquelle l'argent liquide
tenait la place que nous avons signalée, comprenait
des terres — fiefs et rotures —, des seigneuries, des
maisons et des rentes : Tristan réglait précisément
leur répartition entre ses six enfants. Les rentes, peu
nombreuses — une trentaine —, s'élevaient tout de
même à 3 270 livres, qui correspondaient à un capital
supérieur à 50 000 livres, égal à 58 860 si le denier 18
avait été respecté partout. Près des trois quarts —
73,8 % en valeur — avaient été constituées par des
gentilshommes de la région. Les grands noms du Beauvaisis, ceux qui s'illustrèrent pendant les guerres de
religion et la Ligue, figurent presque tous sur la liste :
les Rouvroy de Saint-Simon, parents du célèbre mémo-
rialiste, les Gouffier, descendants de deux amiraux
de France, les Gaudechart, François de l'Espinay,
Messieurs du Biez, de Canny, de Boissy, d'Hécourt,
de Boubiers, de Comberelle, de Cressy, de la Hérelle,
et l'inévitable comte d'Auneuil, infatigable emprunteur.
Le versement de ces rentes constituées manquait
d'une saine régularité (les arrérages sont importants),
la noblesse préférant dépenser pour paraître, et méprisant
sans doute des prêteurs roturiers. Mais les créanciers,
juges ou parents de juges, savaient tirer profit d'hypothèques prises sur les biens de leurs débiteurs. Nous
pouvons précisément retrouver des acquisitions de
terres, maisons et seigneuries effectuées par Nicolas
Tristan : presque toutes, aux dépens de nobles endettés.
A Pierre Le Bastier, écuyer, alors seigneur de Goincourt,
il avait acheté en 1627 le fief de la « petite chastellenie »
et des rotures, pour 8 000 livres. Aux Gouffier, descendants de l'illustre maison de Bonnivet-Crèvecœur,
perdus de dettes, obligés de vendre à des bourgeois
tous leurs biens picards, il acheta les terres, fiefs et
seigneuries de Juvignies et Verderel, qui restèrent
dans la famille Tristan pendant plus d'un siècle.
Depuis 1626, maître Nicolas possédait entre Juvignies
et Pisseleu un manoir seigneurial et des terres rachetées
aux Malinguehen, alors simples « bourgeois de Beauvais »,
qui les avaient acquises en octobre 1600 d'un gentilhomme endetté. Non loin de là, à Guéhengnies, le même

Tristan détenait encore la seigneurie et des terres,
acquises des Bissipat, autre famille noble installée
en Beauvaisis depuis le xvᵉ siècle. A Troissereux,
à Saint-Martin-le-Nœud, à Saint-Paul, à Maisoncelle-
Saint-Pierre, à Francastel, dans douze autres paroisses,
les Tristan avaient encore acheté des biens de gentilshommes : on nous donne le nom du vendeur et la date
des actes; les noms des notaires manquent malheureusement. Il est à peine exagéré de dire que la fortune
de Nicolas Tristan était constituée des dépouilles
de la noblesse beauvaisine, dont le testateur de 1647
avait été le prêteur attitré, avisé et impitoyable. A la
fin du siècle, les Tristan, toujours aussi riches, ne déda-
gnaient pas encore leurs traditionnelles fonctions d'élus
en l'élection. Par un achat d'office de secrétaire du
roi, ils accédèrent enfin à la noblesse, au début du
xviiiᵉ siècle. L'un des derniers Tristan, Nicolas, seigneur de Hez, Juvignies, Verderel et autres lieux,
lieutenant au régiment de Louville, avait quitté la
robe pour l'épée; gentilhomme de fraîche date, il n'é-
chappa pas à la destinée habituelle des gentilshommes plus
anciens : le 7 septembre 1762, ses dettes le contraignirent
à vendre le domaine familial à Bourrée de Corberon.

Cette série d'épisodes familiaux illustre les destinées
de la noblesse campagnarde, cliente et victime de la
bourgeoisie urbaine. Appauvrie, obligée d'emprunter,
la première s'adressait à la seconde, et devenait sa
proie. Peu à peu, terres et seigneuries tombaient dans
les mains des bourgeois, qui finissaient par s'installer
dans les manoirs, et par voiler leur roture d'une charge
de secrétaire du roi. En s'anoblissant, l'ancienne
bourgeoisie relayait l'ancienne noblesse; une noblesse
rurale continuait d'être, mais elle n'était plus composée
des mêmes familles. Certains gentilshommes réussis-
saient cependant à endiguer l'assaut bourgeois, mais
en composant avec l'ennemi : ils acceptaient de prendre
femme dans la bourgeoisie prêteuse. Ainsi, Charles
Descourtils, chevalier, seigneur de Merlemont, Allonne,
Therdonne, etc., capitaine au régiment de Guast,
ne craignit pas d'épouser Catherine Macaire, dont les
parents avaient amassé des fortunes énormes et quelque
peu scandaleuses dans les fonctions de commissaires
des guerres. Il suivait en cela la coutume d'une époque
où l'on vit les premiers personnages du royaume épouser
les filles des financiers.

Pour montrer l'étonnante extension de l'endettement nobiliaire et l'ampleur de la pénétration bourgeoise dans les gentilhommières beauvaisines, la documentation s'offre de toutes parts, avec une convergence exceptionnelle.

Voici, d'abord, quelques acquisitions bourgeoises. Dès 1580 Guillaume de Dampierre, marchand drapier, et son frère Yves, orfèvre, cueillaient à Bailleul-sur-Thérain le fief de Heilly, cédé par un membre de l'ancienne maison de Pisseleu, Jean, chevalier, seigneur de Heilly, Fontaine-Lavaganne, Pisseleu, Oudeuil et autres lieux. Le 16 juillet 1599, « honneste homme Pierre de Malinguehen, bourgeois de Beauvais » achetait la terre et seigneurie de Troussures à Loys de Berthaucourt de Maimbeville, pour 3 422 écus et 40 sols : 2 000 écus furent employés à régler les dettes du vendeur. Trois ans plus tard, les terres et seigneuries de Ronquerolles et Nointel, près Clermont, passaient de la famille d'Humières à François Ollier, notaire et secrétaire du Roi; en 1670, le tout était acheté par le trop célèbre Béchameil, « surintendant des maisons et finances de Monsieur », qui obtint l'érection en marquisat. En 1621, Louis de Berthaucourt, qui avait déjà abandonné Troussures, était contraint de laisser saisir sa terre de Maimbeville, qui fut adjugée à un bourgeois de Paris. En 1652, un Foy achetait à Louis de l'Espinay les seigneuries de Senantes et Bois-Aubert, qui appartenaient à cette noble lignée depuis au moins deux siècles; simple incident dans l'histoire de la tribu Foy, qui posséda une douzaine de seigneuries, et dont trois filles au moins avaient, dès cette époque, redoré le blason de gentilshommes impécunieux : Catherine, fille de Toussaint, avait réussi à épouser Louis de Gaudechart, dont la famille prétendait remonter aux Croisades, peut-être à juste titre.

En 1675, un autre Espinay, Gaspard, chevalier, seigneur de Nivillers, entendit le tribunal du comté-pairie prononcer un décret contre lui. Pour rembourser quelque 20 000 livres de dettes, 240 mines de terres labourables, parmi les meilleures de la région, furent adjugées aux frères Serpe, marchands à Beauvais. Sur 19 330 livres versées par les Serpe, près de 17 000 revinrent à treize bourgeois de Beauvais : trois marchands, trois procureurs, un avocat, trois juges au présidial, leur président, le bailli (Tristan fils), et un officier du duc d'Orléans. Dans les détours de la procédure, il fallait qu'apparaisse un Foy : ce fut celui de Senantes.

En 1681, Marguerie, fief et hameau de Hermes, tombait des mains d'un « escuyer » ruiné en celles de Vigneron, président au présidial et futur maire de Beauvais. A la même époque, les terres et seigneuries d'Argenlieu, Avrechy et Lamécourt étaient adjugées à un certain Jean Gon de Vassigny, trésorier de la maison du roi : elles provenaient de la succession saisie du maréchal Louis de Hangest. En 1685, les terres saisies après le décès du marquis de Vignacourt passaient à un secrétaire du roi, bourgeois anobli. En 1689, c'était à Élisabeth de Prat, veuve de Claude de Metz, chevalier, seigneur d'Hécourt, de voir saisis la totalité de ses biens, meubles et immeubles : la seigneurie d'Hécourt devait passer à Gabriel Danse.

Cette liste n'offre rien d'exhaustif; elle apparaîtra sans doute assez expressive. Une autre catégorie de documents, d'origine purement bourgeoise, permet d'apercevoir, à côté des acquisitions réelles, les acquisitions qui se préparent.

De 1658 à 1666, Nicolas Ticquet, conseiller au présidial, avait su réunir 1 450 livres de rentes (26 000 livres en capital, au denier 18), en douze contrats. Il avait prudemment réparti ses disponibilités : la moitié sur de solides bourgeois, marchands ou officiers; la moitié sur des nobles encore bien pourvus de terres : Hercule de Fallart, sieur d'Ablemont, pour 3 700 livres; Timoléon de l'Espinay pour 3 600 livres; M. de Bruneval, pour 5 000 livres.

Le 14 février 1668 fut commencé un de ces énormes inventaires, si fréquents dans la famille Foy. Il s'agissait d'Yves, « vivant trésorier payeur de la gendarmerie de France, assesseur et premier esleu en l'Eslection, ancien maire de Beauvais ». Dans le flot des papiers figurent maintes créances, cédules et reconnaissances de dettes souscrites par la noblesse locale : on y retrouve le comte d'Auteuil, les Espinay, les Gouffier et un Gaudechart. Au moins quatre de ces débiteurs avaient connu la vente par décret, au profit du défunt et de quelques autres : un sieur de Mailloretz et un sieur de la Habardière, on ne sait à quelle date; en 1652, Nicolas de Torcy d'Hardivillers; en 1659, la dame de Boissy, née Gouffier.

Lorsque, en juillet 1680, Louis d'Homblières, qui habitait Marie-Galante, s'occupa de la succession du sieur de Wavignies, son frère, il trouva Charles Lebesgue, bourgeois de Beauvais : ce dernier avait en mains tout l'héritage... Louis récupéra 250 livres.

Des bourgeois relativement modestes, comme les notaires et les procureurs d'alors, essayaient d'exploiter aussi les embarras des gentilshommes, Nicolas Houppin, notaire royal, s'était fait constituer 12 000 livres de rentes (en principal); plus de la moitié provenait de trois écuyers du voisinage : Mercatel, Doudeauville et Deschamps « dit Morel ». Simples procureurs, qui prêtaient surtout dans le monde des laboureurs, les Caignart s'intéressèrent aussi au sieur de Mercatel : en 1674, Caignart père prêtait 2 000 livres; en 1714, Caignart fils recevait, en règlement d'une partie des arrérages accumulés, des herbages et des prés dans la vallée de l'Epte, immédiatement affermés pour 200 livres tournois et quelques mottes de beurre. C'était encore vers les Mercatel, mais aussi vers les Doudeauville et le sieur de Parisifontaine que s'était tourné Claude Loisel, lieutenant au présidial.

Aucun fait d'ordre social n'est plus éclatant et plus général que cet endettement de la noblesse, que ce passage des biens des nobles aux mains des créanciers bourgeois, beauvaisiens ou parisiens, que cette pénétration lente, mais puissante, de la bourgeoisie riche dans les terres, les châteaux, les familles et les effectifs de la noblesse locale. Le mécanisme du phénomène paraît clair; les mobiles et les moyens des bourgeois, également. Mais pourquoi tant de gentilshommes se sont-ils ruinés, se sont-ils laissé ruiner?

C. *Origines de l'appauvrissement des gentilshommes.*

Pour traiter cette question d'une manière convenable, il faudrait disposer d'un certain nombre de comptabilités nobiliaires du XVIIe siècle. L'histoire des deux cents dernières années ne l'a pas permis : les dispersions révolutionnaires, les invasions, les occupations et les pillages surtout, ont détruit ou égaré ce qui nous aurait aidé peut-être à mieux comprendre l'ancienne noblesse beauvaisine. Ce qui suit résulte cependant de l'exploitation d'une documentation positive, mais souvent indirecte, incomplète, ou fragmentaire.

L'on a souvent allégué les « trésors d'Amérique » et la « révolution » monétaire et économique du XVIe siècle pour expliquer l'appauvrissement de la noblesse. Cette explication ne peut s'appliquer qu'à la portion des droits seigneuriaux qui était en argent. Certes, des cens, rentes et autres droits de quelques sous et de quelques deniers par arpent ou par feu ne représentaient plus, dès la fin du XVIe siècle, que des sommes insignifiantes. Mais une autre part des droits seigneuriaux était exprimée en nature : dans le Haut-Bray, les « masures » devaient au seigneur des razeaux d'avoine et des setiers de blé : leur valeur — le fait est bien connu — monta plus vite encore que ne s'abaissait la valeur intrinsèque de la livre tournois. En de nombreux finages, les seigneurs percevaient de substantiels champarts, qui ne leur furent jamais versés autrement qu'en grains. Du point de vue des revenus, les rares dîmes inféodées étaient tout à fait comparables aux champarts. Enfin, tous les seigneurs n'étaient pas des nobles, et tous les nobles n'étaient pas uniquement des seigneurs. Ils furent aussi, comme les clercs et les bourgeois, des propriétaires fonciers qui exploitaient ou affermaient leur domaine. En un siècle (1530-1630) de hausse des prix, et fort probablement de hausse au moins proportionnelle des revenus, on n'aperçoit pas pourquoi les seuls revenus des domaines nobles eussent manifesté une étonnante inédpendance; ou plutôt on n'aperçoit qu'une raison : la mauvaise administration nobiliaire. Cette faiblesse même ne pouvait entretenir aucun rapport avec la « conjoncture » économique de hausse et d'expansion. Par surcroît, les droits seigneuriaux perçus en argent, donc immuables en valeur nominale, ne durent jamais constituer l'essentiel des revenus des gentils-hommes beauvaisins. L'appauvrissement de ces derniers ne peut donc être imputé que pour une très faible part aux « révolutions » monétaires et économiques du XVIe siècle, « révolutions » qu'on a peut-être exagérées. Enfin, l'accroissement de valeur des revenus en nature a dû, ou aurait dû, compenser largement la baisse réelle des revenus immuables en argent.

On objectera peut-être qu'avec la décennie 1630-1640, la conjoncture économique parut se renverser — notre seconde partie y insiste suffisamment — et que les revenus de la terre, ainsi que les droits seigneuriaux perçus en nature, purent s'en trouver affaiblis. Il n'est que de revenir quelques pages en arrière pour constater que l'endettement des gentilshommes et la perte d'une partie de leurs biens commencèrent bien avant cette décennie importante : dès le XVIᵉ siècle. L'influence des conditions économiques, spécialement celle de la conjoncture, paraît donc, dans son ensemble, à rejeter.

Les événements militaires et politiques qui endeuillèrent le Beauvaisis, comme tant d'autres régions du royaume, à la fin du XVIᵉ siècle, surtout de 1589 à 1595, paraissent avoir exercé une action considérable. Protestants ou catholiques, ligueurs ou loyaux, tous les gentilshommes de la contrée entrèrent dans la lutte, levant des troupes de partisans et de pillards, dressant des embuscades, assiégeant les châteaux, s'entre-tuant comme à plaisir, jetant dans la lutte civile, dans la guerre religieuse et le banditisme leur bravoure, leur astuce, et leur fortune. Aussi les nobles beauvaisins qui s'illustrèrent dans ces luttes ne jouèrent plus, par la suite, qu'un rôle insignifiant. Les plus importants — les deux Gouffier, Bonnivet et Crèvecœur, les Gaudechart de Bachivillers, les Lespinay ou Espinay — semblent avoir réduit leurs descendants à la gêne ou à la ruine. De plus obscurs, comme les Fontette et les Dausbourg, avaient laissé si peu de chose à leurs héritiers que ceux-ci figurèrent sur les rôles de l'arrière-ban avec des revenus annuels inférieurs à 500 livres. Certains tentèrent de reprendre les armes dans les premières années de la minorité de Louis XIII, en épousant le parti des Princes ; aucun ne les reprit à l'époque de la Fronde. L'ardeur et la fortune, tout semblait alors leur manquer. La Ligue dut contribuer pour une large part à l'affaiblissement de la noblesse beauvaisine.

Son mode de vie fit le reste. Lorsque Gouffier de Crèvecœur entreprit, en 1593, de réduire le train de sa maison, il apparaît qu'il y nourrissait encore « à l'ordinaire », 57 personnes : plus de 40 étaient des domestiques. Les Gouffier ne purent soutenir de telles dépenses, et l'on sait que, perdus de dettes, ils vendirent Crèvecœur au financier Hanyvel. Les vertus bourgeoises de stricte économie et d'exacte administration furent rarement l'apanage des gentilshommes : leur naissance, leurs alliances, leurs privilèges et leurs chevaux les intéressaient d'abord. S'abaisser à des détails matériels ne venait pas à l'esprit de personnages pour qui l'argent ne sembla souvent fait que pour être dépensé, et dépensé que pour paraître. Le code de la société noble imposait des obligations morales, une manière de vivre, des occupations qui ne fussent pas viles. La chasse, les festins, les chevauchées, la guerre restaient leur lot. Si les ressources de la maison ne correspondaient pas à l'idéal d'une vie noble, qu'importait! Le bourgeois était là, avec ses sacs d'écus, qui avançait les sommes indispensables, et n'exigeait que de signer un papier rapidement griffonné. La première reconnaissance de dette, la première constitution de rente en entraînait d'autres, presque fatalement. L'écuyer avait-il des filles? Il ne pouvait les marier sans les doter. Quand Le Bastier maria sa première fille, Tristan avança la dot; quand il maria la seconde, ce furent les Dames de Saint-Paul; quelques mois plus tard, Le Bastier perdait Goincourt, et se repliait sur Rainvilliers, mauvaise gentilhommière entourée de marais et de taillis; quelques années de plus, et c'était la prison pour dettes... Le chevalier avait-il élevé des fils? Il était inconcevable qu'ils ne partent pas pour l'armée : vêtir, armer, monter, équiper un jeune hobereau représentait bien des frais. Ainsi commença à s'endetter le sieur de Nivillers, dont les créanciers firent vendre les meilleures terres. Continuer à vivre noblement, pour un gentilhomme déjà tombé entre les mains des usuriers, c'était la certitude de la ruine à plus ou moins longue échéance. Quelques-uns le comprirent, et surent se reprendre, grâce à des mariages bourgeois, ou à l'adoption d'un train de vie plus modeste et mieux contrôlé. Devançant le siècle des physiocrates, certains prirent goût à l'administration de leurs domaines, comme les Descourtils de Merlemont, les Coucault d'Avelon ou les du Biez de Savignies; discrètement, d'autres firent commerce de toisons, comme M. de Villotran et le comte d'Auteuil.

Mais ils ne constituèrent qu'une minorité. Affaiblis par la Ligue, abusés par un style de vie noble qui dépassait leurs moyens, par un souci de ne pas déroger que la législation ne faisait qu'enregistrer, habilement séduits par de rusés bourgeois, la plupart des gentilshommes beauvaisins perdirent, au long du XVIIᵉ siècle, leur fortune, leurs biens, leur autorité. Les bourgeois, — parfois aussi le haut-clergé et quelques receveurs — s'installèrent sur les terres et les seigneuries, logèrent dans les manoirs de la vieille noblesse. Ces intrus roturiers les administrèrent avec les méthodes qui avaient assuré leur réussite; pas toujours cependant. Puis, ayant revêtu les biens des gentilshommes, ils revêtirent bientôt une manière de noblesse qu'ils usurpaient parfois, qu'ils achetèrent bien plus souvent. Ainsi se renouvelait, se rajeunissait d'apports bourgeois, en ce siècle comme aux précédents, le groupe social durable des nobles de province. Lorsque comparut, en 1789, la noblesse du bailliage de Beauvais, 58 gentilshommes se présentèrent en personne. Si les Gouffier, les Lespinay et les Combault du « Grand Siècle » avaient pu assister à cette cérémonie, ils eussent été étonnés, au sens classique du terme : sur les 58 présents, 10 portaient les noms de gentilshommes du temps du roi Henry; une vingtaine étaient des étrangers, robins et nobles de fraîche date, venus de la capitale ou des provinces voisines; 27 enfin descendaient d'hommes qui, dans les boutiques et les magasins de Beauvais, remuaient des serges ou des toiles au siècle de Louis XIV : parmi eux, pas moins de cinq Danse, de cinq Regnonval et de six Michel, tous anoblis avant 1740. La noblesse du bailliage, tout injectée de marchands anoblis, s'était presque entièrement renouvelée.

Si, embrassant d'un coup d'œil toute la société rurale du Beauvaisis, nous remontons de la masse des manouvriers et des sergers de village aux laboureurs, aux fermiers-receveurs, aux curés et aux gentilshommes, nous aboutissons invariablement aux grands bourgeois, receveurs de tailles, receveurs d'abbayes, marchands de grains, marchands de bois, marchands de bestiaux, marchands de laines, marchands de serges et de toiles, prêteurs à gages, prêteurs à rente, usuriers discrets ou créanciers soudain impatients, souvent juges et parties dans leurs propres procès. Installés par leurs enfants dans les couvents et les canonicats, par leurs parents dans les cours et juridictions, ils « tiennent » la campagne, à quatre ou cinq lieues des murs de leur ville. Ils ont marqué de leur empreinte ce Beauvaisis qui est leur; ils lui ont donné comme une figure nouvelle, à laquelle ne manque même pas la sombre teinte d'une foi sourcilleuse, que les prêtres qu'ils ont formés dans leur séminaire janséniste répandent, ou tentent de répandre, jusque dans les chaumières. Ils jouent un rôle important dans la vie agricole, pastorale et forestière; ils dominent presque entièrement la vie manufacturière de cette active région textile; ils se sont insinués dans la noblesse et dans la partie supérieure du clergé rural. Les communications, le ravitaillement en « commoditez », la distribution des espèces et le ramassage de tous impôts et redevances, ils l'assurent; la justice, la foi, l'instruction même, ils la dispensent; la fortune qui n'appartient pas au clergé ou aux Parisiens, ils la possèdent. Leur domaine s'arrête cependant à cette sorte de dôme du plateau picard, vers Grandvilliers, Crèvecœur et Breteuil, où ceux d'Amiens ont vigoureusement poussé leur robuste influence; aux portes de Clermont, de Mouy et de Méru, où la haute noblesse parlementaire et princière gagne insensiblement du terrain, entamant peut-être les anciennes positions des bourgeois de Beauvais; aux confins du Thelle et du Bray, sur les bords de l'Epte enfin, là où commence la Normandie, terre presque étrangère.

Ces bourgeois de Beauvais, qui nous sont apparus partout dans le plat pays, il faut maintenant pénétrer chez eux, dans la très ancienne et très vivante cité de Beauvais.

CHAPITRE VII

LE DÉCOR DE LA SOCIÉTÉ URBAINE :
BEAUVAIS AU XVIIᵉ SIÈCLE

Au XVIIᵉ siècle comme aujourd'hui, c'était de Gisors ou d'Amiens qu'il fallait arriver pour saisir Beauvais dans son ensemble, du haut d'une des collines qui accompagnent le Thérain. L'usager du coche, le cavalier, le piéton pouvait alors contempler cette manière d'enluminure qui s'étalait sous un ciel illimité, souvent traversé par les vents et les nuées venus de la Manche : dans une mer de vignes, au creux d'un marais, les puissantes murailles qui, sur une lieue de tour, corsetaient la vieille cité ; autour des remparts, les doubles fossés où coulait un Thérain canalisé, coupé de moulins, souillé par le suint des laines, les « lessives » des teintureries, les eaux usées ; à l'intérieur, la cohue désordonnée des toits de chaume et des pignons de tuiles, dominée par vingt flèches d'ardoise, écrasée par la masse de la cathédrale, rêve insensé qu'on n'acheva jamais.

En plein XVIIᵉ siècle, une sorte de ville médiévale, mais une ville médiévale du Nord, avec sa multitude de canaux, d'églises et de manufactures, dont la gloire, la fortune, la puissance et la beauté étaient déjà choses du passé.

I. UNE ANCIENNE VILLE-FORTE

Comme Lutetia, Bratuspantium, l'opidum des Bellovaques, était défendu par les eaux et les marais. Au milieu d'un lacis d'eaux stagnantes, de prairies flottantes, d'eaux vives où vagabondait une rivière plus puissante et plus libre qu'aujourd'hui, ce fut sans doute sur quelques buttes insubmersibles que les demeures celtiques avaient enfoncé leurs pilotis de bois : au centre même de la ville moderne, on en a retrouvé quelques-uns.

Les Romains disciplinèrent ces eaux, les distribuèrent en canaux robustes et rectilignes, qui subsistent encore. Ils n'ont dû murer la « civitas » qu'au IIIᵉ siècle, après les premières invasions : au pied de la forteresse, ils firent passer une nouvelle dérivation du Thérain, le Merdanson. Au XVIIᵉ siècle, les murailles du Bas-Empire, solides et toujours baignées des eaux du Merdanson, n'enfermaient que la « Cité » au sens strict : la terre de l'évêque et du chapitre, où se dressaient la cathédrale, les collégiales, les maisons canoniales; en tout, une dizaine d'hectares, qui donnent la mesure de la petite agglomération qu'était devenue, au temps des invasions, l'ancienne Bratuspantium, sous le vocable romanisé de Caesaromagus, auquel se substitua plus tard un nom de peuple, Belvacum, devenu Biauvez.

Dès le VIᵉ siècle, un centre habité s'était organisé un kilomètre en amont, autour de l'abbaye bénédictine de Saint-Lucien. Au XIᵉ siècle, un faubourg, un marché où vivaient des Juifs s'était formé autour d'un sanctuaire de Saint-Vaast (ancien nom de l'église Saint-Étienne), tout près de la cité. Cette nouvelle agglomération servit de refuge, un refuge que les Normands ne purent enlever, où les reliques de Saint-Vaast reposèrent en sécurité. Était-il fortifié ? Fut-il ce « burgum clausum » dont parle Louvet ? On voit mal comment, sans murailles, cette agglomération religieuse et marchande eût pu subsister. C'est là que naquit la commune de Beauvais.

Mais les murailles qu'on défendait encore au XVIIᵉ siècle avaient été achevées au XIVᵉ, fréquemment réparées, renforcées et améliorées aux époques de guerre. Elles englobaient la cité, le bourg clos, et une surface plus considérable encore, qui doit représenter les progrès de la ville du Xᵉ au XIIIᵉ siècle : en tout, près de cent hectares. Des voyageurs ont vanté la belle architecture des remparts de Beauvais, « murailles de pierre de taille blanche de pays, avec tours et créneaux en beaucoup d'endroits, ayant aussi de bons et larges fossés la plupart remplis d'eau, avec de bonnes portes et poternes ayant leurs cavaliers et terrasses au-devant ». (P. de la Planche, 1640).

L'eau, premier moyen de défense, s'alliait à la pierre

pour protéger la ville : au « relais Sainte-Marguerite »,
un système de vannes permettait de diriger les eaux du
canal Gonnard vers la ville pour alimenter les rivières
intérieures, si utiles aux manufactures, ou bien vers
l'extérieur, pour « mettre en eau » les deux rangées de
fossés.

Au XVIIe siècle, au XVIIIe siècle encore, on concevait
une ville comme un lieu « ordinairement fermé de
murailles » : tous les dictionnaires le notent.

Jusqu'au règne de Louis XIV, les remparts de Beauvais jouèrent effectivement un rôle militaire. Ils avaient
gardé de l'ennemi une place forte qui se déclarait « vierge
et pucelle » et qui avait su effectivement se défendre dans
les guerres civiles et étrangères. Le siège de 1472 avait
consacré sa réputation de « ville imprenable », — bien
que la cause principale de sa résistance victorieuse fût
une incroyable erreur du Téméraire. Depuis lors, elle
eût sans doute résisté à tous les assauts : mais elle ne
connut que des alertes. Le renom de la forteresse était
tel que personne, semble-t-il, n'osa l'assiéger. Les
ligueurs du XVIe siècle, groupés autour du chanoine
Luquin et du maire Godin, en avaient fait un repaire
inviolable. Après la reconquête d'Amiens, Henri IV
lui-même préféra traiter avec les Beauvaisiens, et ne
risqua pas un siège.

A moins de 60 kilomètres d'Amiens, ville-frontière
jusqu'au traité des Pyrénées, Beauvais pouvait constituer
un point d'appui intéressant pour la défense de la
Normandie et des villes de la basse Seine, peut-être aussi
de Paris, mais à un degré moindre. On le vit bien lors
de la célèbre campagne de 1636, l'année de Corbie.
L'approche des troupes espagnoles, dont les avant-
gardes vinrent fourrager aux environs de la ville, permet
de saisir clairement, et pour la dernière fois, le fonctionnement de la place forte.

L'entretien des murs, le guet, la garde, la défense,
appartenaient à la « ville et commune ». Lourde charge,
que celle-ci avait tendance à négliger dans les périodes
de paix. Aussi, lorsqu'approcha le danger, la ville engagea
des dépenses importantes pour remettre en état les
murailles, obstruer les brèches faites par le temps et le
vandalisme. Des troupes d'ouvriers en laine et de manouvriers ruraux furent employés à charrier pierres, graviers
et sables. D'autres construisirent au nord et au sud
deux fortins avancés dont on retrouve encore les traces

au Mont-Capron, face à la Picardie, et sur la falaise nord du Bray, près l'église de Saint-Martin-le-Nœud. Les trois compagnies privilégiées et les quatre compagnies de quartier, formées en permanence par les ouvriers de la ville commandés par les drapiers, furent mises sur le pied de guerre, les hallebardes fourbies, les arquebuses nettoyées, de nouvelles balles fondues. Les 32 canons de la ville furent traînés sur le rempart, et les boulets accumulés. Sur ordre du roi, des capitaines vinrent organiser la résistance, et assurer la levée de vingt compagnies, distribuées en deux régiments que commandèrent deux nobles beauvaisins de la meilleure lignée : un Gaudechart et un Mornay-Montchevreuil. La commune levait des taxes, empruntait, réglait tous les frais, même ceux qu'entraînèrent l'entretien et l'équipement des vingt compagnies. Une activité fébrile régnait alors à Beauvais. Le clergé se vit contraint de participer au guet, à la garde, aux frais de défense, et même — ce que l'on n'avait jamais vu — au logement des gens de guerre. La population de la ville s'accroissait rapidement : si l'on tentait de chasser les étrangers sans ressources, l'on accueillait, comme en toutes les périodes de guerre, les paysans qui cherchaient l'abri des murailles. Du plat pays, parcouru par les « Polacres » et « Cravates » de Jean de Werth, ils venaient avec leur famille, leur bétail, leurs charrettes pleines de gerbes et de muids, leur meilleur coffre garni de leurs meilleures hardes. Ils campaient dans les rues, au pied des murs, quand ils ne pouvaient trouver place en des maisons amies. Les « Trois-Corps », organisme tout puissant des époques troublées, tâchaient de dénombrer les bouches à nourrir et de répartir un ravitaillement alors surabondant, mais que le danger de blocus pouvait amenuiser rapidement. Tel fut l'aspect d'une ville qui se croyait sur le point d'être assiégée.

Par la suite, plusieurs alertes faillirent renouveler le spectacle de l'été 1636 : paniques sans fondement sérieux, vite dissipées. Durant la Fronde, le guet et la garde aux portes furent renforcés à plusieurs reprises, les paysans envahirent la ville-refuge, et les bourgeois s'armèrent et armèrent le peuple : en particulier après le combat du faubourg Saint-Antoine, le 18 juillet 1652. En juillet 1657, l'arrivée de paysans du Santerre et du Noyonnais, puis quelques « courses » de cavaliers espagnols provoquèrent de nouvelles mesures de défense.

En juillet-août 1674, nouvelle panique, vite dissipée par l'annonce de la victoire de Seneffe.

Pour la ville forte, ce fut, semble-t-il, la dernière alerte sérieuse. Dès l'année 1676, un premier fait annonçait l'imminente décadence du rôle militaire de Beauvais; la charge de « maître des forteresses » était supprimée. En 1683, comme les villes picardes, Beauvais fut obligée de remettre au roi et de faire transporter à Paris trente pièces de canon qui portaient encore les inscriptions des corps de métier qui les avaient offertes à la ville. En 1696, le « capitaine de ville » et son lieutenant disparaissaient; un office tout honorifique de « gouverneur de Beauvais » fut mis en vente et acheté par un Boufflers. Dès le début du XVIII⁰ siècle, les murailles offraient un spectacle fort pacifique : les drapiers y étendaient leurs pièces d'étoffe, les moutons y allaient paître, et les enfants jouer; le dimanche, les bourgeois accomplissaient un « tour de rempart »; des maisons voisines empruntaient des pierres de la ville pour leurs réparations; les bouchers élargissaient discrètement les brèches pour y passer les bovins, la nuit, afin de frauder l'octroi. Quant aux compagnies bourgeoises, elles se contentaient de parader aux jours de fête. Remontée vers le nord depuis les annexions de l'Artois et d'une partie de la Flandre, puissamment fortifiée par Vauban, la ligne de défense du royaume n'avait plus besoin de Beauvais. La muraille de Jeanne Hachette conservait une valeur symbolique; elle était devenue une ligne d'octroi et un lieu de promenade; ornement, bientôt ruine, puis boulevard. Le déclin de la ville forte est contemporain de Louis XIV.

Mais ces remparts avaient exercé leur influence sur la ville même : d'une part, sans doute avec un certain bonheur, puisqu'ils assurèrent la sauvegarde matérielle et morale des bourgeois et des réfugiés; mais aussi, à des points de vue moins heureux, sur les finances, la population, l'âme même de la ville.

Pendant les quelques mois de 1636 où elle eut à préparer et à financer la résistance, la « ville et commune » s'endetta de 60 000 livres, empruntées à de riches bourgeois de Beauvais et de Paris. Un peu plus tard, les échevins furent contraints de « s'obliger » au remboursement de cet emprunt, « en leurs propres et privés noms ». Cette dette de 1636, accrue par d'incessants passages et logements de troupes, devait procurer de graves ennuis à l'administration beauvaisienne; ils aboutirent à un énorme procès, celui des « Zélés », où la moitié de la ville traîna l'autre en justice; puis à des doublements d'octrois, dont les deux parties souffrirent; à la liquidation enfin des dettes de la ville, qui atteignaient 211 000 livres en 1672. Entreprise par l'intendant de Paris sous la surveillance de Colbert, cette « liquidation » entraîna deux malheurs nouveaux : un accroissement d'octroi de 30 000 livres par an, dont le commerce se plaignit fort, et la mise en tutelle financière, puis politique, de la ville. Cette dernière intervint en 1677 : pour la première fois depuis longtemps, le roi désigna le maire de Beauvais. Sans doute l'absolutisme envahissant de l'administration royale se fût manifesté sans le colossal endettement provoqué par des charges militaires excessives; il est tout de même certain que ces charges fournirent un prétexte commode à cet assujettissement. Quoi qu'il en soit, la défense de la ville avait coûté cher à l'ensemble des habitants.

Ces murailles n'ont-elles pas exercé sur la population de la ville une influence d'une autre sorte? Dans ce kilomètre carré vivaient au moins 10 000 habitants. La seule grand-place couvrait plus d'un hectare; l'on comptait 17 églises, un vaste palais épiscopal, dix établissements religieux dont trois au moins s'étendaient sur plusieurs hectares, trois jardins pour l'exercice des compagnies bourgeoises, six cimetières, autant de « rivières », plusieurs écorcheries et même un « cloaque »; nous savons que les plus belles maisons étaient adossées à des jardins ombragés, parfois à des prés « propres à blanchir toiles »; bien des petits artisans cultivaient un jardinet devant leur demeure, ou autour du puits commun à plusieurs ménages... De sorte que les espaces habités se trouvaient probablement, à l'intérieur de l'enceinte, inférieurs en superficie aux espaces inhabités, aux « espaces vides » des urbanistes. Comme il était impossible d'empiéter sur ces espaces, on construisit sur les ruisseaux, au bas des remparts, dans les cimetières même; on fit porter deux étages à l'armature de bois et au soubassement de silex des demeures de torchis. Aussi l'entassement humain dut atteindre, dans les quartiers ouvriers, un degré considérable; l'équivalent de ce que nous appellerions aujourd'hui une densité de 20 000 habitants au kilomètre carré. Les remparts ont limité l'extension de la ville, comprimé les hommes en

des logements minuscules, donc malsains. Certes, ce
corset de murailles laissait échapper trois faubourgs.
Mais les petites gens qui les habitaient — vignerons,
jardiniers, peigneurs de laine — semblent avoir été de
moins en moins nombreux, sauf dans le faubourg
Saint-Quentin, où les manufactures — et plus tard
les toiles peintes — provoquèrent un certain afflux
d'ouvriers.

Tout au long du XVIIᵉ siècle, l'on dirait que les faubourgs se sont vidés dans la ville et y ont exagéré
l'entassement : en 1647, plus de 15 % des Beauvaisiens
habitaient les faubourgs; en 1683, moins de 12 %; en
1699, moins de 9 %; il est vrai qu'au XVIIIᵉ siècle la
proportion remonta au voisinage de 12 %. Mais la
croissance de Beauvais, alors arrêtée, ne permit pas la
construction d'un nouveau et plus vaste mur d'enceinte;
même les faubourgs ne s'allongèrent pas; la ville était
figée.

Les murailles ont-elles vraiment contribué à l'insalubrité des logements, facilité les contagions par l'encombre-
ment et le caractère exceptionnel de la densité humaine ?
— Après quelque hésitation, il semble que l'on puisse
répondre par l'affirmative.

On peut se demander aussi si ces remparts, dont les
cinq portes étaient fermées chaque soir avec un cérémo-
nial fort ancien, n'ont pas contribué à entretenir à
Beauvais ce particularisme, ce mépris des « paisans »
et des « estrangers », cette jalousie à l'égard des cités
plus puissantes comme Amiens et Rouen, ce patriotisme
de clocher dont on aura l'occasion de constater la violence,
et qui se manifeste encore en plein XXᵉ siècle. Il est
certain que Beauvais n'a pas gardé, et ne garde pas
l'exclusivité de cette vanité urbaine, propre à beaucoup
de vieilles villes de province, et à quelques autres.
L'esprit de clocher est sans doute lié à la nature humaine;
les murs d'une ville forte ont pu le soutenir et le renforcer.

2. UNE VILLE MALSAINE

Qui connut Beauvais avant juin 1940 a conservé le
souvenir de rues tortueuses, de branlantes demeures de
bois, de pignons pointus et de grosses bornes, d'admirables jardins privés dissimulés par des murs de terre

et de brique, d'un grouillement aimable et de pitto-
resques mauvaises odeurs. A peu de chose près, la ville
de 1940 était la ville du XVIIe siècle : il suffisait d'effacer
par la pensée quelques beaux hôtels du XVIIIe siècle,
quelques prosaïques maisons louis-philippardes, et de
multiplier les ogives, les flèches et les carillons. L'on
retrouvait alors cette ville « puante, sonnante et médisante » qui vit passer Henri IV, « un certain prêtre
nommé Vincent », Racine jeune, et Bossuet dans sa
gloire.

   « Presque toute la ville, même la grande place, est
bâtie en bois et en argile. On y voit peu de maisons de
briques » notait Bacalan en 1768. « Aucune autre ville
n'a conservé autant de maisons anciennes », écrivait
Doyen en 1842, après avoir décrit une quarantaine de
maisons de bois du XVIe et du début du XVIIe siècle.
Dans son précis sur Beauvais, Graves dénombrait
460 maisons de bois « portant les caractéristiques du
XVIe siècle ». L'on retrouve encore, échappées par miracle
aux incendiaires de juin 1940, quelques-unes de ces
demeures de bois et de terre, avec leurs étages en sur-
plomb, leurs poutres apparentes et historiées, leur
colombage intact sous un mauvais crépi. Toutes petites
demeures : deux pièces en bas, deux pièces en haut,
un appentis, un bout de jardin, un « batiment »; à
l'intérieur, des portes basses, des corridors étroits et
sombres, des escaliers abrupts, des coins et des recoins,
quelque chose d'obscur, d'étriqué, de contourné. Les
Beauvaisiens du XVIIe siècle vivaient dans des maisons
de ce style, qui donnaient sur des ruelles aussi sombres
et tortueuses qu'elles. Les malheureux s'y entassaient
à raison d'une famille par pièce; les riches s'étalaient
dans plusieurs « espaces » de maisons.

   Les rues qu'on n'éclaira qu'en 1765, valaient encore
moins que les maisons. Rarement pavées, boueuses,
étroites, encombrées par les auvents, les étals et les
bornes, elles offraient, comme en bien d'autres villes, le
spectacle d'une malpropreté qui, à distance, nous paraît
répugnante. On n'en donnera que cette preuve : l'inlassable répétition, d'année en année, des mêmes
ordonnances de police par le bailli de l'évêché-comté-
pairie, chargé de toutes les questions de voierie. Les
bouchers jetaient régulièrement à la rue les « entrailles
et boyaus » des bêtes abattues; rôtisseurs, pâtissiers et
poissonniers les imitaient. Des volailles et des porcs

erraient, cherchant leur nourriture dans les tas de fumier que chacun entretenait devant sa porte dans l'espoir d'engraisser un jardin. Trop souvent, le bailli interdit aux Beauvaisiens de « faire leurs ordures dans les rues », d'y « jeter tant de nuit que de jour ordures et immondices, urines et excréments ». Un règlement de 1655 enjoignait aux propriétaires de construire des lieux d'aisances, mais permettait à ceux qui ne disposaient pas d'un « espace suffisant » de se procurer un « vaisseau » et d'aller, « chaque semaine », le « vuider en la rivière »; « le malheur des tems a fait différer l'exécution du règlement », constatait vers 1704 l'archiviste de l'évêché, Le Cat. Deux « fermiers des boues » devaient passer chaque matin avec six tombereaux pour ramasser les immondices : « il seroit à souhaiter que le règlement soit exécuté », nous confie encore Le Cat, qui ajoute : « pour les fermiers des boues, on en tire ce que l'on peut ».

La nature marécageuse du sol urbain accroissait l'insalubrité de la ville. Les ruisseaux qui la sillonnaient, qui servaient à la fois au lavage des laines et au dégraissage des pièces tissées, jouaient aussi le rôle d'égout collecteur, à ciel ouvert. Certains baignaient le bas des maisons, où l'on accédait alors par de petites planches installées par les occupants avec la permission du bailli. A plusieurs reprises, rompant digues et vannes, le Thérain entrait dans la ville, faisant crouler des maisons, emportant meubles et animaux.

On n'utilisait quand même pas les rivières pour la boisson et la cuisson des aliments; on employait l'eau des puits. Valait-elle beaucoup mieux? En beaucoup d'endroits, la couche imperméable n'était qu'à quelques pieds au-dessous du sol : de douteuses infiltrations devaient l'alimenter, peut-être aussi la rivière, les canaux, les ruisseaux. En 1843 encore, un médecin dénonçait avec indignation « l'odeur et la saveur repoussantes » de ces eaux de puits, « les plus insalubres de toutes » : à cette date, il n'y avait pas encore de fontaines. Dès 1768, Bacalan signalait l'argent gaspillé dans la construction de l'hôtel de ville, « alors que cette ville entourée de coteaux abondants en sources n'a pas une seule fontaine ». Les hommes du XVIIIe siècle avaient pourtant essayé, à deux reprises, de doter Beauvais d'eau potable : en vain. Par surcroît, il existait au pied des remparts, en certains quartiers reculés ou dans la

plus proche banlieue, des mares d'eaux stagnantes :
« cloaque » de Saint-André, « abyme » de la porte de
Bresles, servant de dépôts d'ordures.

Au fléau des eaux s'ajoutait celui des sépultures :
jusqu'à la fin du XVIIIe siècle, on enterrait dans l'église
ou dans le cimetière voisin de l'église. On raconte que
les riches paroissiens de Saint-Sauveur étaient couramment « incommodés » par l'odeur insupportable qui
émanait des tombeaux. Des six cimetières de la ville,
le plus grand s'emplissait en douze ans, le plus petit
en moins d'un an, les autres en trois ou quatre ans.
Pressés ou mal payés, les fossoyeurs creusaient à peine;
dans le cimetière de Saint-Étienne, mal clos, des chiens
et des rôdeurs erraient, des porcs fouissaient, des
charrettes passaient...

On a peu de renseignements sur l'hygiène corporelle
des anciens Beauvaisiens : on imagine difficilement
qu'elle ait pu surpasser ce qui a été observé ailleurs,
spécialement à Versailles, dont l'« envers » est bien
connu. Au XVIIe siècle, il n'existait plus à Beauvais de
maisons de bains, comme il s'en trouvait aux siècles
précédents : l'esprit dévôt du temps dut exiger la
fermeture de ces « étuves », souvent scandaleuses, au
nom de la pudeur et des bonnes mœurs. Il n'est question
nulle part de bains dans le Thérain ou l'Avelon : l'on
voit mal les évêques, personnages très dévôts et seigneurs
des rivières, permettre à Beauvais de tels ébats. En
revanche, crasse et vermine nous sont signalées couramment dans les maisons ouvrières et au Bureau des
pauvres, comme choses toutes naturelles; une fois
cependant, les administrateurs du Bureau décidèrent la
tonte et l'épouillage de leurs pensionnaires. Par les
inventaires après décès, nous connaissons un bon nombre
d'intérieurs bourgeois dans leurs plus intimes recoins :
dans toute la ville et tout le siècle, nous n'avons rencontré
qu'une baignoire, d'ailleurs à usage d'enfant. Elle servit
— on peut du moins l'espérer — aux enfants de
Nicolas Danse, qui fut décidément, à cet égard comme à
d'autres, un personnage hors série.

Quand on connaît ces conditions de vie, qui sont les
conditions normales dans une ville du XVIIe siècle, on
ne s'étonne pas des chiffres assez impressionnants que
fournissent les derniers registres paroissiaux de Beauvais.

Nous y avons compté, entre 1674 et 1692, mille décès
d'enfants de 1 jour à 1 an; 406 s'étaient produits entre

le 1er juillet et le 1er octobre : la chaleur humide, les
mouches, les moustiques, la mauvaise qualité de l'eau
et des aliments durent être responsables de ces massacres
estivaux. L'enquête de décembre 1693, qui porta sur
3 584 pauvres, signale de nombreux cas de « fiebvre
tierce » ou « quarte » : malaria probablement. L'entassement, la promiscuité, l'absence d'hygiène urbaine,
domestique et personnelle expliquent également la
marche foudroyante des épidémies qui, en quelques
jours, s'étendaient à une partie importante de la population. Ceux qui résistaient à ce milieu, à ces habitudes,
à ces contagions, devaient être, sinon des athlètes, du
moins de solides gaillards, au tempérament tout à fait
éprouvé.

Nous aurions à nous excuser de certains traits, peu
agréables, de cette évocation, si elle n'appartenait pas,
elle aussi, au XVIIe siècle beauvaisien, si elle n'aidait pas
à en comprendre certains aspects.

3. LA VILLE « SONNANTE »

Cent trente-cinq grosses cloches et quelques douzaines
de petites carillonnaient sur Beauvais lors des solennités
religieuses et des réjouissances publiques. En pleine
épidémie de « suette », on interdit la sonnerie quotidienne
de l'angélus et des offices, afin de ne pas « fatiguer les
malades ». Un dénombrement rapide des anciens édifices
religieux de Beauvais justifie largement de telles précautions.

Les treize églises paroissiales — douze à partir de
1657 — faisaient de Beauvais l'une des moyennes villes
de France les plus riches en paroisses. Six chapitres
de chanoines accomplissaient leurs devoirs religieux
dans six collégiales, où se trouvaient, en 1630, 64 prébendes et 37 chapellenies; mais deux collégiales étaient
installées dans des églises paroissiales : Saint-Laurent
et Saint-Vaast (cette dernière à Saint-Étienne). Un
septième chapitre de chanoines officiait dans la cathédrale : en 1630, il comptait 53 prébendes et 38 chapellenies, comme à Amiens ou à Notre-Dame de Paris.

Le clergé séculier était représenté dans la ville, par
quatre couvents d'hommes et deux couvents de femmes;
aux portes de la ville, par quatre abbayes, dont l'une,
riche et prestigieuse, comptait parmi les plus anciennes

du royaume : Saint-Lucien. A quelques lieues de là, sept autres abbayes.

A Beauvais encore, un établissement hospitalier comme l'Hôtel-Dieu, un établissement de bienfaisance comme le Bureau des pauvres, création du XVIIe siècle ainsi que le séminaire et la petite communauté enseignante des Dames Barettes, le collège même, peuvent être joints à l'état ecclésiastique de la ville. Un dénombrement de 1695 évaluait le clergé séculier de Beauvais à 250 personnes, le clergé régulier à 210, sans compter évidemment les pensionnaires laïcs de quelques couvents, les malades de l'Hôtel-Dieu, les 300 pauvres du Bureau et les 250 élèves du collège. Le personnel strictement ecclésiastique comprenait donc 460 personnes, environ la vingt-cinquième partie de la population. Pour une ancienne cité épiscopale du nord de la France, cet effectif, qui nous paraît fort important, devait être considéré, au moins au XVIIe siècle, comme tout à fait normal.

Ce nombreux clergé, à l'intérieur duquel on ne voyait plus s'étaler les scandales des époques précédentes, exerçait une influence spirituelle considérable. Malgré quelques traces de superstition et même de sorcellerie, malgré la présence de quelques esprits forts qui refusaient, parfois par entêtement sénile, de faire leurs Pâques, il est trop évident que la religion catholique baignait la vie des Beauvaisiens d'alors. L'édit de réduction avait interdit aux réformés tout culte dans le bailliage de Beauvais, si bien que la question protestante ne se posa plus jamais dans cette région, sauf dans quelques localités marginales, comme Clermont, Mouy et Blicourt. Comme tous les sujets du Roi Très-Chrétien, le Beauvaisien de XVIIe siècle n'avait pas d'acte de naissance, mais un acte de baptême. Le mariage était un sacrement que l'Église même ne pouvait rompre; elle pouvait seulement, en des cas très précis, en constater la nullité. Le rythme du travail était un rythme religieux : l'Église seule fixait les jours de repos. Le seigneur temporel des Beauvaisiens était, dans presque tous les cas, l'évêque-comte. Qui savait écrire traçait d'abord une croix; qui ne savait pas, signait d'une croix. Qui savait lire avait appris dans les livres saints, et les premières lettres tracées étaient celles du « Pater noster »; si l'on possédait quelques livres, c'était une Imitation, une Vie des saints, une Bible; si l'on ornait les murs de sa

maison, c'était avec des images pieuses. Si un Beauvaisien pouvait offrir un bijou à sa femme, à sa fille, c'était
une croix d'or ou un « agnus dei ». S'il se conduisait
mal, le curé venait lui faire sa remontrance. S'il devenait
pauvre et avait besoin de secours, le curé seul pouvait
emporter la décision des administrateurs de Bureau.
Les Beauvaisiens instruits, soucieux de participer à la
vie de l'esprit, ne rimaient plus, comme au siècle précédent, madrigaux et acrostiches; ils s'intéressaient à
Jansénius et au formulaire, comme les curés, les chanoines,
les réguliers et l'évêque de leur ville. La ville ligueuse
était devenue la ville augustinienne : son collège, son
séminaire, de fougueux docteurs comme Hermant
et Drapier, d'illustres visiteurs comme Nicole et Le Nain
de Tillement avaient marqué cette ville du sceau de la
dévotion passionnée, mais sévère, de Port-Royal :
dans cette abbaye et auprès d'elle, nombreux étaient
les enfants de Beauvais (Les Wallon, Hermant,
Mésenguy, etc.).

La richesse temporelle du clergé de Beauvais était
acceptée avec moins de facilité. Sans atteindre la viru-
lence des attaques poussées au siècle siuvant, qui
devaient faire des Cahiers de doléances du Beauvaisis
les plus anticléricaux qu'on puisse voir, les protestations
que releva Louvet ne manquaient pas d'énergie. Rapportant l'avis de ceux qui voulurent s'opposer, en 1617
à l'installation des minimes, en 1627 à la venue des
ursulines, Louvet écrit, sans le moindre commentaire,
« qu'il n'y avoit que trop de Couvents en France »
et que « des douze pars du revenu de Beauvoisis l'Église
en possédoit les unze ». Aussi les ursulines ne furent-elles
admises qu'à l'expresse condition « qu'elles ne pourroient
acquérir aucun héritage en dedans les cinq lieues hors
la ville de Beauvais »; condition qu'elles respectèrent
effectivement.

Certes le clergé n'absorba jamais les onze douzièmes
du revenu du Beauvais. Nous avons déjà dit qu'il
possédait de 20 à 25 % des terres, et que cette proportion
est l'une des plus fortes que l'on connaisse en France.
Du point de vue seigneurial, son influence fut assez
forte pour que nous ayions pensé à définir le Beauvaisis
comme une région où les seigneuries ecclésiastiques
tenaient une place prépondérante. Sur les 52 paroisses
du doyenné de Bray, 17 ne connaissaient qu'un seigneur,
qui était ecclésiastique; neuf autres avaient pour

« seigneur en partie » l'évêque, le chapitre cathédral,
l'abbaye de Saint-Germer ou celle de Saint-Paul.
Dans le doyenné de Montagne, 19 paroisses sur 42
étaient seigneuries ecclésiastiques dans leur totalité;
sur les 57 seigneuries partielles qui se partageaient les
23 autres paroisses, 25 encore étaient ecclésiastiques;
le chapitre cathédral et l'abbaye de Saint-Lucien y
jouaient les premiers rôles. L'on éprouve plus de mal
à chiffrer les revenus du clergé de Beauvais : les baux
qu'on retrouve n'en recouvrent jamais la totalité, et les
déclarations des intéressés ne paraissent jamais sincères.
Un texte de 1695, qui émanait sans doute de l'élection,
peut-être du lieutenant général ou du subdélégué,
s'est appliqué à déterminer les revenus ecclésiastiques :
pour le seul clergé habitant Beauvais, il avançait la somme,
vraiment considérable, de 228 300 livres. L'évêché
aurait valu 48 000 livres de rente — ce qui n'est certes
pas exagéré —; mais son titulaire, le cardinal de Forbin-
Janson, recevait à cette époque le revenu de trois
abbayes, dont celle de Corbie au diocèse d'Amiens :
le total de ses revenus montaient « au moins à 108 000
livres ». Les revenus du chapitre cathédral n'étaient
évalués qu'à 77 350 livres, chiffre bien faible : Deladreue,
s'appuyant sur les déclarations mêmes des chanoines,
arrivait à 236 000 livres pour les dernières années de
l'Ancien Régime. La vénérable abbaye de Saint-Lucien
était estimée 35 000 livres : cinq ans plus tard, Bossuet
reconnaissait qu'elle « valait » plus de 40 000 livres,
sans compter le produit des 31 bois. La fortune du
clergé de Beauvais pouvait donc, à juste titre, paraître
considérable; les temps approchaient où l'on s'accor-
derait à la juger exorbitante, comme faisait Louvet dès
le début du XVIIᵉ siècle. Seuls les ordres mendiants,
les vicaires, et les curés des paroisses ouvrières semblaient échapper à l'opulence générale.

A son incontestable rayonnement spirituel, à son
opulence certaine, mais peut-être moins appréciée,
l'Église de Beauvais ajouta une volonté inébranlable :
tenir la première place dans l'administration, la justice
et la police de la ville. Soutenus et poussés par leurs
officiers, ce sont les évêques qui apparaissent ici au
premier plan. Si les abbayes de Saint-Quentin et de
Saint-Symphorien exercèrent, dans le passé, des droits
seigneuriaux sur deux faubourgs, elles y avaient à peu
près renoncé au XVIIᵉ siècle. Le chapitre gardait juridic-

tion sur le voisinage du parvis de la cathédrale et les
maisons canoniales; il continuait d'entretenir un bailli,
un procureur fiscal et un greffier : ils s'occupaient
surtout des seigneuries rurales. Fort de ses titres de
comte et de pair, l'évêque se disait l'unique seigneur
de la ville et faubourg; au xviie siècle, il l'était
pratiquement devenu. Son droit de haute justice
n'était pas contesté; ses officiers voulaient plus encore.
En toutes occasions, ils affectèrent de ne pas accepter
que des juges autres qu'eux-mêmes puissent exercer
à Beauvais. Sans doute laissaient-ils aux maire et pairs
la charge, strictement laïque et d'ailleurs peu enviable,
d'entretenir les remparts et d'assurer la défense, avec
ses incidences financières; mais le comté interdit
toujours à la ville et commune de s'occuper des rivières,
des rues, des maisons, des ponts, des enseignes, des
marchés, des métiers, des corps et des manufactures :
toute la police devait revenir au comté, affirmait le
comte. De telles prétentions menaient infailliblement
à des luttes âpres, souvent mesquines, toujours renais-
santes, qui opposaient l'évêque-comte et ses officiers
à la totalité des officiers des juridictions concurrentes,
y compris le corps de ville. Luttes manifestement
inégales : d'un côté, de petits juges et de bons bourgeois
élevés dans la chicane et le commerce; de l'autre, des
princes de l'Église, dont la naissance, les relations et les
revenus devaient l'emporter, et l'emportèrent en effet.

   L'on ne s'attardera pas à suivre pas à pas ces querelles
dont le prétexte fut souvent dérisoire — une clé, des
baguettes de tambour — mais dont l'enjeu réel était la
domination de la ville. Comme elles constituent cependant les épisodes locaux de la rivalité entre la haute
noblesse épiscopale et la bourgeoisie riche et roturière,
il est nécessaire de les évoquer rapidement, et de marquer
le sens de leur évolution.

   Dès l'année 1552, l'établissement d'un présidial,
uni au bailliage de Senlis, dont Beauvais dépendait
alors, déchaîna l'opposition épiscopale : le nouveau
présidial devait connaître en appel des sentences du
bailli de l'évêque-comte de Beauvais. Le cardinal de
Châtillon avança ses privilèges de pair de France;
le roi céda, revint sur l'édit de création, défendit au
présidial de Senlis « d'entreprendre » sur la juridiction de l'évêque, et les appels du comté-pairie continuèrent d'être portés directement en parlement. Un

peu plus tard, les officiers du comté se plaignaient vivement des « entreprises » de la juridiction consulaire de Beauvais. Mais en 1581 éclatait une affaire beaucoup plus importante : Henri III créait à Beauvais même un bailliage royal et un siège présidial uni à ce bailliage ; à trente ans de distance, les événements de 1552-1553 allaient se reproduire, mais sur un rythme beaucoup plus lent. L'édit de création indiquait en effet que les appels du comte-évêque ressortiraient au présidial. L'évêque Fumée intervint immédiatement en parlement, avançant à nouveau les privilèges de sa pairie : il fallut des lettres de jussion pour que le parlement enregistre l'édit, ce qu'il fit enfin, avec une année de retard. Puis le prélat provoqua de nouvelles difficultés, qui retardèrent de quinze mois l'installation des officiers du présidial : elle ne survint qu'en mars 1584. A la faveur des troubles, le siège royal parut connaître un répit. A peine nommé à l'évêché de Beauvais, René Potier obtient de Henri IV des lettres patentes décisives : elle ne laissaient au présidial que la connaissance des cas royaux et des matières bénéficiales, et lui interdisaient « d'entreprendre par prévention, en première instance, par appel ni autrement » sur les justiciables de la pairie. Le malheureux présidial, qui éprouvait aussi des difficultés avec les juridictions voisines au sujet des limites de son ressort, était paralysé dès sa naissance. Les juges royaux n'acceptèrent jamais ces diminutions de compétence : pendant deux cents ans, ils luttèrent pied à pied pour reprendre au comté ce que ce dernier avait « subrepticement » extorqué au roi. Rien n'y fit. Dès le 20 août 1603, de nouvelles lettres patentes avaient déjà confirmé celles de 1596. A la veille de la Révolution, les adversaires plaidaient encore. Ce n'est pas assez de dire que la justice comtale ne céda jamais : elle ne cessa de progresser aux dépens du présidial. Vers 1760, Bucquet lui-même dépensait sa prodigieuse érudition et son beau talent pour porter aux officiers « féodaux » des bottes brillantes, mais sans résultat immédiat. C'est contre l'évêque-comte et sa justice « féodale » que se déchaîna à Beauvais la révolution bourgeoise : meilleure preuve que cette justice, loin de pencher vers sa décadence comme on l'a cru parfois, ne cessa au contraire, du XVIᵉ au XVIIIᵉ siècle, d'étendre son orgueilleuse puissance.

Sans le vouloir peut-être, Colbert lui avait pourtant

porté un coup qui la blessa profondément. Les statuts pour les manufactures de Beauvais, en 1667, annonçaient déjà la mesure qu'un édit du mois d'août 1669 et des instructions postérieures étendirent à la plupart des villes textiles : la police des manufactures était donnée, en première instance, aux magistrats municipaux. Bien que la police des manufactures ait appartenu, dès le XIIe siècle, aux maire et pairs de la commune, c'était le bailli de l'évêque qui l'exerçait au début du XVIIe siècle : la masse même des documents qui s'y rapportent ne permet pas d'en douter. Contrats d'apprentissage, réceptions de maîtres, statuts de communautés, redditions de leurs comptes, levée de leurs deniers, assemblées de métiers, taux de salaires et de vivres, tout cela se faisait par-devant le bailli du comté-pairie, ou avec sa « permission ». On devine en quels termes, en 1667-1669, l'évêque et ses officiers protestèrent contre cette « entreprise », contre ces privilèges arrachés « subrepticement » au roi « par l'intrigue de quelques particuliers qui se firent jour près du ministre » après des « assemblées secrètes ». Les « représentations » n'obtinrent aucun succès : Buzenval n'était qu'un saint évêque, entêté dans son jansénisme, qui ne savait pas flatter Colbert, bien au contraire. Pendant trente années, les officiers du comté durent laisser à la commune la « connaissance des manufactures »... Mais la revanche fut éclatante : l'évêque acheta la charge de lieutenant général et de police créée par les édits d'août et novembre 1699, et il en revêtit son bailli : à lui désormais la police des manufactures! Tout ce qu'il y avait à Beauvais de juges, d'échevins et d'opposants au cardinal de Janson, protesta et plaida. En pure perte : la totalité des droits de police, manufactures comprises, demeura au comté.

Beaucoup plus tôt, le 23 août 1627, l'évêque avait acheté au marquis de Mouy la châtellenie de Beauvais : tout en s'assurant de nouveaux et considérables revenus, il avait fortement consolidé sa position dans la ville. Cette acquisition lui donnait, avec la police des mesures à grains, les droits de « minage et réage » : ils lui permettaient de contrôler tous les « bleds et autres grains » qui se débitaient sur l'important marché de Beauvais, et même en dehors de ce marché. Ainsi l'administration comtale connaissait rapidement le mouvement des prix céréaliers, réglait plus efficacement le prix du

pain, les taux de salaires, achevait de présider enfin
à l'économie de Beauvais, capitale des blés et des draps
du Beauvaisis.

L'évêque dominait aussi la société. Sa double dignité,
épiscopale et comtale, sa pairie enfin, éclataient particulièrement en cette ville peuplée de roturiers. Il
dirigea aussi l'effort charitable beauvaisien, si caractéristique d'un XVIIe siècle de misère et de piété, — effort
charitable que nous retrouverons —. Un seul organisme
assumait l'administration des maladreries, de l'Hôtel-
Dieu, des Enfants de la Trinité, et du Bureau des pauvres.
Au même organisme appartenait aussi la décision dans
les époques difficiles : peste, cherté, famine, chômage
des manufactures. Convoqué et présidé par l'évêque,
il siégeait à l'hôtel épiscopal, et ne faisait souvent que
ratifier les avis de son président : les « Trois Corps » —
qui ne furent pas particuliers à Beauvais — étaient
considérés par les officiers du comté comme « le conseil
de Mgr l'évêque qui assemble les deux autres ordres
comme ses conseillers... pour prendre leur avis... et
par bonté ».

En cette ville très religieuse, au sommet d'un clergé
très remarquable par sa piété, important par son effectif,
opulent par ses revenus, continuait de grandir l'influence
temporelle, juridique, administrative du premier de ses
prêtres, de celui qui fut vraiment « Monsieur de Beauvais ». Presque en même temps se réduisait et s'effritait
le prestige et la puissance de la très ancienne commune,
l'une des premières de France, l'une des dernières
aussi à avoir conservé quelque pouvoir.

4. VILLE-COMMUNE

Si le texte de sa charte ne date que de 1144, l'existence
de la commune est attestée dès l'an 1099; sa fondation
est même antérieure à cette date. Les médiévistes dis-
cuteront un jour l'hypothèse de R. Lemaire, qui fait
remonter au IXe siècle les premières « consuetudines »
des Beauvaisiens. Nous n'avons pas à récrire cette
histoire communale, ni à étudier à nouveau le mode
d'élection et les attributions des douze « pairs », puis
des deux maires, puis du maire unique, dont la communauté des changeurs se réserva longtemps la nomination. Rappelons qu'un corps électoral restreint,

formé encore au XVIIᵉ siècle par les maîtres des métiers, élisait chaque année ce corps de ville; que les magistrats en étaient le plus souvent « continués » deux fois; que, dans les cas graves, ils pouvaient convoquer une « assemblée des notables », où paraissaient des officiers, des maîtres, d'anciens échevins; qu'une « assemblée générale des habitants » était parfois appelée, qu'elle le fut de moins en moins, et qu'elle disparut pratiquement au cours du XVIIᵉ siècle; elle n'avait jamais compris que les maîtres des métiers. La courbe de cette histoire communale, sans doute banale, aide pourtant à comprendre ce que fut Beauvais : c'est pourquoi il n'est pas inutile d'en marquer les principales étapes.

Labande a mis en relief le rayonnement de la charte communale de Beauvais : par l'intermédiaire de ses « filles », Soissons et Compiègne, elle aurait inspiré Tournai, Laon, Montdidier, Meaux, Sens, Dijon et les villes bourguignonnes. Des luttes tragiques éclatèrent, jusqu'au XIVᵉ siècle, entre la commune et l'évêque-comte, entre le petit peuple et une oligarchie de marchands et de changeurs. L'important « Biauvez » du Moyen Age fut le contraire d'une ville endormie. Cependant, son historien a souligné la « décadence de la commune » vers 1435 : il l'attribue surtout à l'empiétement des officiers royaux dans le domaine militaire, financier, puis juridique.

Labande paraît avoir quelque peu exagéré ces empiétements. Le maître des forteresses, le capitaine de ville et son lieutenant n'intervenaient guère qu'aux périodes de guerre; s'ils participaient aux délibérations échevinales, ce n'était qu'en matière militaire. L'installation du prévôt d'Angy à Beauvais en 1432 ne fut peut-être que provisoire.

Si elle eut lieu, elle dut gêner la justice de l'évêque, déjà puissante, bien plus que la commune. Enfin, il est hors de doute qu'un officier royal, représentant modeste d'un maître lointain, devait être moins redoutable que l'officier du comté-pairie siégeant au cœur de la cité. En revanche, il est un trait, bien souligné par Labande, qui semble revêtir une autre signification : la manière de lever et de percevoir les aides, subsides et tailles royales, sous l'autorité d'autres officiers royaux. Elle montre que, dès le début du XVᵉ siècle, la vieille et fondamentale distinction entre fieffés de l'évêque, hommes du chapitre et communiers était en voie de disparition : à la « commune », juridiquement conservée, avait succédé pratiquement une ville royale. Dans la terminologie municipale même, « Ville et Commune de Beauvais », telle devint, et telle demeura l'expression officielle et l'expression courante.

Après la plus grande date de l'histoire beauvaisienne, le siège de 1472, une série de lettres-patentes confirma et accrut les privilèges de la ville et commune. Les nouveautés, fort appréciables, étaient les suivantes : exemptions à toujours de tailles royales, de franc-fief, et d'arrière-ban. Ces exemptions furent confirmées au début de chaque règne, moyennant finances; elles furent effectives. Mais l'exemption financière ne portait que sur les tailles : Beauvais paya toujours au roi des subsides, subventions, subsistances, taillons, dons de joyeux avènement; leur répartition fut toujours assurée par l'échevinage, sous le contrôle des élus de l'élection; mais leur montant resta toujours notablement inférieur à ce qu'aurait pu être une contribution aux tailles. Les dispenses de franc-fief et d'arrière-ban furent également maintenues — toujours moyennant finances : les papiers du XVIIᵉ siècle en font foi. Les trois privilèges octroyés par Louis XI ont donc gardé leur valeur durant le XVIIᵉ siècle, sous une seule réserve, qui est d'ailleurs bien de son temps : leur fréquente confirmation moyennant deniers, dont le montant était âprement discuté avec les agents du roi.

Qu'étaient alors devenus les privilèges les plus anciens, dont les deux principaux — liberté d'élire l'échevinage et indépendance militaire — avaient été confirmés par Louis XI, et par Henri IV dans son édit de réduction? Quel fut, à l'époque à laquelle nous nous plaçons, le rôle effectif du corps de ville? Sans s'arrêter aux détails, que les anciens érudits locaux ont ramassés avec amour, on peut avancer quelques remarques d'ensemble.

Le corps de ville conservait son rôle d'apparat et de représentation, mais ne jouissait plus que de deux attributions principales : la militaire, la fiscale. Il perdit la première à partir des années 1675-1683; il conserva la seconde jusqu'à la fin de l'Ancien Régime. Elle consistait à répartir et à percevoir des impositions royales, ainsi que quelques contributions communales, sous la surveillance théorique des élus. Cette dernière se ramenait à signer les rôles après une vague vérification, et à juger les procès en surtaux intentés aux maire et pairs, par quelques habitants. D'attributions de police, l'on sait que la mairie en possédait peu, puisque la plupart appartenaient au comté-pairie, et qu'elles lui appartinrent toutes à partir de 1699. De l'ancienne justice de la commune, il ne restait pratiquement rien, le comté ayant absorbé presque tout au détriment, non seulement de la ville, mais aussi du présidial : les échevins eurent cependant à juger en première instance quelques conflits d'ordre manufacturier pendant la période 1667-1699. Distribuer les logements de troupes était aussi l'affaire du corps de ville : il en retira bien des ennuis. De manière permanente pour l'administration de la charité, de manière intermittente pour les « calamités », la ville députait aux « Trois Corps », où les ecclésiastiques détenaient la majorité, où l'évêque imposait le plus souvent sa volonté.

L'on pensera peut-être que ces attributions municipales se réduisaient, en somme, à assez peu de chose. Il se trouve pourtant que c'était plus que dans la plupart des villes, et que, malgré les apparences, Beauvais fut une des anciennes « communes » dont la vitalité fut la plus durable, et l'indépendance relative la plus longtemps maintenue. Peut-être dut-elle ce léger avantage à son absolue fidélité au roi (depuis la Ligue), et au fait qu'elle n'était tout de même qu'une ville de second plan. La grande cité d'Amiens avait été réduite à une caricature d'échevinage depuis l'édit du 18 novembre 1597.

Dans les villes importantes, les magistrats étaient dans la main du roi, qui choisissait souvent le maire sur une liste qu'on lui présentait, ou qui le nommait seul. A Beauvais, le cas ne se produisit qu'entre 1675 et 1678 ; jusqu'en 1692, l'élection du maire et des pairs (réduits à 6 depuis 1675) se fit librement. Même après l'édit d'août 1692, qui érigea en offices toutes les mairies, l'on continua durant quelques années à élire tout ou partie des pairs. A plusieurs reprises, au cours du XVIIIe siècle, l'ancienne commune retrouva la liberté de nommer son maire.

Il va de soi que la plupart des caractères originaux de la commune du XIe siècle s'étaient perdus au fil des temps. Plus de « quemuniers » prêtant obligatoirement un serment, mais des « habitans » jouissant des privilèges beauvaisiens après une résidence d'un an et un jour. L'ancienne dualité de juridictions — la

communale, les seigneuriales — avait fait place à la
complication des juridictions modernes, où l'on retrouvait les habituelles juridictions royales : bailliage et
présidial, élection, grenier à sel, maréchaussée bientôt.
Là comme ailleurs, l'intendant de la généralité de
Paris, apparu vers le second tiers du siècle, disparu
pendant la Fronde, reparu aussitôt après, prit progressivement en mains le contrôle, la tutelle même de la
ville; dès 1673, il avait à Beauvais un subdélégué. La
commune ne levait plus d'impositions qui lui fussent
propres; si une levée paraissait nécessaire, il fallait
à chaque fois l'autorisation de l'intendant. Ce sont là
traits courants de l'évolution des institutions urbaines.

Et cependant, par son costume, par son titre, ses
privilèges, son rôle éminent dans toutes les manifestations publiques, le maire de Beauvais resta toujours,
à l'échelle locale, un grand personnage. Pendant le
XVIIᵉ et même le XVIIIᵉ siècle, les familles beauvaisiennes les plus importantes aspiraient à la pairie,
puis à la mairie. Pour les familles qui « montaient »,
une première élection revêtait la signification d'une
consécration sociale et morale : elles entraient dans le
cercle des notables. Lorsque nous étudions les listes
de pairs et de maires, nous abordons toujours les sommets de la hiérarchie bourgeoise de Beauvais; et cette
remarque non plus n'est pas isolée : elle vaudrait pour
Amiens, elle vaudrait pour Saint-Quentin. Les fastes
échevinaux furent des fastes sociaux. En cette ville
comme en presque toutes, les fonctions échevinales ne
sortirent guère d'un cercle étroit de familles riches et
apparentées, sorte d'oligarchie bourgeoise, qu'on a
souvent — et assez malheureusement — appelée « patri-
ciat urbain ». Un groupe réduit d'électeurs — des officiers et des maîtres des métiers — concouraient en
effet à la nomination des maire et pairs de Beauvais :
la « carte » ou liste électorale ne laissait que 10 voix
sur 31 au petit peuple du textile et aux artisans modestes,
mais assurait une efficace majorité aux marchands
et aux officiers. Les maires, obligatoirement nés à
Beauvais et propriétaires d'une maison « ayant pignon
sur rue », furent justement des officiers, plus souvent
encore de grands négociants. Ces derniers aimèrent
revêtir la robe rouge et violette et prendre ce titre de
« Sire » qu'on donnait aux marchands devenus maires.
L'histoire des institutions communales rejoint l'histoire

sociale : ces deux styles de recherche historique sont
inséparables. C'est pourquoi notre étude de la bourgeoisie beauvaisienne comportera obligatoirement un
retour à ces questions municipales.

Dans la décadence générale des institutions communales,
la ville de Beauvais tint donc une place, non pas exceptionnelle, mais un peu spéciale. Théoriquement, elle
était restée « commune »; jusqu'au règne de Louis XIV,
elle avait réussi à sauvegarder quelques-uns de ses
privilèges : le militaire, le fiscal, l'électoral. Dès le début
du XVIIIe siècle, presque tout cela était disparu; le
prestige social et moral que donnaient en cette ville
traditionnaliste les vieux titres de « pair » et de « maire »
avait pourtant survécu, avec des lambeaux de privilèges,
et le vif souvenir de la grandeur passée.

5. VILLE DRAPANTE, VILLE MARCHANDE

Lorsqu'on connaît, en ce milieu du XXe siècle cette
ville administrative, ces faubourgs ouvriers, cette activité
médiocre, on a peine à croire que Beauvais ait pu figurer
en très bonne place parmi les anciens centres de manufacture et de commerce. Et pourtant, à la fin du XVIIIe
siècle, Young la décrivait comme « une des villes industrielles de France qui semblent les plus animées et
actives ». Quand le même voyageur voulut recueillir
des avis de négociants sur le traité de commerce de
1787, il effectua une enquête dans sept villes : Bordeaux,
Rouen, Nantes, Lille, Amiens, Abbeville et Beauvais.
Beauvais paraît ici en bien puissante compagnie; mais
ce voisinage, qui choque au XXe siècle, ne présentait,
en 1787, rien qui puisse surprendre. A cette époque,
le renom et l'activité réelle de Beauvais étaient sans
commune mesure avec ce que l'un et l'autre sont devenus
par la suite : en dehors de la célèbre « Manufacture de
tapisseries », les toiles peintes, les blanchisseries, les
fabriques de drap et de serge étaient connues dans toute
la France, et dans une partie du monde.

En des textes beaucoup plus anciens, on pourrait
relever de nombreux passages qui expriment l'importance économique de la ville. Dès le IXe siècle, l'on voit
apparaître un marché, des marchands et des Juifs auprès
de Saint-Étienne. Au XIe, l'existence de teintureries,
de moulins à foulon et de tisserands est solidement

établie : en 1173 même, l'abbé de Saint-Quentin s'engageait à construire à Beauvais « triginta molendina
fullonum », quantité vraiment considérable. Trois
articles de la charte de 1144 concernaient le commerce
et la draperie. Au XIIᵉ siècle, les marchands de Beauvais
fréquentaient couramment la foire du Lendit et les
foires de Champagne ; ils louaient des halles à Compiègne
et à Paris. Au XIIIᵉ siècle, ils étaient entrés dans la
Hanse de Londres ; au XIVᵉ, ils exportaient déjà par
Rouen. C'est dans la halle aux draps que se réunissaient
les magistrats de la commune. Bien des documents,
épars et convergents, incitent à penser que cette ville,
dominée jusqu'en 1282 par les changeurs, « scampsores »,
atteignit une importance plus grande encore qu'à
l'époque à laquelle nous nous plaçons. Au temps de
Philippe-Auguste, elle fut, après Arras, la commune la
plus imposée du royaume.

« Mais je recognois », écrivait encore Louvet en
1614, « que ce qui est le plus important pour la richesse
du pays est le trafic du lanifice, s'y faisant des serges
et estamets des meilleurs de France, lesquels pour
ceste occasion sont transportez jusques aux Allemagnes,
Espagne, Grèce et Turquie ». Trois ans plus tard,
Loisel renchérissait : « Pour le regard du menu peuple
de Beauvais, il s'emploie principalement à la manufacture des laines et drapperies, dont il s'est toujours
faict et faict encores grand trafic et débit en la ville...
et signamment de serges si fines, qu'on les peut parangonner à celles de Florence, dont ils fournissent une
partie de la France et pays estrangers. Et paradventure
s'y adonne-t-on un peu trop, en ce que les habitans
de la ville ne pouvans fournir à filer la laine qu'il y convient employer, on est contrainct avoir recours aux
habitans des villages voisins... la populasse de la ville
est un peu prompte à sédition... ». Ces révoltes de la
« populasse », les annales municipales du XVIᵉ siècle
les signalent fréquemment. Tisserands, sergers, peigneurs et laneurs y jouaient le rôle principal ; leur
violence ne connaissait plus de mesure quand il s'agissait de protester contre un nouveau droit sur les draps,
contre la montée des prix alimentaires, contre le chômage. Ces « émotions » éclataient encore au temps de
Henri IV et de Louis XIII ; le corps de ville les répri-
mait toujours avec vigueur.

Nous manquons de toute précision chiffrée sur la

production textile et le commerce de Beauvais avant le XVIIᵉ siècle. En 1624, il battait dans la ville au moins 411 métiers à drap, au moins 309 métiers à serge. Cette recherche des métiers, la plus ancienne que nous ayons trouvée, révèle des chiffres élevés, franchement supérieurs à ceux qui se rapportent à la fin du XVIIᵉ siècle. En 1606, Raoul Adrian donnait le chiffre, probablement exagéré, de 1 500 tisserands dans la ville. On est persuadé, par beaucoup de recoupements, qu'il ne s'en trouvait pas 800 au temps de Louis XIV; mais 800 tisserands, en drap et en serges, avec leur famille, devaient représenter 4 000 personnes, peut-être le tiers de la population urbaine. Nous avons montré plus haut (chap. IV), par des documents chiffrés dont l'ordre de grandeur nous a paru assuré, la place qu'occupait cette ville, à la fin du XVIIᵉ siècle, dans la hiérarchie des villes drapantes françaises; nous avons essayé d'évoquer, pour la même époque, son aire commerciale et le degré d'importance de son trafic; nous venons d'apprécier, d'un mot, la place tenue par les ouvriers en laine dans la population urbaine. En cette fin du XVIIᵉ siècle, où elle fut pourtant loin d'être secondaire, la puissance économique de Beauvais nous paraît cependant sur son déclin. Son apogée, son moment de splendeur, appartenait déjà au passé.

Si cette cité montra quelque originalité dans le groupe des moyennes villes françaises, ce ne fut pas par son rôle déclinant de forteresse, par sa notoire insalubrité, ou par la survivance de quelques privilèges communaux, mais par deux traits surtout, qui se retrouvent d'ailleurs en d'autres villes du nord, bien que rarement réunis avec cette netteté : la place tenue par le clergé, la place tenue par les manufactures. Ville forte, ville-commune et ville « puante », sans doute; mais sutout ville « sonnante » où vivait un nombreux et puissant clergé, et particulièrement cet évêque-comte aux pouvoirs temporels considérables; et en même temps ville marchande et drapante : moins qu'Amiens sans doute, mais dans un paysage urbain tout à fait comparable. Mêmes canaux souillés, même afflux des lourdes balles de laine, même genre de draperie légère et de sergetterie; dans le ronronnement des métiers et le battement des foulons, une « populasse » entassée, abondante et famélique d'ouvriers en laine; une « populasse » courbée sous la domination économique, sociale et politique de la bourgeoisie marchande, sous la domination religieuse, morale et seigneuriale d'un clergé dont les mérites privés ne pouvaient faire oublier la magnificence temporelle. Il nous appartient maintenant de voir vivre de plus près la société beauvaisienne du XVIIᵉ siècle.

CHAPITRE VIII

LA SOCIÉTÉ URBAINE : L'ENSEMBLE

I. LE NOMBRE DES HOMMES

A partir du règne personnel de Louis XIV, « dénombrer les peuples » fut un souci constant des hommes de gouvernement, pour des raisons fiscales, militaires et de magnificence que nous n'avons pas à étudier. La plupart des documents qui traduisent ce souci dorment encore dans la paix des archives. Avouons que l'usage qui a souvent été fait des dénombrements constitue un défi au bon sens. Tantôt l'on déclare que tous ces chiffres ne valent rien, attitude qui offre l'avantage de la facilité; tantôt on les accepte sans la moindre critique, et l'on assied sur ces bases incertaines des calculs et des raisonnements. Les dénombrements, qui se sont multipliés après 1690, requerraient une étude très serrée. L'on devrait s'attacher d'abord à bien connaître l'institution qui entreprit tel dénombrement, presque toujours avec des buts fiscaux fort précis. Comme ces documents ne peuvent s'éclairer que par comparaison, il conviendrait d'opérer ensuite, dans un cadre régional étroit, le minutieux rapprochement des chiffres qui se rapportent aux mêmes paroisses. L'on s'apercevrait alors que, dans la majorité des cas, des dénombrements sérieux, d'origine différente, se valident les uns les autres, et que la plupart des discordances apparentes s'expliquent : exigences différentes des administrations financières, habitudes et institutions locales, union et séparation de paroisses et de collectes, accidents graves comme les incendies, évidentes erreurs de plume. Il conviendrait aussi de ne pas perdre de vue deux principes. Presque tous les dénombrements ont été effectués par feux, même quand ils se présentent autrement, et nous savons ce qu'était un feu dans la plupart des provinces de l'ancienne France. En second lieu, les chiffres que contiennent les anciens documents de population doivent être tenus pour des évaluations, qui ne peuvent nous donner qu'un ordre de grandeur. Même au XXe siècle, quand nous lisons que telle ville compte, à telle date, 6 826 habitants, nous savons bien que cette précision apparente recouvre un certain nombre d'erreurs, souvent de signe contraire ; mais nous n'ignorons pas que ces erreurs furent relativement légères, et nous disons que la localité envisagée comptait un peu moins de 7 000 habitants. Il en est de même pour les anciens dénombrements, avec ces différences qu'à la fin du XVIIe siècle l'erreur risque d'être plus forte, et de se trouver fréquemment à sens unique : la plupart des anciennes évaluations de population provenant des administrations financières se révèlent inférieures à la réalité.

Nous avons à rechercher le nombre des habitants de Beauvais. A partir de 1679, les documents ne manquent pas. Ce sont des documents fiscaux, qui comptent par feu. Ils se rapportent presque tous à la perception de ce qui, à Beauvais, remplaçait la taille : « la subvention et subsistances y jointes, taillon et solde des officiers des maréchaussées ». Chaque année, à partir du mois d'octobre, les asséeurs et collecteurs des douze paroisses effectuaient par rue, maison par maison, selon un itinéraire traditionnel, la « recherche des feux ». Ils étaient en possession du rôle paroissial de l'année précédente. Ils biffaient morts, absents, nouveaux exempts ; ils ajoutaient les nouveaux venus et les nouveaux mariés ; ils modifiaient tout ce qui devait l'être. Ils portaient ensuite leur travail à l'hôtel de ville. Le greffier de la commune recopiait alors l'ensemble des listes, inscrivait le montant de l'imposition correspondant à chaque feu puis faisait ratifier le tout par les élus : la grosse liasse ainsi rédigée et vérifiée, c'était le « Roolle ». Malgré les apparences, le brouillon du rôle, la recherche, semble le document le plus précieux. C'est qu'on y voit apparaître, d'une année à l'autre, prises sur le vif, les modifications de la population urbaine, enregistrées maison par maison. Aussi la recherche se révèle-t-elle plus complète que le rôle :

les exempts y figurent tous, avec leurs qualités; on y retrouve aussi les pauvres entrés au Bureau, les mendiants domiciliés, les jeunes mariés (traditionnellement exempts les premiers mois de leur ménage), ceux qui avaient quitté la ville et même celui qui avait « abattu le papegai ». Quelques catégories d'habitants manquent toujours sur ces documents fiscaux : les ecclésiastiques, d'abord; mais aussi les vieillards pauvres du Bureau, les malades de l'Hôtel-Dieu, les pensionnaires de quelques couvents, et tous les ouvriers de la Manufacture royale de tapisseries; en tout, sept à neuf cents personnes. Notons enfin que Beauvais ne comptait pratiquement pas d'habitants nobles. Ainsi, les listes de feux qui nous sont parvenues fournissent des chiffres inférieurs à la réalité, mais d'une quantité que nous connaissons.

Qu'était un « feu » à Beauvais? « Une famille, composée du père, de la mère, ou de celui qui survit à l'autre et des enfants vivant avec eux, c'est-à-dire l'ensemble des gens vivant... à la même table, autour du même foyer, écrivait Esmonin. Comme en Normandie, feu et maison ne s'identifiaient pas; comme en Normandie, le nom du chef de ménage seul était inscrit sur les recherches et rôles, et sur une seule ligne; comme en Normandie, une veuve non remariée était considérée comme un chef de famille, et un homme marié qui habitait avec ses parents ou ses beaux-parents constituait un feu séparé. Mais, à la différence des cas normands étudiés par Esmonin, la majorité était ici de 25 ans, et les jeunes mariés mineurs étaient comptés comme chefs de famille, imposables dès l'année qui suivait celle de leur mariage. Une autre particularité confère aux rôles beauvaisiens une valeur assez rare : les filles « anciennes » âgées de plus de trente ans, et dont les parents étaient décédés ou n'habitaient pas avec elles, constituaient un feu distinct.

Quelle valeur numérique attribuer aux feux ainsi définis? Ceux qui, aux XVIIe et XVIIIe siècles, se sont posé cette question, ont hésité entre quatre et cinq personnes par feu; les plus sérieux — et spécialement Vauban — se sont orientés vers un coefficient compris entre quatre et quatre et demi. M. Bouchard, au terme d'une étude très serrée, malgré ses apparences plaisantes, a proposé un chiffre légèrement inférieur à 4; mais il concernait Dijon, et la fin du XVIIIe siècle. C'est cependant celui que donne, à Beauvais, l'excellent dénombrement tête par tête de 1764, dont l'étude détaillée sortirait de notre cadre chronologique. Le recensement de Villers-Saint-Barthélemy en 1718 permet de calculer le très sûr coefficient de 4,27 habitants par feu : mais il s'agit d'un village. Les listes de pauvres de décembre 1693 donnent moins de 3 personnes par feu indigent; mais les indigents étaient souvent des vieillards ou des filles anciennes, vivant seuls; d'autre part, beaucoup de ces familles misérables avaient déjà perdu, à cette date, quelques-uns de leurs membres. La « recherche » de 1686 donne, pour 1 370 familles ou feux (sur 2 906), le nombre des enfants : 5 114, soit 3,76 par famille; l'effectif familial monterait alors à 4,76 ou 5,76 personnes, selon que les parents vivaient tous deux ou non. Mais, en cette même année, 1 536 feux ne comportaient aucune indication d'enfant : y eut-il des omissions dans la liste qui nous est parvenue (la seule où figurent les enfants)? Doit-on considérer que ces 1 536 feux étaient constitués par des célibataires et des personnes âgées, dont les enfants, mariés ou non, avaient quitté le foyer? On ne sait. L'habitude beauvaisienne de compter pour un feu toute fille ancienne vivant seule aboutit nécessairement à affaiblir le coefficient que nous cherchons. Celui-ci a-t-il dépassé 4 personnes par feu?

Le tableau suivant résume l'ensemble des données qui concernent la population de Beauvais. Aux recherches et rôles d'imposition dont nous venons de faire connaître le mécanisme, nous avons joint des renseignements venus d'autres sources, générales ou locales, de qualité parfois inférieure. Nous ignorons comment fut établie la taxe des pauvres de 1647, que nous citons d'abord : il est à présumer que les pauvres eux-mêmes n'y figurèrent pas, et que le chiffre obtenu soit trop faible. Les estimations de 1694 et 1695 proviennent des magistrats beauvaisiens, et ne constituent guère qu'une curiosité. Saugrain a lui-même souligné dans son Introduction le caractère certain de son dénombrement de 1709. Il faut souligner les considérables entreprises de 1713 et de 1724-1726 : la première, qui s'appuyait sur les rôles de tailles, fut l'œuvre des intendants, destinée au contrôle général; la seconde a été effectuée par la ferme des gabelles. Comme à M. Esmonin, cette dernière nous a paru d'excellente qualité : la ferme avait intérêt à l'exactitude de ses résultats qui furent corrigés et contrôlés durant trois années; cette belle série documen-

taire contient même un dénombrement par tête, qui
vaut pour les pays de grande gabelle, mais qui néglige
les enfants de moins de huit ans non soumis au sel.
A titre comparatif, nous avons retenu un extrait du
dénombrement d'Orry : il n'offre visiblement aucun
rapport avec la réalité.

Date	Source et nature des documents	Nombre de feux (F) ou d'habitants (H)	Observations
1647	*Rôle pour la taxe des pauvres.*	2 975 F.	Manière d'asseoir la taxe mal connue; chiffre probablement trop bas.
1679	*Recherches et rôles d'impositions* (commencés en octobre de l'année précédente).	2 958 F.	Exempts inclus (une soixantaine); clergé et quelques autres exclus (700 à 900 personnes).
1681	*Idem*	3 046 F.	*Idem*
1682	*Idem*	3 204 F.	*Idem*
1683	*Idem*	3 099 F.	*Idem*
1684	*Idem*	2 989 F.	*Idem*
1685	*Idem*	2 983 F.	*Idem*
1686	*Idem*	2 906 F.	*Idem*
1691	*Idem*	3 310 F.	*Idem*
1692	*Idem*	3 138 F.	*Idem*
1693	*Idem*	3 185 F.	*Idem*
1694	*Idem*	2 912 F.	*Idem*
1695	*Idem*	2 428 F.	} Conséquences éclatantes de la « famine » 1693-1694.
1696	*Idem*	2 562 F.	
1697	*Idem*	2 395 F.	
1698	*Idem*	2 578 F.	*Idem*
1699	*Idem*	2 460 F.	*Idem*
1700	*Idem*	2 498 F.	*Idem*
1694	Estimation.	2 918 F. 16 000 H.	} L'estimation du nombre des habitants paraît exagérée.
1695	*Idem*	? 13 000 H.	
1709	SAUGRAIN (dénombrement).	3 064 F.	Vraisemblable.

Date	Source et nature des documents	Nombre de feux (F) ou d'habitants (H)	Observations
1713	ms. fr. 11384, p. 67. (Dénombrement par généralités.)	3 284 F.	D'après les cotes d'imposition.
1714	Rôles d'impositions.	2 976 F (exempts non compris).	Source du même ordre que pour 1679-1700.
1720	SAUGRAIN, nouveau dénombrement.	2 900 F.	Vraisemblable.
1724	ms. fr. 23917 (dénombrement des « Gabellans »).	3 029 F.	Manquent les ecclésiastiques et quelques officiers.
1725	Ibid., et ms. fr. 23921.	3 241 F.	Idem
1726	ms. fr. 23921.	3 106 F.	Idem
1741	Rôle d'impositions.	3 279 F.	Comme pour 1714.
1745	Dénombrement d'Orry (Popula-1952, p. 64).	4 118 H.	Invraisemblable.
1764	Dénombrement par tête.	11 650 H.	Travail soigné; quelques habitants ont pu échapper aux recenseurs.
1790	A.N., F. 19, 457.	12 177 H.	Travail soigné; quelques habitants ont pu échapper aux recenseurs.
1790	Enquête sur les personnes ayant besoin d'assistance.	3 423 F. 12 950 H.	Idem

L'on voudra bien négliger pour le moment les chiffres qui se rapportent aux années 1695-1700, qui accusent rudement les effets de la « mortalité » de 1693-1694 sur la population de la ville. Tous les autres avoisinent 3 000 feux, et dépassent ordinairement ce chiffre. Si l'on admet l'équivalence 1 feu = 4 personnes, la population de Beauvais s'élevait au moins à 12 000 habitants. Rappelons que les ecclésiastiques, les ouvriers de la Manufacture royale, et quelques autres individus ne figuraient pas aux rôles que nous avons énumérés, et que cet ensemble atteignait 700 à 900 personnes. Entre 1679 et 1726, mises à part quelques années tragiques, la population de Beauvais avoisinait 13 000 âmes. Le recensement de 1836 donnait encore 13 082 habitants; la vingtaine de milliers ne fut dépassée qu'une fois, en 1901.

Il convient de ne pas juger cette évaluation avec nos habitudes d'hommes du XXe siècle. Treize mille habitants à la fin du XVIIe siècle, ce n'était pas l'effectif d'une petite ville, mais d'une ville moyenne. Il est d'ailleurs possible de soutenir cette assertion par une esquisse comparative, contenue dans le tableau de la page suivante. Il y manque de très grandes cités — Paris, Lyon, Marseille — qui ne figurent pas dans les deux sources auxquelles nous nous limitons; il manque aussi la plupart des pays d'États, la plupart des provinces non soumises aux grandes gabelles, et les régions conquises au XVIIe siècle. Mais ce tableau a été constitué avec deux dénombrements larges et sérieux, d'origine différente et de date assez voisine; il permettra donc de mener quelques rapprochements.

Une douzaine de villes seulement — une vingtaine si nous pensons à celles pour lesquelles les renseignements manquent — furent notablement plus peuplées que Beauvais. Des chefs-lieux de généralité comme Bourges, La Rochelle, Moulins, Poitiers, Châlons, Montauban, Riom, Alençon, Soissons et Limoges contenaient un nombre de feux légèrement ou notablement inférieur. Des centres anciens et des cités marchandes comme Le Mans, Auxerre, Angoulême, Laval, Clermont-d'Auvergne, Saint-Quentin, Sens, Laon, Saint-Étienne et Evreux occupaient, par le chiffre probable de leur population, un rang parfois très secondaire. Entre 1700 et 1730, Beauvais figurait donc parmi les plus importantes des villes moyennes du royaume : constatation qui en recoupe d'autres, et qui contribue à souligner l'actuel déclin de cette ville.

Villes	Nombre de feux d'après ms. fr. 11384-11387; dénombrement de 1713, reposant sur les rôles de tailles	Nombre de feux d'après ms. fr. 23921-23924; dénombrement effectué par la Ferme des Gabelles, 1726
Rouen	11 420 (privil.)	—
Orléans	10 560	7 161 (sic)
Amiens	8 441	7 004
Bordeaux	7 810	—
Reims	—	7 493
Angers	7 457	—
Tours	6 368	—
Caen	5 652	7 858
Dijon	4 437	—
Troyes	—	4 305
Chartres	3 770	3 614
Abbeville	3 550	4 230
Le Mans	—	3 301
Beauvais	*3 284*	*3 106*
Bourges	—	3 080
La Rochelle	3 169	—
Moulins	—	3 157
Poitiers	3 134	—
Châlons-sur-Marne	—	2 958
Montauban	2 600	—
Vitry-le-François	2 600	—
Blois	2 350	2 982
Issoudun	—	2 269
Niort	2 218	—
Auxerre	2 182	—
Riom	2 113	—
Angoulême	2 111	—
Alençon	2 100	3 053 (sic)
Laval	2 000	2 192
Nevers	—	1 998
Clermont (Auvergne)	1 974	—
Moulins	1 910	—
Langres	1 862	2 045
Bayeux	1 748	2 179
Saint-Quentin	1 718	2 200

De 1 500 à 2 000 feux d'après l'un ou l'autre dénombrement : (dans l'ordre décroissant) Corbeil, Saint-Germain-en-Laye, Saumur, Soissons, Sedan, Compiègne, Châtellerault, Moissac, Thiers, Laon, Sens, Noyon, Romorantin.

De 1 000 à 1 500 feux : Nogent-le-Rotrou, Pont-Audemer, Marennes, Saint-Étienne, Châteauroux, Saint-Maixent, Chaumont, Bernay, Evreux, Étampes, Meaux, Limoges, Chalon, Saint-Dizier, Versailles, Tonnerre, Amboise, Joigny, Péronne, Fontainebleau, Provins, Château-Thierry, Fontenay-le-Comte, Les Sables-d'Olonne, Tulle, Châteaudun, Montargis, Aurillac.

N. B. Ce tableau n'est donné qu'à titre comparatif; seules des études locales pourraient valider ou non chacun de ces chiffres de feux.

2. LES GROUPES D'HOMMES
D'APRÈS LES RÔLES D'IMPOSITION (1)

On ne peut se dispenser de chiffrer, même approximativement, la population de la ville qu'on étudie. Mais bien plus que leur nombre, c'est la nature, l'activité, la qualité, la structure même des populations citadines qui doit retenir l'attention. Les documents fiscaux rendent encore ce service : ils permettent de reconstituer des groupes professionnels, des groupes économiques, des groupes d'habitation, et surtout des groupes sociaux. A deux conditions cependant : que les rôles ne se réduisent pas à des listes de noms accompagnées de cotes chiffrées ; que l'effectif des exempts et privilégiés nous soit donné. Ces deux conditions se trouvent heureusement réunies à Beauvais, spécialement dans les rôles de 1691 et 1696, qui seront surtout utilisés. Grâce à ces derniers, l'on éprouve le rare sentiment d'embrasser vraiment la presque totalité d'une population urbaine.

A. *Les groupes professionnels, d'après les rôles d'imposition.*

Sur les 2 562 feux couchés au rôle de 1696, 1 922 nous sont donnés avec de précises indications professionnelles. Le tableau de la page suivante présente le dépouillement complet de ce document fiscal.

Par son effectif, un groupe l'emporte sur tous les autres : l'on pouvait s'y attendre, c'est le groupe textile, fort de 745 chefs de famille : 99 marchands, 104 fabricants, 542 ouvriers. Encore faudrait-il lui adjoindre la plus grande partie des 230 veuves et des 111 filles faiblement « cottizées », qui devaient filer. Il n'est pas douteux non plus — et nous le savons bien par l'enquête de 1693, qui identifie 4 ouvriers du textile sur 5 « pauvres » — que la presque totalité des 127 « pauvres » du rôle, imposés à quelques sols ou à rien, se rattachaient au même groupe. Enfin ce rôle a été dressé une année après la fin de la grande mortalité, qui fit des coupes sombres dans le petit peuple des tisserands, des sergers

_____

(1) L'utilisation des rôles d'imposition pour l'analyse d'une société a été fortement contestée, surtout par R. Mousnier et ses disciples. Cette critique ne m'a pourtant pas conduit à modifier ce chapitre.

BEAUVAIS, ROLE DE LA SUBVENTION, 1696

I. TEXTILE : 745 FEUX.
> *Marchands :* 99.
> *Fabricants :* 104 (drapiers drapant : 57; maîtres sergers : 47).
> *Ouvriers :* 542.
> Sergers : 130; tisserands : 117; peigneurs : 96; laneurs : 64; tondeurs : 26; fileuses nommément désignées : 68; teinturiers : 18; divers : 23.

II. SEMI-RURAUX : 221 FEUX.
> *Laboureurs :* 7.
> *Airiers :* 37; *vignerons :* 80; *manouvriers :* 24.
> *Artisans semi-agricoles :* 69 (dont 18 tonneliers et 15 maréchaux-ferrants) [on peut joindre 4 marchands de chevaux].

III. ARTISANS, BOUTIQUIERS, OUVRIERS ÉTRANGERS AU TEXTILE : 582 FEUX.
> *Alimentation :* 211 (boulangers : 60; bouchers : 28 ; etc.).
> *Vêtement :* 204 (tailleurs : 21; couturières : 34; cordonniers : 37; savetiers : 54 ; etc.).
> *Habitation, outillage :* 167 (maçons : 26; menuisiers : 27; serruriers : 11; cloutiers : 14; chaudronniers : 8; cordiers : 12 ; etc.).

IV. BOURGEOISIE RENTIÈRE. BOURGEOISIE LIBÉRALE, OFFICIERS EXEMPTS : 374 FEUX.
> *Officiers exempts :* 57 (Présidial : 15; Élection : 16; Maisons royales et princières : 17; divers : 9 [veuves d'officiers exemptes comprises]).
> *Rentiers :* « Bourgeois » (hommes) : 58; « veuves », taxées à plus de dix livres : 49; « filles », taxées à plus de dix livres : 29.
> *Hommes de loi, greffiers, sergents,* etc. : 159 (5 notaires, 15 avocats, 24 procureurs).
> *Corps de Santé :* 22 (6 médecins, 5 apothicaires, 11 chirurgiens).

V. PETITES GENS DONT LA PROFESSION N'EST PAS INDIQUÉE : 468 FEUX.
> *Veuves* (imposées à moins de 10 livres) : 230; *filles* (imposées à moins de 10 livres) : 111; *pauvres* (non renfermés, ainsi désignés, sans autre indication et imposés très bas) : 127.

VI. RÉSIDU : 172 FEUX.
> Morts en cours de confection des rôles : 29; absents : 49; partis à la guerre : 51; inscrits par erreur et mariés depuis la Saint-Rémi, exempts de contribuer : 39; impossibles à identifier : 4.

TOTAL : 2 562.
> *Pour mémoire :* ecclésiastiques : 460 personnes; Bureau des pauvres : 300; Hôtel-Dieu : 50; Manufacture royale : environ 100.

et des peigneurs. Près de la moitié des Beauvaisiens devaient, tant bien que mal, vivre de la laine et de drap.

L'on notera sans surprise un second trait : l'importance relative d'une sorte de groupe rural, qui n'habitait pas les seuls faubourgs : 7 laboureurs, 37 airiers, 80 vignerons, 24 manouvriers, une soixantaine d'artisans semi-ruraux comme les tonneliers et les maréchaux-ferrants. En tout, 221 feux sur 1 922, plus du dixième de la population ; cette moyenne ville, nous le savons, conservait dans son aspect même plus d'un trait campagnard.

Du fait même de son existence, toute ville comporte un certain nombre de boutiquiers, d'artisans, de petits patrons et de compagnons dont l'activité consiste à satisfaire les besoins essentiels des habitants, et ceux d'une partie du plat pays : nourriture, vêtement, bâtiment, meubles, outils, articles de ménage... Ce groupe nécessaire et banal comportait 582 familles ou feux, dont 60 boulangers et 54 savetiers. Il se trouvait pourtant moins nombreux que le groupe purement textile.

Les hommes de loi, de plume et de lancette — officiers, avocats, procureurs, greffiers, notaires, corps de santé — ceux qu'on classerait aujourd'hui sous le vocable de « professions libérales », constituaient 159 feux non privilégiés. Les conseillers au présidial et en l'élection, tous exempts, en occupaient 31. Vingt-sept chefs de famille étaient revêtus d'offices qui les absorbaient peu, mais qui les dispensaient de contribuer et leur conféraient des titres dignes d'être notés : porte-duc de la fauconnerie du roi, conducteur des chariots de la grande écurie, valets des pages de la même écurie, porte-caban, officier de l'échansonnerie de Madame, officier de la fauconnerie de Monsieur .. Ces petits officiers provenaient du groupe marchand, ou de celui des « bourgeois vivans de leurs rentes sans travailler », comme on les nommait à Beauvais.

Ces rentiers laïcs vivaient du produit de leurs fermes, de leurs terres, du placement de leurs écus, sans faire commerce ni trafic, au moins directement ; « bourgeois de Beauvais », filles « anciennes », veuves aisées, logées à l'ombre de la cathédrale, ce typique groupe de bourgeois ne comptait pas moins de 130 feux ou familles. Ils voisinaient avec les chanoines de la cathédrale, opulents rentiers ecclésiastiques, assez occupés, en dehors de leur ministère sacré et de leurs querelles religieuses, par la gestion attentive de leurs affaires temporelles.

En somme, un seul trait original dans cette grossière classification, plus professionnelle que vraiment économique : la place tenue par l'activité textile, par les « manufactures », qui faisaient vivre directement près de la moitié des Beauvaisiens, indirectement, une part appréciable du reste.

Mais un tableau professionnel, toujours superficiel, ne peut constituer qu'une introduction à l'étude de la structure sociale. La même série de sources va nous permettre, en considérant l'échelle complète des cotes d'imposition, de dégager, de dénombrer, de commencer à définir les groupes sociaux véritables, dans leur frappante inégalité.

B. *Les groupes sociaux, d'après les rôles d'imposition.*

Comme nous l'avons fait pour les rôles de la campagne, nous oserons soutenir que l'assiette de l'impôt, loin de constituer un monument d'iniquité, était fort raisonnable. L'on acceptera d'abord, comme on le faisait au XVIIe siècle, que la plus grande partie des Beauvaisiens riches, de par leur état ou leur office, fussent exempts de toute contribution. Cela dit, il nous apparaît que les injustices criantes, surcharges et décharges excessives se réduisaient à un certain nombre de cas particuliers. En cas de désaccord avec les collecteurs-asséeurs, un recours en l'élection restait toujours possible : or, les élus ne jugeaient annuellement qu'une vingtaine de procès beauvaisiens en surtaux. Les oppositions émanaient d'artisans, de boutiquiers, plus souvent de veuves et de filles que les collecteurs avaient tendance à surcharger. La simple raison poussait d'ailleurs à une répartition sensée, qui ne provoquât pas de difficultés spéciales dans la perception. Responsables sur leurs deniers et sur leur liberté, les collecteurs urbains, comme les ruraux, pouvaient surcharger un peu tel tisserand, tel savetier, qui leur avait déplu. Il était impossible, et impensable, qu'ils puissent surcharger tous les savetiers et tous les tisserands, et ménager en échange tous les marchands. Et même si l'injustice avait ménagé le marchand et surchargé le tisserand, les résultats de l'étude minutieuse du rôle, qui révèlent l'énormité, la logique et la constance des écarts fiscaux, aboutiraient à dresser une échelle des contribuables qui serait un reflet atténué de l'échelle sociale. Mais les rôles ne permettent que des doutes de détail; presque tous les marchands payaient plus de 20 livres; presque tous les tisserands payaient moins de 40 sols. L'éventail des impositions, largement ouvert, allait de 0 à 140 livres en 1691, de 0 à 400 livres en 1696. L'on pensera sans témérité que les Beauvaisiens taxés à un sol pouvaient difficilement payer beaucoup plus; l'on avancera aussi que Magdeleine Foy, héritière de tant de receveurs ecclésiastiques, mère ou tante de l'abbé Dubos et de

ÉCHELLE DES COTES D'IMPOSITION, BEAUVAIS, 1691 ET 1696

Cotes en livres	Nombre réel de ces cotes		Proportion pour 1 000. Cotes	
	1691	1696	1691	1696
Plus de 100	3	3	1	1
90 à 99	3	1	1	0
80 à 89	6	3	2	1
70 à 79	10	6	3	3
60 à 69	13	8	4	4
50 à 59	13	18	4	8
40 à 49	41	39	13	17
30 à 39	63	42	20	19
20 à 29	92	95	30	42
10 à 19	190	202	63	90
5 à 9	299	254	99	113
2 à 4	522	363	173	161
Moins de 2	1 764	1 218	587	541
TOTAUX	3 019	2 252	1 000	1 000

Feux non cotisés (pour départs, décès, mariage, erreurs) :
  Rôle de 1691 : 231 (total 3 250);
  Rôle de 1696 : 247 (total 2 499).
Exempts et privilégiés : en 1691 : 60; en 1696 : 63.
Montant de la « subvention » :
  1691 : 16 640 livres (environ 5,51 *livres par feu imposé);*
  1696 : 14 878 livres (environ 6,60 *livres par feu imposé).*
  L'on voit donc que le nombre de feux avait diminué plus vite que la «subvention»; malgré les apparences, l'imposition par feu était plus lourde en 1696; il est clair que cette surcharge a été supportée, non pas par les petites cotes, mais par les moyennes et les grosses — de 5 à 50 livres — remarque qui souligne encore la relative équité de la répartition.

l'épouse de Lucien Danse, que Chalancé, receveur de l'évêché, étaient capables, l'un et l'autre, de régler sans se ruiner les 140 ou 400 livres que la ville leur demandait. Une série de contrôles difficiles à récuser, effectués d'après les contrats de mariage et les documents de succession, permettrait, sans doute, de montrer la « concordance de la gradation fiscale » et de la gradation sociale.

Ces contrôles, nous n'avons pu les effectuer à Beauvais de manière systématique; du moins trouvera-t-on, en annexe à ce chapitre, quelques exemples qui aident à soutenir cette idée que les rôles d'imposition de Beauvais, criticables dans le détail et individuellement, étaient indiscutables dans leur ensemble, et socialement; que la hiérarchie fiscale des contribuables reflète grossièrement, mais avec une certaine fidélité, la hiérarchie des fortunes, des revenus, des groupes d'hommes. Avec une réserve : il faut avoir soin de replacer les exempts à la place qui leur revient : généralement, en haut de l'échelle.

Sur les 3 250 feux contribuables de 1691, 244 seulement payaient plus de 20 livres; mais leurs cotes réunies montaient à 9 274 livres et quelques sols. Sur les 2 562 de 1696, 215 seulement payaient plus de 20 livres, et leurs cotes réunies dépassaient 8 200 livres. En d'autres termes, 7 à 8 % des Beauvaisiens réglaient plus de la moitié des impôts de leur ville. Joignons à ceux-là la soixantaine de privilégiés : à quelques unités près, nous tenons les 300 familles les plus aisées de Beauvais. Qui étaient-elles ?

Essentiellement, trois sortes de gens : les officiers de justice, de finances, de la maison du roi et des maisons princières, en tout une soixantaine; des marchands d'étoffes, les meilleurs drapiers fabricants, quelques teinturiers et tanneurs, en tout près d'un cent; les bourgeois, veuves et filles vivant de leurs rentes, plus de soixante-dix. Le reste, des cas particuliers, des réussites personnelles : le plus fort « hostellain », le boulanger du chapitre, 3 merciers sur 33, le fondeur de cloches, 3 bouchers sur 28, 2 cordonniers sur 37... des exceptions dans la boutique et dans l'artisanat non textile. Rentiers, marchands d'étoffes, officiers, tels étaient, en somme, révélés par les rôles d'imposition, les plus aisés et les plus importants des bourgeois de Beauvais.

Tournons-nous maintenant vers ce que ces derniers appelaient couramment la « populace » et la « lie du peuple ». Sur les 3 019 feux de 1691, 2 585 payaient moins de 10 livres, et leurs contributions réunies ne formaient pas le tiers de la « subvention » de l'année. Au-dessous de cent sols, on en trouvait encore 2 286; et 1 764 au-dessous de quarante sols (40 sols : trois ou

Paroisses	Nombre de feux cotisés à moins de 20 sols au rôle de 1691	Nombre de feux reconnus « pauvres » en décembre 1693
Saint-Sauveur	157	138
Basse-Œuvre	50	35
Saint-Étienne	327	284
Saint-Martin	64	55
Saint-Laurent	134	130
Saint-Thomas (A)	19	21
Saint-André	134	143
Sainte-Marguerite	50	80
Sainte-Madeleine	165	143
Saint-Jacques	42	41
Saint-Jean	22	21
Saint-Quentin	107	107
TOTAUX	1 271	1 198

(A) Dans Saint-Thomas, les feux de la manufacture royale, exemple de contribution, comptaient 16 familles pauvres en décembre 1693 (exclues de ce tableau).

quatre journées de travail). En 1696, 1 218 feux sur 2 252 étaient taxés à moins de 2 livres : proportion très voisine de la précédente. Ainsi, plus de la moitié des habitants de Beauvais, cotisés à une taxe aussi basse, paraissent avoir été de bien pauvres gens. A cette hypothèse suggérée par les documents fiscaux, bien des pages de ce travail apportent confirmation. Soulignons dès maintenant la saisissante ressemblance entre la liste des contribuables à moins de 20 sols de 1691 et la liste des pauvres de décembre 1693.
Faut-il dire qui étaient ces Beauvaisiens ménagés par

les collecteurs? Presque tous les ouvriers du textile.
Dans la paroisse Saint-Étienne, la plus peuplée et la
plus variée de la ville, 46 sergers sur 54, 20 tisserands
sur 23, 22 peigneurs sur 26 et la totalité des fileuses
ne pouvaient payer 40 sols d'imposition; la moitié
d'entre eux ne payaient pas dix sols. A Saint-Martin,
aucun compagnon du textile n'atteignait 40 sols. A
Sainte-Marguerite, 50 sur 56 ne dépassaient 20 sols.
En 1696, dans toute la ville, 106 tisserands sur 117,
119 sergers sur 130, 88 peigneurs sur 96, et toutes les
fileuses restaient au-dessous de 40 sols. 385 sur 481
n'atteignaient pas 20 sols. Il convient d'en être persuadé;
quelle que fût la charité du temps, elle n'aurait pas
conduit à décharger si nettement une masse si considérable, aussi largement majoritaire d'ouvriers en laine;
si ces derniers avaient vraiment été capables de payer
une imposition plus forte, on aurait su les y contraindre.
Appelons encore le témoignage formel de l'enquête des
pauvres de décembre 1693 : sur 950 chefs de famille
dont la profession nous est connue, 773 étaient ouvriers
du textile, plus des quatre cinquièmes.

Les ouvriers en laine ne formaient pas la totalité des
menus contribuables : avec eux, auprès d'eux, l'on
retrouve la majorité des compagnons maçons, menuisiers,
serruriers, la troupe des savetiers, 35 de ces boulangers
qui n'étaient que des cuiseurs de pain à façon, des
petits merciers sans grande pratique, presque toutes les
couturières, et tous les manouvriers, sans compter
82 filles trop anciennes et 178 veuves trop sages, que
leur quenouille ne nourrissait pas. En somme, les
déchets sociaux du petit commerce, du modeste artisanat
et de l'aventure familiale manquée, à côté de la presque
totalité des salariés : telle était la « populace » de Beauvais,
assez misérable pour ne pas payer d'impôts, ou pour
en payer si peu, assez nombreuse pour comprendre
plus de la moitié des Beauvaisiens.

Entre ces 1 764 familles cotisées à moins de 2 livres
et ces 244 gros contribuables, accrus des 60 exempts,
1 011 familles occupaient, en 1691, ce qu'on est naïvement conduit à appeler une position moyenne. Ce
n'était plus la « lie du peuple », ce n'était pas encore la
véritable bourgeoisie, mais un monde assez divers. On
y rencontrait, en assez bonne place, ruraux et demi-
ruraux : des tonneliers, des charrons, plus de la moitié
des airiers (20 sur 37) et des vignerons (43 sur 80),

et les 7 laboureurs des faubourgs. On y voyait paraître
le monde médian du textile, celui des maîtres fabricants
de serges, mais surtout de drap; sur 57 drapiers repérés
en 1696, 36 payaient de 5 à 20 livres. Auprès des
« drappans », des spécialistes des manufactures, généralement payés à façon : six maîtres laneurs, qui parache-
vaient les pièces, des apprêteurs, des presseurs, des
maîtres tondeurs.

Mais la classe moyenne était avant tout celle du bon
artisanat non textile et de la majorité des boutiquiers.
Deux à vingt livres de subvention pour les meilleurs
tailleurs, les meilleurs cordonniers, les 6 perruquiers,
5 chapeliers sur 7, les 3 fourreurs, le brodeur de chasubles
et les 5 orfèvres; dans le domaine de l'alimentation,
deux à vingt livres aussi pour 27 des 33 merciers et
19 des 28 bouchers, pour le charcutier et la tripière,
pour le vinaigrier et « l'arangère », pour 4 fromagers
et 31 « aubergistes et hostelains ». Les maîtres maçons,
menuisiers, serruriers, charpentiers, vitriers, et quelques
autres figuraient également dans la même catégorie
fiscale. On est plus surpris d'y retrouver 4 notaires sur 5,
12 avocats sur 15, 14 procureurs sur 24, les chirurgiens
et les médecins : les documents de succession de ces
personnages montrent en effet que leur fortune ne
correspondait pas à leur science, ni au rôle qu'ils jouaient
en un temps si fécond en procès et en épidémies.

Mais l'existence de privilégiés et d'exempts, malgré
leurs imperfections et leurs lacunes, les rôles d'imposition
nous montrent une image assez saisissante de la société
beauvaisienne. Au sommet, 300 familles d'officiers, de
marchands, de rentiers; les unes et les autres propriétaires
de maisons, de terres, de rentes constituées dominaient
ville et plat pays par leur richesse, leurs privilèges,
leur rôle administratif. Ils constituaient à Beauvais
l'élément proprement capitaliste, mais d'un capitalisme
aux formes anciennes, nuancées, mouvantes, que nous
aurons à définir.

En bas de l'échelle, la masse des salariés, plus de la
moitié de la ville, souvent de véritables prolétaires :
tous les ouvriers du textile, ou peu s'en faut; tous les
manouvriers, la plupart des compagnons du bâtiment,
du vêtement, de l'ameublement, des nombreux petits
métiers urbains; la foule enfin de ces « veuves » et « filles »
sans profession bien définie, et de ceux à qui ne convenait
que ce titre bref, mais clair : « les pauvres ».

A mi-chemin, l'essentiel des maîtres-artisans, des boutiquiers, des gens de plume, tels qu'on les trouve un peu partout : producteurs vendant leurs ouvrages, juristes et rédacteurs d'actes vendant leurs services, et simples commerçants. La plupart d'entre eux visaient à cette sorte d'autonomie, d'indépendance économique qui n'était en rien le propre des salariés, et qui ne constituait pas un souci sérieux pour les riches bourgeois.

C. *Groupes topographiques et paroissiaux.*

Trait médiéval, le groupement par rues des anciens métiers se maintenait quelque peu dans le Beauvais du XVIIᵉ siècle. Les cinq orfèvres habitaient côte à côte, non loin du marché, sur la paroisse Saint-Sauveur. Près du Bureau des pauvres, au bord d'une dérivation du Thérain, les seize tanneurs alignaient leurs seize ouvroirs. Dans la rue du Puits-Jessaume, où la légende assure que naquit Jehanne Layné, dite Hachette, « pauvre briseresse de laine », compagnons tisserands et compagnons sergers se succédaient en de petits logements, dont quelques-uns subsistent encore. Les airiers se groupaient à la poterne Saint-André, à proximité de leurs jardins maraîchers, et les vignerons au pied des coteaux qu'escaladaient les ceps. Les Danse mis à part, presque tous les grands négociants habitaient « sur le marché », ces maisons à pignons pointus, qui firent, jusqu'en 1940, le charme vieillot de la grand-place.

Certaines paroisses offraient aussi une sorte d'originalité sociale. Entre les murs croulants de l'antique cité se groupaient la plupart des hommes d'église et des hommes de loi : tous les chanoines, tous les procureurs, tous les avocats, presque tous les juges royaux ou seigneuriaux : en 1956 encore, la rue Saint-Pantaléon, toute neuve, demeure celle des notaires, des avoués et des huissiers. Au XVIIᵉ siècle, on ne trouvait en la Basse-Œuvre que 5 ouvriers en laine, un seul marchand d'étoffes, un seul cabaret ; pas un tailleur, pas un boucher, une seule mercière, d'ailleurs veuve. C'était la paroisse des hommes en noir, qu'ils soient d'église ou d'écritoire, des veuves rentières et des « filles anciennes » et dévotes, abritant leur respectabilité aisée à l'ombre de l'énorme cathédrale.

Passé le « Gloria Laus » (vers l'est) ou la porte du Limaçon (vers l'ouest), l'on pénétrait dans deux autres

petits mondes, aussi opposés que possible. Autour de la
flèche de Saint-Sauveur — la paroisse la plus imposée —,
presque tous les marchands, les drapiers et les commerçants opulents ; au faubourg Saint-Quentin — là où
les cotes d'impositions étaient toujours les plus basses —,
un seul drapier, Riquier, taxé à 20 livres, mais 129 cotes
inférieures à 40 sols, et 107 sur 146 inférieures à 20 sols ;
des sergers, des peigneurs, des fileuses, des « pauvres ».

Sainte-Marguerite, Saint-André, la Madeleine et
Saint-Jean ressemblaient beaucoup à Saint-Quentin :
elles formaient les cinq paroisses pauvres de Beauvais,
comme le montre le tableau ci-dessous. Saint-Sauveur
et la Basse-Œuvre, malgré leurs traits contrastés, constituaient les deux paroisses riches. Les cinq autres
n'offraient aucun caractère dominant.

ASPECTS PAROISSIAUX DE BEAUVAIS À LA FIN DU XVIIe SIÈCLE

Paroisses	Imposition moyenne par feu		Nombre de feux pauvres en décembre 1693	Nbre de feux compris au rôle rédigé dans l'hiver 1693	Pourcen-tage de feux pauvres dans la paroisse
	en 1695	en 1696			
	en livres et en dixièmes de livres				%
A. *Paroisses riches :*					
Saint-Sauveur	11,2	9,9	138	654	21
Basse-Œuvre	9,8	9,3	35	181	19
B. *Paroisses pauvres :*					
Sainte-Marguerite .	3,3	2,7	80	85	94
Saint-André	3,8	2,9	143	254	56
Sainte-Madeleine ..	2,3	1,7	143	236	61
Saint-Quentin	1,6	1,3	107	123	87
Saint-Jean	3,3	3,0	21	50	42
C. *Paroisses mixtes :*					
Saint-Étienne	6,2	5,5	284	754	38
Saint-Martin	7,2	6,0	55	125	44
Saint-Laurent	5,2	5,3	130	274	47
Saint-Thomas	7,1	6,8	21	54	39
Saint-Jacques	3,8	3,6	41	133	31

NOTA. — On peut contester la place que nous avons assignée aux paroisses
Saint-Jacques et Saint-Jean.

Il n'est pas nécessaire d'insister longuement sur ces groupements topographiques et ces originalités paroissiales; d'une part, on les retrouve partout; d'autre part, leurs détails ne peuvent intéresser que les rares Beauvaisiens curieux du passé de leur petite patrie. Ils constituaient pourtant un trait notable du paysage humain des anciennes villes françaises.

3. LE GROUPEMENT DES BEAUVAISIENS EN « ESTATS, COMPAGNIES, CORPS ET COMMUNAUTÉS DE MESTIER ».

Si les villageois ne formaient qu'une collectivité, la « communauté des habitans », les habitants des villes se répartissaient en un grand nombre de « corps, estats, compagnies, mestiers et communautez ». C'étaient, en gros, des groupes professionnels, pourvus d'une assise juridique plus ou moins solide, plus ou moins rigoureuse. Tous ces groupes se distribuaient en une hiérarchie sociale et morale qui suivait des règles d'une pointilleuse minutie : chaque corps y figurait à sa place, comme il marchait à son rang lors des processions, comme il donnait sa voix à son tour lors de l'élection des maire et pairs. La « carte ou roole des estats et mestiers », réformée en 1610, puis en 1636, sorte de liste électorale par communauté, montre qu'à Beauvais comme ailleurs on concevait la représentation des habitants par groupes organisés; elle illustre aussi ce souci de la hiérarchie qui hantait les hommes en groupe autant que les hommes seuls.

« *Carte ou Roolle des mestiers et estats qui doivent concourir à la nomination des Maire et Pairs* » (1636).

(Analyse; texte complet dans *Doyen*, Histoire de Beauvais, t. II, p. 17-19).

1. Officiers du Présidial.
2. Officiers de l'Élection, du Grenier à sel, receveur des Aides, receveur des Tailles.
3. « Juges et autres officiers gradués des justices patrimoniales et ordinaires de la Ville et fauxbourgs » (essentiellement, les officiers de l'évêché comté-pairie).
4. Avocats et médecins.
5. Procureurs, greffiers, notaires.
6. Huissiers, sergents, archers.
7. Marchands en teint et marchands de toiles.

8. Merciers, épiciers, passementiers, boutonniers.
9. Apothicaires, chirurgiens
10. « Drapiers drappans », et marchands de laine.
11. Laneurs.
12. Tondeurs.
13. Tisserands.
14. Sergers.
15. Peigneurs de laine.
16. Taverniers, vinaigriers, brasseurs.
17. Boulangers.
18. Pâtissiers, charcutiers, « lardiers », « graissiers », bouchers, poissonniers.
19. Orfèvres, potiers d'étain, plombiers, fondeurs.
20. Maçons, charpentiers, couvreurs.
21. Quincailliers, couteliers, armuriers, fourbisseurs, éperonniers, chaudronniers, épingliers, aiguilletiers.
22. Ferronniers, maréchaux, taillandiers, cloutiers.
23. Teinutriers, chapeliers, bonnetiers, peintres, vitriers.
24. Tanneurs, mégissiers, gantiers, pelletiers.
25. Cordonniers et corroyeurs.
26. Cordonnier en vieil (savetiers).
27. Selliers, bastiers, cordiers.
28. Menuisiers, tonneliers, charrons.
29. Brodeurs, tapissiers, joailliers, fripiers, tailleurs d'habits.
30. Tourneurs (de bois) et vanniers.
31. Laboureurs, vignerons, airiers (maraîchers).

Deux types de groupes sociaux figurent sur cette « carte ». Les voix 7 à 30, plus des « artistes », les médecins, représentent assez bien ce que l'on continue de désigner sous le terme de « corporations » : les corps et communautés d'arts et métiers. Les six premières voix, celles des officiers et des gens de justice, étaient données par des « estats » et des « compagnies », plutôt que par de véritables « mestiers ». Les nombreux laboureurs, vignerons et airiers de la 31e voix ne formaient qu'un groupement de fait, le plus vil des « estats ». Ces demi-ruraux ne devaient se réunir qu'au moment de choisir les échevins; encore n'avons-nous pas retrouvé trace de leurs assemblées. L'arrêt du Conseil du 18 décembre 1691, qui taxa les communautés pour le rachat des charges de syndics et maîtres-gardes-jurés, les ignore. Mais il n'ignore aucune des 48 véritables communautés que comprenait alors Beauvais, celles-là mêmes qu'énu-mérait, de la 7e à la 30e « voix », la carte de 1636 : le 22 janvier 1692, une décision de l'intendant de la généralité de Paris les divisait en quatre classes. Sur ces communautés de métiers, dont les archives propres ont disparu depuis longtemps, l'on peut rassembler quelques renseignements ; une étude approfondie est devenue impossible.

A. *Communautés statuées.*

« L'aveuglante diversité » des communautés de métiers : ce mot de M. Coornaert trouve son application à Beauvais. Quelques-unes possédaient des statuts que l'administration royale, ou une cour souveraine, leur avait donnés : les orfèvres, puis au temps de Colbert les communautés textiles et les teinturiers. D'autres avaient obtenu leurs statuts du « juge du seigneur » — le bailli de l'évêché-comté, — puis les avaient fait sanctionner par lettres patentes, et registrer enfin en cour de parlement. D'autres n'avaient pas accompli ces deux dernières formalités, par négligence ou par manque d'argent. Parmi tous ces corps statués, certains paraissent, au XVIIIe siècle, avoir perdu le texte et oublié le contenu de leurs statuts ; en 1751, le subdélégué Le Maréchal notait que les mégissiers, les potiers d'étain, et les savetiers ne « pouvaient représenter » leurs statuts, ni même affirmer qu'ils en avaient reçus. Bien mieux, le subdélégué lui-même assurait que la communauté des maçons n'avait « ni statuts, ni maîtrise, ni apprentissage : l'est qui veut » ; or, les maçons avaient été statués le 30 septembre 1598, l'apprentissage fixé à trois ans, le sujet du chef-d'œuvre défini, l'élection des « maistres esgars » imposée chaque année le lendemain de l'Ascension. En fait, on relève jusqu'en 1621, sur les registres de police du bailli, des mises en apprentissages et des réceptions de maîtres maçons : elles disparaissent ensuite. La communauté avait laissé tomber dans l'oubli les statuts octroyés par le seigneur.

A l'exception des textes de l'époque de Colbert — règlements de fabriques autant que statuts de communautés textiles — les statuts des communautés de Beauvais se caractérisent par leur brièveté. Dans le recueil manuscrit constitué vers 1600 par le bailli Le Boucher, il est rare que chacun d'eux couvre plus

de deux pages de médiocre format. L'aspect religieux
des communautés a toujours laissé sa trace : la confrérie
est la forme religieuse de la communauté de métier;
chacune a son saint patron, son autel habituel dans une
église de la ville, un certain contingent de messes à
faire célébrer, une contribution matérielle à apporter
au luminaire et au service divin. Presque toutes les
réunions de métiers ont lieu chez les frères cordeliers;
mais elles ne peuvent se tenir sans l'agrément du bailli
du comté, et elles ne peuvent acquérir force exécutoire
sans sa sanction écrite — et non gratuite. — Ainsi,
les communautés de métiers sont sous la tutelle du juge
de police, qui est le juge seigneurial. C'est devant lui
que les maîtres prêtent serment, sur ses registres que
sont inscrits les nouveaux apprentis et ceux qui sont
« rendus », qui ont terminé leur apprentissage et « gaigné
franchise ». C'est encore lui qui incite l'échevinage à
rassembler en armes les compagnies bourgeoises lorsque
menace quelque « émotion » de tisserands. C'est enfin
le juge de police qui a donné les statuts. Aspect religieux
et tutelle du juge seigneurial caractérisent donc les
communautés statuées de Beauvais : cela ne constitue
pas un fait original.

Deux soucis ont longuement retenu les rédacteurs de
statuts : les conditions de l'apprentissage, l'accès à la
maîtrise. Presque toujours, le maître ne peut prendre
qu'un apprenti, deux cependant pour les métiers les
plus nombreux et les plus actifs, ceux du textile. Dans
la plupart des métiers, le temps d'apprentissage était
de trois ans. Il s'abaissait à deux ans pour quelques
techniques faciles à acquérir, mais s'élevait jusqu'à
quatre et cinq ans dans le cas inverse. Des privilèges
locaux et des privilèges de naissance faisaient varier
encore le temps d'apprentissage : le « forain » accomplissait souvent une année de plus, le fils de maître, une
année de moins. Les uns et les autres devaient, comme
présent d'admission, offrir quelque argent pour la
« boette » (caisse) de la communauté : le montant variait
avec l'importance et la richesse de celle-ci, et avec le
statut personnel du jeune homme. Ces règles posées,
les contrats d'apprentissage, oraux ou écrits, étaient
laissés à l'appréciation des parties.

Les statuts s'intéressaient peu aux compagnons.
Beaucoup rappelaient simplement la place ou ils devaient
se rassembler, chaque lundi, pour être « loués » à la

semaine. Quelques-uns indiquaient la durée de la journée de travail : de Pâques à la Saint-Rémi (1ᵉʳ octobre), de 5 à 6 heures du matin jusqu'à 8 heures du soir; le reste de l'année, de 7 à 20 heures; en tout temps, deux demi-heures pour dîner et goûter. Jamais moins de douze heures de travail, parfois quatorze : c'était l'habitude en bien d'autres lieux.

L'accès à la maîtrise fut toujours réglé avec une grande minutie. Bien des statuts donnent la description du chef-d'œuvre, dont la facture revêtait alors un caractère en quelque sorte traditionnel. Les frais de réception, argent et banquet, étaient souvent considérables; dans quelques communautés cependant, ils restaient assez légers, mais il s'agissait des sergers et des peigneurs. Les fils de maîtres étaient toujours extrêmement favorisés; les « forains » se voyaient imposer des conditions draconiennes. En fait, les maîtrises étaient devenues pratiquement héréditaires : même la vente massive de « lettres de maistrise » par une royauté impécunieuse ne modifia pas cet état de chose, les maîtres achetant les lettres pour leur fils cadet, leur gendre ou leur filleul.

Dans la plupart des communautés, des gardes étaient élus — on « piquait » leur nom sur une feuille de papier — chaque année par les maîtres. A Beauvais, on les appelait « esgards » — le terme est venu du Nord; pour la draperie, on les appelait « boujonneurs »; le terme est normand. A l'exception de ces derniers, dont la nomination restait contrôlée, comme au Moyen Age, par le corps de ville, les gardes étaient élus sous la surveillance du bailli seigneurial, devant lequel ils prêtaient serment. Ils devaient effectuer des « visites particulières et génerâlles » pour vérifier la qualité des ouvrages exécutés par les membres du métier; vérifications bien inefficaces, puisque les maîtres passaient tour à tour à l'« esgardise », et se ménageaient les uns les autres, comme nous le constatons avec netteté dans les métiers textiles. Ils s'occupaient d'acquitter les charges religieuses de la communauté. Ils engageaient en son nom des poursuites contre les communautés rivales. Pour financer les dépenses qui découlaient de ces obligations ils étaient autorisés à « cottizer » maîtres et compagnons, après une enquête sur leur activité et leurs moyens d'existence, la « recherche », généralement annuelle; toutes opérations qui ne pouvaient se passer de l'autorisation du juge de police.

Un certain nombre de dispositions — moins fréquentes qu'on ne s'y attendait — définissaient le champ de travail des membres de métier, par rapport aux métiers voisins : cordonniers et savetiers, tailleurs d'habits et couturières, serruriers et ferrandiers, tisserands et sergers. Ce souci de délimitation ne suffit cependant pas à empêcher des procès nombreux et interminables. Les minutieux règlements qui concernent les détails de la fabrication ne se trouvent que dans les textes qui se rapportent aux communautés du textile : ils sont la manifestation des intentions de Colbert; l'on dira d'un mot qu'ils furent à peine appliqués.

Telles furent, dans leur ensemble, les dispositions juridiques qui réglèrent, en principe, les métiers statués de Beauvais. Mais tous les métiers de Beauvais n'étaient pas statués.

B. *Communautés non statuées.*

Répondant à un questionnaire de l'intendant de Paris, le subdélégué Le Maréchal fit, en 1751, une enquête sur 33 communautés urbaines. Quatorze d'entre elles, qu'il énumère, ne possédaient « ni statuts, ni maîtrises, ni jurandes ». De ces communautés non statuées, la plupart appartenaient à une même catégorie, bien aisée à caractériser : elles comprenaient de 2 à 7 membres, souvent un seul; encore Le Maréchal paraît-il en avoir oublié quelques-unes, comme les peintres et les aubergistes. On conçoit que des corps aussi réduits n'eussent pas le moyen de régler les nombreux frais que représentaient la rédaction de statuts, leur promulgation par le juge de police, l'octroi de lettres-patentes et leur enregistrement en parlement. Leur faible importance provoquait rarement l'intervention des autorités de police ou de justice. Il est assez probable enfin que les membres de ces corps secondaires ne concevaient pas la nécessité de recevoir des statuts. D'autres s'y refusèrent toujours, comme les « drapiers chaussetiers et marchands de drap en teint ». Mais il s'agit alors d'organismes fort différents, et autrement importants.

La position bien tranchée de cette nombreuse et riche communauté marchande — après les officiers, la première en dignité sur la « carte » de 1636 — mérite d'être soulignée dès maintenant. Elle s'exprima en 1680, dans un factum produit par les marchands à l'appui du procès qu'ils intentaient aux merciers de Beauvais, lesquels prétendaient justement se faire statuer, ne l'étant point encore. Ces derniers avaient réclamé l'enregistrement de deux privilèges importants : le droit exclusif de vendre en gros et en détail « toutes sortes de marchandises, même de draperie » (mais la draperie concurremment avec les marchands); le droit de visite des gardes-merciers sur les étoffes apportées de la campagne à Beauvais, la « draperie foraine ». Contre les merciers, simples boutiquiers vendeurs « d'huiles à brusler, de graisses, de poix et de chandelles », les marchands en teint proclamèrent les grands principes et les grandes traditions de la liberté du commerce :

« L'on a toujours » — à Beauvais — « conservé un chacun dans la liberté d'achepter et de vendre indistinctement toutes sortes d'estoffes et de marchandises tant de draperie, mercerie que de toute autre qualité, sans avoir assujetti les habitans à aucun apprentissage, ni avoir souffert qu'il ait esté estably aud. Beauvais aucune maistrise ou jurande des marchands... » ...« Les Maires et Eschevins de Beauvais et tout ce qu'il y a eu de gens de bon sens en lad. Ville se sont toujours fortement opposez quand ils ont vu que les Marchands... ont eu dessein de se faire statuer et ériger en Corps ou Jurande » ...Cette fois encore, ils ont « présenté leur requeste pour maintenir la liberté susdite pour tous les habitans... ancienne liberté qu'ils ont eue de tous temps d'estre Marchand aud. Beauvais de draperie, de mercerie et de toutes autres marchandises, soit en gros, soit en détail, conjointement ou séparément, sans estre astreints à aucun apprentissage, ni engagez à passez maistre... Et pour maintenir le négoce dans une bonne réputation, il suffit que la fabrique des estoffes soit bien réglée ».

En invoquant la liberté du commerce — expression dialectique de leur propre intérêt —, les marchands de Beauvais combattaient les « monopoles et privilèges » des merciers, dont les statuts furent néanmoins enregistrés. Mais les marchands eux-mêmes se refusèrent toujours à constituer une communauté jurée. Les blanchisseurs de toiles de lin, à la fois entrepreneurs et négociants, se conduisirent de la même façon. Cette « liberté » des marchands ne les empêchait cependant pas de constituer un « corps » : une ou deux fois par an, les marchands se réunissaient, sur autorisation du bailli seigneurial; car ces assemblées — dont nous avons les procès-verbaux —, ne pouvaient prendre de décision valable sans la ratification du juge de police : c'est pourquoi l'on ne peut vraiment dire que la communauté des marchands n'avait qu'une existence de fait. Mais elle ne possédait ni maîtrise, ni jurande, ni traditions, même religieuses et confraternelles. De temps à autre, les plus « anciens » des marchands convoquaient les autres, pour discuter d'un nouveau droit sur les étoffes, d'un nouveau type de fabrication, de charges à racheter, de conflits avec les fabricants; si quelque argent était nécessaire à la poursuite d'affaires d'intérêt commun, les marchands nommaient deux ou trois d'entre eux, qui s'engageaient à « cottizer » les autres « en leur âme et conscience » : ces sortes d'asséeurs ne portaient aucun titre spécial; et surtout pas celui de « gardes » ou d'« esgards ». Singulier groupe professionnel que celui des marchands de Beauvais, qui se refusèrent à constituer une communauté statuée, et qui furent plus un « estat » qu'un « corps ».

Les officiers et les hommes de plume qui détenaient les six premières « voix » du corps électoral n'appartenaient pas non plus au monde des communautés de métiers; ils formaient des « estats » et des « compagnies ». Ainsi la compagnie des conseillers du roi au bailliage et siège présidial se réunissait assez fréquemment : « Messieurs » procédaient à la répartition des épices, prenaient connaissance des prétentions des juges rivaux, fourbissaient les armes qui permettraient peut-être de reprendre aux « féodaux » les causes et la juridiction qu'ils s'étaient indûment arrogés. Au milieu du XVIIe siècle, la compagnie des conseillers en l'élection formaient comme la section locale d'un véritable syndicat, dont l'existence fut officiellement reconnue jusqu'en 1662. Les cinq notaires de Beauvais formaient un corps qui ouvrit un registre pour conserver le texte de ses délibérations. Les anciens pairs, les anciens maires, les anciens juges et consuls jouissaient d'une sorte d'honorariat qui leur valait une place de choix dans la vie publique et les manifestations solennelles; on les appelait souvent en consultation dans les délibérations communales, et même au bailliage épiscopal, quand ce dernier s'occupait de police. Ces notables formaient aussi des sortes de corps : quand les anciens juges et consuls plaidèrent contre l'évêque, ils apparurent même avec des gardes et un syndic. Dans les couches supérieures de la société urbaine, les seuls « bourgeois de Beauvais » portèrent un titre auquel ne correspondait nul corps constitué.

Du moins ceux qu'on décorait de cette dénomination traits prestigieuse avaient-ils en commun quelques assez moraux et sociaux assez bien dessinés : ils possédaient une maison ayant pignon sur rue, ils ne travaillaient pas de leurs mains et ne tenaient pas boutique, ils pouvaient aspirer aux fonctions échevinales; leur fortune, l'ancienneté de leur famille et leur façon de vivre inspiraient le respect. A la veille de la Révolution, ils finirent tout de même par constituer un corps, afin de participer à la rédaction des Cahiers et aux élections de 1789; ce fut la communauté de ceux qui n'étaient d'aucune communauté, les « habitans et citoyens ».

Ils n'étaient pas les seuls. Mais tous les Beauvaisiens qui vivaient en dehors des communautés appartenaient le plus souvent aux bas échelons de la société, ou bien au sexe féminin. Dans un seul cas, les femmes étaient admises à entrer dans un corps de métier : lorsqu'elles étaient veuves de maîtres et non remariées, et encore sous certaines conditions. Parmi les nombreuses listes de membres de communautés que nous possédons, il se trouve toujours, en effet, quelques veuves. Mais toutes les autres — plus de deux cents en 1696 — paraissent absolument isolées. Isolées aussi les « filles anciennes » qui formaient un effectif de cent quarante célibataires. Veuves et filles filaient pourtant la laine; mais il n'existait pas de communauté de fileuses. Les couturières elles-mêmes ne constituaient pas un corps : à peine si quelques lignes leur sont consacrées dans le statut des tailleurs, pour limiter soigneusement le champ de leur activité, et affirmer leur sujétion. Vignerons, airiers et laboureurs, qui apportaient pourtant — bons derniers — leur voix à l'élection des échevins, étaient considérés comme un « estat », et non comme un corps : leur condition participait de l'inorganisation propre aux gens de la campagne.

Quant aux misérables — manouvriers, mendiants, pensionnaires du « Bureau » ou simples « pauvres » non renfermés — ils demeuraient en dehors de toute organisation; à des périodes plus favorables pour eux, ils avaient pu se rattacher à quelque métier, généralement textile; mais leur misère, née de leur manque d'embauche, de leur âge ou de leurs infirmités, les avait obligés à en sortir.

Ainsi, dans l'ensemble de cette ville, les plus riches, les plus pauvres et les femmes célibataires ou veuves échappaient aux cadres des corps, compagnies, états et communautés. La majorité des habitants s'y rattachait; mais une partie seulement — et celle-ci rassemblait-elle la moitié des Beauvaisiens? — appartenait aux classiques « corporations » jurées; les plus importantes, à bien des égards, furent toujours les métiers textiles.

En dehors de la ville, la notion de communauté de métier demeura inconnue. En 1751 encore, le subdélégué déclarait : « A l'esgard des campagnes, n'y a ni maistrise, ni statuts, ni jurandes... Mesme dans les paroisses ou le lanifice fait l'occupation principale, il y a des sergers, ils sont simples ouvriers également sans maistrise, sans jurande, régis cependant par les règlemens généraux des manufactures; comme ils ne composent pas de communautés, ils n'ont ni revenus, ni debtes. » Et pourtant, il existait aussi dans les campagnes une sorte de tendance à distinguer les groupes, une disposition d'esprit qu'on a du mal à caractériser : un sens des similitudes et des différences dans les modes d'occupation, de ressources, de vie, une attention particulière aux signes visibles, aux signes écrits des distinctions et de la hiérarchie. D'une certaine manière, le « Je veux qu'on me distingue » d'un marquis de Molière ne serait pas déplacé au fond des campagnes. Tel haricotier de village aurait protesté si on l'avait inscrit comme « manouvrier » au rôle des tailles ou au registre paroissial. Tel fils de « laboureur » prétendait garder ce titre, même s'il était à demi ruiné, même s'il avait perdu ses chevaux. Un manouvrier qui réparait quatre roues par an entendait bien être considéré comme charron. Tel propriétaire parcellaire qui échalassait ses trois rangs de vigne se disait invariablement vigneron. Un petit paysan qui achetait un sac de blé pour le transporter d'un marché à l'autre ne craignait pas de prétendre au titre de marchand. Il semble que tous les laboureurs, tous les mulquiniers, tous les sergers d'un village aient senti qu'ils appartenaient à des familles sociales distinctes, qui avaient à défendre des intérêts, des prérogatives, d'humbles titres même. Dans ces campagnes, aucun corps n'existait « de jure »; de nombreux semblent avoir existé confusément, sinon dans les faits, du moins dans les âmes.

A des degrés très divers, les habitants du Beauvaisis ont ressenti avec force cet ancien esprit des corps de métiers, groupes professionnels à statut juridique très variable — ou inexistant —, et jusqu'à un certain point groupes sociaux. Tous les Beauvaisins ont été attentifs à des distinctions précises, à une hiérarchie pointilleuse ; à titre personnel et comme membres d'un groupe plus ou moins net, leur titre, leur place à la messe, leur rang à la procession figurèrent parmi leurs préoccupations principales, même lorsque aucune organisation juridique ne soutenait leurs prétentions. Ce fut là un trait de mœurs, un trait de mentalité qui sans doute n'est pas disparu, qui ne caractérise pas le seul XVIIᵉ siècle, mais qui le marque fortement. Ce fut tout de même dans les villes, où les querelles de préséances n'occupaient pas les seuls bourgeois, que cet état d'esprit, appuyé sur de robustes institutions, atteignit sa plus grande acuité : les luttes des communautés entre elles n'expriment pas seulement des rivalités professionnelles, mais aussi des rivalités d'amour-propre collectif. On doit les ranger parmi les causes qui, longtemps, rendirent impossible toute prise de conscience sociale ; l'on entendra par là toute prise de conscience des intérêts communs qui auraient pu unir (et qui unirent parfois, beaucoup plus tard) des métiers alors rivaux, comme tous les métiers de la fabrique textile. Cette conscience de l'unité du monde ouvrier, mais aussi de l'unité du monde des artisans et de celui des commerçants, rien ne l'annonçait vraiment au XVIIᵉ siècle.

DOCUMENTS COMPLÉMENTAIRES

Les quelques exemples qui suivent illustrent la méthode qu'on aurait pu suivre (si la documentation notariale l'avait permis) pour étudier la valeur sociale de la hiérarchie fiscale.

I. *Contrats de mariages et place des intéressés dans la hiérarchie des contribuables.*

(Utilisation des minutes *Ticquet*, qui contiennent malheureusement peu de contrats de mariages, beaucoup étant faits sous seing privé à Beauvais.)

Contrat Riquier-Restaut (19 sept. 1694) : le garçon apporte 2 000 livres, la fille 5 300 livres.

« Contribution » du père de l'époux en 1696 : 23 livres.

Les parents de la fille sont décédés.

Contrat Morel-Daugy (5 mars 1695).

Apport du garçon : 12 000 livres (plus le 1/5 de l'Hostellerie du Cygne).

Apport de la fille : 11 000 livres.

Contribution de la mère (veuve) du garçon : 35 livres.

Fille orpheline.

Contrat Danse-Dubos (28 janvier 1696).

Apport du garçon : sa part dans la succession de Claude, son père (non précisée, mais supérieure à 100 000 livres).

Apport de la fille : 26 000 livres, plus ses diamants, bijoux, habits, linge, etc.

Contribution des parents du garçon : habituellement voisine de 80 livres (4e ou 5e rang).

Contribution de la mère de la fille : 140 livres en 1691 (1er rang); 85 livres en 1696 (6e rang).

Contrat Vualon-Motte (minutes Lemoyne, 15 février 1688).

Apport du garçon : « tous ses biens » (non précisés).

Apport de la fille : 35 000 livres, plus ses habits filiaux.

Contribution de l'époux en 1696 : 87 livres (5e rang); son père et son frère payaient alors ensemble 115 livres.

Contribution de la famille de l'épouse : sa mère
veuve avec un de ses fils : 83 livres et 13 sols
(7ᵉ rang); sa tante et le fils de cette dernière :
74 livres (9ᵉ rang); autres membres de sa famille
de 40 à 64 livres chacun.

Contrat Loisel-Galopin (minute Ticquet, 8 juin 1692).
Apport du garçon : 30 000 livres en rentes et office.
Apport de la fille : 60 000 livres en rentes, terres
et argent comptant.
Les deux familles sont exemptes de contribuer
(officiers du présidial).

Cette série d'exemples donne quelques indications
sur la signification des cotes de contribution. Nous ne
donnons pas de contrat concernant les petites gens :
leur modestie est tout à fait évidente, et en rapport
avec leur cote d'imposition.

II. *Papiers de successions et place des intéressés dans la hiérarchie des contribuables.*

En Beauvaisis, les papiers de successions sont habituellement dans les archives des seigneurs hauts-
justiciers; hors du Beauvaisis, dans les minutes notariales (Paris) ou dans des fonds fort différents (Amiens :
échevinage. puis bailliage royal après 1622); les archives
privées en contiennent beaucoup, qui ont le grand
avantage d'être naturellement groupés.

Les plus grosses successions sont celles des *exempts*
ou des *plus hauts contribuables* (qui achètent souvent
un office qui les exempte de « cottizer »).

Exemples :

Succession Aux Cousteaux de Fercourt (1676); le partage
porte sur environ 370 000 livres; les trois fils sont
exempts (offices divers).
Succession Tristan (1647) : entre 200 000 et 300 000 livres;
enfants et petits-enfants de Tristan ont toujours été
exempts (offices).
Succession Gabriel Danse : environ un million de livres
en 1732; Gabriel est cottisé à 56 livres en 1696 (24ᵉ
rang), mais à 80 livres en 1699 (1ᵉʳ rang); dès 1702,
il se fait exempter.

Les contribuables « moyens » (autour de 20 livres)
paraissent bien laisser des successions nettement plus
modestes.

Exemples :

Succession Pierre Pecoult (1687) : entre 60 000 et
    65 000 livres.
    Cote de son fils en 1696 : 35 livres 2 sols.
Succession Claude Chastellain (1722).
    14 000 livres en meubles; les immeubles, non
        estimés, ne peuvent représenter plus de 20 000
        livres.
    Cotisé en 1696 à 21 livres 4 sols.
Succession Nicolas Pillavoine l'aîné (1722).
    7 500 livres de meubles; 15 000 à 20 000 livres
        d'immeubles.
    Cotisé en 1696 à 28 livres 10 sols.

Ces exemples sont, naturellement, insuffisants en
nombre; pour Beauvais, il ne semble pas qu'on puisse
aller beaucoup plus loin, même quand les documents
notariaux et de succession auront enfin été répertoriés.
Cependant, tous ces exemples confirment la représen-
tativité sociale que nous avons attribuée aux documents
fiscaux, à l'échelle fiscale, sous la réserve, maintes
fois soulignée, du cas des exempts.

CHAPITRE IX

CHAPTER IX

CENT MILLE PROVINCIAUX AU XVIIᵉ SIÈCLE

LA SOCIÉTÉ URBAINE (SUITE) :
LE MONDE DU TEXTILE

Beauvais n'eût été qu'une vieille cité endormie, qu'un médiocre centre administratif de quatre ou cinq mille âmes sans ses manufactures, qui en faisaient la quatrième ville « drapante » du royaume. La moitié des Beauvaisiens vivait directement du textile, et l'autre moitié ne s'en désintéressait guère. Presque tout le petit peuple travaillait à filer, à peigner, à tisser, à teindre et à parer les étoffes. C'est pourquoi, délaissant quelque peu le monde banal de la boutique et de l'atelier non textile, nous nous attacherons à évoquer ces hommes si nombreux et pourtant si mal connus qui tâchaient de vivre autour des métiers.

A qui voudrait prendre une vue simplifiée de l'organisation du travail textile à Beauvais au XVIIᵉ siècle, l'on pourrait dire qu'elle était caractérisée par une hiérarchie à trois échelons : marchand, fabricant, ouvrier. Le « marchand en teint », véritable animateur, non seulement du travail urbain, mais encore du travail rural, assurait le rassemblement des étoffes, leur parachèvement et leur vente au dehors, la fabrique beauvaisienne travaillant presque exclusivement pour l'exportation. Au cœur du système — et c'est pourquoi nous l'évoquerons le premier —, le fabricant, « maître drapier drapant » ou maître serger, possédait un ouvroir, où il rassemblait des ouvriers et des ouvrières : là s'effectuaient les opérations principales qui transformaient les toisons en étoffes prêtes pour l'usage. Mais le fabricant ne se chargeait généralement pas en personne de la vente au dehors : il fournissait aux marchands ce que ces derniers lui commandaient. Au bas de l'échelle, la troupe nombreuse, diverse et remuante des « ouvriers en laine » (c'est l'expression beauvaisienne) : fileurs et fileuses, peigneurs, tisserands, compagnons sergers, tondeurs, laneurs, pareurs, presseurs, compagnons teinturiers et blanchisseurs; la plupart résidaient dans la ville et ses faubourgs; certains habitaient cependant les villages voisins. Hiérarchie classique, qui n'est pas sans rappeler — mais avec moins de rigidité — celles des manufactures lyonnaises de soie; mais hiérarchie dont il va falloir marquer la relative souplesse, en lui apportant des retouches et des nuances, à l'aide des exemples individuels et familiaux que d'inépuisables archives permettent de bien connaître.

1. LE FABRICANT

Deux à trois cents maîtres fabricants, drapiers ou sergers, possédaient un atelier dans lequel — et autour duquel — s'effectuait la fabrication des étoffes. Malgré la diversité de leurs conditions personnelles, qui allaient de la large aisance à la demi-misère, malgré les variations et l'évolution de leurs types d'entreprises, tous ces fabricants répondent à quelques caractères d'ensemble, techniques, juridiques et sociaux.

Un instrument symbolisait l'ouvroir du maître-fabricant, le « mestier », en picard, l'« estille ». Ici, contrairement à ce qui se passait dans d'autres villes du Nord, aucun règlement n'en limitait le nombre. Au temps de Louis XIII, deux à quatre métiers dans l'atelier, c'était ce qu'on pouvait voir chez la majorité des fabricants; cependant, un drapier sur quatre et un serger sur trois ne possédaient qu'un seul métier; une vingtaine de maîtres en détenaient de 6 à 12; en 1633, deux en firent battre jusqu'à 19. Ainsi, par leur capacité même de production, les fabricants différaient notablement entre eux. Ceux qui faisaient battre un ou deux métiers — le plus grand nombre — apparaissent comme de modestes artisans; ceux qui possédaient de 10 à 20 estilles semblent de véritables chefs d'entreprise. Fait notable, ces ateliers importants disparurent après la Fronde : avant 1647, on trouvait couramment à Beauvais 5 ou 6 fabricants pourvus de 10 à 20 estilles, et une vingtaine d'autres qui en dirigeaient de 4 à 9; entre

1655 et 1720, nous n'en connaissons aucun qui ait
fait battre plus de sept métiers; l'on dirait qu'alors
les ateliers textiles se sont décidément réduits à de
modestes proportions : dans presque tous les cas, un,
deux, trois métiers, phénomène qui demandera explication.

Convient-il de présenter ces ateliers à draps et à serges
comme de petites exploitations familiales, d'allure
patriarcale? Certainement pas, sauf en ce qui concerne
les très petits fabricants, maîtres d'un seul métier, qui
restèrent toujours une minorité. Les employés du maître-
fabricant portaient rarement le titre de « compagnons »,
mais ceux d' « ouvriers » et d' « ouvrières ». Dans leur
effectif se trouvaient couramment des « maîtres » —
maîtres tisserands, laneurs, tondeurs, peigneurs — au
service du chef d'entreprise. Les apprentis mis à part,
ils logeaient rarement chez le fabricant. Les « ouvriers »
habitaient chez eux, et venaient chaque matin. Ainsi
Nicolas Patin, drapier-drapant de Saint-Étienne, employait deux tisserands qui venaient de La Madeleine,
deux tisserands paroissiens de Saint-Sauveur, un peigneur de Saint-André, un laneur de Saint-Laurent, un
tondeur de Saint-Sauveur. Pour peigner chez la veuve
Restaut, un paysan de Troissereux couvrait deux lieues
par jour; deux des tisserands de Robert Gimart accomplissaient le même trajet. Les métiers d'un fabricant
n'étaient pas tous rassemblés chez lui : il en confiait
quelques-uns à des maîtres tisserands qui travaillaient
à leur propre domicile avec un « garçon », mais pour le
compte d'un fabricant; ainsi, en mai 1653, 22 métiers
à drap sur 141 se trouvaient chez des façonniers. La
salle de travail ne représentait donc pas toujours les
dimensions véritables de l'entreprise. Enfin, les fabricants qui achetaient la laine en balles — les plus riches —
la faisaient filer et peigner tantôt chez eux, tantôt chez des
travailleurs en chambre de Beauvais, tantôt à la campagne; le plus souvent, ils utilisaient les trois systèmes,
comme le montre nettement l'inventaire après décès
de Jehan Serpe (1645), ou celui de la veuve Desmarquets
(1659). Ainsi, l'effectif des ouvriers restait flottant,
variable : les laneurs de la veuve Pierre Michel ne
venaient parachever les ratines qu'un jour ou deux par
semaine; les frères Riquier ne convoquaient un maître
tondeur que de manière irrégulière; si Charles Le
Barbier convoquait chaque jour trois fileuses, la plupart

de ses confrères ne faisaient pas filer dans leur atelier. Les fabricants les plus importants accomplissaient chez eux presque tout le cycle des opérations qui transformaient une toison en pièce d'étoffe, sauf la teinture et le foulage. En 1693, c'était le cas de Louis Delacour, d'Antoine Dubout, des frères Maine, d'André Michel, de Jean Mouquet : chacun employait en permanence une vingtaine d'ouvriers. De telles entreprises requéraient de l'outillage, une importante avance de matière première, de l'argent liquide pour régler chaque semaine les ouvriers : les inventaires après décès des meilleurs « drappans » nous révèlent en effet tout cela. Quant aux petits fabricants nantis d'une seule estille, ils étaient contraints de recourir au travail à façon des maîtres spécialistes pour achever ratines ou revêches; souvent même, au lieu d'acheter la laine écrue — méthode plus économique —, ils ne pouvaient mieux faire que de se procurer des chaînes toutes préparées et de la laine à trame, déjà peignée à la campagne. Ainsi, plus l'entreprise était petite, plus les frais étaient nombreux, les bénéfices incertains et l'indépendance économique du fabricant difficile à sauvegarder.

La connaissance un peu détaillée du seul milieu des maîtres fabricants urbains révèle, en dernière analyse, trois types d'entreprise qui correspondent à trois types sociaux, malgré l'apparente unité de la profession : le marchand-fabricant, dont l'indépendance économique n'est pas douteuse; le fabricant « pur », sorte de petit patron qui tentait de sauvegarder son autonomie, mais qui dépendait en réalité des grands marchands; le maître qui ne possédait qu'un métier à tisser, sorte de salarié d'un genre à peine privilégié.

A. *Le fabricant « pur ».*

Il représente le type moyen, en quelque sorte classique, mais certainement pas le type majoritaire, à la fin du XVIIᵉ siècle.

En 1685, à la mort de sa femme, Charles Toupet, maître serger, dut faire procéder à un inventaire complet. Toupet possédait un ouvroir et pas de boutique. Comme la plupart de ses collègues, il ne vendait pas au détail; comme eux encore, il ne s'occupait pas de vendre au loin : la production de ses cinq métiers était absorbée entièrement par trois marchands de Beauvais,

Nicolas Mennessier et les deux Germer Regnault (ou Renault) père et fils : ces derniers lui devaient encore 690 livres, dont 524 livres pour 13 serges et 12 revêches. Toupet possédait encore 17 pièces à vendre, dont 2 au moulin et 4 sur les métiers; une « serge d'Aumale » enfin, se trouvait en cours de tissage au domicile de Pierre Lefort, un maître serger employé à façon. Dans l'atelier de Toupet, peigneurs et fileuses occupaient aussi une place permanente : plusieurs « milliers » de livres de laine en cours de traitement, des peignes, des rouets, un pilotoir et l'intitulé de quelques dettes passives attestent leur présence. L'entreprise, assez importante, était financièrement fort saine : dettes passives largement couvertes par des dettes actives faciles à récupérer.

Cependant, l'intérieur de Toupet restait celui d'un bien modeste personnage; il est vrai que cinq enfants mineurs constituaient pour lui une lourde charge. Pas d'argenterie, même pas d'étain fin ou sonnant; tout juste six paires de draps de chanvre et quatre nappes. Toupet ne possédait aucun bien au soleil : ni terre, ni maison; le loyer annuel de sa petite demeure à un étage montait à 35 livres : pour ce prix, il disposait d'une cuisine, de deux chambres avec grenier, d'un ouvroir et d'une « batterie ».

Milieu familial tout à fait cohérent et non illettré : les huit parents appelés pour la tutelle et curatelle appartenaient tous au monde des petits fabricants; six hommes signèrent fort lisiblement, ainsi que le veuf et son fils aîné.

En cette entreprise assez importante — une douzaine d'ouvriers permanents —, qui paraît sainement gérée et capable de faire vivre modestement sept personnes, il existe cependant un élément de faiblesse : la seule « avance » de Toupet consistait en quelques balles de laine, quelques outils, quelques pièces d'étoffes, et 56 livres en espèces. Qu'une crise de mévente survienne, que les marchands ne prennent plus de serges, et le maître-fabricant ne pouvait que réduire son activité, congédier des ouvriers, tâcher de vendre au rabais étoffes et laines, ou bien les mettre en gage. Mais tiendrait-il une année, face à la crise de subsistances et à la mévente des étoffes ? Et comment assurer la reprise du travail, si le stock de matières premières avait été liquidé pour acheter du pain? S'endetter, abandonner la direction d'un atelier pour se remettre au métier, telles semblaient les seules issues possibles, telles furent souvent les issues réelles. Ces moyens fabricants d'étoffes, dépourvus de capital immobilier, pouvaient vivre de leur entreprise quand les ventes étaient aisées. Quand les débouchés s'obstruaient, quand les marchands refusaient de prendre les pièces, ces ateliers aux assises fragiles risquaient de péricliter ou de disparaître. L'état du marché et le bon vouloir des marchands décidaient du sort des maîtres drapiers et des maîtres sergers de Beauvais. Malgré leurs allures de petits patrons, ils dépendaient étroitement d'un aspect de la conjoncture économique — le marché du textile — et d'une classe sociale puissante, les marchands en teint qui, décidant des ventes, décidaient de leur existence.

C'est sans doute pour tenter d'éluder une de ces sujétions que les fabricants les plus puissants — drapiers plutôt que sergers — s'occupèrent de commerce autant que de manufacture proprement dite. Des enseignements tirés de trois inventaires après décès — Jehan Serpe (juill. 1645), Marie Aux Cousteaux, veuve Desmarquets (juill. 1659), Florimond Ticquet (déc. 1672) — permettent de présenter le « marchand-drapier-drapant », puisqu'on lui donnait ce titre curieux, mais précis.

B. *Le « marchand-drapier-drapant », ou le fabricant-marchand.*

Les ouvroirs de Serpe, de la veuve Desmarquets et de Ticquet, grandes salles encombrées d'instruments et de balles de laine, offraient ce caractère commun de ne pas être seulement des ateliers de tissage. Auprès des métiers — 4 à 6 —, des rouets — 10 chez Serpe —, des verges pour battre la laine, des chardons et des peignes pour la travailler, des dévidoirs pour l'enrouler, de l'huile pour graisser le fil, des ourdissoirs pour dresser les chaînes : les laines de Castille, d'Angleterre et de Beauce sont préparées sur place. Teintes et foulées au dehors, les pièces étaient parachevées à la maison; l'outillage était là : chez Marie Aux Cousteaux, « une paire de presses avec les feuillets pour enfeuilleter..., une table à tondre avec les marchepieds, six paires de forces à tondre, une table à plier sur ses tréteaux », et des serpillières pour l'emballage. En ces importants ateliers s'effectuait presque tout le travail manufacturier.

Mais l'originalité de ces personnages ne tenait pas aux dimensions de leurs ouvroirs.

La liste des papiers et la récapitulation des dettes (actives et passives) permettent de constater que ces trois fabricants firent aussi le commerce, sans passer ordinairement par l'intermédiaire des négociants de Beauvais.

Marie Aux Cousteaux expédiait à Paris et à Troyes, directement à des marchands de ces villes ou par l'intermédiaire de courtiers : Maynon, courtier à la Halle de Paris, détenait encore 9 ratines en juillet 1659. Des obligations, quelques lettres de change tirées sur Beauvais, Troyes et Paris, figurent dans les papiers de succession. Trafic peu considérable, qui semble porter essentiellement sur la production de l'atelier; Marie dut cependant négocier quelques serges achetées à de petits fabricants, qu'on retrouve dans la brève liste de ses propres créanciers.

Le commerce de Ticquet fut plus considérable : c'est que sa production était plus forte (6 métiers au lieu de 4), et ses relations familiales plus importantes; enfin, il trafiqua de laines et de serges, autant que de draps. Paris et Amiens constituaient les pôles d'une activité qui le mettaient en rapport avec de puissants marchands, comme Nicolas Le Roux, l'une des grosses fortunes amiénoises, ou Nicolas Doé, marchand rue Saint-Denis, qui épousa d'ailleurs une Ticquet de la branche parisienne. Aussi les promesses, les billets et lettres de change qu'il détenait lors de son décès montaient-ils à plus de 10 000 livres, les lettres de change occupant la place prépondérante.

La troisième succession mérite une attention particulière, car elle révèle un cas-limite et un exemple d'ascension sociale : le fabricant en passe de devenir uniquement marchand, d'accéder au groupe des grands bourgeois. En 1645, Serpe avait mis en veilleuse son activité manufacturière : quatre de ses cinq métiers n'étaient pas montés, la provision de laine en voie d'épuisement, les rouets relégués au grenier. Mais le commerce textile se révèle fort actif : près de 11 000 livres de dettes actives s'y rapportent directement : Serpe était surtout orienté vers Orléans, où il entretenait un « facteur »; un marchand orléanais, Boitel, devait 2 698 livres pour une toute récente livraison. D'autres aspects de l'activité de Serpe l'éloignent du monde textile et l'apparentent

aux « bourgeois de Beauvais ». Il avait hérité de son
beau-père, — encore un Ticquet — une vieille maison
de valeur modeste; dès 1622, il en acheta une seconde,
adjugée par décret au présidial, pour la bonne somme
de 4 000 livres; en 1634, une troisième, imméditament
louée; en 1635, deux autres; en 1644, une sixième;
toutes, semble-t-il, acquises sur des personnages endettés,
contraints à la vente par autorité de justice. En 1645,
ces maisons furent estimées plus de 15 000 livres;
cinq au moins des locataires de Serpe étaient des drapiers
et des sergers, qui payaient avec le retard rituel.
Propriétaire d'immeubles, notre homme possédait aussi
des terres sur la paroisse de Hermes, et des vignes en
banlieue : quelques énoncés de papiers font état de baux
consentis, de muids de vin vendus, de mines de blé livrées.
Quatre contrats de constitution de rentes, dressés entre
1642 et 1645, montrent que Serpe consentait des avances
de fonds à des marchands et des bourgeois d'excellente
famille, les Leuillier et les Michel. Le foyer du défunt
respirait l'aisance : une abondance de linge de qualité
(33 douzaines de serviettes de lin!), de l'estimerie fine,
trente marcs d'argenterie, des provisions de ménage
considérables, et plus de 3 000 livres d' «argent monnoie »,
dont 2 300 en or. Cet ancien fabricant-marchand enrichi
par de bonnes affaires, devenu propriétaire de maisons,
de terres et de rentes, allait abandonner toute activité
« mechanique » pour entrer dans le groupe des notables,
les « Familles » beauvaisiennes. Ses descendants, les
Serpe d'après la Fronde, jamais fabricants, parfois
négociants, vécurent de leurs rentes comme de hauts
bourgeois, devinrent les prêteurs attitrés de la noblesse
beauvaisine, accédèrent rapidement à l'échevinage,
au consulat, aux offices de la maison du roi. Du fabricant
sujet de Louis XIII sortirent des générations de notables,
de rentiers, d'officiers exempts, bientôt capables d'acheter
le titre d'écuyer.

Le trait n'est pas isolé : dans ces fabricants-marchands
se recruta longtemps une bonne part de la meilleure
bourgeoisie beauvaisienne. Marie Aux Cousteaux et
Florimond Ticquet eux-mêmes portaient déjà, quoique
à un degré plus faible, les marques d'une prochaine
promotion sociale. Ils possédaient chacun deux maisons;
ils avaient acheté des terres beauvaisines : la veuve
jouissait de beaux prés à Saint-Quentin, de 50 arpents
de labour à Crillon, et de l'inévitable vigne de banlieue.

Comme Serpe, ils avaient pu se faire constituer quelques rentes, et comme lui, ils vivaient dans un intérieur respirant l'aisance, où se dissimulait un agréable sac d'écus, un millier de livres pour chacun. Et les destinées de leurs descendants furent comparables à celles de tous les Serpe : honneurs municipaux, rentes et offices pour les Aux Cousteaux et les Ticquet, si les Desmarquets restèrent dans l'ombre. Ascension habituelle des « marchands-drapiers-drapants », tout au moins jusqu'au dernier quart du siècle.

Par la classe économiquement indépendante et socialement en pleine ascension des fabricants-marchands, nous avons touché les limites de la haute bourgeoisie locale. Nous rejoignons, en revanche, les confins du monde ouvrier en pénétrant dans le groupe des très petits fabricants. Et cependant, à s'en tenir aux apparences juridiques, tous ceux-là, membres de « corps » statués et jurés, avaient fait apprentissage, « gaigné franchise », portaient le même titre de maître de l'un des corps du « lanifice » beauvaisien. Preuve nouvelle qu'une étude seulement « corporative » était insuffisante pour atteindre la structure véritable du monde textile.

C. *Les petits fabricants-façonniers.*

L'on pourrait ramasser à pleines mains dans les papiers seigneuriaux les inventaires après décès des maîtres sergers de Beauvais; mais l'on y chercherait vainement la trace de situations familiales proches de la demi-aisance. Parmi ces maîtres possesseurs d'un seul métier, évidemment étrangers au commerce, évoquons seulement Antoine Parent et Ildevert Marchand, morts à plus d'un siècle d'écart dans la même rue du Puits-Jesseaume, où la légende a placé la maison de Jehanne Layné, dite Hachette. En 1617 comme en 1727, l'essentiel des meubles prisés était constitué par des laines, des outils, des pièces fabriquées; le métier, un ou deux rouets, un pilotoir, une paire de forces, une balle de « pignon », quelques revêches. Dans le voisinage, un très médiocre mobilier familial : lits de bois, paillasses. berceaux, banc, table, coffre; ni argenterie, ni bijoux. pas ou peu de couverts d'étain; deux paires de draps ici, aucune là; quelques mauvaises hardes, et rien d'autre. Parent était locataire de deux pièces; Marchand avait essayé d'acheter sa masure, pour la piteuse somme de

480 livres, mais il avait dû vendre la vigne héritée de son père (180 livres), et signer un titre de rente de 300 livres au bénéfice de bailleur. L'un et l'autre serger étaient perdus de dettes, dont le montant dépassait très largement la valeur de l'actif : pour Marchand, 1 084 livres de passif pour 600 livres d'actif, maison comprise. N'étaient payés ni le marchand de laine, ni le foulon, ni le tondeur, ni le collecteur, ni l'apothicaire ; Marchand avait engagé son habit avec la bague et la croix d'or de sa femme. L'on peut penser que cette pitoyable situation était le résultat d'une longue maladie précédant le décès des intéressés ; mais la maladie, seule, avait-elle pu créer cette détresse ?

Trop de ces fabricants à une seule estille s'offrent à nos yeux avec leurs conditions très médiocres, ou misérables : ces hommes ne possédaient que leurs meubles, leurs outils et leur courage. Ils devaient acheter la nourriture, le bois, la laine, l'huile et la chandelle, régler un loyer, s'acquitter de charges fiscales, paroissiales, seigneuriales, professionnelles, Ils devaient recourir à d'autres façonniers pour préparer les laines et les chaînes, pour teindre, fouler, nettoyer et apprêter les serges. La pièce terminée, si aucun important fabricant ne l'avait commandée, il restait à la vendre. La femme du serger allait alors la proposer à un marchand. Ce dernier essayait de conclure une bonne affaire ; le petit fabricant avait toujours besoin d'argent ; alors commençaient ces marchandages où le plus riche triomphait toujours : un ancien manufacturier du XVIIIᵉ siècle les a peints avec assez de verve, et, semble-t-il, d'exactitude, pour qu'on puisse s'attarder à le citer assez longuement.

« La femme du pauvre fabricant arrivait au guichet, la pièce d'étoffe sur l'épaule, suivant l'antique usage du vendredi : — « J'ai une bonne sommière à vous vendre, disait-elle. — Pas besoin pour aujourd'hui. — Allons, monsieur, répétait la pauvre femme. » A ces mots, notre rusé marchand se redressait... « Deux francs l'aune, voyons décidez-vous, reprenait la courtière. Ennuyé, notre homme offrait 30 sous. Affaire conclue. Premier gain et gros gain. »

Le marchand faisait alors étendre la pièce sur le carreau mouillé du magasin : elle passait la nuit à rétrécir. L'auneur juré venait le lendemain, et...

« l'on trouvait une demi-aune de moins sur chaque longueur... — « Mais, disait le fabricant, ce n'est pas possible, vous faites erreur. — Comment, mon ami ? que dites-vous là ? votre pièce a été aunée par l'auneur juré ! » A cela que répondre ?... Second profit. »

« L'habitude voulait qu'une pièce fut aunée avec pouce, ce qui fait qu'au bout de trente aunes, on gagnait comme trente pouces, — je dis comme, car certains marchands levaient le pouce... De plus, la pièce était aunée par le dos, c'est-à-dire pliée en deux; si par malheur elle « godait » tant soit peu, on avait le droit de l'auner par la lisière la plus courte. Troisième profit pour l'acheteur. »

« Puis quand il s'agissait du règlement... on donnait des sous ou quelques valeurs de portefeuille... à 3 ou 4 mois d'échéance sur Bourbourg, Bolbec, La Ferté ou autres petites localités. Notre fabricant avait beau exposer qu'il lui fallait, ce jour-là même, sous peine de protêt, payer en écus un billet, on le renvoyait chez le banquier, qui à son tour arrachait une plume au pauvre oison. Quatrième profit. »

Puis le négociant passait la pièce à l'apprêteur qui « ramait » à outrance, pour « donner à la pièce toute la longueur possible » (en l'étirant). La rame rapportait toujours au moins une aune. Cinquième profit.

« Le jour de l'expédition arrivé..., on habillait la pièce proprement, le plus coquettement possible ; alors on l'aunait, non plus par le dos comme au jour de l'achat, mais bien par la lisière la plus longue; non plus avec pouce, mais sans pouce. Sixième profit. »

« Si enfin, comme il arrivait souvent, la pièce recevait quelque mauvais coup au foulon et en portait la marque, on comptait une demi-aune (en moins) au fabricant pour un tout petit trou; mais au jour de l'expédition, on ne comptait pour soi, négociant, qu'un tout petit huitième d'aune. Septième profit, auquel vous joindrez celui de n'avoir ni courtière, ni auneur juré à payer, l'usage voulant que les frais de courtage et d'aunage fussent à la charge du fabricant »... — « Tels étaient les usages du commerce de Beauvais... »

Tardif et malicieux, le texte de Mahu relève pourtant des « abus » qui existaient tous entre 1600 et 1730, qui tous ont été dénoncés dans les suppliques adressées au bailli juge de police par les communautés de fabricants. Les « usages du commerce de Beauvais » contribuent à expliquer la situation subalterne et très médiocre de ces fabricants à un seul métier, sans réserves d'exploitation, dont le travail n'arrivait pas à soutenir une famille. Le coût des laines, le salaire des ouvriers des métiers voisins, la nécessité de vendre vite, les fluctuations du marché, tout aboutissait à condamner l'ambition d'indépendance économique de la plupart de ces hommes. Certains finissaient au Bureau des

pauvres; d'autres renonçaient à travailler « pour soy »,
et se plaçaient « soubs autruy », devenant pratiquement
ouvriers; quelques-uns se soumettaient entièrement
à la volonté des marchands, et se contentaient d'exécuter
leurs commandes. Au XVIIe siècle, le fabricant à un seul
métier considéré comme patron constituait un type
social en voie de disparition; toute velléité d'indépendance, d'autonomie manufacturière lui semblait
interdite; malgré son titre de « maître », il paraissait
destiné à rejoindre le groupe des salariés.

Dans le Beauvais du XVIIe siècle, la classe apparemment « une » des maîtres fabricants de draps et de serges
était en voie d'éclatement : à sa base, minée par une
prolétarisation impitoyable; mais vers les sommets,
pour ceux qui surent ou purent joindre le négoce à la
direction d'un grand atelier, absorbée par la classe
nettement bourgeoise des marchands, des officiers, des
rentiers. Une espèce d'écartèlement semble réduire
à un effectif toujours plus maigre le groupe des véritables
petits patrons indépendants, à tel point qu'on peut se
demander s'il survivait encore en plein XVIIIe siècle,
ce siècle qui fut à Beauvais celui des très grands négociants et des premières « grandes » manufactures.

2. LES OUVRIERS

C'est bien le terme d' « ouvriers en laine » qu'on
employait à Beauvais pour désigner tous ceux qui,
à un titre ou à un autre, régulièrement ou temporairement,
travaillaient sous les ordres des maîtres fabricants.
Dans le domaine textile en effet, si l'apprentissage
offrait un statut vraiment net, compagnons et maîtres
apparaissent souvent peu distincts. Lorsque le jeune
serger, tisserand ou peigneur avait terminé son apprentissage et prêté serment devant le juge de police, il
avait « gaigné franchise » : qu'était-ce à dire? — Qu'il
pouvait travailler comme ouvrier chez des maîtres
fabricants; ou bien qu'il pouvait travailler chez lui,
avec le titre de maître, en ayant soin de le déclarer
à la police; que dans ce cas, il pouvait « faire battre »
(son métier) ou bien « pour luy », ou bien « soubs autruy »
c'est-à-dire au service d'un fabricant, en gardant son
titre de maître; il pouvait même ouvrir ou reprendre un

atelier de fabricant s'il disposait des fonds nécessaires, et il prenait alors le titre de maître-fabricant, drapier ou serger. Le terme de « drapier drapant » était strictement réservé aux chefs d'ateliers de draps : la seule obligation que les règlements et l'usage leur imposaient, c'était d'avoir fait apprentissage de l'un des quatre métiers textiles : tisserand, peigneur, laneur, tondeur; par surcroît, malgré tous les règlements, toujours serger fut réputé tisserand, et tisserand serger. Pour devenir drapier drapant, il n'existait donc aucun apprentissage spécial : il suffisait de posséder un atelier et d'avoir accompli un quelconque apprentissage textile. Frappante illustration de cette constatation assez surprenante : à Beauvais, dès le XVIIIe siècle, les termes de métier possédaient une signification plus sociale que corporative. Hormis les marchands, qui n'étaient soumis et qui refusaient de se soumettre à aucun apprentissage et à aucun règlement, il n'existait que deux catégories de travailleurs du textile : les fabricants, qui se disaient « maîtres », sans avoir toujours été compagnons; les ouvriers, qui étaient maîtres ou compagnons sans que la distinction fût toujours importante, ou nettement ressentie. Les apprentis ne constituaient qu'une provisoire classe d'âge.

Nous connaissons le groupe des fabricants; nous devons nous attacher à connaître mieux celui des ouvriers : leur nombre, leur activité, leur mode de vie ont conféré à la ville l'un de ses aspects les plus originaux.

A. *L'origine des ouvriers en laine.*

Les adolescents et les jeunes gens qui, entre leur dixième et leur vingtième année — le plus souvent vers l'âge de 15 ans — entraient en apprentissage étaient, dans la majorité des cas, les fils d'ouvriers en laine de Beauvais. Si leur père était maître, c'était au foyer même qu'ils accomplissaient leur « temps de garson ». D'autres étaient fils de maître ou de compagnons d'un métier voisin : des enfants de peigneurs devenaient sergers, des enfants de tisserands, laneurs, très modeste promotion sociale. De 1653 à 1670, le Bureau des pauvres se chargea de la mise en apprentissage de 100 futurs tisserands. Nous connaissons l'origine de 57 d'entre eux : 8 seulement n'avaient pas pour père un tisserand, mais 7 étaient fils de sergers. En revanche, moins de la moitié des apprentis sergers étaient fils de sergers ; quelques-uns étaient fils de laneurs ou de tondeurs, mais plus du tiers provenaient d'humbles familles étrangères au textile : enfants de corroyeur, de vinaigrier, d'airiers, de manouvriers. Il apparaît donc qu'une partie des ouvriers en laine les plus humbles se recrutait parmi les enfants appartenant au peuple non manufacturier.

Une autre partie venait de la campagne beauvaisine, où les plus simples techniques du lanifice — peigner, filer, tisser des étoffes grossières — étaient largement répandues. Il semble que l'apprentissage urbain des jeunes ruraux n'ait pas été fréquent dans la première moitié du siècle : sur 1 197 actes d'apprentissage signalés à la police de 1615 à 1651, 18 seulement indiquent l'origine campagnarde des adolescents ; mais ces mentions d'actes, brèves, parfois négligées, ne suffisent pas à certifier que les 1 179 autres apprentis étaient de purs beauvaisiens. Les registres de police ouverts en 1700 par le lieutenant général et de police fournissent des renseignements plus sûrs et plus complets. De 1700 à 1732, 226 apprentis peigneurs furent enregistrés ; 58 venaient de la campagne : 25 de Sauqueuse, 15 de Juvignies, les 18 derniers de 7 villages de ce Beauvaisis septentrional le plus proche de Beauvais, le Beauvaisis des peigneurs. De 1700 à 1723, malgré de grosses lacunes, l'on peut retrouver l'enregistrement de 465 contrats d'apprentis sergers : 69 étaient des « horsins » ; mais ils ne provenaient pas des mêmes paroisses que les peigneurs : ils étaient nés dans le Haut-Bray autour d'Hanvoile et de Glatigny, pays des sergers, ou bien vers Luchy et Crèvecœur, autres centres, plus importants encore, de tissage rural.

Le recrutement des ouvriers de Beauvais ne se faisait pas seulement de père en fils ; un apport rural manufacturier et un apport urbain extra-manufacturier venaient renforcer un effectif qui devait atteindre un millier d'hommes adultes (femmes et apprentis exclus) : 500 sergers et tisserands, 250 peigneurs, 200 laneurs et tondeurs, plus quelques foulons, teinturiers, blanchisseurs et presseurs. Le « sang neuf », citadin et rural, servait à compenser une évasion impossible à évaluer, mais que décèlent beaucoup de petits témoignages : compagnons partant pour Paris, pour la guerre, pour l'aventure, apprentis qui fuyaient leur maître pour aller grossir la plèbe parisienne ou ces bandes d'errants qu'on nous dit si fréquentes dans l'ancienne France (mais que nous n'avons jamais aperçues en Beauvaisis). Mais les arrivées ont-elles compensé les départs ? On en doute, puisque le nombre des ouvriers en laine de Beauvais paraît avoir décru du règne de Louis XIII à celui de Louis XV. Ce complexe d'entrées et de sorties ouvrières illustre assez bien la relative instabilité du petit peuple des villes, si prompt au départ dans les années de cherté et de chômage, parce qu'il espérait un pain plus facile à gagner sous des cieux différents.

B. *Les conditions du travail et les salaires nominaux des ouvriers en laine.*

Si l'on s'en tenait aux textes régissant l'apprentissage et le travail textile, l'on pourrait penser que les ouvriers en laine ne jouissaient pas de conditions spécialement défavorables : apprentissage assez court (un à trois ans selon les métiers, les époques, les situations personnelles); faibles sommes à verser aux maîtres par les parents (quelques livres, souvent remplacées par la contribution de la famille à l'entretien et la nourriture du jeune homme, à qui le maître ne devait que le lit, le chauffage et le potage); léger salaire perçu dès la dernière ou l'avant-dernière année d'apprentissage; droits de police et d'entrée dans la communauté peu élevés; pas de chef-d'œuvre; liberté de s'installer à son compte, ou de travailler chez soi pour le compte d'un fabricant, ou d'entrer dans un atelier.

L'examen des conditions réelles du travail apporte à ce tableau d'importantes corrections. Un bon quart des apprentis ne terminaient pas « leur temps ». Sans doute se trouvait-il parmi ces derniers l'inévitable contingent des débiles physiques ou mentaux que les maîtres chassaient « pour ne pouvoir appendre » ou « pour estre toujours malades ». Mais bien d'autres fuyaient, découragés par des brimades, des privations, des mauvais traitements. Plus symptomatiques encore, les prolongations forcées de l'apprentissage : lorsqu'un maître « vient à la police » pour « rendre » son apprenti, il prend souvent soin de préciser, et de faire enregistrer, que le jeune homme devra « servir » chez lui pendant quatre, six mois encore « pour le temps qu'il a perdu ».

Temps de maladie pendant lequel l'apprenti n'a pu travailler ? Sans doute. Mais aussi, et surtout, dettes de l'apprenti envers le maître, que celui-ci récupérera en travail : les parents n'ont pu régler les quelques livres prévues au contrat, le jeune homme ne peut régler son droit d'entrée dans la communauté, il a dû emprunter pour s'habiller, se soigner, compléter le potage patronal. L'ancien « garson » entrait dans le corps des ouvriers avec ses premières dettes. Elles en annonçaient bien d'autres.

Ce qu'il convient de souligner dans le labeur des ouvriers en laine de Beauvais, ce n'est pas tellement la longueur de la journée de travail, ni l'extrême insalubrité des ateliers. Ces conditions se retrouvent alors presque partout, et il n'apparaît pas qu'elles aient suscité de plaintes de la part de ceux qui les subissaient, et qui n'en concevaient sans doute pas d'autres. En revanche, deux revendications, connexes et essentielles, furent toujours mises en avant par les ouvriers, lorsqu'ils firent entendre leur voix par l'intermédiaire des « esgards » de leurs communautés jurées. L'une concernait les salaires, l'autre concernait l'emploi. Toutes deux touchaient de près l'angoissant problème du pain quotidien — problème primordial, derrière lequel tout le reste s'efface, problème presque unique pour le petit peuple de Beauvais.

En principe, les salaires des ouvriers en laine étaient fixés deux ou trois fois par an, par le bailli seigneurial. Dans une audience tenue au palais épiscopal, le bailli, officier de police, assisté de son personnel habituel, de quatre « marchands et notables bourgeois » et des délégués des communautés, « faisait le taux ». Ce salaire imposé était à la fois un salaire maximum et un salaire minimum : en principe, les fabricants ne pouvaient donner moins, les ouvriers ne devaient pas réclamer plus, et les deux parties venaient devant le bailli en cas de contestation. Un certain nombre de ces taux ont été conservés, presque tous antérieurs à 1667. De 1667 à 1699, le corps de ville, où les marchands dominèrent toujours, négligea de faire le taux, respectant en cela le grand principe de « liberté » économique, si cher aux négociants, qui livrait en fait les faibles aux forts, les ouvriers à leurs employeurs. Après 1699, quand la police des manufactures revint au bailli seigneurial, quelques taux réapparurent. L'intérêt de ces documents officiels

est de révéler une doctrine : la fixité des salaires nominaux
à la journée ou à la tâche. Pour les deux cas que nous
connaissons le mieux (tisserands et laneurs), le prix de
la journée de travail « des plus forts et valides » resta
presque constamment fixé à 10 sols. Les peigneurs
touchaient un salaire à la tâche, selon le poids et la
qualité de la laine peignée; il serait étonnant que le
salaire journalier de cette catégorie d'ouvriers, la plus
humble et la plus misérable, ait atteint 10 sols. Cette
fixité d'ensemble des salaires, qu'on peut observer de
1640 à 1715, comporte en réalité des variations légères
et passagères, fort intéressantes, qui seront étudiées à
leur place. Mais les taux ont-ils été respectés ? Il faut
avouer qu'il est impossible de résoudre ce problème,
apparemment grave, d'une manière certaine.

Quand on connaît les habitudes, on est conduit à
penser qu'un taux fixé par une autorité locale, toujours
présente, disposant de moyens d'action rapides, avait
plus de chance d'être appliqué que s'il émanait d'une
autorité prestigieuse, mais lointaine, comme l'autorité
royale. Dans les conflits de salaire du moins, le juge
de police faisait toujours respecter le taux. Les quelques
recoupements qu'on a pu découvrir n'autorisent pas à
croire qu'on désobéissait automatiquement à ce taux.
Cependant, l'état du marché textile, les besoins d'étoffes
des marchands, les besoins de main-d'œuvre des fabricants incitaient le salaire à varier tantôt dans un sens,
tantôt dans l'autre. En pleine crise « cyclique », le débit
des étoffes diminuant, le salaire, comme l'emploi,
tendait à baisser. La crise finie, le commerce reprenant
et les commandes affluant, les fabricants s'arrachaient
la main-d'œuvre, d'autant plus que celle-ci se trouvait
raréfiée, la crise textile et la crise de subsistances
s'accompagnant généralement d'une « mortalité » populaire intense qui avait éclairci les rangs des ouvriers.
Comme l'emploi, le salaire tendait à monter, et des
décisions juridiques ratifiaient encore les incitations
économique. Mais, dans ces deux cas, le taux du salaire
ne variait que modestement, et temporairement, autour
des taux habituellement promulgués. Un procès-verbal
d'Assemblée du commerce de janvier 1695 illustre ce
que nous venons d'exposer avec une telle netteté que
nous devons en rapporter de larges extraits. Il insiste
sur la nécessité de « faire exécuter les antiens réglemens
quy fixe le prix des façons des estoffes, attendu que

dans certains tems ou elles ne se vendent pas si facilement et ou il y a un plus grand nombre d'ouvriers, les drapiers drapans les obligent de travailler à un si juste prix qu'ils ne peuvent gagner leur vye et à leur famille, surtout dans le tems de la chèreté des vivres dont il faut empêcher l'injustice, quelques uns d'entre eux payant aussy leurs ouvriers en marchandises ou denrées sur lesquelles ils profitent induement ». Suit, dans la même et longue phrase, l'exposé de la situation inverse : « et attendu que dans l'autre tems ou le commerce va mieux et ou la rareté des ouvriers les fait rechercher, les tisserands prenant avantage sur les drapiers s'opiniatrent à ne pas travailler à moins qu'on ne leur augmente de beaucoup le prix de leurs façons, et mesme qu'on leur fasse des avances considérables ». En conséquence, l'Assemblée reprend l'ancien taux de 8 livres pour pièce « sans que les tisserands puissent en demander davantage et sans que les drapiers puissent les payer à moindre prix... ny les payer en marchandises et danrées... ny leur advancer aucuns deniers... sinon le prix de leur travail pour une journée ».

Un autre passage du procès-verbal de l'Assemblée, si typique des mois d'après crise, rapporte les plaintes des drapiers qui « faute d'ouvriers ne peuvent employer les laynes dont ils sont chargez, ny satisfaire aux marchands quy leur demandes des estoffes ». Les fabricants requièrent donc qu'on « augmente le nombre des tisserands... qui se trouve diminué tant à cause de la mortalité de l'année passée que parce que plusieurs ont pris party à la guerre... ».

C'est malheureusement dans les premières semaines d'une de ces fluctuations, à la veille de la terrible crise de 1693-1694, que l'on peut saisir, d'une manière massive, des salaires effectifs, et non plus seulement des taux. Ils nous sont donnés, avec une précision rare, par quelques-uns des douze curés qui effectuèrent cette grande « recherche » des pauvres que nous avons souvent utilisée. Les curés de la Basse-Œuvre et de Saint-Jacques s'ingénièrent à fournir les salaires hebdomadaires détaillés de 125 ouvriers en laine qui n'étaient pas encore « oisyfs ». Beaucoup de salaires féminins : les fileuses ne recevaient jamais plus de 21 sols par semaine — 3 sols ½ par jour de travail; 31 sur 52 ne percevaient que 18 sols — 3 sols par jour; les fillettes et les très vieilles femmes recevaient moins encore : on ne rougissait pas de les voir gagner un sol par jour. Vingt-cinq exemples pris parmi les tisserands et les sergers permettent d'avancer les chiffres suivants : salaire le plus fréquent, 55 sols (9 sols par jour); tisserands âgés, débiles, médiocres, 30 à 45 sols; deux cas exceptionnels, sans doute d'excellents ouvriers : 72 et 80 sols. Précisons bien, avec nos deux curés, qu'il s'agit d'ouvriers non oisifs, c'est-à-dire qui travaillent tous les jours ouvrables, et ne sont pas nourris. Ces salaires ne sont presque jamais supérieurs aux taux du bailli; dans l'ensemble, ils apparaissent légèrement inférieurs. Mais que signifient ces chiffres?

Observons qu'ils sont fort bas. Vauban lui-même, à la même époque, estimait à 12 sols par jour ouvrable le salaire moyen du tisserand urbain — 3 sols de plus qu'à Beauvais —, tout en reconnaissant que la « plupart des Artisans dans les bonnes villes comme Paris, Lyon, Rouen, etc., gagnent pour l'ordinaire plus de 12 sols ». Les salaires beauvaisiens se trouvaient, en revanche, identiques à ceux des manouvriers ruraux, estimés par le même Vauban : 9 sols.

Observons encore que les compagnons maçons et charpentiers recevaient un salaire double : habituellement 18 à 20 sols par jour, au milieu du XVIIe siècle. Les ouvriers en laine de Beauvais étaient donc doublement défavorisés : par rapport aux autres ouvriers de leur ville, par rapport aux ouvriers en laine des autres cités. Mais ces chiffres bruts doivent être mis en relation avec les réalités : le coût de la vie, les budgets ouvriers; avant toute chose, il faut savoir comment ces salaires étaient réellement versés.

Dans ses souvenirs, qui concernent la fin du XVIIIe siècle, Mahu raconte qu'on payait les petits fabricants en billon et en billets sur des localités de second ordre. Du second mode de règlement, nous n'avons pas trouvé trace pour notre époque. Mais les ouvriers se plaignirent souvent du premier. Ainsi, le 15 juillet 1658, le bailli fut obligé de prendre une ordonnance concernant les payements en liards :

« ...A esté remonstré par le procureur fiscal que les ouvriers du lanifice font rumeur en cette ville à cause de la difficulté qu'ils ont d'emploier les liards, ceux desquels ils achettent ce quy est nécessaire pour leurs nourritures ne voulant pas en recevoir plus d'un quart; et que néantmoins les drappiers, sergers et autres quy les emploient leur tiennent cette rigueur qu'ils ne les payent qu'en cette monnoie, et les menacent de ne leur plus donner a travailler s'ils ne reçoivent ce qu'ils leur doivent en liards... »

Le bailli défendit aux fabricants de payer leurs ouvriers « plus d'un quart en liards ». Trois ans plus tôt, il leur interdisait de les payer « en pain, vin, viandes, estoffe et autres ». L'on sait bien que cette ordonnance ne fut pas suivie d'effet. L'habitude de régler le tisserand avec un morceau d'étoffe était solidement implantée. L'Assemblée du commerce du 11 janvier 1703 lui donna même la sanction d'un règlement, agrémenté d'une restriction qui ne trompait personne : « Les fabriquants peuvent donner des estoffes aux ouvriers en paiement pour leurs façons dans des tems difficiles »; l'on ajouta même que les ouvriers devraient « débiter eux-mêmes les estoffes receues au lieu d'argent, sans pouvoir les donner a des revenderesses », ce qui ne facilitait rien, justement dans les «tems difficiles»... Ainsi, chaque samedi soir, l'ouvrier avait rarement l'assurance de recevoir le prix de son travail en bonnes espèces sonnantes.

Il n'était même pas sûr de le percevoir intégralement. Il avait souvent commis l'imprudence de demander au fabricant une avance de salaire; chaque samedi, le créancier la récupérait peu à peu. Lentement d'ailleurs, le moyen s'avérant excellent pour « tenir en sa main » un bon façonnier. Des patrons allaient même jusqu'à prêter sur gages — un habit, des draps, une croix — à leurs compagnons, bien que mainte ordonnance ait interdit cet usage.

Quel que fût le mode de règlement, un ouvrier qui ne connaissait aucun chômage recevait son salaire 270 jours par an : il disposait donc de 7 sols 1/2 par jour. Son loyer, ses cotisations corporatives et paroissiales, son sel, sa « subsistance » (équivalent beauvaisien de la taille) lui revenaient au moins à un sol par jour. Le pain bis se vendait, dans les bonnes années, 5 ou 6 deniers la livre, poids de Beauvais : comptons 1/2 sol la livre, poids de marc. Théoriquement, il pouvait en acheter 13 livres. Pour un célibataire, c'était une petite aisance, puisqu'il n'en consommait pas plus de 4 livres. Pour un jeune ménage élevant un ou deux enfants, la vie matérielle se trouvait à peu près assurée, surtout si la femme gagnait 2 ou 3 sols en filant. Pour un foyer surchargé de jeunes enfants, c'était la gêne. Quant aux femmes seules, filles ou veuves, à peu près incapables de vivre avec deux ou trois sols par jour, elles se groupaient par deux ou trois dans de minuscules logements, pour diminuer les frais de loyer et de chauffage.

Ces conditions de vie représentent les conditions les meilleures pour les ouvriers de Beauvais. Elles supposent un emploi constant, un coût de la vie reposant sur le pain bis à 6 deniers la livre, des charges familiales modérées, et une bonne santé. C'est dire à quel point il était facile de déséquilibrer ce modeste budget populaire : une maladie du père, trop de naissances, et la famille devait recourir, pour subsister, aux institutions charitables. Après 1653, elle s'adressait régulièrement au Bureau des pauvres. Dans les années de calme économique, ce dernier secourait sept à huit cents personnes, toutes beauvaisiennes : 6 % de la population totale, mais plus du dixième des ouvriers en laine. C'est ce que nous appelons la misère « normale », secourue par une charité « normale », celle qui s'attachait aux orphelins, aux enfants de familles nombreuses, aux vieillards, aux infirmes des années de bas prix. Les charités de paroisses et l'Hôtel-Dieu s'occupait spécialement des « pauvres malades ».

Lot courant de misère dans une ville à population ouvrière importante. Plus tragiques, plus généraux surtout apparaissent les effets de phénomènes économiques et sociaux qui détérioraient, puis anéantissaient le salaire, unique moyen de subsistance pour des familles qui ne possédaient ni maisons, ni terres, ni rentes. Ces phénomènes sont liés à certains aspects de la conjoncture, qui seront étudiés dans la suite de ce travail ; dès maintenant, il convient d'évoquer leurs effets, si l'on tient à donner un tableau exact des classes populaires beauvaisiennes au XVIIe siècle.

Après une ou deux mauvaises récoltes, dès que le prix du blé et du pain commençait à monter, le salaire ouvrier subissait une dévaluation de fait. Trois exemples réels peuvent illustrer ce phénomène élémentaire.

Françoise Boullet et ses deux compagnes, qui partageaient une chambre près de la cathédrale, filaient toutes trois, et à elles trois gagnaient 10 sols par journée de travail ; en défalquant les jours chômés, le loyer, l'impôt royal, il leur restait, au plus, 7 sols 1/2, l'équivalent de 15 livres de pain bis en année de bas prix. Elles pouvaient donc se nourrir, et s'assurer un modeste entretien, facilité par la vie en commun. Que le prix du pain double, et leur salaire ne représente plus que 7 à 8 livres de pain, à peine le nécessaire. Qu'il triple ou qu'il quadruple, et c'est la misère, donc l'insuffisance de pain.

Lucien Lemaire, tisserand, rue de la Madeleine, gagnait 55 sols par semaine, autant que nos trois fileuses. En année de bas prix, il nourrissait péniblement ses trois jeunes enfants (l'aîné avait 5 ans) et sa femme « toujours malade », nous dit le curé. Que le prix du blé double et triple, et son salaire ne représente plus que 8 livres, puis 5 livres de pain : la détresse. Reprenons l'exemple du serger Jean Cocu, de sa femme et de ses trois grandes fillettes, qui filent toutes quatre. Il entre à la maison 108 sols par semaine; mais probablement aussi 70 livres de pain, au bas mot, qui coûtaient 35 sols : presque l'aisance, les dépenses en pain n'absorbant que le tiers du budget. Si le prix de la miche double, la gêne succède à l'aisance; s'il triple, c'est la misère.

Or, le prix du pain doubla en 1609, en 1618, en 1623, en 1627, en 1631 et 1632, en 1643, en 1647, en 1674, en 1679, en 1699, en 1714, en 1720. Il tripla en 1649, en 1651, en 1661-1662; il quadrupla en 1693-1694 et en 1710, il tripla encore en 1725. A plusieurs reprises, au cours d'une vie d'adulte de durée normale (quarante ans), la hausse vertigineuse du prix des blés faisait perdre au salaire ouvrier toute signification, lui enlevait la possibilité de nourrir, même pauvrement, une famille. Tel était le sens de ces « chertés, disettes, famines » que le petit peuple de Beauvais était condamné à connaître à intervalles rapprochés, sinon réguliers; — tout au moins la partie de ce petit peuple que la marée de misère n'emportait pas.

C. *Les ouvriers et les crises sociales de subsistances.*

Les crises « de type ancien », ou crises de « subsistances », crises sociales au premier chef, ont été suffisamment étudiées — bien que plus rarement au XVIIᵉ siècle — pour qu'on se dispense de les définir ou d'en démonter à nouveau le mécanisme. Elles touchèrent les ouvriers de Beauvais de plusieurs manières.

Et pourtant, si la réalité du temps de cries avait ressemblé au tableau que nous venons d'esquisser, les ouvriers de Beauvais se fussent peut-être estimés heureux. Deux facteurs l'aggravaient.

Le premier était assez bénin, mais fort caractéristique : en année de cherté, la baisse du salaire réel s'agrémentait d'une baisse du salaire nominal. Cette baisse nominale était la manifestation de la volonté des employeurs, ratifiée par la réglementation locale. Dans son « Instruction pour l'exercice de la Police à Beauvais », l'archiviste de l'évêché-comté-pairie considérait l'abaissement du salaire nominal en période de crise comme une mesure qui allait de soi. Il écrivait, à propos du taux des tisserands : « dans les tems difficiles tels que de guerre ou de peste, leur taux est moindre, et il y est pourvu par les juges de police ». Le même texte précise encore : « Le taux des peigneurs... (se fait) par l'advis de deux bourgeois qui ont égard au prix de la laine et à la vente des marchandises. Que si la laine est chère et le commerce n'allait pas bien, l'on ne faisait pas un taux si haut ». Ces principes de police reflètent la réalité. Ainsi, au début de 1649, à la demande des fabricants et des marchands, plusieurs taux réduisirent de 10 sols à 9 sols 6 deniers puis 9 sols, le salaire journalier du laneur; la façon du tisserand passa de 8 livres à 7 livres 7 sols pour une pièce de ratine; le peignage de la livre de laine blanche, de 30 deniers à 2 sols. Ces baisses nominales de 10 à 20 % constituaient un appréciable bienfait pour les fabricants et les négociants. Il apparaît cependant que les ouvriers les acceptaient, à titre provisoire, sans protester : mieux valait en effet un salaire nominalement et réellement diminué que pas de salaire du tout.

Car c'était bien là que résidait le danger le plus grave des temps de crise : le chômage partiel, puis total. Il livrait les ouvriers en laine, qui ne possédaient et ne pouvaient posséder — sauf exceptions — aucune réserve, à la famine totale et aux institutions charitables. Aucune liaison de cause à effet ne paraît plus solide, plus fréquemment vérifiée que celle-ci : quand le prix du blé s'envole, les métiers se taisent peu à peu; la hausse cyclique des subsistances engendre le chômage textile. L'explication du phénomène a été clairement donnée, pour le XVIIIe siècle. Il prend une valeur extrême à Beauvais qui tissait surtout pour la clientèle populaire, spécialement celle de Paris, ville où les « chertés » se produisaient en même temps qu'à Beauvais. Quand monte le prix du pain, les étoffes à grand débit ne se vendent plus : à ce moment, la clientèle habituelle ne peut faire plus qu'essayer de manger. Vendant moins, les marchands achètent moins de pièces aux fabricants, ou bien leur en offrent un prix dérisoire. Les fabricants, dont les réserves personnelles sont rarement considérabler, réduisent le nombre de leurs métiers battants, donc le nombre de leurs ouvriers. Si la crise de subsistances devient aiguë et se prolonge, presque tous les métiers sont mis bas, presque tous les ouvriers chôment. Ce tragique « silence des mestiers » qui menace Beauvais dès que le prix du blé monte à la « fourmenterie », cette terreur du chômage forcé paraissent enfermés encore dans les textes brefs et monotones qui sont parvenus jusqu'à nous.

Parmi ceux-là, l'embarrassant est de choisir : 1630-1632, 1647-1652, 1661-1663, 1693-1694, 1709-1710... Des extraits de délibérations échevinales suffisent à jalonner, à caractériser la plupart de ces crises.

Octobre 1630, la cherté commence : une « Assemblée générale » se réunit au palais épiscopal « pour adviser à la chèreté des bleds ». 21 décembre : on signale des « artisans sans travail », des murmures et du désordre « parmy le peuple ». 24 décembre : on établit une « taxe des pauvres » (pour les secourir), et l'on mobilise les compagnies bourgeoises contre la sédition qui menace. Février 1631 : les marguilliers ont achevé la « recherche des pauvres », qui sont 2 500. 24 mars : des « artisans oysifs » menacent de piller la maison du maire. 6 avril : la ville « prend de l'argent à rente pour la nourriture des pauvres », et envoie les plus valides « travailler aux fortifications ». 10 avril : la « réduction des mestiers battans » devient inquiétante, et l'échevinage offre de l'argent aux « drappiers qui veulent entreprendre d'employer plus grand nombre de pauvres qu'ils ne font ». 28 avril : la « contagion » est à Maignelay ; 21 juin, la contagion est à Beauvais, et la nouvelle récolte s'annonce mauvaise.

A chacune des grandes crises, le schéma est le même : cherté, chômage, amorces de révoltes ouvrières, mesures de charité, contagion. Dès le 1ᵉʳ mars 1649, beaucoup de pauvres « surtout parmy les ouvriers en layne, parce que la drapperie manque à cause de la misère » ; 10 mars, révolte de tisserands, et les officiers de justice interdisent les attroupements d'artisans « sur peine de la vie ». 11 octobre 1660 : la mine de blé vient de bondir de 40 à 75 sols en quelques semaines : déjà 82 peigneurs en chômage sur un peu plus de 200 ; deux mois plus tard, le grand nombre des « ouvriers oysifs » provoque

une réunion des Trois Corps; trois mois encore, et une
foule de malheureux se presse aux guichets du Bureau
des pauvres : on en dénombre 732 en une matinée,
qui implorent du pain. Dès décembre 1693, donc au
début d'une crise, on observe que les quatre cinquièmes
des 3 584 pauvres recensés par les curés étaient des
ouvriers en laine qui n'avaient « plus de travail, ou pas
assez pour subsister »; treize mois plus tard, les fabricants se plaignaient du manque d'ouvriers « à cause de
la mortalité de l'année passée » : trois mille personnes
étaient mortes en un an, et le nombre des feux contribuables avait baissé de près du quart : de 3 185, il était
descendu à 2 428.

La misère à Beauvais, ce fut la misère textile; les
« mortalités » beauvaisiennes frappèrent d'abord les
ouvriers en laine. Lors des périodes de crise, la misère
ouvrière apparaissait dans cette ville avec des traits
horribles, massivement horribles. Une remarquable
organisation de la charité qui réunissait l'évêque, le
chapitre et la ville, n'arrivait pas à vaincre la misère
de ces années terribles; malgré un effort inlassable et
intelligent, les institutions charitables possédaient des
ressources trop faibles pour lutter contre un mal qui
avait ses racines dans la structure économique et sociale
du temps. La cherté du pain dégradait le salaire; la
crise manufacturière, issue de la crise céréalière, le
détruisait presque entièrement. Les ouvriers ne survivaient qu'en jeûnant ou en fuyant, quand ils en avaient
la force : ces hommes, purs salariés, étaient des prolétaires urbains, car il faut bien employer le mot propre,
les seuls véritables prolétaires du Beauvaisis qui apparaissent clairement à la lecture des textes connus.

D. *Les ouvriers en laine chez eux.*

Les centaines d'inventaires après décès des ouvriers
en laine qui reposent dans les pesantes liasses des justices
seigneuriales beauvaisiennes offrent plusieurs traits
communs. Ils sont courts et mal écrits : le greffier savait
qu'il avait peu de chance de recevoir salaire pour un tel
travail. Ils s'achèvent par une renonciation à la succession,
assez régulièrement déficitaire. Vendus ou estimés, les
meubles des défunts atteignent rarement une valeur
de 100 livres tournois, le prix d'un bon cheval, ou de
quatre médiocres serges. Antoine Bara, serger, sep-

tembre 1617, moins de 20 livres; Jean Comédé, peigneur, mai 1645, 95 livres 10 sols; Thibault Saulnier, dit « Bicque », tisserand, janvier 1647, 63 livres 11 sols; Pierre Crestien, peigneur, juin 1650, 62 livres; Antoine Régnier, laneur, janvier 1651, 64 livres 9 sols. Sautons au siècle suivant : Louis Béranger, tisserand, février 1722, 86 livres; Antoine Lamory, serger, novembre 1738, 85 livres 17 sols. Les rares papiers signalés aux inventaires ne parlent que de rentes dues, et surtout de petites obligations; jamais de maison, jamais une mine de terre, jamais une verge de vigne. Les richesses des ouvriers beauvaisiens se réduisirent à peu de chose : leurs hardes, leurs outils, leurs pauvres meubles, leur bras et leurs enfants, qu'ils faisaient filer ou peigner dès l'âge de sept ans.

Devant quelques maisons qui restent debout, on se prend parfois à les voir revivre, ces prolétaires du Grand Siècle. Auprès de Sainte-Marguerite, dans cette demeure basse, aux poutres de guingois, au torchis crevé, ils avaient loué une chambre et un appentis; ils réglaient le loyer sou par sou, le plus tard possible. Derrière la bâtisse, un bout de jardin, commun à quatre ménages; il y poussait des choux et des raves. Un peu plus loin, le puits du quartier, où chaque femme, portant le scau de bois cerclé de fer, allait quérir l'inexprimable liquide appelé à tremper la soupe. Dans la salle, au « foyer », la « cramille », le chaudron, quelques poteries, des écuelles, des couverts de bois ou d'étain grossier, des bois de lits garnis, ou seulement des paillasses à même le sol; des draps, parfois; presque toujours une couverture de serge, sortie des mains de l'homme; des hardes, trois ou quatre chemises; un fagot; des forces à tondre ou un peigne à laine. Rien de plus, sauf quelques reconnaissances de dettes signées d'une croix ou d'une initiale tremblée, et une image pieuse, près de la cheminée. Un millier de foyers beauvaisiens comme celui-là. C'est à la ville que les hommes du XVIIᵉ siècle touchaient le fond de la détresse, à la ville, du moins, que nos documents nous montrent le mieux leur détresse.

3. LES MARCHANDS

Selon les époques, ils furent 80, 100, 130. Certains n'étaient que des boutiquiers, qui vendaient aux couturières, aux femmes d'artisans, aux plus modestes bour-

geoises, aux laboureurs venus pour le marché du samedi.
D'autres se contentaient d'expédier quelques serges
à Paris de temps à autre. Les plus grands rayonnaient
sur la France du nord, sur tout le royaume parfois;
quelques-uns entretenaient des relations avec l'étranger,
surtout avec l'Espagne. Dans la campagne beauvaisine
comme dans la ville, nous les avons déjà rencontrés,
et nous retrouverons les plus riches dans le groupe
des « hauts bourgeois », qu'ils animèrent souvent par
leur dynamisme. Ce qui importe ici, c'est de montrer
la place qu'ils occupaient dans la grande fabrique
beauvaisienne — et beauvaisine —, de les replacer
dans le monde du textile.

A. *Marchands et fabriques.*

En principe, les marchands ne fabriquaient pas.
Il eût paru anormal, et même scandaleux, de trouver
chez eux des métiers à tisser. Et l'on n'en trouvait
pas, si ce n'est chez ce petit groupe de gros fabricants
qui se lançaient dans le négoce, et se disaient déjà
marchands. Mais ceux-là même ambitionnèrent toujours
d'abandonner la fabrique pour se consacrer au commerce :
les Dubout, les Ticquet, les Morel, les Bingant, les
Blanchart, les Michel, riches négociants du XVIIIe siècle,
eurent tous leur aïeux « drappans ». L'un des signes
sensibles de l'ascension des meilleurs fabricants à la
dignité marchande fut l'abandon ostentatoire de leurs
estilles. Coutumes et règlements n'auraient pas permis
qu'ils continuassent à fabriquer eux-mêmes des étoffes.
De ce chef, deux affaires portées aux Assemblées du
commerce de 1710 et 1711 définissaient assez bien les
positions. En 1710, les fabricants présentent requête
contre les marchands « qui se mellent depuis quelque
tems de fabriquer... qui ont laines, tresmes, chesnes
et autres ustancilles necessaires en leurs maisons »
et ainsi « fabriquent de mauvaises estoffes, evittent la
visitte, emploient des ouvriers estrangers »; aussi
causent-ils un notable préjudice aux drapiers et sergers
qui « ont seuls à l'exclusion de tous autres la faculté de
faire lesdites estoffes ». Le juge de police ayant pris
une ordonnance conforme aux intérêts des fabricants,
les marchands trouvent une parade aisée, que leurs
adversaires dénoncent l'année suivante : « Ils entre-
prennent journellement de faire fabriquer des estoffes

sous des noms interposez... bien qu'ils ne soient pas de métiers fabricants ». L'assemblée dut prévoir des « visittes » chez les marchands qui pourraient « estre soupçonnez de faire laditte fabrique ». Trois visites eurent lieu : on ne trouva rien.

Il est trop évident que les marchands ne pouvaient rester étrangers à la fabrication des étoffes qu'ils vendaient sous peine de négliger leurs propres intérêts. Les désirs de leurs clients et de leurs correspondants représentaient pour eux une sorte de loi; elle les conduisait à imposer pratiquement aux fabricants les types d'étoffes dont le débit se trouvait le plus aisé. Que ce type d'étoffe correspondît, ou non, à celui que recommandaient les règlements, la chose leur était visiblement indifférente. Et les façonniers, pour vendre leurs produits, suivaient les indications des marchands. Il en résultait parfois des difficultés assez sérieuses avec les inspecteurs des manufactures : ainsi entre 1700 et 1715, le conflit des serges façon de Mouy et celui, toujours renaissant, des sempiternes. Dans les deux cas, les fabricants présentaient des étoffes contraires à tous les règlements. Aux reproches et aux amendes de l'inspecteur Noëtte, ils répondaient qu'ils ne faisaient que se conformer aux recommandations des marchands : ces derniers refusaient les pièces réglementaires, invendables en Espagne et en Amérique. D'ailleurs, l'inspecteur des manufactures au département de Grand-villiers déclarait à la même date que « les fabricans travaillaient à présent la plus part en contravention des Reglemens ». Le plus souvent, les Assemblées beauvaisiennes du commerce acceptaient l'infraction, tandis que les marchands revendiquaient hautement la liberté, déclarant en 1707 : « La liberté doit estre laissée aux marchands d'envoier à leurs correspondans les estoffes de la manière qu'il leur pourroit estre demandée ». Autant que le mépris des règlements, cette liberté impliquait la direction et la domination des fabriques par les négociants.

Si l'on considère maintenant la part la plus importante et la plus profitable de leur activité, le trafic des étoffes rurales, les liens du négoce et des fabriques apparaissent plus nettement encore. C'étaient les marchands urbains qui fournissaient aux sergers de campagne les laines venues du Soissonnais, de Brie, de Beauce, du Berri. Nous l'avons souligné en par-

courant le Beauvaisis : aucun de ces sergers ruraux
ne pouvait régler comptant le montant de plusieurs
balles de laine; ils signaient une obligation, qu'on
retrouve dans leurs inventaires après décès; ils s'acquit-
taient en façonnant des grosses serges qui portaient
le nom de leur village : des « blicourt », des « créve-
cœur », des « aumale », des « hanvoile ». Même si l'ouvrier
rural parvenait à se procurer un peu de laine du pays
sans passer par les marchands urbains, c'était à la
ville qu'il portait et qu'il vendait ses pièces « en escru »,
ou « creues » : c'est-à-dire ni teintes, ni foulées, ni
tondues, ni frisées. C'était le samedi que les petits
façonniers de Glatigny, de Pisseleu ou de Marseille
venaient à Beauvais, leur serge sur l'épaule. Ils devaient
y faire apposer d'abord un sceau de plomb au bureau
de la « marque foraine ». Contrairement au « bonjon »,
qui « plombait » seulement les étoffes faites en ville, et
qui était tenu par les fabricants beauvaisiens eux-mêmes,
le « bureau forain » était tenu par les marchands, qui
s'y rendaient à tour de rôle, ou y déléguaient à temps
l'un d'entre eux. Jusque vers 1730 — époque de la
réorganisation des bureaux de « marque » sous l'impulsion d'Orry — , les marchands administrèrent la
marque foraine comme ils l'entendirent : ils marquaient
ce qu'ils voulaient, ne tenaient aucun registre, ou des
registres entièrement falsifiés. L'inspecteur des manufactures Noëtte ne nourrissait aucune illusion : « Il
y a peu de foy à faire sur les registres... les marchands
sont bien aises que l'on ne sache pas la force du commerce de leur ville ». Les négociants achetaient toutes
les pièces « foraines », et se chargeaient de leur achèvement.
Pour cela, ils recouraient constamment aux services
des teinturiers, des foulons, des tondeurs et des laneurs;
ils « frisaient » et emballaient eux-mêmes. C'est dire
qu'ils étaient constamment engagés dans les détails
matériels d'une partie de la fabrication proprement
dite : tout ce qui survenait après le tissage. Ils justi-
fiaient ainsi le nom qu'on leur donnait fréquemment :
« marchands en teint ».

Quant aux négociants en toile de lin, ces grands
personnages furent tous des blanchisseurs. Ils blanchissaient sur pré avant que Nicolas Danse n'implantât à
Beauvais les techniques saint-quentinoises, qui achevèrent de donner tout leur renom aux « demi-hollandes ».
Danse lui-même avait fait construire ses deux « buries »,

que dirigeait pour son compte une sorte d'intendant. Les Motte construisirent leur burie entre 1660 et 1670; par la suite, ils la vendirent et firent « blanchir à façons » chez des « maîtres blanchisseurs ». Les Michel gardèrent constamment la propriété et la direction effective des leurs — ils en eurent trois —, même quand ils furent anoblis. Dans sa « grande maison de la rue Saint-Martin », reconstruite au début du XVIIIᵉ siècle, Lucien Danse avait fait réserver « un espasse de pré » auprès du ruisseau, et les bâtiments nécessaires à l'apprêt des plus fines toiles. Tous ces hommes, acheteurs massifs qui prospectaient constamment le nord et l'ouest du royaume, hardis vendeurs qui visitèrent la plupart des marchés du monde, tous ces grands marchands de toiles restèrent des techniciens qui pratiquaient effectivement l'art de blanchir. Une parfaite connaissance des détails de fabrique ne pouvait d'ailleurs que largement favoriser leurs affaires.

Le divorce entre la fabrique et le négoce fut plus apparent que réel.

B. *L'organisation du négoce.*

1º Spécialisation technique ?

« Il y a dans cette ville 78 à 80 marchands, que l'on appelle marchands en teint, et qui ne sont pas statués; ils peuvent faire trafic de laines, d'étoffes et de toiles, et il y en a qui les font tous trois », écrivait l'inspecteur des manufactures en 1708. Il aurait dû distinguer une cinquième catégorie : les marchands qui trafiquaient à peu près de tout.

La grande majorité des marchands vendait surtout des étoffes de laine fabriquées dans la ville et la campagne beauvaisine : leurs papiers de succession le disent avec clarté. Les stocks d'étoffes, parfois énormes, qu'ils décrivent, contenaient les produits courants de la province : draps et serges aux noms variés. Ces pièces avaient été achetées à des fabricants urbains et ruraux, qu'on retrouve au chapitre des dettes passives; d'autres avaient été revendues aux marchands des diverses villes du royaume, et on les retrouve au chapitre des créances. Telle était l'activité habituelle des marchands de Beauvais : elle dérivait de la production même de la région où ils habitaient.

Beaucoup moins nombreux — furent-ils jamais une dizaine? — les marchands de toiles de lin paraissent, le plus souvent, étroitement spécialisés. C'est qu'un tel négoce demandait beaucoup de temps et de soin : acheter, souvent fort loin; ramener les toiles à Beauvais, « en écru »; effectuer ou surveiller les délicates techniques du blanchissage; s'occuper de la vente, en des lieux plus lointains encore que les zones d'achat. Là encore, les inventaires après décès permettent de préciser. En toiles de Troyes, batistes, hollandes et couvrechefs (ancien nom de la toile de lin picarde utilisée pour les bonnets), Nicolas Loysel possédait, en 1622 un stock estimé à 4 763 livres et quelques sols. La liste des dettes passives montre que Loysel s'approvisionnait à Bulles, à Saint-Quentin et à Arras : il devait à ses fournisseur 6 167 livres 2 sols. La liste des dettes actives révèle que la Normandie — Rouen en tête — constituait son habituelle aire de vente. Dans l'intervalle, il blanchissait les toiles acquises « en ecru » : en avril 1622, 579 aunes étaient encore « aux prez ». Comme chez Loysel, on ne trouvait que des toiles de lin chez Gabriel Motte, mort en novembre 1693 dans sa maison du « Mouton », sur le marché; mais il en conservait une réserve de 2 263 pièces. Lui aussi se fournissait à Saint-Quentin, mais encore à Valenciennes, à Péronne, à Noyon : dans le Nord, il devait plus de 6 000 livres; mais il achetait surtout dans le Maine, spécialement dans les trois centres de Laval, Mayenne et Château-Gontier. Ses parents ayant vendu la burie Motte, il faisait blanchir chez Michel et Bogard, auxquels il devait plus de 7 000 livres : le blanchissage de plus de 50 000 pièces de 15 aunes. Gabriel expédiait dans la France entière, de Calais à Montpellier et de Rennes à Aix-en-Provence, mais surtout à Lyon et dans les ports du Ponant; il commerçait directement avec Genève, mais pas avec Cadix. Cent quatorze marchands lui devaient 163 186 livres... Marchand modeste comme Loysel, grand négociant comme Motte, l'un et l'autre furent des personnages spécialisés dans une seule activité.

Rares furent les purs marchands de laine. Au temps de Louis XIV, nous n'apercevons guère qu'Antoine Compagnon. Il assiégeait le tribunal consulaire pour obtenir le règlement des créances qu'il possédait sur de véritables troupes de sergers ruraux. Des voituriers

de Troissereux et de Savignies lui livraient la laine,
venue des plaines à blé du bassin parisien, Brie et
Berri surtout. Un second marchand de laine apparaît
plus tard : Cauchie, décédé en 1729. Nous n'en
connaissons pas d'autres, et peut-être furent-ils peu
nombreux; les marchands d'étoffes ont longuement
pratiqué le troc, et reçurent en « contre-eschange »
des laines, et bien d'autres « commoditez »; par surcroît ces « retours » fournissaient aux voituriers un fret
intéressant.

Cette ancienne habitude des ventes avec « troc, retours
et contre-eschange » apparaît souvent, à Beauvais, dans
les premières décennies du XVIIe siècle; elle révèle, au
fond, une insuffisante organisation du crédit. De fait,
l'usage du change continu et universel, l'utilisation
quotidienne de la lettre de change ne datent que du
dernier quart du XVIIe siècle : c'est du moins ce qui
ressort de l'analyse des dettes et créances énumérées
dans les papiers de succession. Jusque-là, beaucoup de
marchands, payés en vins, poissons, huiles, beurre,
fromages, savons, cuirs, laines, drogues « de taintures,
d'espiceries, et apothiquairerie », devaient revendre ce
bric-à-brac aux boutiquiers, aux établissements religieux,
aux particuliers de leur ville. Ainsi, par la force des
choses, tant que l'organisation du crédit fut insuffisante
sur la place de Beauvais, les marchands d'étoffes et de
toiles furent souvent contraints de « trafiquer de toutes
choses ». Il est juste d'ajouter qu'ils se contentaient alors
d'une revente rapide, et que le secteur textile qu'ils
avaient choisi absorbait l'essentiel de leurs soins. Ce
trait, qui ne doit pas être propre à Beauvais, illustre le
prolongement au XVIIe siècle d'un état de choses qui
remontait à un lointain passé.

Une autre catégorie de marchands dédaignait toute
spécialisation, en plein XVIIIe siècle : les très grands
marchands. Laines, étoffes de laine, toiles de lin : dès
1650, Lucien Motte trafiquait de tout cela. Mais,
lorsque les Beauvaisiens, après 1700, s'intéressèrent,
nombreux, au commerce de mer, leurs affaires connurent
un élargissement nouveau. Les frères Danse vendirent
et achetèrent, autant que des toiles, du café, du poivre,
du sucre, des cendres, des fanons de baleines et des
pacotilles pour « Indiens ». Ils prirent des parts dans
l'armement et dans les cargaisons de navires havrais et
malouins; ils s'intéressèrent à des compagnies de

commerce sur mer. Faut-il souligner à quel point ce
type nouveau de négociant non spécialisé différait de
l'ancien type, par l'ampleur du trafic et la hardiesse des
risques encourus ? Mais à Beauvais, avant 1730, ils ne
furent que quelques-uns.

Avec ces exceptions, et sous les réserves indiquées, il
faut cependant reconnaître que la plupart des marchands
de Beauvais surent se spécialiser dans une branche du
commerce textile. Surent-ils se partager aussi les principaux marchés ?

2º Spécialisation géographique ?

Les rapports des subdélégués et des inspecteurs des
manufactures renseignent, vaguement et tardivement,
sur l'aire de vente des marchands de Beauvais : « les
principales villes du royaume », Paris, les « nations
étrangères ». Ces généralités ne sauraient suffire. Les
indications tirées des papiers de succession donnent,
avec une grande sécurité, de réelles précisions. Malheureusement, ces inventaires ne concernent qu'une
minorité de marchands : ceux qui moururent en laissant
des mineurs, et dont les papiers ne se sont pas perdus ;
par surcroît, aux époques anciennes, les inventaires
sont trop discrets sur le contenu des créances, dettes,
registres laissés par le défunt. Ce ne fut qu'à l'époque
de Savary — et même un peu plus tard — que l'état
des achats, des livraisons, des « dettes actives et passives »
fut dressé avec une application scrupuleuse. Ces réserves
faites, l'on peut avancer, en ce qui concerne les aires de
vente des marchands de Beauvais, les remarques suivantes.

Les relations avec Paris furent toujours importantes :
aucun inventaire dont Paris soit absent. Il y avait là,
à moins de vingt lieues, une clientèle populaire abondante pour les étoffes à bon marché du Beauvaisis.
Tantôt, le marchand allait vendre dans une loge, au
Lendit ou à la foire Saint-Germain ; tantôt il expédiait
à la halle des étoffes qu'un courtier attitré se chargeait
de négocier ; les marchands importants livraient souvent
sur commande à quelque gros négociant de la rue
Saint-Denis ou de la rue Saint-Honoré, parfois appa-
renté avec le vendeur.

Les très grands étendaient leur trafic aussi loin qu'ils
pouvaient, sans rechercher une spécialisation géographique. Une évolution semble toutefois marquer leurs

activités. Avant l'entrée en guerre de 1635, les relations avec l'Artois, les Flandres, les Pays-Bas espagnols furent fréquentes et importantes; Arras, Lille, Douai, Tournai, Bruxelles apparaissent fréquemment dans les papiers de successions. Après 1635, les créances sur ces régions devinrent « casuelles », et beaucoup ne furent jamais réglées. Les Beauvaisiens durent se décourager, car le trafic vers le nord ne retrouva pas ensuite une très grande activité. Les marchands semblent alors orientés vers deux directions appelées à devenir prédominantes : Lyon avec ses débouchés orientaux et méridionaux, peut-être sous l'impulsion de la famille Motte; mais surtout, par l'intermédiaire de Rouen, vers l'Espagne, les « Isles » et l'Amérique. Mais cette orientation intéresse beaucoup plus les toiles que les lainages, dont le commerce resta toujours moins lointain et très continental.

Les relations Beauvais-Rouen étaient anciennes et fréquentes : c'est par Rouen qu'arrivaient à Beauvais les laines espagnoles, que repartaient vers l'Espagne certaines étoffes du Beauvaisis, essentiellement des toiles. Sans s'en douter, des historiens ont signalé ces dernières : ils ont cru que les navires rouennais et malouins n'exportaient que des étoffes bretonnes et normandes. La lecture des listes d'étoffes données par Albert Girard fait apparaître des noms de toiles que nous connaissons bien : les batistes, données comme uniquement cambrésiennes, mais souvent blanchies à Beauvais, les hollandes ou demi-hollandes, tissées en Beauvaisis (et, par imitation, dans le Maine), les trufettes, inventées par Nicolas Danse. D'éminents beauvaisiens vendaient leurs toiles aux grands négociants rouennais : les Lecouteulx, Midy, Parent, Duval, Le Cauchois, Le Normand, Le Planquois; une fille Motte épousa même un Le Planquois, beau-frère de Louis et Nicolas Midy, cousin du rouennais Jean-Jacques-Vincent Lecouteulx, établi banquier à Paris. Comme ces liaisons rouennaises, les liaisons avec Saint-Malo, Bordeaux, Lisbonne, Cadix et Saint-Domingue dérivent du texte même des inventaires après décès des grands marchands de Beauvais du début du XVIIIe siècle. Dès 1709, Lucien Danse s'intéressait aux vaisseaux qui allaient à la « mer du Sud », et qui poussaient parfois jusqu'en Chine, pour finir par boucler le tour du monde. C'est ainsi qu'en plein règne de Louis XIV s'amorçaient des directions de trafic et un genre d'activités qui annonçaient déjà les traits dominants du XVIIIe siècle commercial.

Cette activité grandiose n'intéressait cependant qu'un nombre restreint de marchands de Beauvais : une douzaine, peut-être, sur une centaine, avant 1730, et presque tous marchands de toiles. En ces trente premières années du nouveau siècle, la majorité des marchands limitaient leur négoce à la moitié septentrionale du royaume, et même au Bassin parisien. Dans ce cadre, une réelle spécialisation géographique avait alors été réalisée ; l'un s'occupait du Noyonnais et du Soissonnais ; l'autre vendait dans les Vexins et la haute Normandie ; celui-là dirigeait ses étoffes vers le Val de Loire, d'Orléans à Angers ; ce dernier fréquentait la Champagne troyenne et les pays de l'Yonne ; plusieurs ne se souciaient que de Paris et des petites villes pressées autour de la capitale. On dirait qu'un accord tacite avait été établi entre les marchands pour le partage des zones de vente, tout au moins au début du XVIIIe siècle. Mais à des dates antérieures ? Le texte même des inventaires gêne les recherches, les créances pour marchandises vendues y figurent bien avec le nom du client, mais souvent sans indication de lieu. Les renseignements qui dérivent de documents fréquemment incomplets et imprécis doivent donc être accueillis avec de grandes réserves ; ils se résument à ceci : avant 1700, des spécialisations géographiques semblent se manifester, mais dans un rayon plus étroit, avec des chevauchements et une domination plus sensible du marché parisien.

3° Spécialisations réelles : historiques, sociales.

Les enseignements les plus clairs qui se dégagent de notre documentation relèvent du plus simple bon sens : le trafic a varié avec les époques, et avec la « force » de chaque marchand.

Il a varié avec les époques dans son objet et sa destination. Aux draps de bonne qualité ont succédé, dès le second tiers du XVIIe siècle, des serges robustes, puis des serges grossières et bon marché. Cette évolution vers la basse qualité, qui reflète la demande, doit être mise en rapport avec d'autres phénomènes. Elle paraît éclairée par l'étude d'une « conjoncture » économique qui définit un XVIIe siècle économique dont les limites propres diffèrent des habituelles limites, chronologiques ou politiques. A la recherche de cette conjoncture, de ses aspects, de ses effets, est consacré le chapitre XII de cet ouvrage. En même temps que les étoffes vendues, les points de vente paraissent avoir également évolué. Au début du XVIIᵉ siècle, un trafic essentiellement orienté vers Paris et les régions du nord de la Loire, Flandres et Brabant compris. Au début du XVIIIᵉ siècle, un considérable élargissement, une remarquable entrée de l'Espagne, de l'Atlantique, de l'Amérique dans la mouvance des étoffes de Beauvais : en ces pays chauds, les fines toiles de lin habillaient les blancs et, quelques types nouveaux de nouvelle draperie — sempiternes, bayettes, écarlatilles — pouvaient convenir aux gens de couleur. Cette évolution des marchés, cette recherche d'une clientèle lointaine aux moyens de payement particulièrement précieux, tout cela aussi doit être mis en rapport avec d'autres phénomènes, économiques certes, mais encore politiques : l'occasion d'un Bourbon sur le tiône d'Espagne doit être interprétée en termes de commerce.

Venons enfin à cette remarque simpliste, mais qui pourrait aider à chasser cette abstraction littéraire, « le » marchand : il y avait à Beauvais des grands marchands, fort riches, des moyens marchands, moins riches, et de petits marchands — certains encore à demi-fabricants —, tout à fait modestes. Nous dirons bientôt en quoi consistaient leurs fortunes, et comment elles paraissent avoir varié. Cependant, on indiquera dès maintenant les deux moyens habituellement choisis par les marchands pour accroître leurs « facultez » et le chiffre de leurs transactions : l'association, le prêt à intérêt. Deux ou trois personnes, jamais plus, mettaient en commun leurs deniers, leur stock d'étoffes, leurs clients : souvent des frères, des beaux-frères, de proches parents ; parfois aussi, deux concitoyens qui avaient su s'entendre. Ces « sociétés » étaient tout à fait courantes à Bauvais, comme dans toutes les places de commerce importantes.

Le second moyen de fortifier le commerce, ce furent les constitutions de rentes. Des officiers, des bourgeois, des filles « anciennes » et des veuves surtout, qui jouissaient de larges disponibilités, les « mettaient » dans le commerce d'un marchand qui leur inspirait confiance. Ils se contentaient d'un intérêt fixe, parfois assez bas, sans demander de participation aux bénéfices (ce qui demeurait le propre des contrats de sociétés). Ces

sortes de placements effectués par de purs rentiers
chez des marchands se rencontrent surtout à la fin du
XVIIe et au début du XVIIIe siècle. Ils aident ainsi à
caractériser cette période compliquée et pénible qui ne
se termine qu'en 1726. Ces placements de deniers,
comme les associations de négociants, aidèrent le
commerce beauvaisien à soutenir son activité; en se
multipliant, ils durent contribuer à expliquer la grande
prospérité du XVIIIe siècle.

Vendeurs de toiles ou de serges, de laines ou de
produits « forains », fournisseurs des marchés parisiens,
septentrionaux, lyonnais ou atlantiques, les marchands
de Beauvais tinrent dans l'économie, dans la société,
dans l'administration beauvaisienne, une place qui fut
souvent la première.

C. *Rôle économique et social des marchands.*

Les marchands dominaient les manufactures : à la
campagne comme à la ville, sur des paysans-sergers
comme sur la foule des ouvriers urbains et des maîtres-
fabricants, leur emprise nous est toujours apparue,
éclatante. Fournisseurs de laines, acheteurs d'étoffes et
de toiles écrues, décidant — mieux que les ministres —
des types de tissus à fabriquer, des commandes, des
salaires, de l'emploi, ils furent les maîtres de l'activité
manufacturière la plus caractéristique du Beauvaisis.
De ce rôle d'animateurs et de chefs, ils étaient conscients
et fiers; ils ont en effet su l'exprimer.

« Les seuls Drapiers en Teint (les marchands) maintiennent à Beauvais et en tous les lieux voisins la fabrique
de leurs étoffes, puisque cessant leurs achapts journaliers
qu'ils en font des façonniers, lesdits Façonniers seroient
réduits à abandonner leursdites fabriques. Auquel
avantage il faut joindre celuy de l'abondance qui se
trouve dans le dit Beauvais et lieux voisins de vins...
laines... des poissons de mer salez, des huiles, beures...
et autres commoditez... que lesdits Drapiers » (Marchands) « prennent en contre-eschange et troc de leurs
marchandises, les rapportent et en font la revente...
dans le Beauvoisin, lequel, par là, se trouve abondant
de toutes les denrées qui luy manquent, à meilleur prix
de beaucoup que si les marchandises foraines estoient
apportées exprès, sans retour et sans troc ». Sans les
Marchands en Teint, ajoutent ces derniers, l'on verrait

« les pauvres peuples vagabonds, mandians, s'épandre dans les autres lieux du royaume; et par ces inconveniens la fabrique des estoffes s'anneantir et tout le pays sombrer à la dernière désolation». Mais les bienfaits répandus par les marchands dans tout le Beauvaisis — ajoutent ceux-ci —, « ne peuvent produire leur plein effet que si l'on continue à leur laisser une totale liberté, que si l'on « conserve un chacun dans la liberté d'achepter et de vendre indifferemment toutes sortes d'estoffes et de marchandises », et que jamais on ne les « assujettisse à aucun apprentissage... aucune maistrise ou jurande ». En revanche, « pour maintenir le négoce dans une bonne réputation, il suffit que la fabrique des estoffes soit bien réglée ». Liberté pour eux, réglementation pour les autres, telle fut la constante doctrine des marchands : nous l'avons déjà soulignée, comme nous avons montré la manière dont ils pliaient les salaires ouvriers à leur intérêt. On serait tenté d'appliquer à Beauvais cette vigoureuse diatribe des fabricants amiénois (1) contre les marchands de leur ville : « Les marchands sur lesquels roulle principalement ce grand négoce » (la saiterie d'Amiens) « ne sont qu'au nombre de huit ou dix, tous parens ou alliez, et toujours eschevins de la ville. Leur intelligence font qu'ils ont la marchandise au prix qu'ils veulent... Tellement que, par la necessité où sont les saiteurs de passer par leurs mains, tout le négoce demeure à la disposition de sept ou huit familles qui, depuis quinze ou vingt ans, ont fait des fortunes immenses, et qui s'engraissent aux dépens des pauvres artisans »... Sans doute faut-il faire la part de la polémique, et ajouter que la concentration des achats ne dut pas atteindre à Beauvais le degré dénoncé par les fabricants amiénois qui exhalent ici leur rancœur. Mais il est difficile de ne pas voir que la domination du commerce et des fabriques par un groupe restreint de grands négociants s'était établie à l'avantage de ce groupe, et au détriment de la foule des « artisans » — fabricants et ouvriers —, dont la médiocrité ou le dénuement ont été suffisamment soulignés au cours de ce chapitre.

On se doute bien que ces marchands ne consacraient

---

(1) Sur Amiens, voir Pierre DEYON, *Étude sur la société urbaine au XVIIᵉ siècle : Amiens, capitale provinciale*, Paris et La Haye, 1967.

pas au commerce la totalité de leur activité, et que leur
fortune ne se limitait pas à quelques centaines de pièces
d'étoffes achetées, teintes, stockées, en cours de livraison,
ou en instance de payement. Tous ces hommes furent
des propriétaires de maisons, généralement les mieux
placées et les plus belles de la ville. Tous avaient acquis
des terres, des fermes, voire des seigneuries dans la
campagne voisine; ils furent ainsi des rentiers du sol,
parfois des seigneurs. Dans leur paroisse, ils étaient
marguilliers. Dans la ville, leur profession les amenait
inévitablement à devenir juges-consuls, à briguer
l'échevinage, à accéder à la mairie. Tant que les élections
communales furent libres à Beauvais, les marchands
formèrent la majorité du corps de ville : de 1600 à 1661,
jamais moins de 7 sur 12. Sur les 116 « pairs » qui se
succédèrent de 1600 à 1655, Monbeig identifia 84 marchands : 60 furent même juges-consuls avant leur entrée
au corps de ville. Pendant la même période, les marchands détinrent la mairie 52 ans sur 56 : ils y gagnaient
le titre prestigieux de « Sire ».

Ils ne se contentèrent pas de ces faciles succès.
Aucune abbaye royale ne fut trop belle, ou trop noble,
pour leurs filles; aucun canonicat n'était indigne de
leurs cadets. Des Danse, des Motte, des Michel, des
Dubos, des Lenglet, des Boicervoise et bien d'autres
entrèrent au chapitre cathédral, y jouirent de riches
prébendes, y tinrent une place éminente par leur foi,
leur intelligence, leurs talents d'administrateurs. D'autres
enfin, spécialement entre 1600 et 1730, vécurent de
leurs rentes à la ville ou sur leurs terres, puis achevèrent
leur ascension sociale en abandonnant la marchandise,
en arborant un titre d'écuyer acheté à prix d'or, en
entrant enfin dans l'armée royale.

Par là, les marchands se conduisirent en membres de
la classe sociale la plus large à laquelle ils appartenaient :
la meilleure bourgeoisie de Beauvais. Nous allons les
retrouver dans son sein avec les rentiers, les juges, les
officiers de la Fauconnerie, les chanoines même, tous
leurs parents, leurs alliés, leurs amis. Dans ce groupe
de « hauts bourgeois », parmi ces « familles » si fières
de leur nom, de leurs biens, de leurs fonctions, de
leur influence, les marchands de Beauvais constituèrent toujours l'élément le plus dynamique; sans
eux, la bourgeoisie de Beauvais n'eût pas été ce qu'elle
fut.

RECHERCHES DES MÉTIERS BATTANTS
(1624-1658)

I. MÉTIERS A DRAP

Dates	Nombre de maîtres faisant battre												Nombre total de maîtres drapiers
	12	11	10	9	8	7	6	5	4	3	2	1	
1624	–	–	2	1	2	6	3	14	18	24	33	26	129
1627	–	–	1	–	2	2	1	6	12	33	30	25	112
1628	–	–	1	1	–	1	5	5	18	28	33	26	118
1629	–	1	–	–	3	1	4	10	16	23	35	27	120
1630	–	–	1	1	3	1	4	7	16	21	38	21	113
1631	1	–	–	–	2	4	1	5	17	19	33	34	116
1632	1	–	–	2	–	5	5	4	13	19	25	31	105
1633	–	–	1	–	2	2	5	7	7	20	33	22	99
1634	–	–	1	1	2	1	4	7	12	21	21	19	89
1635	–	–	3	1	1	–	5	6	9	18	29	16	88
1636	–	–	–	3	1	1	4	4	13	14	22	31	95
1638	–	–	–	2	–	2	6	7	12	21	37	32	119
1639	–	–	–	–	2	5	–	5	12	24	37	25	110
1640	1	–	–	1	–	1	1	5	7	15	33	35	102
1641	1	–	1	–	1	1	1	3	9	16	39	32	104
1642	–	–	–	2	1	2	4	1	7	15	40	43	115
1643	–	–	–	1	–	3	1	2	6	21	27	40	101
1645	–	1	–	–	1	2	2	3	12	16	38	33	108
1647	–	–	–	–	–	1	1	4	12	19	36	34	107
1653	–	–	–	–	–	–	–	3	8	7	29	15	62
1654	–	–	–	–	–	–	1	2	6	12	28	11	60
1655	–	–	–	–	–	–	1	4	3	13	34	14	69
1656	–	–	–	–	–	–	3	1	8	14	37	15	78
1657	–	–	–	–	–	–	2	2	7	10	38	15	74
1658	–	–	–	–	–	–	2	1	7	13	28	20	71

Sources : Recherches des métiers battants pour les maîtres drapiers drapant, effectuées par la communauté chaque année (ordinairement en février), et contrôlées par le juge de police.

N. B. — Ce tableau fournit à la fois le nombre des maîtres drapiers fabricants, le nombre des métiers *battants* et le nombre des métiers battants *par maître drapier*.

En 1641, lire 14 métiers pour le plus fort des maîtres, et non 12.

II. MÉTIERS A SERGES

Dates	Nombre des maîtres sergers faisant battre										Nombre total de maître segers
	Plus de 10	10	9	8	7	6	5	4	3	2	1	
Octobre 1624	3	–	–	1	3	2	6	12	19	33	31	110
Octobre 1629	3	1	–	1	1	3	11	15	29	46	74	184
Octobre 1631	3	–	–	1	2	6	3	15	21	44	54	149
Octobre 1632	2	2	1	1	4	5	8	15	18	35	48	134
Octobre 1633	4	2	2	1	3	2	15	18	20	47	49	163
Octobre 1637	1	1	2	2	6	4	13	20	31	44	62	186
Octobre 1641	–	–	2	–	2	4	10	16	28	46	64	172
Octobre 1645	2	1	–	1	2	3	6	12	31	38	62	158
Octobre 1646	1	–	–	–	3	3	9	13	25	43	63	160
Janvier 1648	–	–	–	–	–	–	2	5	14	33	74	128
Janvier 1653	–	3	–	3	1	9	5	6	29	30	61	147
Janvier 1654	–	–	1	1	2	1	5	8	17	50	30	115
Octobre 1654	–	–	1	–	1	2	5	11	36	60	66	182
Octobre 1655	–	–	1	1	–	3	1	5	21	48	61	141
Octobre 1656	–	–	2	2	–	2	3	9	18	51	59	186

Maîtres possédant plus de 10 métiers à serges : précisions.
1624 : les trois maîtres ont 12 métiers chacun.
1629 : 1 maître a 14 métiers, 1 en a 13, 1 en a 11.
1631 : 1 maître a 13 métiers, les 2 autres, 12.
1632 : les 2 maîtres ont chacun 13 métiers.
1633 : 2 maîtres ont chacun 19 métiers; les autres respectivement 14 et 12.
1637 : 1 maître a 13 métiers.
1645 : les 2 maîtres ont 12 métiers chacun.
1646 : 1 maître a 12 métiers.
Comme pour le tableau précédent, celui-ci donne ainsi le nombre total des maîtres-sergers, le nombre de métiers à serges qu'ils faisaient battre, et la répartition de ces métiers entre les maîtres. Nous n'avons pas cru utile de donner les noms de tous ces fabricants.

DÉCLARATION DES MAITRES DRAPIERS DRAPANT
(FABRICANTS) [1693]

63 déclarations, 63 maîtres drapiers drapant.

I. *Nombre de métiers déclarés.*

44 maîtres ont déclaré 98 métiers ainsi répartis :

5 métiers......................	3 maîtres
4 métiers......................	2 maîtres
3 métiers......................	11 maîtres
2 métiers......................	14 maîtres
1 métier	19 maîtres

19 maîtres ont omis de déclarer le nombre de leur
métiers battants.

II. *Nombre d'ouvriers employés par les maîtres.*

Ont déclaré :

22 ouvriers....................	1 maître
20 ouvriers....................	2 maîtres
19 ouvriers....................	1 maître
18 ouvriers....................	2 maîtres
14 ouvriers....................	1 maître
13 ouvriers....................	3 maîtres
12 ouvriers....................	2 maîtres
11 ouvriers....................	1 maître
10 ouvriers....................	4 maîtres
9 ouvriers....................	5 maîtres (1)
8 ouvriers....................	3 maîtres
7 ouvriers....................	7 maîtres (1)
6 ouvriers....................	7 maîtres
5 ouvriers....................	4 maîtres (1)
4 ouvriers....................	8 maîtres (2)
3 ouvriers....................	5 maîtres
2 ouvriers....................	7 maîtres (3)

Total des maîtres : 63.

Total des ouvriers déclarés : 486 (mais 8 maîtres,
indiqués entre parenthèses, n'ont déclaré que leurs
tisserands); donc nombre inférieur à la réalité, — d'autant
plus que les fileuses ne figurent *jamais* sur les déclarations.

III. *Exemples de composition de quelques ateliers.*

Frères Maine (22 ouvriers) : 9 tisserands, 7 sergers,
3 peigneurs, 2 laneurs, 1 tondeur.

Veuve Antoine Dubout : 8 tisserands, 12 indéterminés.

Frères Riquier : 10 tisserands (dont 1 maître), 1 serger,
5 peigneurs, 3 laneurs, 1 maître tondeur.

André Michel l'aîné : 10 tisserands, 2 sergers,
3 peigneurs, 3 laneurs, 1 tondeur.

Jean Mouquet : 7 tisserands, 5 sergers, 5 peigneurs,
1 indéterminé.

CHAPITRE X

ОПЕРЫ Х

LA SOCIÉTÉ URBAINE (fin) :
LA HAUTE BOURGEOISIE
DE BEAUVAIS : LES « FAMILLES »

L'examen des rôles d'imposition de Beauvais a conduit à isoler 250 gros contribuables qui, joints à une cinquantaine d'exempts non nobles, permirent de cerner, numériquement et rapidement, la bourgeoisie de Beauvais. Dans ce groupe même, l'on détachera encore les familles les plus imposées : 48, en 1691, payaient plus de 50 livres ; on les joindra à nouveau aux mêmes exempts pour reconstituer la petite troupe de ceux qui tinrent le « haut du pavé » : des marchands, des officiers, des « bourgeois vivans de leurs rentes sans travailler », et la plupart des chanoines. Tous portaient les noms qu'on retrouve incessamment, avec une monotonie plaisante, dans l'armorial roturier de l'ancien Beauvais : listes d'échevins, de maires, de juges au présidial, en l'élection, au grenier à sel, au tribunal consulaire, d'administrateurs de l'Hôtel-Dieu, du Bureau des pauvres, de marguilliers, de dignitaires du chapitre, d'anoblis — et, un peu plus tard, d'acheteurs de biens nationaux. Essayons de pénétrer au sein de ces notables familles.

I. L'UNITÉ BOURGEOISE

Les quelques douzaines d'adultes qui constituaient la haute bourgeoisie de Beauvais offraient apparemment bien des traits de dissemblance, sinon d'opposition. Leur profession, leurs goûts, leur mode de vie, leur costume, leur amour-propre paraissaient les dresser les uns contre les autres. Bien des « licentiez es loix » ou docteurs de Sorbonne durent mépriser les prosaïques marchands, enfoncés dans la ratine ou la batiste. Les officiers des maisons royales ou princières osaient porter l'épée, et narguaient ceux qui travaillaient encore de leurs mains et s'abaissaient à payer des tailles. Quelle que fût leur âpreté, ces querelles ne doivent pas être prises tout à fait au sérieux : malgré l'esprit de corps et les batailles de préséances, tous ces bourgeois appartenaient au même groupe, et ils en avaient parfois le sentiment.

Tous réconciliés, il faut les voir participer à ces cérémonies qui revêtaient un grand éclat dans les familles bourgeoises, le baptême, le mariage, le convoi funèbre, qui toutes trois transformaient, promettaient, ouvraient des successions. En ces solennités, vieux et jeunes, clercs et laïcs, robins et négociants, toutes disputes cessantes, se rassemblaient pour signer un acte religieux ou un contrat notarié. Un usage bourgeois prenait, chez les plus riches, les proportions d'un festin prénuptial : le repas de contrat. Le notaire avait préparé l'acte en présence des principaux intéressés; le soir ou le lendemain, parents et amis se réunissaient chez la jeune fille, et chacun apposait sa signature sur la minute. Il n'est pas superflu d'examiner quelques-uns de ces monuments écrits, véritables traités d'alliance entre deux rameaux bourgeois.

Le 11 octobre 1648 furent rédigés les « articles du mariage » d'entre Jean Borel, âgé de 30 ans, et Marguerite Pocquelin (1), âgée de 18 ans. Le futur époux était le fils aîné de Sire Pierre Borel, marchand d'étoffes et maire de Beauvais. Quatre oncles l'assistaient, tous officiers royaux : deux conseillers en l'élection, Maîtres Toussaint Foy et Nicolas Gaudoin; le lieutenant du grenier à sel, Germer Brocard; le contrôleur du même grenier et du magasin à sel, Toussaint Gueullart. Un ami des Borel, Sire Pierre de Dampierre, marchand et ancien maire, complétait l'entourage du fiancé. Ainsi, la marchandise, la robe et la mairie s'étaient unis pour ratifier les dons faits au futur époux par son père : 16 000 livres, dont 6 868 comptant, en « espèces d'or et d'argent ». Quelques-uns de ces hommes possédaient aussi une sorte de parenté d'affaires : Jean Borel allait prendre la recette

---

(1) Il n'apparaît pas que ces Pocquelin fussent apparentés à Molière.

générale de l'évêché, que son oncle Foy avait exercée. A cette date, le même Toussaint Foy tenait d'ailleurs trois autres recettes ecclésiastiques, où il avait succédé à son père Louis. Ce dernier avait épousé Marie Godin, elle-même apparentée aux Borel, et fille de Nicolas Godin, marchand, maire ligueur de Beauvais et receveur général de l'abbaye royale de Saint-Denis. Ces Foy, ces Borel étaient faits pour se comprendre.

Les Borel et les Pocquelin, également. On les trouve associés dès 1644 dans une transaction avec Gouffier, seigneur de Crèvecœur et le receveur de ce dernier, un marchand de Beauvais, Estienne Thomet. Le receveur s'engageait à verser chaque année, sur ses fermages, 3 099 livres à un consortium de créanciers de Gouffier : Pierre Borel, Toussaint Foy, déjà cités, le père de la future épousée, Louis Pocquelin, alors bien vivant et bourgeois de Beauvais, et un certain Lucien Danse. Est-ce dans cette communauté de créanciers que Pocquelin et Borel songèrent à unir leurs maisons, leurs terres et leurs créances en la personne de leurs enfants ? — La future épousée était aussi entourée que son futur époux. Son père, ancien échevin et ancien juge-consul, était mort entre 1645 et 1648. Mais le négoce était tout de même présent avec son oncle Pierre Gavois, marchand, futur juge-consul et futur échevin ; plus encore avec son oncle Guy Pocquelin, marchand et bourgeois de Paris, demeurant « rue du Marché Pallu en la Cité », qui devait devenir avec ses deux cousins germains l'un des collaborateurs de Colbert dans le domaine des « manufactures ». « Venerable et discrette personne » Eustache Flouret, chanoine du chapitre cathédral et oncle maternel de la fiancée, signait aussi le contrat ; il était accompagné de son frère Romain Flouret, écuyer, exempt des gardes de la reine. L'aïeul maternel de la jeune Marguerite, maître Eustache Flouret, receveur du vidamé de Gerberoy (le vidame était l'évêque-comte de Beauvais), avait donc su distribuer ses enfants entre la marchandise, l'Église et l'épée. Et dame Claire Flouret, veuve Pocquelin, constitua 14 000 livres de dot à sa fille : 8 000 en rentes constituées, 6 000 en argent comptant.

La cérémonie célébrée, Borel et Pocquelin régalèrent leurs invités d'un festin digne de Pantagruel ; il leur coûta 340 livres : de quoi nourrir pendant deux ans une famille de tisserands. Puis Jean Borel, renonçant au commerce, prit la recette générale de l'évêché, acheta un office de « chef de panneterie de la Maison du Roi », et s'occupa de ses terres et de ses rentes en Beauvaisis. Son épouse vit sa jeune sœur Anne épouser Antoine Mauger, marchand et receveur de l'évêché, puis Charles Delacroix, sieur de Montroger, qui procréa trois ecclésiastiques et un subdélégué. Et Marguerite Pocquelin, femme Borel, vit enfin ses deux frères s'évader de la stricte bourgeoisie : Robert devint docteur en théologie et chanoine de Beauvais ; Louis, valet de chambre du duc d'Orléans, porta le titre d'écuyer, et épousa une fille du Germer Brocard que nous avons repéré en 1648. Les deux époux s'éteignirent ensemble, après 46 années de vie commune, en 1694.

A suivre les méandres généalogiques qui tournent autour de l'hymen de 1648, l'on aperçoit des marchands, des juges, des officiers de la maison et des armées du roi, des receveurs de biens ecclésiastiques, des maires, des échevins, quelques chanoines, deux bourgeois anoblis et un agent du pouvoir central. Une famille se forme, et toutes les familles bourgeoises, sous leurs divers aspects, entrent en scène. L'on pourrait même, sans inconvénient grave, limiter l'étude de cette bourgeoisie de province aux personnages cités, à leur parenté, à leur descendance : de proche en proche, l'on retrouverait le « tout-Beauvais » d'Ancien Régime. Nous devons cependant montrer, au moins par un autre exemple, que l'union Borel-Pocquelin n'offrait aucun caractère exceptionnel.

Le 8 juin 1692 étaient dressés les « articles du futur mariage d'entre » Claude Loisel et Marie-Jeanne Gallopin. Le père du jeune homme, François Loisel, « officier de la feüe Reine et bourgeois de Beauvais », venait d'une lignée de marchands ; sa mère, Marie Michel, était décédée, mais Claude Michel, son oncle, représentait dignement les manufactures du Beauvaisis et le blanchissage des toiles. Un second oncle, Nicolas Henry, aussi marchand, et un cousin, Augustin Serpe, marchand et futur anobli, assistaient le jeune Loisel. Ce dernier était pourvu des offices de « lieutenant particulier, civil et assesseur criminel au Bailliage et siège Présidial de Beauvais », estimés 15 000 livres ; il en apportait autant en rentes constituées, dont 3 000 seulement étaient dues par un noble de la région, le sieur de Mercatel, le reste étant plus solidement assis sur des marchands de la ville.

Quant à Marie-Jeanne, elle était assistée par six personnages, dont cinq officiers. Comme son aïeul, son père était conseiller au présidial, mais il avait allongé le patronyme : Maître François Gallopin qui signait « Du Mesnil », se disait « seigneur du Mesnil-Théribus, de Goincourt, des Landes, de Tanguy, du fief de Marivaux et autres lieux »; il allait être maire de Beauvais; il présentait sa fille avec 60 000 livres de dot. Une parenté bien caractéristique : l'oncle Nicolas Tristan, fils du bailli, président en l'élection et grenier à sel, seigneur de Houssoy, Juvignies, Verderel et autres lieux; le cousin Raoul Foy, sieur de la Place et conseiller au présidial; l'inévitable chanoine de la famille, Lucien Tiersonnier, docteur de Sorbonne; et l'inévitable officier sur le chemin de la noblesse, Nicolas Langlet, conseiller du roi en sa cour des Monnaies de Paris.

Les contrats de mariages en administrent la preuve : marchands, juges, officiers, receveurs, maires, échevins, chanoines, acheteurs de fonctions anoblissantes, tous étaient parents. Aussi est-il bien vain de se demander, comme le fit Monbeig, si les officiers n'ont pas chassé les marchands de l'échevinage vers la fin du XVIIe siècle puisque les officiers étaient frères, beaux-frères et cousins des marchands. Il n'est pas besoin de consulter longuement les généalogies les mieux faites, les archives privées ou ce qui reste des registres paroissiaux pour découvrir l'apparentement de toutes les grandes familles bourgeoises, les « Familles », comme elles écrivaient elles-mêmes dans leurs propres généalogies. Robert de Malinguhen — qui en était issu — énumérait au siècle dernier les 46 familles alliées aux Regnonval, qui furent officiers du bailliage, de l'élection, marchands, maires, juges-consuls, chanoines, et finalement anoblis. Parmi ces 46 familles, les Godin, Gallopin, Gavois, Gaudoin, Nully, Brocard, Foy, Danse, Motte, Michel : toutes, nous les avons déjà rencontrées sur notre route. Qui déchiffrera les magnifiques tableaux et albums généalogiques, établis à Beauvais vers 1750, retrouvera les 46 noms, plus quelques autres. Tout le monde, dans la meilleure bourgeoisie, était au moins cousin. Les « Familles » occupaient la totalité des postes de commande : justice, police, finance, marchandise, échevinage, charité et religion.

Nous devons insister sur le caractère profondément bourgeois du clergé de Beauvais. Si les grandes maisons

nobles obtenaient pour leurs cadets une abbaye ou un
évêché, les grandes familles bourgeoises plaçaient les
leurs dans de confortables canonicats; à défaut, dans
quelque couvent ou prieuré de la région. Là encore,
il n'est que de remuer les papiers du clergé pour
retrouver les mêmes noms, les mêmes familles, inlassable-
ment. Voici le registre des vêtures et professions des
ursulines de Beauvais : les deux premières religieuses
inscrites, Marie et Anne Brocard, étaient parentes de
l'officier qui signa le contrat Borel-Pocquelin. De 1627
à 1700, 139 filles vinrent prendre l'habit au couvent;
100, au moins, étaient beauvaisiennes, et portaient les
noms habituels : Loisel, Macaire, Brocard, Gallopin,
Ricard, Le Cat, Aux Cousteaux, Serpe, Michel, Vuallon,
Foy. Au couvent de Saint-Paul, les filles de bourgeoisie
côtoyaient les demoiselles nobles, sous la prestigieuse
autorité de Madeleine de Sourdis. A tout prendre, la
dot d'une religieuse — pratiquement obligatoire —
était moins élevée que celle d'une fille à marier : 3 000
ou 4 000 livres, au lieu de 10 000 à 20 000; chacun,
dans cette opération, trouvait un bénéfice, spirituel ou
matériel : les parents, les héritiers, la fille qui prenait
« estat de perfection », et le couvent qui la recevait.

C'était plutôt aux canonicats qu'on destinait les fils
attirés par l'Église. A Beauvais, les prébendes abondaient : près de 120, sans compter les simples chapelles.
Dans les collégiales, elles suffisaient à assurer une vie
décente. A la cathédrale, elles permettaient une belle
opulence. Aussi les jeunes bourgeois pieux, désireux
d'étudier, de garder un contact avec le siècle, de vivre
dans d'excellentes conditions matérielles, visaient-ils le
chapitre de la cathédrale. Il était bien rare que quelque
oncle ou quelque cousin ne fût pas disposé à résigner
son bénéfice en leur faveur. A peu de chose près, les
listes de chanoines ressemblent à toutes les autres listes
de notables : en 1656, 24 fils de bourgeois de Beauvais
sur 34 noms cités : en 1696, 29 sur 41; en 1706, deux
Borel, deux Danse, un Motte, un Foy, un Pocquelin,
un Gallopin, un Brocard, un Nully, et 15 de leurs pairs;
après 1706, un nouveau Borel, un nouveau Danse, un
nouveau Gallopin, puis une quarantaine d'autres fils
de familles bourgeoises, en un tiers de siècle.

De la religion aux offices, du négoce à l'échevinage,
tout ce qui comptait à Beauvais était aux mains d'une
seule classe, classe sociale et classe familiale à la fois.

Les « Familles » beauvaisiennes, toutes parentes, formaient au plus une quarantaine de patronymes. Elles devaient certes leur situation prédominante à leurs réelles qualités ; mais celles-ci seraient restées vertus bien secrètes sans les imposantes fortunes qui les rendaient efficaces. On ne peut éluder l'étude de ces dernières ; et, d'ailleurs, analyser des fortunes bourgeoises, c'est rendre compte de la bourgeoisie elle-même, de manière presque exhaustive.

2. TRAITS GÉNÉRAUX DES FORTUNES BOURGEOISES BEAUVAISIENNES

Il est nécessaire de montrer d'abord l'écart qui séparait les « Familles » du reste des Beauvaisiens. Vers le milieu du XVIIe siècle, les « meubles meublans » d'un ouvrier en laine n'étaient jamais estimés à plus de 100 livres, ceux d'un fabricant ou d'un boutiquier, à plus de 500 livres ; dans les « Familles », l'inventaire dépassa toujours le millier de livres, et se tint ordinairement entre 2 000 et 5 000. Chez un ouvrier, on ne trouvait pratiquement pas d'argent monnaie, chez un fabricant ou un boutiquier, quelques dizaines, parfois quelques centaines de livres ; chez un haut bourgeois, lorsqu'il y avait déclaration d'espèces, presque toujours plus de 2 000 livres, parfois plus de 10 000, en or et en monnaie bien française. Un ouvrier ne possédait ni maison, ni terre ; un fabricant, un boutiquier, possédait une maison, un jardin, une vigne, parfois un pré et quelques arpents de labour ; un bon bourgeois possédait plusieurs maisons, à la ville et aux champs, et des terres qu'il affermait, au moins une trentaine d'hectares, souvent beaucoup plus. Lorsqu'un marchand ou un juge donnait 20 000 livres de dot à sa fille, un fabricant donnait 1 000 livres, un tisserand quelques habits, quelques meubles. 20 000 livres de dot représentaient plus de 40 000 journées de travail lainier, et 400 quintaux de pain bis à 6 deniers la livre, la nourriture annuelle d'une centaine de personnes. Une prébende de cathédrale, estimée (bien modestement) un millier de livres entre 1629 et 1641, aurait permis de faire vivre décemment quatre familles ouvrières. Ces quelques chiffres permettent d'apprécier les écarts sociaux que chacun pouvait observer dans le Beauvais du XVIIe siècle.

Les fortunes bourgeoises se comptaient au lendemain
des décès bourgeois. Les opérations de partage mobi-
lisaient des experts, des procureurs, des notaires, des
greffiers, des juges; chaque rente, chaque créance,
chaque lopin, chaque maison était décrit, apprécié; de
véritables spécialistes — membres âgés de famille aisée
et amies — présidaient, sous l'autorité et en présence
du juge seigneurial, à la confection, à l'égalisation, au
tirage au sort des « lots » affectés à chaque héritier.
Ces graves et longues opérations permettent d'étudier
les fortunes : leur valeur, leur composition surtout.

Il existait à Beauvais deux genres de fortunes : les
fortunes marchandes et les autres, en gros, des fortunes
d'officiers. D'un autre point de vue, il convient aussi
de distinguer des fortunes « jeunes », des fortunes
« mûres », des fortunes « vieillies ». Aucune d'entre elles
ne paraît avoir été inférieure à 60 000 livres, valeur de
1666. La grande majorité atteignait 100 000 livres.
Quelques-unes purent atteindre 400 000, 500 000 livres;
au début du XVIIIᵉ siècle, une fortune Danse au moins
dut dépasser le million.

Les fortunes « jeunes » furent des fortunes marchandes : c'est par le négoce que s'élevaient, nous l'avons
vu, les plus importants et les plus hardis fabricants.
Le stock d'étoffes et les dettes actives — donc des
meubles — y tenaient la place principale. En revanche
les maisons étaient peu nombreuses, mais il y en avait
toujours une, généralement belle et bien située. Encore
très peu de terres; assez peu de rentes et de dettes
actives étrangères au commerce; mais les secondes, en
progression, laissaient présager le futur rassemblement
des premières, selon le mécanisme habituel. La bibliothèque se réduisait à quelques ouvrages de piété. Le
dernier titulaire d'une fortune de ce type venait tout
juste d'entrer dans le cercle des « Familles », par un
« beau » mariage, par une première élection à l'échevinage. A ce type répondait exactement, en 1650, la
fortune laissée par Lucien Motte.

Les fortunes « vieilles » étaient généralement des
fortunes d'officiers. Elles étaient constituées, au moins
pour moitié, par des terres; pour un quart, par des
rentes nombreuses, anciennes et, vers le milieu du
siècle, assises principalement sur des paysans et des
petits nobles. Le dernier quart groupait la valeur de
l'office (8 à 10 000 livres), deux ou trois maisons, des

meubles meublants, et l'argent comptant. La bibliothèque tenait une place presque toujours importante :
ouvrages sévères d'humanistes, de juristes, de théologiens. Le possesseur de ces biens anciens avait tenu,
comme ses parents et ses aïeux, des postes essentiels
dans le groupe des notables de Beauvais : l'échevinage,
la magistrature, le consulat, ou bien un canonicat. Au
milieu du XVIIᵉ siècle, Georges Le Boucher et Pierre
Leuillier répondaient à ce type d'anciens bourgeois
d'ancienne famille et de fortune ancienne. Ces fortunes
« vieilles », fortunes rentières, tendaient à se stabiliser,
parfois à décroître; en tous cas, aucun des facteurs
d'accroissement qu'on décèle aisément dans d'autres
types de fortunes ne s'y trouve représenté. L'intéressé,
sa vie matérielle largement assurée, s'était souvent pris
de passion pour des questions juridiques, théologiques,
humanistes, ou parfois pour le repos. L'on serait tenté
d'écrire que la culture fut souvent, à Beauvais, le propre
d'une certaine bourgeoisie ancienne et « arrivée ».

Quant aux fortunes importantes et « mûres », en plein
accroissement et en quelque sorte « vivantes », le mieux
est d'en présenter d'abord une, avec quelque détail.

Un énorme dossier rassemble les opérations effectuées
d'août 1660 à juillet 1661 pour parvenir à partager
entre quatre héritiers les biens de Maître Toussaint Foy,
élu en l'élection. Sa veuve, Marie Borel, ne participait
pas à la succession et conservait ses biens propres.
Furent partagés : des immeubles et des créances,
estimés 137 000 livres; les réserves de vivres, l'argent,
les meubles meublants et l'office, non partagés, valaient
34 000 livres. L'ensemble de la succession Foy montait
donc à 171 000 livres. Le tableau ci-dessous illustre la
composition de cette fortune, et fait apparaître le rôle
prédominant joué par les terres, cas général chez les
officiers :

Terres	55,8 %
Maisons à Beauvais..........	10,8 %
Créances et rente............	13,5 %
Office	5,8 %
Stock de vivres.............	8,8 %
Argent comptant.............	2,9 %
Meubles meublants...........	2,4 %
TOTAL	171 000 livres

Dans cet ensemble, trois éléments donnaient un revenu annuel au moins égal à 3 000 livres — la valeur de trois prébendes pleines de la cathédrale; un tel revenu assurait au foyer de feu Toussaint Foy une très large aisance; il provenait des terres affermées, estimées 95 452 livres en capital, des maisons louées (9 450 livres), de l'office (10 000 livres), ce qui montre à quel point ce revenu de base se rapprochait de la pure rente foncière. Deux autres éléments, la maison d'habitation et les meubles qui la garnissaient, étaient évidemment d'un usage quotidien, et ne rapportaient aucun revenu effectif; ils furent estimés 13 000 livres. Tout le reste contenait en puissance des possibilités d'enrichissement nouveau, ou de transformation dans la nature des richesses : l'argent, surtout les créances et les stocks de vivres. Ils ne peuvent être interprétés correctement si l'on ignore que Foy, officier et propriétaire terrien, fut, comme tous ceux de sa famille, un receveur. Les papiers cotés 481 et 507 à 515 dans son inventaire après décès montrent qu'il avait fait, de 1635 à 1650, la recette générale de l'évêché-comté (où il avait d'ailleurs succédé à sa mère Marie Godin) et de la châtellenie de Goulancourt, dépendance de l'évêché. Il conservait encore la recette de l'abbaye de Saint-Quentin, qu'il tenait depuis 1629, de l'abbaye de Saint-Symphorien, qu'il tenait depuis 1638, et du prieuré de Villers-Saint-Sépulcre. Toussaint devait encore, à sa mort, 4 400 livres à ces trois derniers établissements; ses héritiers n'éprouvèrent aucune peine à rembourser cette dette.

Il est probable que les 1 644 hectolitres de blé et les 229 barriques de vin laissés par Foy provenaient de ces recettes, et représentaient une partie de son bénéfice net de l'année. De ces amas de vivres, Foy ne gardait chez lui que 2 muids et demi de vin (750 litres) et 37 muids de blé (144 hectolitres). Pour loger le surplus il avait loué dans Beauvais cinq maisons, dont une dépendait du couvent des Ursulines : il y entassait son blé depuis la salle jusqu'au grenier. Messieurs du présidial lui avaient baillé « le grenier estant sur la gallerie de l'auditoire royal », qui contenait 200 hectolitres de grains, et la cave qui était au-dessous, dans laquelle s'alignaient 90 barriques. L'abbaye Saint-Symphorien avait loué aussi quelques caves, où avaient été entreposés 113 muids (de 300 litres chacun) « appartenans à la succession ». Pour saisir l'intérêt de ces réserves, il n'est que de lire la mercuriale de Beauvais : le blé, qui s'était vendu 27 livres en juin 1660, valait 38 livres en août et 42 en octobre. En ces premiers mois de la grande « cherté » de 1660-1662, était-il meilleur placement que d'attendre paisiblement la hausse maxima, au besoin en aidant un peu la nature ? Nous touchons là un des grands facteurs d'enrichissement rapide de la bourgeoisie receveuse de seigneuries : l'accaparement et la spéculation à la hausse.

Un second facteur d'accroissement des fortunes bourgeoises ressort de l'examen des créances de Foy : il en avait collectionné 1 030. Réunies, elles représentaient un total de 23 113 livres, qui montre que chacune était relativement faible (en moyenne, 23 livres par créance). Toutes portaient sur les villages du Beauvaisis où Foy possédait des terres et avait effectué l'une de ses cinq recettes. Si quelques-unes remontaient à 1630, plus de la moitié — exactement 603 — avaient été signées entre 1647 et 1653, dates entre lesquelles s'inscrivit la grande montée des prix contemporaine de la Fronde. Leur origine n'est pas douteuse : des paysans n'avaient pu payer un fermage, un achat de semence, une dîme, un champart ; le grand bourgeois propriétaire et receveur leur avait fait crédit, contre signature d'un petit papier, en présence d'un tabellion. Au bout de quelques années, la créance non acquittée, les parcelles de terre automatiquement hypothéquées passaient à Toussaint Foy. C'est ainsi qu'il agrandit, de 1646 à 1651, son domaine de Goincourt, qu'il créa, en 1649, sa ferme de Sinancourt, et, de 1646 à 1657, la totalité de ses domaines de Senantes, de Blacourt, de Saint-Paul, de Saint-Germain-la-Poterie, de Laversines, d'Essuiles, de Fouquerolles. Au moins un millier de créances furent ainsi transformées en terres ; l'autre millier, repris en l'inventaire, devait permettre aux enfants de Toussaint Foy de suivre la route paternelle.

De l'examen de cette fortune en plein essor se dégagent donc deux des principaux facteurs d'accroissement des fortunes bourgeoises : la spéculation sur les vivres, les prêts hypothécaires aux paysans, tous deux facilités par la fonction de receveur. Deux autres facteurs d'accroissement peuvent être saisis si l'on examine, à la même date, la succession de Nicolas Danse « vivant marchand de Beauvais », et, un peu plus tôt, celle de

Nicolas Tristan, élu en l'élection et bailli du comté : deux personnages déjà aperçus au cours de cette étude.

On sait que Nicolas Danse avait eu l'idée de faire construire deux établissements pour blanchir les toiles de lin écrues qu'il achetait en Artois, en Cambrésis, en Picardie. Un excellent blanc, un bel apprêt et une intelligente prospection des marchés lui avaient permis, et permirent à ses descendants, de réaliser des bénéfices tels que la richesse des Danse fut proverbiale dans tout Beauvais, à la fin du XVIIᵉ siècle. Si le détail des prises de bénéfice nous échappe, le résultat n'est pas douteux. Le partage de 1661 montre avec précision le rôle des étoffes dans ce type de fortune marchande. Sur les 99 692 livres partagées alors — elles ne représentent pas toute la succession —, les terres comptaient pour moins du tiers : 31 000 livres; les maisons et les « buries » pour plus du quart : 25 700 livres; mais les toiles et les créances commerciales, estimées 42 000 livres, formaient le poste le plus important : encore atteindrait-il 59 500 livres si l'on ajoutait la valeur des deux blanchisseries, indispensables en ce genre de négoce. Il est bon de préciser encore que 42 000 livres partagées ne représentaient que la moitié des étoffes et des effets mis dans le commerce, l'autre moitié, appartenant à Regnonval, associé du défunt, n'entrant évidemment pas au partage. Ainsi, dans cette fortune marchande, la marchandise occupait naturellement la place principale, et formait l'élément d'accroissement futur. Mais la place des terres demeurait importante, et le détail des papiers inventoriés montre comment Danse investissait continuellement ses bénéfices : en achetant constamment des terres dans le pays de Bray. Comme tout propriétaire rural, il possédait de petites rentes et des obligations sur les paysans des environs : 1 300 livres, somme modeste, représentant les inévitables dettes des fermiers et des manouvriers. Visiblement, Nicolas Danse laissait à d'autres ces moyens d'enrichissement qui durent lui paraître trop lents et trop compliqués : le prêt rural et la prise d'hypothèques sur de multiples parcelles.

Nicolas Tristan ne les négligeait pas systématiquement. Mais il préférait prêter aux plus riches. Ses rentes constituées — en capital, 19 % de sa fortune — lui fournissaient un très appréciable revenu de 3 117 livres : 462 provenaient d'un groupe de petites gens, 400 du « sieur Pasquier », peut-être un chanoine, et tout le reste — 2 455 livres — de 14 nobles du Beauvaisis. L'on a rapporté plus haut comment Tristan avait su utiliser sa situation de créancier, et faire entrer dans la longue liste de ses propres biens un nombre considérable de terres, de fiefs, de seigneuries, de manoirs d'origine noble ; il en estimait la valeur totale à 165 000 livres, qui ne pouvaient lui donner moins de 3 500 livres, de revenu annuel. Avec de tels revenus, doubles au moins de ce qui était nécessaire pour assurer l'entretien d'une famille, l'on conçoit que Tristan, qui paraît avoir été sage et économe, ait pu remplir d'écus son coffre-fort, et le vider à trois reprises pour doter ses trois filles : il leur donna 45 000 livres, comptant, et en espèces.

Si nous considérons enfin la composition habituelle de la majorité des fortunes bourgeoises, nous constatons que les terres y tenaient presque toujours le premier rang, sauf pour les fortunes encore « jeunes » des marchands qui prenaient leur essor, comme le Lucien Motte de 1650. Les domaines ruraux, tous situés dans cette mouvance de la bourgeoisie beauvaisienne que fut le Beauvaisis, constituaient au moins la moitié des fortunes, et plus de la moitié des revenus réels. Dans la ferme la plus proche, l'on allait en famille, à la belle saison, passer une après-dînée de dimanche, tout en surveillant discrètement le fermier : les Leuillier allaient au Pressoir-Coquet, les Foy à Goincourt, les Danse à Sénéfontaine. Les plus riches achetaient un manoir et y faisaient de longs séjours, en jouant à se croire gentilshommes : les Le Caron à Troussures, les Malinguehen à Douy, les Gallopin au Mesnil-Théribus, les Michel à Anserville, et Gabriel Danse en son château de Villers-sur-Thère. De plus modestes personnages se contentaient d'un jardin dans les faubourgs ; l'on y trouvait parfois une maisonnette avec une table, des sièges, un lit de repos, quelques ustensiles de cuisine ; parfois aussi, une serre et quelques plantes exotiques, pour contenter les « amateurs de jardins ». Chez ces bourgeois de province, le contact avec la terre n'a jamais été perdu : par goût réel sans doute ; mais aussi par intérêt, car ces domaines ruraux étaient tous affermés. Le ménage était nourri, chauffé, souvent habillé et couvert avec le produit des fermages en nature. Chez les plus riches, l'une des fermes était spécialement affectée à l'entretien du ménage : la plus proche de la ville. Les autres fournissaient du blé à vendre, ou de l'argent frais. La rente foncière fut presque toujours l'élément principal des revenus bourgeois; et les oscillations de cette rente, si importante à connaître, paraissent avoir déterminé, pour une large part, l'évolution même de la bourgeoisie.

Les « dettes actives » — parfois simples obligations passées devant notaire, donc entraînant hypothèque, plus souvent rentes constituées —, formaient une autre part, encore importante, des fortunes et des revenus bourgeois. Les rentes constituées étaient souvent la régularisation d'un prêt ancien, d'une créance antérieure; elles rapportaient un intérêt fixe, dont le taux était réglé par la législation royale, qui était respectée, ou qui ne l'était pas. Ces rentes ont souvent formé, « en fond », le quart ou le cinquième des successions; en intérêt, une part plus appréciable encore des revenus bourgeois. Selon les époques, elles aussi ont varié, non seulement par le taux de leur intérêt, mais aussi par la qualification sociale de ceux qui les versaient. Aussi faudra-t-il tenter de retrouver le sens et le rythme de ces variations, qui aideront à interpréter l'évolution de la classe créancière, et celle des classes débitrices.

Ainsi, l'étude de l'évolution des revenus bourgeois permettra de mieux comprendre cette classe essentielle, qui dirigea la société beauvaisine.

3. LA PLACE DES HAUTS BOURGEOIS
DANS LA SOCIÉTÉ BEAUVAISINE

A. *Les groupes sociaux qu'ils dominèrent.*

Est-il besoin de le dire? La richesse des « Familles » beauvaisiennes ne fut pas un don du Ciel, ni le résultat d'actes philanthropiques. Toute fortune découle de luttes, de conquêtes, qui supposent des vaincus.

Quatre moyens d'enrichissement, fort répandus au XVIIe siècle, viennent d'être signalés : le commerce des étoffes, le stockage des vivres, les créances prises sur les paysans, les prêts consentis à la noblesse. Les deux premiers pouvaient intéresser la ville comme la campagne; les deux derniers, la campagne seulement.

Nous pensons avoir montré comment la bourgeoisie marchande décidait des qualités d'étoffes qui seraient fabriquées, fixait les prix d'achat aux fabricants, les prix de façon, les salaires ouvriers même à la ville, où ils étaient taxés très bas, plus bas encore dans les périodes difficiles. L'on sait que les marchands s'entendirent admirablement pour endetter ouvriers et fabricants, par une foule de pratiques astucieuses et d'usages à peine honnêtes, comme l'aunage ou les payements en nature et en mauvaise monnaie. Refusant eux-mêmes de se grouper en communauté jurée, ils laissèrent les « ouvriers en laine » dispersés entre six « métiers », qui épuisèrent leurs ressources et leur énergie à se quereller, à plaider les uns contre les autres ; en revanche, les marchands utilisaient l'inorganisation des travailleurs ruraux pour les faire travailler au rabais, et en contravention des règlements de toutes sortes. Maîtresse des tribunaux royaux, de la police des manufactures, de l'échevinage, des milices bourgeoises, des institutions charitables même, la haute bourgeoisie disposait de tous les moyens, y compris la force, pour enrayer les velléités de révolte des tisserands et des peigneurs. Ainsi, en 1648, au moment où commençait la Fronde, elle n'était animée que par une préoccupation : empêcher toute « émotion » des ouvriers en laine, exaspérés par les prix qui montaient et l'emploi qui se raréfiait ; pendant toute la Fronde, persista ce même souci ; il passa à l'arrière-plan lorsqu'il fallut aider les pauvres qui commençaient à mourir de faim et de maladies : alors fut créé le Bureau des pauvres. Faut-il vraiment mettre cette création au compte de la seule charité des notables ?

Rares furent les hommes aisés qui exprimèrent, à l'égard des pauvres de la ville — des pauvres de la campagne, il n'était jamais question — des sentiments de pitié qui partaient du cœur. Il s'agissait surtout de préservation, de défense, de police sociale. Le docteur janséniste lui-même, Godefroy Hermant, l'a écrit et fait imprimer : les pauvres sont « des spectres hideux qui troublent le repos des particuliers, qui interrompent la joye des familles opulentes, et qui ruinent la tranquillité publique » ; il faut faire taire « la clameur de ces misérables » qui poursuivent les paisibles bourgeois « jusque dans leurs maisons » et « s'assemblent en de criminels mouvemens ». Jusque dans la charité, l'asservissement économique, politique et religieux du prolétariat urbain au groupe des « Familles » beauvaisiennes ne paraît pas douteux.

Nous avons évoqué aussi, avec l'influence de la ville sur la campagne, la place tenue par les hauts bourgeois dans mainte forme de l'activité rurale, et dans la vie même de beaucoup de paysans. La domination bourgeoise fut particulièrement visible aux années de « cherté », qui atteignirent de la manière que l'on sait les classes populaires rurales, comme les urbaines. D'un côté, la misère de ceux qui ne récoltaient pas leur blé, la majorité des paysans; de l'autre, les stockeurs de grains, comme Toussaint Foy, qui accumulaient d'énormes profits. Inutile d'ailleurs de remplir de blé des maisons entières — comme Foy — pour percevoir, en ces années que certains devaient bénir, un appréciable supplément de profit : les dîmes, les champarts, et même les fermages en nature rapportaient une quantité de grain moindre, mais de valeur bien plus élevée. Les chanoines, ces rentiers et seigneurs, voyaient croître alors la valeur de leurs prébendes : en année de disette, leurs revenus augmentaient au moins de moitié. Ainsi, en ces paroxysmes que furent les grandes « chertés », ces famines sociales, la structure profonde de la société apparaît sous une lumière crue : ce qui faisait mourir les uns enrichissait les autres, il serait malhonnête de le dissimuler.

En ces mêmes années si favorables à l'observation sociale, les bourgeois poussaient leurs avantages en d'autres domaines encore. Manquant de semence, de bétail, souvent de nourriture, les paysans avaient besoin d'avances : les prêteurs urbains pouvaient alors s'abattre sur les villages, et faire signer des obligations et des cédules nouvelles. Par la même occasion, ils réalisaient les créances anciennes : par centaines, les parcelles paysannes tombaient dans les domaines bourgeois. Les mêmes années encore, les marchands pourvus de solides avances achetaient au rabais les étoffes des fabricants gênés — ruraux et urbains —, et les stockaient paisiblement, attendant que, la crise finie, le marché textile « débouché » leur offre de nouvelles possibilités de profit. Quant aux juges de la ville, s'ils ne prêtaient pas tous, s'ils ne stockaient pas tous, ils pouvaient protéger efficacement leurs frères, leurs alliés, leurs amis, membres comme eux des « Familles » beauvaisiennes.

La plus grande partie de la noblesse locale, il faut la ranger aussi parmi ces hommes qui furent les clients, les obligés ou les victimes des « Familles ». Tout au long du XVIIe siècle, les biens des gentilshommes beauvaisiens sont venus grossir les fortunes de leurs habiles et impitoyables créanciers de Beauvais. L'on vit des gentilshommes s'abaisser jusqu'à supplier des officiers, pour essayer d'échapper aux taxes de l'arrière-ban : certaines lettres émanant d'authentiques chevaliers durent agréablement flatter la sensibilité roturière du lieutenant général du bailliage. Un bien très précieux restait pourtant aux nobles ruinés : leur naissance. Et sur ce point précis, qui lui fut toujours douloureux, la bourgeoisie ne put vaincre la noblesse qu'en essayant de pénétrer en son sein.

B. *Les groupes sociaux que pénétrèrent les « Familles ».*

Les bourgeois de Beauvais pouvaient condamner, en 1576 et en 1614, l'agitation, l'indiscipline et la violence des nobles, et dénoncer même leurs « complots » lors des deux régences du siècle; ils pouvaient jouer de leur habileté pour les aider à se ruiner, et profiter de leur ruine; ils pouvaient les narguer par leur richesse, leur faste, leurs fonctions de juges et d'administrateurs... Mais ils ne pouvaient s'emparer de leurs titres; même ce modeste titre d'écuyer, qui donnait droit au port de l'épée et aux armoiries timbrées, cette bourgeoisie provinciale l'a maladivement envié.

Les plus riches purent l'acheter, et l'achetèrent bien avant 1600; l'on retrouve des gentilshommes campagnards qui descendent d'anciens bourgeois : des Le Bastier, par exemple, ou des Pajot devenus parisiens. Au XVIIe siècle encore, l'on repère, de temps à autre, un Le Caron, un Malinguehen, un Foy, un Allou, un Langlet qui achète, fort cher, quelque office anoblissant en la cour des Monnaies, au Grand Conseil, et, de plus en plus, des charges de secrétaires du roi, qui offraient l'avantage de donner la noblesse au premier degré, sans discussion possible. Au début du siècle suivant, l'on vit les trois familles de blanchisseurs, les Danse en tête, entrer dans cette noblesse chèrement payée. Mais beaucoup de Beauvaisins ne purent, ou n'osèrent payer de 20 000 à 40 000 livres un titre que les anciens gentilshommes considéraient avec mépris. Beaucoup se contentèrent d'espoirs, de prétentions, d'apparences, d'illusions : petits offices de fauconnerie ou de maisons princières, qui promettaient une noblesse graduelle, et donnaient

des privilèges partiels, noms de fermes ajoutés au vieux
patronyme, en attendant de laisser tomber le nom de
famille pour ne conserver que celui de la terre. Dans
Beauvais, des Foy portèrent l'épée; d'autres s'emparèrent
du titre d'écuyer, dans Beauvais seulement. Plus habilement, d'autres encore donnèrent leurs filles à des gentilshommes désargentés. En fin de compte, ce fut le XIXe siècle qui fit ceux-ci barons et marquis ceux-là. L'ombre de
M. Jourdain plane sur toutes ces familles de marchands,
de juges, d'usuriers et de receveurs qui, presque toujours,
souffrirent de leur roture et cherchèrent à la dissimuler
comme une tare.

Le comportement des « Familles » beauvaisiennes à
l'égard du clergé fut à la fois respectueux et habile.
Sans doute, les Cahiers de doléances de 1576 et de 1614
ont-ils repris le thème banal de la réforme ecclésiastique
et souhaité que disparaissent les abus les plus criants :
c'était renforcer l'autorité de l'Église, et l'Église de
Beauvais, qui se réforma sérieusement au XVIIe siècle,
leur donna raison. Il ne fait pas de doute que le corps de
ville, et surtout les officiers royaux, luttèrent sans désem-
parer contre certaines formes de l'autorité épiscopale;
mais ils n'attaquaient en elle ni l'aspect religieux, ni
l'administration diocésaine : c'est au comte de Beauvais,
seigneur de la ville, dont la pairie soutenait des prétentions sans limites, qu'ils firent une guerre de procès et de
pamphlets, surtout pour des questions de juridiction.
Aucun prélat ne fut attaqué dans sa personne ou dans sa
dignité sacrée, — sauf Beauvillier de Saint-Aignan,
personnage justement indigne. Ce respect des hommes
et des choses d'Église découle de l'incontestable et
sévère foi qui anima cette bourgeoisie qui fut ligueuse,
et qui devint largement janséniste.

Mais ces hommes de beaucoup de foi étaient aussi des
hommes d'argent : les richesses de l'Église ne pouvaient
les laisser indifférents. « En ce pays de Beauvaisin..., tout
le bien et d'alentour le pays appartient à l'église », décla-
raient les Cahiers de 1576, qui protestaient vigoureusement contre les « accaparemens » de blé effectués par les
receveurs ecclésiastiques, et proposaient au roi, pour
l'aider à résoudre la question financière, une assez mali-
cieuse mesure : « prendre pour une fois seulement,
sans tirer en conséquence, le quart du revenu temporel
des archeveschez, eveschez, abbaies et priorez de valleur
douze cens livres et au dessus... En cet endroict, le clergé

n'auroit que plaindre, en ce que la plus grande partie de Voz debtes procedde a raison des guerres introduictes pour le faict de la relligion, a quoy le bien et revenu eclesiastique et speciellement destiné; et outre que lesdicts beneficiers auront assez competamment pour vivre en prenant seullement le quart du revenu des benefices montans a douze cens livres ». Rien de semblable dans les Cahiers de 1614, moins hardis, et surtout moins libres de ton. Mais, à la même époque, Pierre Louvet affirmait tranquillement que les onze douzièmes des revenus du Beauvaisis appartenaient à l'Église — exagération éhontée — et qu'il n'existait que trop de « convents » dans le royaume. Et les échevins, qui devaient penser comme lui, se firent beaucoup prier pour accepter l'installation à Beauvais de nouveaux établissements religieux.

Jusqu'au milieu du XVIIIᵉ siècle, nous n'entendrons plus nos bourgeois de Beauvais médire des biens d'Église. Respect croissant? prudence? renouveau d'une foi plus aveugle? habileté, peut-être. Ne pouvant songer à mettre la main sur des richesses si bien défendues, ils utilisèrent, pour y accéder, une simple tactique. Sur une partie des revenus du clergé, ils installèrent leurs enfants. Sur les domaines les plus considérables, ils firent accepter leur administration : receveurs d'évêché, de chapitres, d'abbayes, de prieurés, ils se réservaient les profits les plus élevés. Ainsi la bourgeoisie beauvaisienne sut-elle s'installer largement dans le clergé, et détourner à son profit quelques-uns des plus beaux bénéfices du Beauvaisis. Que passe le temps, qu'une situation nouvelle apparaisse, et permette la vente des biens d'Église : les descendants des mêmes familles qui garnirent de chanoines, de religieux et de curés le diocèse de Beauvais, se précipitent sur les « biens de première origine » avec une avidité que rien ne put retenir : parmi beaucoup d'autres, les Danse, les Ticquet, les Michel surtout, se ruèrent à la curée. Mais, à l'époque où nous nous enfermons, de telles perspectives étaient inimaginables.

C. *Bourgeoise beauvaisienne et bourgeoisie parisienne.*

Pour quelques « Familles » de Beauvais, le départ pour Paris constitua un moyen d'ascension. A moins de vingt lieues, la capitale offrait aux hommes actifs, ambitieux et déjà riches des possibilités d'enrichissement accru et de promotion sociale; aussi, sans doute, des sources de plaisirs, intellectuels ou non, qu'ils ne découvraient pas facilement à Beauvais.

Il n'est pas aisé de repérer tous les départs : dès qu'un Beauvaisien quitte sa ville, il disparaît de ses archives. Mais les papiers de famille et les documents de succession permettent de le retrouver; parfois aussi — pour les filles qui épousèrent des Parisiens —, les contrats de mariages et les registres paroissiaux (mais on sait que ces derniers ne sont plus représentés, à Beauvais, que par des copies discontinues, souvent réduites à des résumés d'actes). Quant à chercher les ex-Beauvaisiens, parmi un demi-million de Parisiens, nous ne pouvions y songer, heureux déjà d'avoir pu retrouver ceux qui s'élevèrent notablement dans la société parisienne.

Ceux qui partirent paraissent avoir été une minorité, probablement très réduite. De grandes familles ont tenu à rester dans leur ville natale, ou dans un manoir des environs : les Malinguehen, les Le Caron, les Borel, les Regnonval, les Danse, les Michel demeurèrent fidèles au « pays », préférant sans doute être les premiers à Beauvais que les seconds (ou moins encore) à Paris. Et puis, l'essentiel de leur fortune collait à la glèbe beauvaisine : goûts probables et intérêts certains coïncidaient.

Un certain nombre de « bourgeois de Beauvais » devinrent cependant d'honorables « bourgeois de Paris », parfois mieux encore. Dès la fin du XVIᵉ siècle, les Pajot et les Bachelier étaient devenus parisiens. Ceux-ci devinrent d'importants négociants, parmi les premiers de la capitale. Ceux-là s'illustrèrent dans la noblesse d'offices et la noblesse de fonctions : ce fut Louvois qui fit leur fortune. Mais ils ne rompirent jamais leurs liens avec le Beauvaisis où ils conservaient la terre d'Ons-en-Bray. Les échevins de Beauvais eurent souvent recours à quelque Pajot, pour présenter des requêtes à la cour, ou pour emprunter des deniers.

Sur quatre Pocquelin beauvaisiens, trois partirent au temps de Louis XIII. Tous trois devinrent, à Paris, de très riches marchands d'étoffes, dont les relations internationales furent utilisées par Colbert, qui les envoya aussi effectuer ce tour de France des manufactures qui marqua les premières années de son ministère. On retrouve les Pocquelin dans bien des grandes entreprises du temps : la Compagnie des glaces et la Compagnie des Indes, par exemple. Une étude détaillée de cette grande famille d'origine beauvaisienne devrait éclairer des aspects peu connus du règne personnel de Louis XIV.

Tous les Beauvaisiens devenus parisiens ne connurent pas une réussite aussi éclatante. Les Ticquet, simples drapiers fabricants au début du XVIIᵉ siècle, furent peut-être les parents de Jacques, juge-consul de Paris, administrateur de l'Hôpital général et père de Claude Ticquet, conseiller en Parlement, dont l'assassinat manqué alimenta, en 1699, la chronique scandaleuse. Mais les Ticquet de Beauvais furent certainement les parents de Jeanne et de Suzanne, qui épousèrent de riches bourgeois de la paroisse Saint-Eustache. La première, fille de Jean Ticquet et petite-fille de Nicolas Danse, épousa Nicolas Doé, « marchand bourgeois de Paris », qui était en relations d'affaires fréquentes avec les Ticquet de Beauvais. La seconde faillit épouser un Colbert; elle se contenta d'un parlementaire, Pierre de Vitry; mais, en secondes noces, elle eut le bonheur de trouver un intendant de Finances, Alexandre le Rebours.

Quelques membres de la nombreuse, riche et peu scrupuleuse famille Foy émigrèrent aussi à Paris. Charles Foy, sieur de Senantes et conseiller au présidial, maria sa fille au lieutenant criminel de Paris, René Choppin, qui devint Choppin d'Anouville. Marie Foy lui avait apporté la seigneurie de Senantes, patiemment rassemblée par son aïeul Toussaint. Jean Foy-Vaillant dut son ascension à ses qualités de numismate. Ce docteur en médecine au riche patrimoine, probablement janséniste, eut la chance d'être distingué par le premier président Lamoignon. En 1684, Louvois le chargea de classer le cabinet des médailles du roi; il devint ensuite gardien des médailles du duc du Maine, et entra à l'Académie des Inscriptions. Ce parisien garda toujours des relations avec Beauvais, — ne serait-ce que par ses épouses, les deux sœurs Vaillant, dont il eut, en même temps, quatre filles.

Les relations parisiennes des Motte et des Danse ont été examinées ailleurs. Soulignons une fois de plus le rôle du mariage des filles dans les relations commerciales. Marie-Anne Motte, fille de Gabriel, était mariée en 1712 avec Pesnot-Lombart « commis de Monseigneur Voysin, ministre et secrétaire d'État »; Jeanne-Thérèse Danse, sœur de Gabriel et de Lucien, épousa Jean-Charles Le Noir, marchand de soie à Paris, caissier de la Compagnie des Indes, puis écuyer après l'achat d'une charge de secrétaire du roi : leurs filles épousèrent un Séguier et un second Le Noir, le lieutenant particulier du Châtelet. De telles relations servirent, fort probablement, pour avancer les affaires des Motte et des Danse. Quelques Motte (mais aucun Danse) vinrent s'installer à Paris : Motte de Saint-Just, banquier en 1714, puis trésorier de l'Électeur de Cologne, puis pensionnaire attitré des prisons du roi ; plus brillant, Joseph Motte de Cherny, officier de cavalerie...

Ainsi, quelques riches beauvaisiens contribuèrent, dans une modeste mesure, à la formation de la bourgeoisie parisienne, déjà alimentée par la province. Bien dotées et bien mariées, les jeunes filles nées à Beauvais renforçaient par leur mariage les relations commerciales, sociales, parfois politiques, de leurs parents. Le départ des garçons constituait seul une véritable émigration, qui fut le fait des plus ambitieux, une minorité.

En revanche, de riches Parisiens — et pas seulement des bourgeois — pénétraient dans le Beauvaisis, où ils achetaient des terres, des seigneuries, des châteaux ; dès 1708, les domaines de la haute noblesse, princière, parlementaire ou de fonctions avaient remonté, de la vallée d'Oise, vers Méru, Mouy et Noailles. Le mouvement se poursuivit, avec une force accrue, au cours du XVIIIᵉ siècle. La capitale du royaume investissait le Beauvaisis de ses terres, de ses châteaux, de son argent. Depuis lors, le mouvement ne fit que s'accentuer : en ce milieu du XXᵉ siècle, où Beauvais hésite entre l'étouffement et la réduction au sort de « grande banlieue », y a-t-il encore un Beauvaisis ?

Mais, entre 1600 et 1730, le Beauvaisis existait. Il est à peine exagéré de dire qu'il se réduisait à une sorte de mouvance économique, sociale, juridique, politique et religieuse des « hauts bourgeois » des « Familles » de Beauvais.

4. LE PROBLÈME DE LA MENTALITÉ BOURGEOISE

Il est bien difficile de poser, et surtout de résoudre, à Beauvais, un problème de « mentalité ». Les âmes ont mieux gardé leur secret que les affaires. La documentation est limitée : inventaires de bibliothèques, bien délicats à interpréter ; rareté des mémoires et des manuscrits contemporains; presque nullité des manifestations de l'art épistolaire; disparition des sources concernant le collège; délibérations et procès-verbaux d'institutions certes surabondants, mais peu probants. On est souvent obligé de se fier à des manières d'agir, qui traduisent fortuitement des manières de penser. Avouons franchement la part des réactions de l'enquêteur : il a longtemps vécu au contact d'une bourgeoisie ancienne, et il a cru la connaître suffisamment pour imaginer ce qu'elle pensait. — Imaginer, voilà bien l'écueil; il rend fragile toute reconstitution des manières de penser d'un groupe qui, en ce lieu et à cette époque, n'a laissé aucune confidence — et en eût-il laissé qu'il ne mériterait pas pour autant d'être naïvement cru. Du moins peut-on essayer de répondre à quelques questions simples : que lisaient ces hommes ? A quoi s'intéressaient-ils, hormis leur profession et leur fortune ? Leur attitude et leurs réactions laissent-elles supposer que la bourgeoisie beauvaisienne se concevait elle-même comme une classe qui avait pris conscience de son unité, de ses intérêts communs, de sa liaison avec toute la bourgeoisie du royaume ?

Il existe — si l'on peut risquer cet anachronisme — un « test » assez sûr : les doléances présentées au roi lors des états généraux de 1614. Un fait frappe immédiatement : le « tiers état » — la bourgeoisie — ne put se mettre d'accord sur un texte unique. La ville — c'est-à-dire, à cette date, essentiellement les marchands — présenta un Cahier; « le bailliage » — c'est-à-dire les officiers royaux — en présenta un second : désunion tout à fait symptomatique. Le texte des deux cahiers ne l'est pas moins. On y trouve, dans un beau désordre, deux catégories d'idées pesamment exprimées. Qu'il faut faire respecter les ordonnances, diminuer les impôts, châtier les « concussionnaires », réprimer les méfaits des gens de guerre, réformer les mœurs des curés de campagne, et autres banalités. Mais ce sont les questions locales, les querelles locales, qui apparaissent au premier plan : tout spécialement les récriminations contre les pouvoirs « exorbitants » que s'arrogeait l'évêque-comte. Attaques répétées et délayées, qui ne procèdent pas de principes juridiques, ou d'une idée d'équité : pour les officiers royaux comme pour les échevins et marchands, il s'agit d'abaisser, de supprimer une juridiction rivale. Rien de plus. Vœux platoniques et banals, tendresse toute spéciale pour les querelles de clocher, désunion d'une bourgeoisie qui se coupe en deux groupes pour rédiger deux cahiers : voilà les principaux enseignements des cahiers de 1614. Aucun de ces traits ne se retrouvera en 1789.

De 1614 à 1730, les mêmes querelles internes, le même goût pour les petites histoires locales, l'impossibilité de voir plus loin que les affaires de famille, de métier, de paroisse, caractérisent la bourgeoisie de Beauvais. Ceux de la ville et ceux du présidial échangent des injures; les marchands d'étoffes plaident contre les merciers; les officiers royaux disputent aux officiers comtaux l'achat de la mairie. Des clans se forment : les « Zélés » contre l'échevinage, les « Tilladets » contre l'échevinage, les jansénistes contre les opportunistes, les Motte contre les Foy, les petites paroisses contre les grandes. On n'en finirait pas d'énumérer les occasions où cette bourgeoisie s'est divisée, haïe, traînée en justice sous des prétextes souvent mesquins et parfois bas. Le procès des « Zélés » déchira pendant six années la bourgeoisie entière qui s'entraccusait des pires malversations dans la gestion des affaires municipales. Vingt ans plus tard, le procès des « Tilladets » aurait produit les mêmes effets si l'intervention royale n'avait rapidement mis fin aux querelles. Les incessantes disputes entre l'évêque Choart, janséniste, et son chapitre, qui ne l'était pas encore, ne furent égalées en violence que par celles qui opposèrent, sous ses successeurs, le même chapitre, devenu janséniste, à des évêques qui ne l'étaient plus. Les notables se comptaient derrière chacun des deux partis. Les sordides affaires du chanoine Foy et du chanoine Le Cat paraissent des manifestations particulièrement méprisables de ces querelles en principe religieuses. Si la bourgeoisie beauvaisienne eut quelque jour le sentiment de la communauté de ses intérêts, de son unité sociale et morale, de son appartenance à une classe nationale qui ne se limitait pas aux murailles de sa ville, ce ne fut certainement pas au XVIIᵉ siècle, même pas au début du XVIIIᵉ. A travers des sources assez maigres pour qu'on doive suspendre tout jugement tranchant, elle apparaît inconsciente, médisante, querelleuse, et comme rivée à sa ville natale. Pourtant, un danger subit lui imposait parfois une sorte d'unité passagère : quand grondait la révolte des tisserands, quand la peste menaçait, quand des troupes ennemies ou rebelles approchaient. La cause d'inquiétude disparue, les notables retournaient à leurs disputes.

De cet isolement, de cette division, de cette inconscience sociale, bien des traits de l'époque pourraient revendiquer la responsabilité. D'abord, ces institutions qui maintenaient et renforçaient l'esprit de clan, à moins que ce dernier n'ait contribué le premier à les soutenir : ces « ordres », ces « estats », ces « mestiers », jurés ou non, tous attachés à leurs maigres privilèges, à leur rang, à leurs prérogatives, et âpres à les défendre contre les prétentions des voisins. Dix juges au bailliage, un corps; huit juges en l'élection, un autre corps; six officiers à l'évêché-comté, encore un corps; douze échevins, un autre; cinq juges et consuls, encore un autre; quatre officiers de la Fauconnerie, un groupe de fait... Tous ces groupuscules devaient se heurter, et ne cessèrent de le faire.

La religion aurait pu les unir ? Ceux qui la dispensaient donnaient l'exemple de la division : après l'époque de la Ligue, le temps du Formulaire, en attendant celui de l'Appel; et de manière constante, les réguliers contre les séculiers, les chanoines contre l'évêque, ceux des collégiales contre ceux de la cathédrale. La royauté dite absolue, facteur d'union ? Certes, la personne du roi jouissait à Beauvais, comme ailleurs, d'un prestige sans tache; cela dit, on s'entendait surtout pour désobéir avec respect, laissant tomber les créations manufacturières du temps de Colbert, discutant chaque année la « subvention » de la ville pour la faire « modérer ». Il faut, pour unir une classe et lui donner une âme, autre chose qu'un respect évident, ou qu'une désobéissance traditionnelle à un pouvoir lointain.

La culture, qui lui appartenait plus spécialement, aurait pu donner à cette bourgeoisie l'âme qui lui manquait. Mais les marchands de Beauvais n'envoyaient pas au collège, semble-t-il, ceux de leurs enfants qu'ils destinaient à la boutique ou au trafic. Savary pensait qu'un « parfait négociant » n'avait que faire du latin. Effectivement, nos marchands ne possédaient en leurs librairies, si l'on en croit leurs inventaires après décès, que deux ou trois livres pieux, le « Parfait Negociant » et, plus tard, quelques ouvrages de voyages décrivant les terres lointaines vers lesquelles les négociants commençaient à envoyer des étoffes. La culture était l'apanage des clercs et des hommes de loi, et resta longtemps une culture de juristes et de théologiens. La bibliothèque de Georges Le Boucher la caractérise assez bien : une culture de type ancien, une culture héritée du XVIᵉ siècle, et limitée à trois sortes de curiosités, le droit, la théologie, les auteurs de l'Antiquité. Rien pour la distraction. Peu d'ouvrages contemporains. Aucun des auteurs que nous appelons classiques, si ce n'est Descartes, deux fois cité et Pascal, une fois. Quand cette bourgeoisie prend la plume, c'est pour rédiger des consultations juridiques, des « conférences » de coutumes, des réflexions pieuses, des pamphlets jansénistes. Plus de ces ronsardisants attardés qui sévissaient encore vers 1610 ou 1620. Mais de lourds auteurs de pesants vers latins et de poèmes de circonstance où rime et mètre défaillaient ensemble. De cette ville où le goût des choses de l'art fut éclatant au XVIᵉ siècle, tous les « hommes célèbres » partirent très jeunes pour aller vivre, donner leur mesure, et mourir à Paris : Loisel, fameux juriste et styliste méconnu; Guy Patin, médecin et épistolier; Foy-Vaillant le numismate voyageur, et le joyeux compagnon de Regnard, Aux Cousteaux de Fercourt (seul, ce dernier mourut sagement à Beauvais, officier du présidial); Ricard le jurisconsulte; des hommes d'Église comme Hermant, Walon de Beaupuis, Adrien Baillet; des érudits polygraphes, un peu diplomates et un peu espions, comme Lenglet-Dufresnoy et l'abbé Dubos... Tous ceux-là ne durent à Beauvais ou au Beauvaisis que le hasard de leur naissance. Parmi eux, d'ailleurs, aucune personnalité éclatante, et même aucun écrivain de réelle valeur, sauf peut-être Guy Patin, puisque Loisel appartient surtout au XVIᵉ siècle. Et, dans la ville des verriers et des maîtres d'œuvre, des Chambiges et des Le Pot, plus aucun artiste...

Ceux-là mis à part, la plupart de nos bourgeois ne sortaient pas de leur Beauvaisis. L'on signale les grands voyageurs, Foy-Vaillant, Fercourt, comme des phénomènes. Quelques grands marchands envoyèrent sans doute leurs enfants prospecter l'Espagne, Saint-Domingue, « Mississipi », et même l'Insulinde : mais ce ne fut qu'après 1700, presque toujours après 1715. Deux ou trois voyages à Paris constituèrent sans doute, pour presque tous nos héros, les aventures décisives de leur vie : ils y allaient pour quelque mariage, et

pour prêter serment avant de prendre possession de
leur office. Les négociants connaissaient mieux les
villes de commerce comme Rouen, Amiens, Saint-
Quentin, Orléans, Lyon, et les lieux de foire comme
Paris, Saint-Denis ou Guibray; mais ils y rencontraient
seulement d'autres négociants, et l'on ne trouvait,
en fin de compte, dans le monde des affaires, qu'une
partie de la bourgeoisie de Beauvais en relation avec
une partie de la bourgeoisie des autres cités marchandes.
A ces exceptions près, ce fut dans le cadre municipal,
paroissial et familial que se déroula la vie bourgeoise
du XVIIᵉ siècle.

Ces corps et ces « parentèles » bourgeois, riches
et non nobles, tous rentiers du sol à un degré plus ou
moins important, eurent, en certaines situations précises,
des attitudes communes : envers les ouvriers, envers
la noblesse, envers le clergé; ils surent s'enrichir selon
des techniques qui leur étaient communes. Mais ces
attitudes en quelque sorte organiques n'ont pas suffi
à déterminer alors en eux ce que nous appellerions
une « conscience de classe » : pas de culture, pas d'idéal,
pas de programme, pas de revendications qui soient
communes à toute la bourgeoisie. En cette ville, il
faudra attendre les années 1760 pour constater l'apparition de quelque chose qui ressemble à cette « conscience
de classe », et qui annonce des temps nouveaux. Des
hommes très cultivés, venus d'horizons variés, profondément influencés par l'esprit « philosophique »
et physiocratique, engagés dans un mouvement fort
conscient qui dépassait les limites de leur province,
se montrent alors au premier plan; l'abbé Danse fils
de marchand, Borel lieutenant-général du bailliage,
surtout Bucquet, dont la correspondance, remarquable
par son extension et sa valeur, repose encore dans des
archives privées. Ces hommes devaient accueillir les
aspects bourgeois de la Révolution avec une joie certaine;
ils participèrent même à la naissance du « Nouveau
Régime ». Mais notre XVIIᵉ siècle fut celui des « Familles »
bourgeoises groupées par parentèles et par corps,
non celui de la bourgeoisie se concevant elle-même
comme classe sociale.

Ces remarques ne sont pas propres à la bourgeoisie.
Nous avons dit aussi à quel point le monde du travail
était divisé par des haines de métiers, de statuts, de
corps; lorsqu'il se laissait aller à la révolte, c'était en

ordre dispersé, sans aucune préparation et aucune tactique, et justement aux périodes les plus défavorables à toute action ouvrière : au début des crises cycliques, quand la « cherté » des vivres servait de préface au chômage textile. Les mouvements ouvriers furent des mouvements de colère, parciels, limités dans le temps comme dans la qualité des manifestants, des sortes de mouvements organiques. Et les bourgeois de Beauvais n'eurent jamais l'idée d'utiliser ces grèves et ces colères pour leurs propres intérêts : ils ne surent que les réprimer.

La société beauvaisienne du XVIIᵉ siècle, divisée à l'extrême, bien qu'elle tendît à se polariser en deux groupes de fait aux intérêts exactement opposés — le bourgeois et l'ouvrier — fut en quelque sorte une société inconsciente. Par là même, elle gardait un caractère ancien et traditionnel : les divisions mesquines l'emportaient sur les groupements larges, les soucis locaux et familiaux sur les idées d'ensemble, ce qui était vieillot et rétréci sur ce qui aurait pu être neuf. De l'état d'esprit qui devait permettre aux événements révolutionnaires de la fin du XVIIIᵉ siècle, rien, ou presque rien, ne pouvait être pressenti, pendant les années qui ont fait l'objet de cette étude.

CHAPITRE XI

UNE PROVINCE FRANÇAISE
AU XVIIᵉ SIÈCLE

I

Un géographe du XXᵉ siècle, transporté au XVIIᵉ siècle, aurait sans doute défini le Beauvaisis comme le type même de la région « humaine », c'est-à-dire sociale et économique, installée aux confins de plusieurs régions « naturelles ».

Au Nord du Thérain, une forte parenté picarde : ces champs à perte de vue, ces parcelles en lanières, tous ces méteils et tous ces moutons sur un plateau limoneux où se serrent les villages. Quelque chose d'austrasien dans ces forêts-frontières où couraient les chasses royales, dans cette forte densité de monastères, de prieurés, de chapitres, d'hommes, de pierres et de terres d'Église ; un comté-évêque, seigneur laïque et personnage politique autant que grand prélat, qui rappelle d'autres comtes-évêques, évêques-ducs ou princes-évêques, tous groupés sous des latitudes semblables, ou un peu plus élevées. Le travail textile, actif et incessant, à la fois très urbain et très rural, lanifice ou mulquinerie, évoque invinciblement la Flandre, l'Artois, le Cambrésis, la Picardie, terres de tous les tisserands. Et la vieille ville forte criblée d'églises, pleine d'eaux, de suints, d'étoffes qui sèchent, de bacs de teinture, semble une réplique atténuée, comme une miniature d'Amiens.

L'ouest du pays a cependant subi la forte offensive des influences normandes. Bien avant l'Epte apparaît ce paysage strictement brayon des « communes pastures », abondantes, médiocres, et pourtant précieuses. Déjà des herbages « enclos de vifves hayes »; déjà l'arbre à cidre, dont la marche conquérante commence, vers l'Est et le Nord, où il aidera à extirper les dernières vignes; déjà des jardins démesurés qui s'achèvent en pâtures, et conquièrent des plaques entières de « l'openfield » primitif; et des moutons qui s'effacent peu à peu devant les bovins, cheptel de l'avenir. Dans les hameaux ombragés et humides, le torchis beauvaisien s'agrémente du colombage normand. Pour mesurer les champs, les perches sont devenues des verges, les journaux et les arpents, des mines et des acres. Aux siècles lointains du Moyen Age, à la faveur de quelques chevauchées seigneuriales, les coutumes normandes ont envahi ce coin de Beauvaisis; elles sont restées accrochées à bien des terroirs, comme des alluvions. Plus de manufactures picardes de serges, pas encore de manufactures de type normand : pas d'autre tisserand que celui qui, l'hiver, ouvrait les filés de chanvre de chaque ménage. Mais les étoffes circulent sur les vieux chemins de Dieppe et de Rouen : serges et toiles blanchies gagnent les navires en partance pour Cadix; au retour, laines d'Espagne et toiles écrues, normandes ou mancelles, cheminent vers la ville du lanifice et des buries. Sur ces terres à demi-normandes, des hommes aux occupations plus variées, aux ressources moins limitées et moins rudimentaires : on nous les montre plus gais, un peu « fêtards », peut-être plus heureux.

Vers le sud et le sud-est apparaissent des horizons d'Ile-de-France, avec leurs paysages contrastés et pourtant souriants, et des ressources plus variées encore. L'énorme influence de Paris enrichissait déjà ce coin de Beauvaisis qui livrait à la capitale quelques blés, quelque bétail, des pommes et des artichauts, mais aussi des serges, des dentelles et des ivoires façonnés; un roulage fort actif facilitait les expéditions, ainsi que l'admirable voie d'eau de l'Oise toute proche. Mais Paris bienfaisant était aussi la grande ville envahissante. De la vallée d'Oise — vraie coulée de châteaux, de gentilshommières, de prieurés gothiques et de maisons des champs —, princes du sang, grands capitaines, présidents en parlement et serviteurs du roi avaient gravi les pentes du plateau de Thelle, remonté le bas-Thérain, investi le territoire beauvaisin jusqu'à Mouy, fief des Conti, à Méru, terre des Longueville, à

Longvillers-Boncourt qui passait aux Noailles et allait prendre leur nom. Châteaux, villes, bourgs, terres, forêts princières et parlementaires préfiguraient, à trois siècles de distance et dans les mêmes limites, le futur destin du Beauvaisis du sud : une grande banlieue.

Vieille ville, fière et originale, rude et travailleuse, Beauvais sut exploiter au maximum tout ce que lui offrait son plat pays, avec ses paysages et ses ressources complémentaires. Elle en a consommé les blés. Elle en a tondu ou récolté, filé, tissé, teint ou blanchi toute la laine et tout le lin, et même d'autres laines et d'autres lins, qu'elle allait parfois chercher fort loin. Chaque mois, sur son franc-marché, elle en rassemblait tout le bétail négociable. Par le truchement des dîmes, des champarts, des fermages, des prêts, des rentes de toutes sortes, son clergé et sa bourgeoisie en tiraient le plus clair de leurs beaux revenus. Elle administra le Beauvaisis, elle le jugea, elle y collecta les deniers des rois et des seigneurs, elle y répandit la foi profonde et sourcilleuse cultivée dans ses cercles jansénistes. A son profit, sans doute; mais aussi pour le plus grand bien de la région qu'elle dominait.

Car cette région offrait deux aspects économiquement opposés, bien qu'ils fussent géographiquement mêlés : un aspect agricole, un aspect manufacturier. Le premier contribue à donner l'image d'un Beauvaisis replié sur lui-même, exportant rarement ou pas du tout, se contentant de consommer son méteil, ses pois et ses raves. Une activité aussi locale ne demandait que de mauvais chemins et de petits charrois. Comme moyens d'échange, le troc lui suffisait, avec l'appoint d'un peu de billon. Ce Beauvaisis-là, si différent du Santerre, du Noyonnais ou du Vexin, ce Beauvaisis sans rivière naviguée et sans route de poste, sans or et sans argent, paraissait condamné à vivre médiocrement, sur lui-même. Évidemment, il n'était pas toute la province. Sous la probable impulsion d'une bourgeoisie intelligente et hardie, il sut sortir de son marasme naturel, animer ses vieux chemins, attirer des espèces sonnantes et du papier de crédit : les manufactures ont donné au Beauvaisis ce qui lui manquait, de quoi vivre mieux, de quoi s'enrichir, de quoi communiquer avec le reste du monde. Ces manufactures abondantes et variées, seul élément dynamique de la vie beauvaisine, lui ont fourni, pendant

les trois siècles « modernes » comme pendant tout le
Moyen Age, le moyen d'échapper à ce menaçant destin :
n'être autour de sa petite rivière sans bateaux, qu'un
pays rural isolé et à demi-misérable.

Et cet élément de richesse lui fut aussi un élément
de survie : le Beauvaisis dirigeait lui-même des manufactures qui lui appartenaient, et qui faisaient connaître
au loin son nom, donc son existence et son originalité.
Que vienne, avec le début du XIXᵉ siècle, le moment
où sa bourgeoisie ne se renouvelle plus, s'endort sur
ses rentes, et se refuse au risque : alors le Beauvaisis
aussi se mit à s'endormir — et, s'endormant, à être
rongé par l'influence de voisins qui, veillant, surent
profiter des transformations du monde. L'essentiel
de la vie industrielle se concentra à Amiens, à Rouen,
puis à Creil. Les capitaux parisiens envahirent peu à
peu tout le reste, Beauvais comprise. En perdant son
active, indépendante et hardie bourgeoisie urbaine,
le Beauvaisis perdit sa personnalité, et mérita d'être
rayé des cartes. La plaine picarde, définie par Demangeon
et Pinchemel, commence aux portes de la ville, vers
le nord; dès l'époque de Sion, le Bray normand avait
dévoré le Bray beauvaisin; Méru, vieux bourg beauvaisin,
appartient à la grande banlieue, et commence à ressembler
à une ville-dortoir, d'où l'on part chaque jour pour
travailler à Paris; Mouy, le vieux centre serger, dépend
maintenant, comme tout le bas-Thérain, du groupe
industriel creillois, futur centre vivant d'un département
de l'Oise dénué d'unité; et la vieille ville forte, la vieille
ville drapante où les trains de banlieue accèdent lentement, ne possède plus d'établissement industriel qui
lui soit propre, et n'a jamais groupé, dans ses limites
anciennes, beaucoup plus d'habitants qu'elle en comptait
au temps de Louis XIV (1).

Ainsi meurt une vieille région humaine, une ancienne
province qui connut des siècles d'originalité et presque
d'indépendance, lorsque la classe sociale et le genre
d'activité économique qui en avaient fait la prospérité
et la personnalité viennent à manquer ensemble; —
et aussi lorsque survient l'époque des communications
rapides et de la concentration industrielle, qui trouvent
ailleurs des conditions meilleures.

----

(1) Ces lignes, écrites en 1956-1957, ne sont plus vraies en 1968.

II

Autour d'une ville pourtant importante — quelque 13 000 habitants — vivaient une énorme majorité de ruraux : plus des quatre cinquièmes de la population. Ces ruraux, tous des paysans, des hommes liés à la terre et à la culture : paysans, les charrons et les maréchaux, avec leur arpent de labour, leur vache, leur paire de brebis; paysans, les vignerons de ces pays froids, qui tous cultivent, à fermage ou non, leur « plan », leur « parquet » de raves et de bizaille, leur mine de méteil; paysans même, ces peigneurs et ces sergers du nord ces mulquiniers de Bulles, qui se font moissonneurs l'été, vendangeurs à la Saint-Michel, jardiniers au printemps, et qui filent, ourdissent ou trament surtout pendant les longs mois d'hiver, quand leurs « bestes a layne » rongent la paille d'une bergerie fétide.

Bien petites gens que tous ceux-là, et pour les neuf dixièmes manouvriers ou haricotiers. Ce qui signifie que cette énorme majorité populaire habite rarement une maison qui soit pleinement la sienne; qu'elle ne possède, en aucun lieu et à aucune période, assez de terre pour récolter son pain; que pour vivre tout de même, chétivement, elle doit compter sur des activités annexes : vendre un veau, une brebis, des fagots, un muid de vin, un peu de dentelle, une chaîne à serge, une botte de fil, — à l'occasion, braconner et marauder. Et même avec ces ressources apparemment accessoires, mais réellement essentielles, toute cette paysannerie ne peut, aux années où se déchaînent la crise céréalière, puis la crise textile, puis les « pestes », que s'endetter, que vendre des lopins, afin de ne pas succomber; — et souvent, succomber quand même. Les paysans du sud sont apparus cependant relativement favorisés : en ces régions plus pastorales, aux ressources plus nombreuses et plus variées, l'on était moins rapidement démuni; aux « mauvaises » années, l'on mourait moins facilement que sur le plateau des blés et des serges, où tout s'effondrait en même temps, pain et gagne-pain. Mais aucun de ces haricotiers, moins misérables que les purs manouvriers, ne se rencontrait sur les espaces beauvaisins du plateau picard.

Au-dessus de la foule des petits paysans misérables ou médiocres, se sont détachés, peu nombreux — ont-ils

formé le dixième des effectifs ruraux ? — de modestes
laboureurs, quelques grands fermiers, et la petite troupe
des privilégiés ruraux. Le « signe » du laboureur, c'était
la paire de chevaux, et la charrue ; un laboureur possédait
rarement plus de 15 hectares de terres, plus d'une demi-
douzaine de bovins adultes, plus d'une trentaine de
moutons ; souvent, il était en même temps fermier,
vendait ou revendait un peu de blé, effectuait des charrois,
louait son attelage aux autres paysans. Quelques-uns
seulement — ceux qui exploitaient plus de 20 hectares —
se trouvaient, en toutes circonstances, à l'abri de la
disette ; et nombreux étaient les villages où l'on ne découvrait aucun de ces forts laboureurs.

Ce furent les gros fermiers qui dominèrent largement
la paysannerie beauvaisine ; spécialement les fermiers
de seigneuries, à la fois très gros exploitants et receveurs
de droits féodaux, souvent aussi de dîmes, en cette
province fortement marquée par la puissance matérielle
de l'Église. Dès la fin du XVIIᵉ siècle — peut-être
auparavant, mais la documentation nous manque —,
ils formaient ce que Georges Lefebvre appelle « la
bourgeoisie rurale ». Cette véritable caste sut se réserver
tous les grands fermages, et fut la principale bénéficiaire
de l'énorme transfert de terres qui accompagna la Révolution ; ses descendants occupent encore, dans quelques
villages, les domaines des ancêtres.

Les privilégiés ruraux ne dépassaient ces puissants
vilains que par leur naissance ou leur onction sacrée.
Les curés de campagne, tout à fait intégrés dans la société
rurale, mais sauvés généralement des tentations cor-
porelles par la naïveté ou la ferveur d'une foi cultivée
dans un rigoureux séminaire, vivaient le plus souvent
comme de bons fermiers, à l'abri de la gêne, au centre
des activités villageoises. Les derniers gentilshommes
ruraux du Beauvaisis achevaient de se ruiner, souvent
avec fierté, pour le service du roi et la réputation de
leur maison ; quelques-uns, habiles quoique bien nés,
s'occupaient de leurs moutons, de leurs récoltes, et
cherchaient pour leurs enfants de fructueuses alliances
bourgeoises. Lentement, par le jeu des avances, des
créances, des recettes, des manufactures, la bourgeoisie
urbaine investissait toute la campagne, cherchant à
la dominer comme elle avait, plus naturellement,
dominé sa ville.

A Beauvais même, ville drapante avant tout, ce qui

frappait d'abord, c'était, comme à la campagne, l'énorme majorité de pauvres gens et de très pauvres gens qui apparaissaient, aux moments de crise, dans toute leur répugnante détresse.

   « exsucca et déformis, inops, pannosaque turba...
   « Adstabant diræ facies, et pallida multa
   « ora fame, exangui macie, et fœtentia longa
   « illuvie, et squalore atro : gens tendere dextram
   « nata... »

(Godefroy HERMANT, 1676)

Le quart d'une population où dominait l'activité textile était réduit à l'aumône dès les premières semaines d'une « cherté » du pain. Si la hausse des prix s'accentuait et durait, des maladies, issues de l'épuisement physique et favorisées par lui, pouvaient jeter au tombeau le quart de cette ville, c'est-à-dire la moitié au moins des ouvriers en laine. Car ces peigneurs, ces sergers, ces fileuses, qui ne possédaient aucun bien au soleil, et si peu de meubles et linge, étaient à la merci de la moindre hausse du pain bis, de la moindre baisse de l'emploi. Les compagnons des métiers non textiles, les semi-ruraux, les vignerons et les manouvriers n'étaient guère mieux partagés. Beaucoup de fabricants, de boutiquiers, de petits artisans, maîtres parfois d'une maison de torchis et de quelques ceps, constituaient une « classe moyenne » bien modeste généralement dans la main des bourgeois de Beauvais.

Car, et c'est ce qui rapproche encore ville et campagne, et qui confère au Beauvaisis l'originalité et l'unité de sa structure sociale, la domination d'un groupe étroit de « Familles » nous a paru constituer le fait majeur. Fortement apparentées, cette quarantaine de familles — marchands, officiers, simples rentiers — effectuait tout le commerce, dirigeait toutes les manufactures, toute l'administration aussi : la royale, l'ecclésiastique, la seigneuriale, la communale, l'hospitalière. Elle possédait les plus belles maisons, quelques-unes des plus belles fermes, et même des gentilhommières. Par un habile système de prêts d'argent, de vivres, de matières premières, elle progressait continuellement dans la campagne voisine. Dans les classes qui leur étaient juridiquement supérieures, ces bourgeois s'insinuaient par l'argent ou par les liens du sang, ruinant la noblesse ou épousant ses cadets, recueillant — directement ou non — presque tous les revenus d'une riche Église, au sein de laquelle ils installaient leurs enfants.

Jusqu'à un certain point, le Beauvaisis d'alors fut le domaine urbain et la mouvance rurale des hauts bourgeois de Beauvais.

III

A ce point de l'analyse, dans cette petite région, est-il possible de discerner déjà quelques-uns des traits qui paraissent caractériser spécialement la large période qui va de 1600 à 1730 environ : depuis les lendemains des pacifications de 1597-1598 jusqu'aux premières années dans lesquelles le « franc », le « riche » XVIIIᵉ siècle se montre enfin avec tous ses signes de prospérité et d'expansion ?

Notre bien long XVIIᵉ siècle nous apparaît plus chargé de passé que de signes de renouveau; forçons un peu l'expression, — plus ancien que moderne.

Le paysage rural du Beauvaisis a dû achever de se construire aux XIIᵉ et XIIIᵉ siècles : la toponymie, le plan même des derniers villages d'essarts paraissent l'attester fortement. Sur cette terre très anciennement humanisée, il ne restait rien à défricher : on le vit bien, après 1760. L'on y a observé des techniques agraires — assolement, labours, pâturages — dont l'origine se perd dans le temps; rien n'est venu les modifier au XVIIᵉ siècle; au XVIIIᵉ siècle, presque rien. La plupart des seigneuries même — et spécialement les ecclésiastiques —, se sont installées sur ces terroirs entre le VIᵉ et le XIVᵉ siècles; elles y ont conservé parfois, avec une netteté assez rare, les limites même de l'antique domaine rural qui présida à leur naissance, — et parfois son nom, à peine déformé. Au XVIIᵉ siècle encore, dans beaucoup de cas, les seigneurs appartenaient à la classe qui se battait, ou à celle qui priait. Et dans les villages, assemblages de cabanes de boue et de paille, vivotaient toujours, sous les mêmes vêtements de toile, armés des mêmes faucilles et des mêmes houes, ces crasseuses couvées de vilains qui, cependant, depuis des siècles n'étaient plus des serfs.

La ville même, toujours corsetée de murs, entourée de vignes et parcourue de ruisseaux, — avait-elle

tellement changé en cinq ou six siècles ? L'industrie
drapière était aussi vieille que la commune de Beauvais
— probablement un peu plus ; les moulins à blé, les
moulins à drap, les teinturiers, les tanneurs étaient
déjà là au XIᵉ siècle. Pendant tout le Moyen Age, il
n'est question que de marchands, de trafic d'étoffes,
de la route de Paris et des chemins de la mer. Les
remparts, les églises, beaucoup de maisons encore
remontaient au XVᵉ, au XIVᵉ, au XIIIᵉ siècle. Sans doute,
les détails de l'ancienne structure sociale restent inconnus
pour ces époques anciennes : le peu que l'on en sait ne
donne pas une impression de dépaysement.

Le paysage historique de ce Beauvaisis du XVIIᵉ siècle
est lourd d'un passé qui n'est pas une ruine, même pas
une survivance. Entre les « grands siècles du Moyen
Age », et le « Grand Siècle », lui-même, si l'on considère
l'ensemble de la population, et non pas seulement
les « grands hommes » qui remuent à sa surface, — les
ressemblances durent être plus fortes que les différences :
paysages ruraux, système seigneurial, techniques agricoles, techniques « industrielles », armature routière,
relations commerciales, puissance de la bourgeoisie
et du clergé, et de la bourgeoisie dans le clergé, et passage
de la bourgeoisie dans la noblesse — unanimité de
la foi, analogie probable des structures et des rythmes
démographiques, permanence certaine des crises sociales
de famine, et des « mortalités »... En échange, quoi de
neuf ?

L'affaiblissement définitif de l'ancienne noblesse
locale, — d'abord ; puis, comme un corollaire, l'habitude
qu'on prit, fort lentement, d'obéir aux officiers et aux
commissaires du roi, — ou de paraître leur obéir. Et
cependant, la commune ne vit que bien tardivement
fléchir vraiment son autorité, tandis que l'évêque-comte
renforçait plutôt la sienne. Sur le plan manufacturier,
quelques nouvelles espèces de toiles et de draps, quelque
progrès dans les apprêts, et un léger renforcement
de la « concentration » du blanchissage. Sur le plan
commercial, deux réelles nouveautés, d'ailleurs tardives,
l'utilisation courante de la lettre de change, après 1660,
et le subit élargissement océanique du commerce
beauvaisien, vers 1700 — et encore ce dernier trait
ne traduit peut-être qu'un retour à d'anciennes habitudes. Mais les signes de nouveauté les plus importants
sont-ils toujours les plus visibles — comme le costume —,

ou les plus immédiatement accessibles à la recherche? Il se pourrait qu'ils aient affecté le plat pays plus que la ville même. On y observe la dégradation lente des liens purement féodaux — ceux du vassal à suzerain —, dégradation qui s'achève; l'oubli progressif de ce qu'étaient, dans ce pays, les fiefs; l'entrée en désuétude de quelques droits féodaux — ceux qui ne rapportaient presque rien : ce qui est purement féodal semble se démoder. Mais ce qui est purement seigneurial survit, se renforce parfois. C'est que de nouveaux hommes dominaient les campagnes, tandis que disparaissait la vieille et authentique noblesse : des nouveaux nobles, anciens bourgeois de Paris et de Beauvais, avec leurs receveurs et leurs intendants, avides, efficaces, pratiques. Une génération de curés pieux, consciencieux, bien élevés, d'origine aisée ou moyenne, s'implanta lentement dans les campagnes, au lendemain de la réforme du diocèse; elle s'appliqua à y prendre la direction spirituelle et morale des paysans, ou d'une partie d'entre eux — événement riche de conséquences. Dans tout le Beauvaisis enfin, sans que les habitants en aient pris vraiment conscience, l'ancienne insécurité permanente est en voie d'estompage : dans ces anciennes régions de quasi-frontières, grâce à l'agrandissement du royaume, à l'œuvre de Louvois et à celle de Vauban, la soldatesque, étrangère ou non, allait se montrer moins fréquemment, et d'une manière moins cruelle.

L'un des grands signes distinctifs du XVIIᵉ siècle, — l'essentiel, peut-être — est déjà apparu, comme en filigrane. Après quelques années d'intense activité et de profits croissants, qui traînent encore comme un reflet du XVIᵉ siècle, les prix, les revenus, le production, la population peut-être, vont se mettre à reculer. Et ce repli d'ensemble confère au XVIIᵉ siècle — qui est l'objet de cette étude —, les teintes sombres qu'il nous appartient d'analyser, de dater, et d'expliquer, dans le cadre régional que nous avons choisi et qui, seul, est à la portée du chercheur isolé.

CHAPITRE XII

LA « CONJONCTURE » DU XVIIe SIÈCLE

I

Après la description de l'essentiel, du presque immobile, des structures profondes, la seconde partie
de la thèse de lettres que fut d'abord ce livre s'en prenait longuement, avec un arsenal de chiffres, aux grandes
fluctuations économiques, sociales et démographiques
qu'on discerne entre 1600 et 1730.

Comme il s'agissait d'histoire, et non de théorie,
l'étude de ces grandes fluctuations dérivait seulement
de l'abondance et surtout de la qualité des sources
qui permettaient de les établir. De loin les meilleures,
les sources de prix autorisaient la rédaction de quatre
chapitres, qui traitaient successivement de l'aliment
essentiel, le blé, puis des aliments secondaires, puis des
prix non alimentaires. Une analyse attentive à la fois
au mouvement « court » (à l'échelle humaine) et au
mouvement « long » (à l'échelle du siècle) permettait
d'arriver à des conclusions assez sûres, qui insistaient
aussi bien sur la vigueur des crises « courtes » que sur
la médiocrité du « trend » : après 1630 cessait l'expansion,
et se dessinait un reflux ou une stagnation. Beaucoup
moins généreuses, les sources concernant l'évolution des
revenus n'alimentaient que deux chapitres : le premier
traitait de quelques types de rentes; le second essayait
d'évaluer, à travers le mouvement de quelques salaires, les fluctuations possibles du revenu populaire.
La découverte de statistiques de « métiers » et
d'apprentissage textiles remontant à 1615 permettait
d'appréhender assez solidement les mouvements (qui

surprennent) de la production et de l'emploi, au moins en ville. Un dernier chapitre reprenait les longues « courbes paroissiales » du Beauvaisis (et d'ailleurs) pour tenter d'y retrouver les grandes « respirations » de chaque génération (une trentaine d'années), et souligner le probable minimum des années 1710-1720.

Huit chapitres, deux cents pages et quatre-vingts graphiques autorisaient ainsi à présenter, tantôt avec sécurité, tantôt avec précaution, tantôt avec témérité, les conclusions suivantes, qui reprennent presque mot pour mot les dernières pages écrites en 1957.

II

Les diverses tentatives contenues dans la Seconde Partie constituent autant de variations, tantôt fermes et tantôt incertaines, autour de ce thème central : la « phase B », la « dépression », à peu près contemporaine du XVIIᵉ siècle.

Étudiait-on, d'après les plus sûres des sources quantitatives, le mouvement régional des prix ? Quelle que fût la variété des produits et des lieux, quelque indépendance qu'aient montrée certains francs-tireurs de la conjoncture, les mouvements d'ensemble apparaissaient avec une grande netteté. A partir de 1630, on n'observait plus d'unanimité dans le mouvement ascendant des prix. A partir de 1637, un grand nombre de prix s'orientaient à la baisse. Après 1650, l'orientation nouvelle était générale. Après 1662, les derniers récalcitrants étaient domptés. Et désormais se développait cette conjoncture difficile, embarrassée, traversée d'accès de fièvre impressionnants, de moments d'effondrement, de dépression, d'anémie ; une sorte de trame économique faite de luttes et d'échecs, coupée de catastrophes cycliques d'une acuité insensée ; malgré ces éruptions, aucun élan d'ensemble, aucune ascension vigoureuse des prix, même nominaux, rien qui ressemble aux décades conquérantes du XVIᵉ siècle ou du XVIIIᵉ. Ce XVIIᵉ siècle de la phase B des prix, ce XVIIᵉ siècle souffrant est apparu entre 1630 et 1650 dans les régions couvertes par notre enquête, plus tard qu'en Espagne et que dans le monde méditerranéen, plus tôt que dans les pays de la mer du Nord et de la Baltique. Après avoir connu son dernier et son plus grave complexe de crises

au temps de l'Écossais et du Régent, il s'est effacé
rapidement, entre 1726 et 1733.

Quittant le domaine des prix et ses robustes mercuriales, la recherche devenait plus délicate et ses
résultats moins sûrs. La documentation rencontrée
et critiquée permettait cependant de présenter des
hypothèses ; parfois, mieux que des hypothèses.

Demandait-on aux baux à ferme le mouvement
de la rente principale, la rente foncière ? La supériorité
de la rente sur les prix apparaissait dans presque tous
les cas ; le plus nettement, pour la première partie du
siècle, celle qui était encore « en phase A ». A partir
de 1640, ou de 1650, du fait du mouvement des prix,
une grave menace pesait sur la rente en nature, la plus
fréquente ; les fermages en argent paraissaient moins
menacés, la livre tournois conservant, jusque vers 1690,
une relative solidité. Aussi vit-on les rentiers du sol
transformer les baux qu'ils consentaient : au blé, ils
substituaient l'argent, risquant ainsi de gagner moins
en période de hausse cyclique. Malgré leurs efforts,
ils ne parvinrent que très rarement à accroître, entre
1650 et 1730, le montant nominal de leur rente monétaire ; moins souvent encore, leur rente céréalière.
Grands propriétaires, seigneurs et décimateurs en lutte
contre la conjoncture : telle fut, semble-t-il, la signification habituelle de nos observations beauvaisines. Lutte
généralement inefficace ; couronnée de succès parfois,
lorsque des méthodes nouvelles, un grand crédit,
une grande astuce et l'alliance précieuse de la caste
montante des grands fermiers-receveurs s'unissaient
pour la soutenir. Même dans ces victoires exceptionnelles
ou partielles de la rente, il fallait compter avec des
moments pénibles et des échecs passagers... Le plus
souvent cependant, l'évident idéal des bailleurs était
que leurs fermages ne baissent point, qu'au moins
leur prix nominal fût théoriquement sauvegardé.
Sur cette dépression de la rente foncière — dont on
ne peut décider si elle fut égale ou supérieure à celle
des prix —, on connaît le témoignage excessif, un peu
rageur, de ce fermier du chapitre de Beauvais, Pierre
Le Pesant de Boisguilbert, qui en accusait, comme
il est de règle, le gouvernement et l'administration
du royaume.

Sur le recul ou le très bas niveau des autres types de
rente, les témoignages sont particulièrement concordants.

Petits offices de province, dont les emprunts forcés suffisaient à affaiblir le taux de revenu ; loyers de maisons, si bas et si mal payés que les grands bourgeois paraissaient fuir leur possession ; rentes constituées enfin, le second des grands revenus capitalistes. En 1634, puis en 1665, puis 1720 — dates significatives —, les replis successifs de leur « dernier » (taux) maximum légal avaient suivi, accompagné, précédé la baisse effective du taux de l'intérêt. On a même avancé cette hypothèse, qu'il est possible de vérifier : le succès des rentes constituées s'étant poursuivi, et peut-être accru pendant toute la période 1600-1730, la baisse de leur taux est apte à résumer, à symboliser le recul d'ensemble de toutes les formes de la rente, qui baissèrent au moins autant. Observée ainsi à travers une documentation de valeur inégale, la rente paraît avoir connu des difficultés graves, au moins une stagnation, presque sûrement un recul, de la période 1630-1650 à la période 1710-1730.

Du « revenu populaire » — si l'expression a un sens au XVIIᵉ siècle —, il a été beaucoup plus difficile de connaître l'évolution, que le niveau. Si les salaires nominaux paraissent bien avoir monté durant les premières décennies du XVIIᵉ siècle, les salaires réels semblent avoir baissé (à l'exception des salaires de bûcherons), comme ils firent au XVIIIᵉ siècle. En revanche, une sorte de paralysie les saisit, à partir du moment où se dessina la « phase B ». La tendance d'ensemble fut alors la rigidité nominale. Incontestablement, cette stagnation dut favoriser les salariés lors des années de bas prix. Sous deux réserves cependant : que les « crises cycliques » ne fondent pas avec une trop grande vigueur ou une trop grande fréquence sur les foules beauvaisines ; que l'emploi fût garanti aux salariés. Nous savons bien que la première condition ne fut pas réalisée, et que l'avance que put prendre le revenu populaire en période de prix modérés ou très bas fut anéantie, avec quelle brutalité, lors des crises « géantes » d'entre 1640 et 1730 ; mais cependant, pour ceux qui survivaient, il y eut, lors des chutes cycliques, de beaux jours et de belles revanches. Au sujet de l'emploi, on ne peut avancer que deux remarques : sauf dans la ville manufacturière, il était habituellement intermittent, saisonnier et incertain, tout manouvrier étant d'abord un paysan parcellaire, un minuscule exploitant, un ridicule éleveur ; en second lieu, l'emploi textile urbain n'a cessé de baisser, de l'Avant-Fronde au Système.

En même temps, reculait l'ensemble de la production textile de Beauvais, et s'effondrait la production de qualité. Si le phénomène n'est pas à la fois exclusivement urbain et exclusivement beauvaisien — nous le saurons bien un jour —, il constitue le meilleur des indices économiques et sociaux. En effet, il permet de joindre, en un faisceau explicatif, le recul de la production des biens de consommation au recul de la production et de la circulation des espèces monétaires (qui n'est guère contesté), au recul des prix, au recul de la rente, à ce marasme privé du « bâtiment » qui résume et scelle tout le siècle. Ainsi pourrait être risquée la définition d'un XVIIᵉ siècle économique (et, à certains égards, social) dont les limites chronologiques retarderaient d'une trentaine d'années sur le calendrier : il ne commence-rait pas, en nos régions tempérées et continentales, avant 1630; il s'effacerait cent années plus tard.

Un autre trait, peut-être fondamental, achèverait de lui donner son visage : l'exceptionnelle vigueur, l'exceptionnelle fréquence, parfois l'exceptionnelle durée des crises économiques « courtes », généralement accompa-gnées de crises démographiques terribles. Il ne semble pas que cette violence et cette concordance dans la vio-lence aient été fréquemment observées entre la Ligue et la Fronde; mais le fait ne fut peut-être que régional, et la peste, cette grande vaincue du temps de Louis XIV, venait plus fréquemment brouiller l'ordre des faits. En revanche, il est bien certain que le XVIIIᵉ siècle écono-mique ne connut plus habituellement de crises d'une telle ampleur; en tout cas, d'une portée démographique aussi nette : le temps des « crises larvées » était alors venu. Il semble pourtant qu'il n'arriva pas toujours très rapi-dement : même en Beauvaisis, la crise démographique de 1739-1742 porte encore fréquemment les caracté-ristiques du XVIIᵉ siècle; hors du Beauvaisis, notamment dans les provinces pauvres, également.

C'est que la structure fut lente à se modifier. D'obser-vations minutieuses et longues, mais encore trop peu abondantes, on n'est sans doute pas fondé à tirer autre chose que des hypothèses. Et pourtant, la franche atté-nuation des crises, le recul de la mortalité infantile, un début de restriction des naissances, tout cela, qui est le signe d'une démographie nouvelle et d'une ascension d'ensemble, apparaît-il bien nettement avant 1750 ? Avant 1770 même? Se pourrait-il que l'essor de la population française ait été, Louis XVI régnant, une fraîche nouveauté? qu'une sorte de « XVIIᵉ siècle démographique » ait survécu jusqu'après 1740? On ne peut que poser des questions. En Beauvaisis du moins, la mesure démographique du XVIIᵉ siècle déborde bien sa mesure économique.

On a aussi émis l'hypothèse (des témoignages non beauvaisins la confirment) qu'il se serait produit, de 1640 à 1720, à travers des flux et des reflux au rythme presque régulier, un recul du nombre des hommes; du moins, un « niveau » plus bas que celui d'avant 1648. On dirait que la population, de par sa structure, de par le renouvellement et la gravité des crises qu'elle subit ensuite, fut impuissante à « digérer », à annuler l'extraordinaire série de catastrophes démographiques contemporaines de la Fronde. Bien qu'assez solides, les sources qui permettraient d'insister sur un certain XVIIᵉ siècle de la population sont en nombre infiniment trop réduit. Il y a là une question à résoudre, si elle est soluble : l'écrasante abondance des sources démographiques entraîne la même incertitude que la désolante indigence de tant d'autres...

III

Certaines indigences expliquent justement la grande lacune de cet ouvrage : une étude détaillée, approfondie, naturellement chronologique, autant que possible quantitative, de l'évolution sociale. On l'aurait rêvée, cette étude, de la manière suivante.

On aurait pris quelques villages dans les deux paysages du Beauvaisis, un ou deux bourgs, et les paroisses typiques de la ville. A l'aide des rôles d'impositions d'abord, des registres paroissiaux ensuite, des documents de succession appuyés par les minutes notariales enfin, on aurait tenté d'étudier les groupes d'hommes qui vivaient vers 1600, vers 1630-1640, vers 1660, vers 1690 et vers 1730; cette suite de « coupes » sociales aurait peut-être révélé les étapes d'une évolution. Puis on aurait tenté de dérouler le « film » d'un village picard, d'un village brayon, d'un groupe urbain bien défini (les chefs d'ateliers drapants, par exemple) d'un bout à l'autre de la période... La tentative réussirait-elle pour une période plus récente?

Mais pour le XVIIᵉ siècle? Les guerres ont dispersé les minutes rurales, et détruit une grande partie de celles des villes; des papiers de successions, ce qui reste utilisable pour la campagne est rarement antérieur à 1660; du côté des registres paroissiaux, tout Beauvais manque, et l'admirable série d'Auneuil constitue une exception, qu'il a fallu retrouver en trois lieux différents, dont un fort inattendu; enfin et surtout, la perte de tous les rôles de tailles ruraux (sauf un) et de la plupart des rôles beauvaisiens achève de ruiner un si beau dessein. Ce n'est pas dans le Beauvaisis du XVIIᵉ siècle qu'on pourra reconstituer, dans tous ses détails, l'évolution d'une société.

Et pourtant, les hypothèses n'ont pas manqué d'affluer, au cours de ces recherches. Faut-il en énoncer quelques-unes?

L'impression, d'abord, d'une société qui se déchire, dans laquelle les contrastes s'accusent. Quelques médiocres inventaires ruraux d'avant 1650 montrent des laboureurs assez aisés, bien pourvus de linge, de bétail, et même d'écus; en revanche, les baux et comptes conventuels et hospitaliers montrent nettement que les fermiers puissants étaient alors extrêmement rares : les exploitations étaient louées par moitié ou par tiers, et les preneurs habituellement saisis pour défaut de payement... Trois quarts de siècle plus tard, rien d'aussi éclatant que le contraste entre les grands receveurs et les foules misérables qui peuplaient les villages. Quittant la campagne pour la ville, on opposerait avec plus de sûreté les « recherches de mestiers » du temps de Louis XIII aux recherches d'après 1700. Dans les deux cas, certes, beaucoup de petits patrons à un ou deux estilles. Mais, dans le second, aucun patron qui fasse battre plus de 5 métiers, alors qu'au temps de Louis XIII le cas se produisit 229 fois en 25 « recherches »; 39 fois même, l'on vit de véritables entrepreneurs de fabriques urbaines posséder de 10 à 19 métiers travaillant pour eux. En puissance et en indépendance comme en effectif total, l'affaissement des maîtres fabricants est donc attesté. Ce qui l'est au moins autant, c'est l'ascension d'une minorité de très grands marchands, dont la tribu des Motte et la respectable famille Danse fournissent des exemples assez nets. En somme, la classe médiane des petits producteurs chefs d'ateliers aurait perdu son indépendance et sa puissance, et serait presque entièrement passée dans la main des grands marchands. Quant aux ouvriers, les nuances de leur misère suivent la courbe de leur emploi, parente de la mercuriale.

A la ville comme à la campagne, on serait tenté de parler de « prolétarisation » ou de semi-prolétarisation de tout ce qui fut « classe moyenne », bons laboureurs et bons fabricants. Ce sont là de bien grands mots, et quelques sources particulières ne sauraient étayer des affirmations générales. S'il y eut déchirement social, il semble bien que les très grandes crises le favorisèrent; avant tout, la plus grande, celle qui ne cessa de se renouveler de 1647 à 1653.

Je l'ai redit, trop souvent peut-être, dans les pages qui précèdent : les années de Fronde me sont toujours apparues très graves, et décisives. Décisives au point de vue démographique, certainement, et le démographique n'est qu'un aspect du social. Décisives au point de vue politique, certainement aussi; mais ce n'est pas au Beauvaisis, si prudent, de porter alors témoignage. Ce qu'il faudrait étudier à fond, à l'aide des archives des tribunaux, des seigneurs et des notaires, c'est l'endettement, et ce sont les transferts de créances et de terres. Alors, beaucoup de « Familles » de Beauvais ont ramassé, par centaines d'arpents, les lopins des paysans écrasés de dettes. Alors, les grands négociants ont constitué des stocks de toiles et de serges achetées à vil prix aux paysans. Alors, Nicolas Danse, « fameux marchand de Beauvais », rassembla l'essentiel de ses six domaines ruraux et bâtit ses « bueries », premières blanchisseries monumentales pour les toiles de lin, à l'instar des grands établissements de Saint-Quentin et de Tournai. Il se pourrait que les traits fondamentaux du « siècle » de Louis XIV, de son économie et de sa structure sociale soient enfin révélés et compris, lorsqu'on aura traité à fond ce très grand sujet : la France au temps de la Fronde.

IV

On n'ira pas plus loin dans la poursuite des hypothèses. Et pourtant, si l'étude de ce petit pays de Beauvaisis a présenté quelque utilité, c'est peut-être parce qu'il a donné l'occasion d'en formuler plusieurs, la possibilité d'en vérifier quelques-unes. Mais il est seulement le Beauvaisis.

Sans doute, son témoignage provincial peut-il, à certains égards, être étendu à une partie de ces terres anciennement françaises de l'intérieur du royaume, qui déroulaient leurs moissons, leurs jardins et leurs clochers de la Somme à la Loire. Mais il ne saurait, à aucun degré, parler pour l'Auvergne, le Périgord ou le Bas-Languedoc. Déjà, il est permis d'affirmer que le XVIIᵉ siècle de Beauvais n'est pas celui de Strasbourg; moins encore, celui d'Aix et de Basse-Provence. Pour retrouver les accords, les nuances et les contrastes provinciaux qui tissèrent la vie d'un grand royaume, pour ressusciter les rythmes complexes d'un siècle difficile, des monceaux d'archives attendent les travailleurs : trésors des minutiers du Midi, des compoix languedociens, des cadastres savoyards et provençaux; richesses fiscales et seigneuriales de Normandie, de Champagne et de Bourgogne; beaux registres paroissiaux du Val de Loire, de Bretagne, du Forez et du Comtat (1). Puissent-ils donner aux amoureux d'un passé qui ne meurt jamais, à ceux qui trouvent un refuge dans la chaleur des foules anciennes, ce que le Beauvaisis nous a refusé : un contact plus direct et surtout plus continu avec ces familles, ces groupes, ces castes qui montaient, descendaient, se liaient, se séparaient, s'opposaient; groupements humains d'un siècle dur, souffrant de lutter et souvent de succomber, tous ont droit à ce grand effort de sympathie, et si possible d'intelligence, qu'essaie d'être d'abord, l'histoire sociale en ses premières tentatives.

---

(1) En 1968, le plupart de ces vœux ont été réalisés, ou vont bientôt l'être, grâce au courage et à l'intelligence de la jeune génération d'historiens de l'Ancien Régime.

Sans doute, son témoignage prévaudrait peut-être, certains égards, en ce qui ... à une partie de ces terres anciennement françaises de l'intérieur du royaume, qui détruisaient leurs boissons, leurs jardins, et leurs clochers ... de la Somme à la Loire. Mais il ne faudrait à aucun degré parler pour la Provence, le Périgord ou la Gascogne ... Défà il est permis d'affirmer que le XVII⁰ siècle de Henri IV par pas celui de Strasbourg nous cacher celui d'Aix et de Basse-Provence. Pour retrouver les secrets ... les nuances et les contrastes pro-vinciaux qui risquent la vie d'un grand royaume, pour regarder les vitraux complexes d'une société nous ... des monuments, d'archives, prendre les travailleurs ... divers ministères du Midi, des rapports lointains ..., des cadastres émouvants et provençants, tribus ... basses et méridionales de Normandie, de Champagne et de Bourgogne, leurs registres paroissiaux, au val de Loire, de Bretagne, du Forez et du Comtat (1). Puissante sombre aux amateurs d'un passé qui ne ... autant, à ceux qui peuvent marcher dans le ... obtenir des règles anciennes, ce que le Beauvaisis nous a refusé un ... plus divers et souvent plus certain avec ... des peuples, ces cartes qui montrent descendent de ... se laissent, se déplacent, s'épanouissent ... peuplements humains d'un siècle qui, soufflant de ... utilise un ... de succéder, fois d'un droit ... un grand effort au sympathie, et il possible d'établir une ... qu'essaie d'être d'abord, l'histoire sociale ces ses premières tentatives.

(1) En ... de plusieurs de ces ... que ...
Paris, grâce au concours et à l'entraide ... la ... généreuse, d'une ...
de ... particulièrement.

CARTES ET GRAPHIQUES

Les cartes et graphiques figurant dans les pages suivantes ont été établis par le Laboratoire de Cartographie de l'École Pratique des Hautes Études, VIe Section.

GRANDS TYPES de SEIGNEURS et SEIGNEURIES
dans le Diocèse de Beauvais, vers 1700

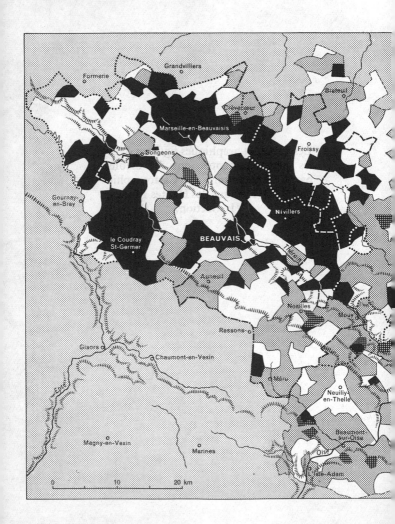

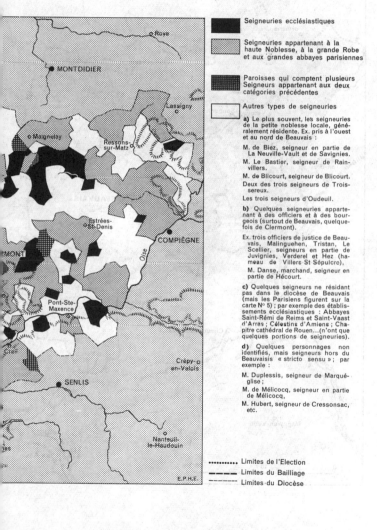

Seigneuries ecclésiastiques

Seigneuries appartenant à la haute Noblesse, à la grande Robe et aux grandes abbayes parisiennes

Paroisses qui comptent plusieurs Seigneurs appartenant aux deux catégories précédentes

Autres types de seigneuries

a) Le plus souvent, les seigneuries de la petite noblesse locale, généralement résidente. Ex. pris à l'ouest et au nord de Beauvais :

M. de Biez, seigneur en partie de La Neuville-Vault et de Savignies.

M. Le Bastier, seigneur de Rainvillers.

M. de Blicourt, seigneur de Blicourt.

Deux des trois seigneurs de Troissereux.

Les trois seigneurs d'Oudeuil.

b) Quelques seigneuries appartenant à des officiers et à des bourgeois (surtout de Beauvais, quelquefois de Clermont).

Ex. trois officiers de justice de Beauvais, Malinguehen, Tristan, Le Scellier, seigneurs en partie de Juvignies, Verderel et Hez (hameau de Villers St Sépulcre),

M. Danse, marchand, seigneur en partie de Hécourt.

c) Quelques seigneurs ne résidant pas dans le diocèse de Beauvais (mais les Parisiens figurent sur la carte N° 5) ; par exemple des établissements ecclésiastiques : Abbayes Saint-Rémi de Reims et Saint-Vaast d'Arras ; Célestins d'Amiens ; Chapitre cathédral de Rouen...(n'ont que quelques portions de seigneuries).

d) Quelques personnages non identifiés, mais seigneurs hors du Beauvaisis « stricto sensu » ; par exemple :

M. Duplessis, seigneur de Marquéglise ;

M. de Mélicocq, seigneur en partie de Mélicocq.

M. Hubert, seigneur de Cressonsac, etc.

·········· Limites de l'Election
▬▬▬ Limites du Bailliage
──── Limites du Diocèse

Le BEAUVAISIS au XVIIᵉ siècle

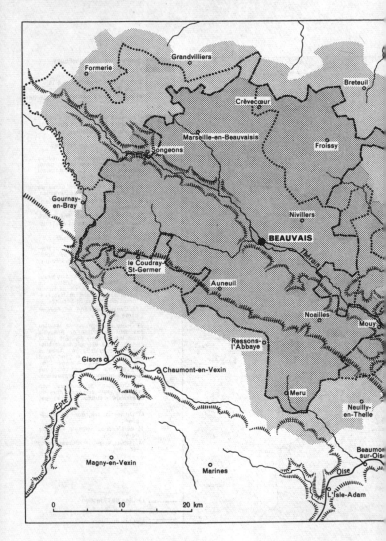

Formerie

Grandvilliers

Breteuil

Crèvecœur

Marseille-en-Beauvaisis

Froissy

Songeons

Gournay-
en-Bray

Nivillers

BEAUVAIS

Thérain

le Coudray-
St-Germer

Auneuil

Noailles

Mouy

Ressons-
l'Abbaye

Gisors

Chaumont-en-Vexin

Meru

Neuilly-
en-Thelle

Epte

Beaumont-
sur-Oise

Magny-en-Vexin

Marines

Oise

L'Isle-Adam

| 0 | 10 | 20 km |

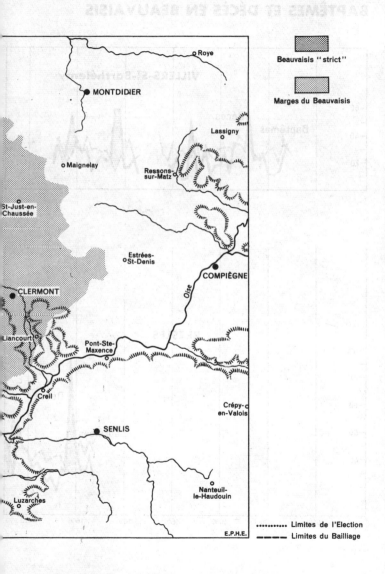

Beauvaisis "strict"

Marges du Beauvaisis

Roye

● MONTDIDIER

Lassigny

○ Maignelay

Ressons-
sur-Matz

St-Just-en-
Chaussée

Estrées-
○St-Denis

● COMPIÈGNE

Oise

●CLERMONT

Liancourt

Pont-Ste-
Maxence

Creil

Crépy-
en-Valois ○

● SENLIS

Nanteuil-
le-Haudouin ○

Luzarches
○

E.P.H.E.

••••••••• Limites de l'Election
▬▬▬▬ Limites du Bailliage

BAPTÊMES ET DÉCÈS EN BEAUVAISIS

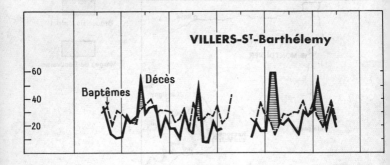

VILLERS-S^T-Barthélemy

Baptêmes

Décès

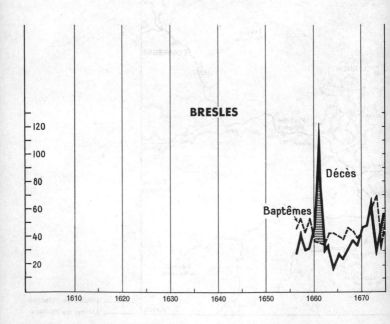

BRESLES

Baptêmes

Décès

1610   1620   1630   1640   1650   1660   1670

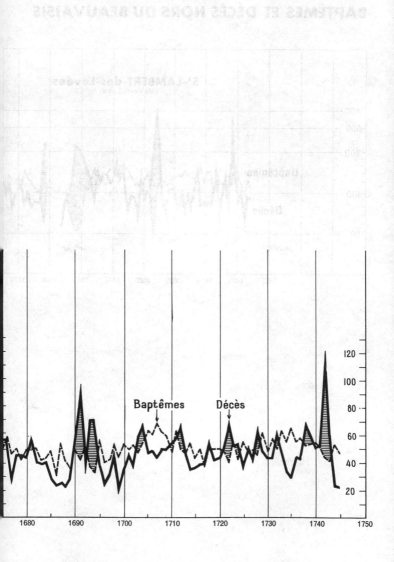

BAPTÊMES ET DÉCÈS HORS DU BEAUVAISIS

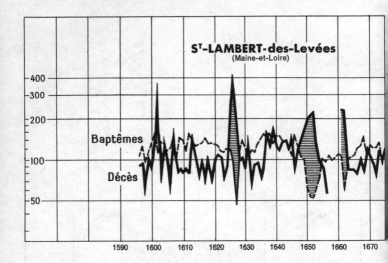

Sᵀ-LAMBERT-des-Levées
(Maine-et-Loire)

Baptêmes

Décès

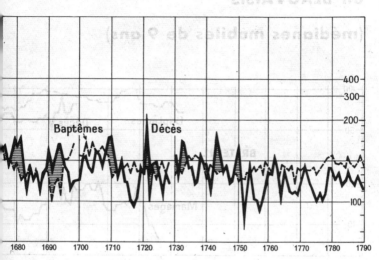

Baptêmes   Décès

| | | | | | | | | | | | |
|1680|1690|1700|1710|1720|1730|1740|1750|1760|1770|1780|1790|

CRISE DÉMOGRAPHIQUE DE 1661-1662

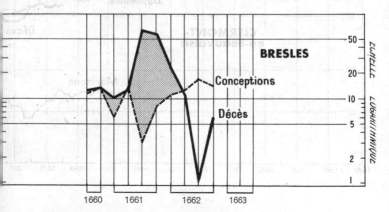

BRESLES

Conceptions

Décès

ÉCHELLE LOGARITHMIQUE

1660   1661   1662   1663

BAPTÊMES, DÉCÈS et MARIAGES en BEAUVAISIS

(médianes mobiles de 9 ans)

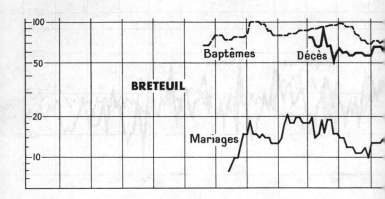

BRETEUIL

Baptêmes Décès

Mariages

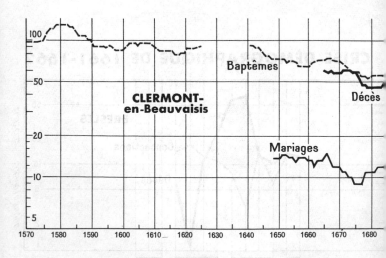

CLERMONT-
en-Beauvaisis

Baptêmes

Décès

Mariages

1570   1580   1590   1600   1610   1620   1630   1640   1650   1660   1670   1680

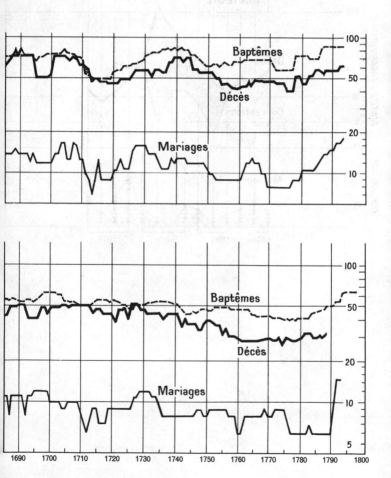

CRISE de 1693-1694 en BEAUVAISIS

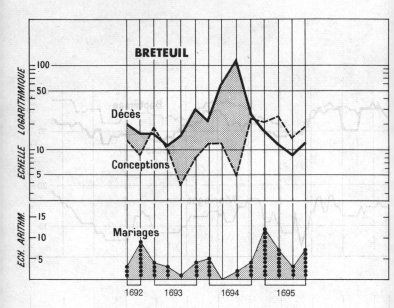

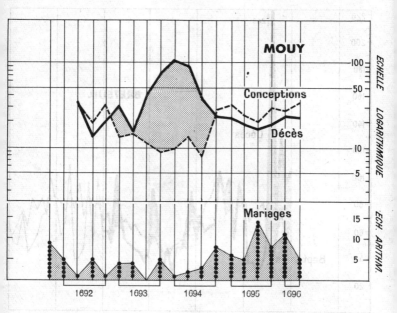

MOUY

Conceptions

Décès

Mariages

1692 1693 1694 1695 1696

ECHELLE   LOGARITHMIQUE   ECH. ARITHM.

STRUCTURES DEMOGRAPHIQUES ANCIENNES ET NOUVELLES

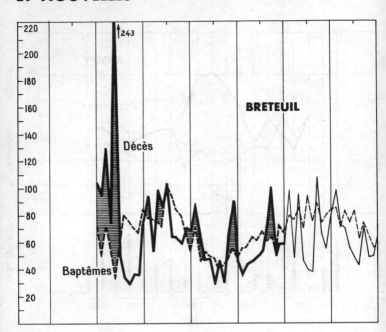

BRETEUIL

243

Décès

Baptêmes

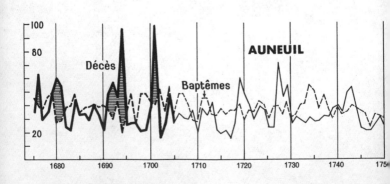

AUNEUIL

Décès

Baptêmes

1680   1690   1700   1710   1720   1730   1740   1750

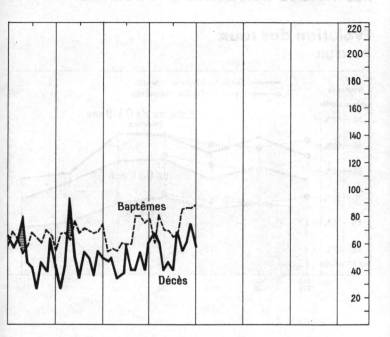

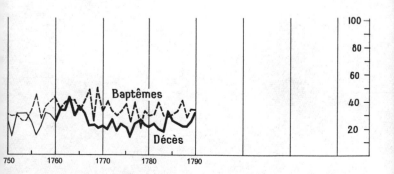

MORTALITÉ INFANTILE ET JUVENILE

Evolution des taux
AUNEUIL

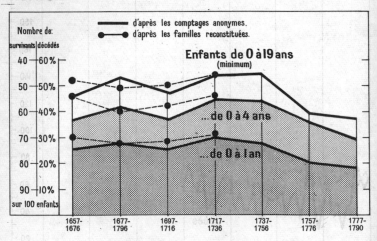

TABLE DES MATIÈRES

(Table des matières)

Volumes parus :

HENRI POINCARÉ. La Science et l'Hypothèse.
WILLIAM JAMES. Le Pragmatisme.
PIERRE GOUBERT. 100 000 provinciaux au XVIIe siècle.

Volumes à paraître :

RAYMOND RUYER. La Cybernétique et l'origine
                        de l'information.
ÉTIENNE SOURIAU. La Correspondance des Arts.
LECOMTE DU NOÜY. L'Homme devant la Science.
FONTANIER. Les Figures du Discours.

8383. — IMPRIMERIES OBERTHUR
N° d'édition 6163. — 2ᵉ trimestre 1968. — Printed in France.